Kunst-Reiseführer ›Köln‹

Erschienen aus Anlaß des 100jährigen Bes[illegible]
M. DuMont Schauberg herausgegebenen ›Köl[illegible] Stadt-Anzeiger‹

14. November 1976

In der Umschlagklappe: Übersichtskarte von Köln

In der rückwärtigen Klappe: Zeittafel

Agrippina of Coellen.

Titelbild: Agrippina of Coellen. Seitenverkehrte Wiedergabe der Stadtansicht aus der Chronik des Johann Koelhoff. 1499. Köln. Stadtmuseum, Graph. Slg.

Willehad Paul Eckert

Köln

Stadt am Rhein
zwischen Tradition und Fortschritt

DuMont Buchverlag Köln

Einband Vorderseite: Köln, Rheinpanorama
Einband vordere Innenklappe: Auf dem Alter Markt
Einband rückwärtige Innenklappe: Pompejanische Wandmalerei aus dem Röm.-German. Museum
Einband Rückseite: Die Heiligen Drei Könige. Detail vom Dreikönigenschrein

CIP-Kurztitelaufnahme der Deutschen Bibliothek

Eckert, Willehad Paul
Köln: Stadt am Rhein zwischen Tradition u. Fortschritt.
– 4. Aufl. – Köln : DuMont, 1979 –
(DuMont-Dokumente: DuMont-Kunst-Reiseführer)
ISBN 3-7701-0912-0

Druck und buchbinderische Verarbeitung: Boss-Druck, Kleve

Printed in Germany ISBN 3-7701-0912-0

Inhaltsverzeichnis

Wanderungen durch Köln

Einführung – Stadt der Gegensätze

»Es ist ja noch derselbe Strom, der zu unsern Füßen fließt, unser Rhein, der Strom, dem Köln seinen Wohlstand und seinen Glanz, dem es den offenen und heiteren Geist verdankt, der seine Bewohner auszeichnet. Er strömt nach wie vor durch Köln, und nach wie vor weisen die Türme, die unser Dom gen Himmel reckt, ungebrochen zum Himmel empor.« Mit diesen Worten suchte Dr. Konrad Adenauer, dem nach zwölfjähriger Unterbrechung das Amt des Oberbürgermeisters noch einmal – in schwerer Zeit – anvertraut war, auf der ersten Sitzung der Kölner Stadtverordneten-Versammlung am 1. Oktober 1945 seine Hörer zu ermutigen. Der Strom und der Dom schienen allein noch Kontinuität zu garantieren, nachdem fast alle anderen Zeugen einer langen und glanzvollen Vergangenheit entweder zerstört oder unzugänglich gemacht worden waren. Den Willen zur Kontinuität zu stärken, war psychologisch richtig. Aber das Trostwort meinte zugleich mehr. Was zunächst wie ein wenig besagender Appell an das Gemüt klingt, erweist sich in einem tiefen Sinn als wahr. Zwar liegen viele Städte am Rhein, doch nur wenige sind dem Strom so zugewandt wie Köln. Wer die Stadt in ihrer Geschlossenheit und Schönheit erfahren will, muß sie von der rechten Rheinseite, von einem Standort zwischen Deutzer- und Hohenzollernbrücke aus betrachten.

Damit haben wir schon einen der Gegensätze berührt, an denen Köln so reich ist. Zwar fließt der Rhein heute durch die Stadt, teilt sie in ein linksrheinisches und ein rechtsrheinisches Gebiet. Dennoch hat Hans von Wedderkop recht, wenn er 1928 schreibt: »Köln ist *linksrheinisch*. Es hat zwar längst vor dem [Ersten Welt]Kriege weit über das rechte Rheinufer hinübergegriffen, hat sich nicht nur Deutz, sondern auch die Riesenfabrikstadt Mülheim und viele kleinere Fabriknester einverleibt, wodurch es außer allem anderen nach und nach zu einer der größten Fabrikstädte Deutschlands wurde. Trotzdem zählt für Vergangenheit und Gegenwart – vorläufig noch und jedenfalls noch auf lange Zeit hinaus – nur das linksrheinische Köln.« Immerhin gibt es auch im rechtsrheinischen Köln manches, was einer näheren Beachtung wert ist und in einer neueren Darstellung der Stadt und ihrer Kunst beachtet werden muß.

Die Geschichte der Stadt ist bestimmt durch ihre Lage am linken Rheinufer. Hier begann und endete die ober- und niederrheinische Schiffahrt. Das Stapelrecht war jahrhundertelang eine Quelle des Wohlstands der Handelsstadt. Handel und Gewerbe ergänzten einander. Bürgerlicher Wohlstand ließ auch die Künste erblühen, ermöglichte die Aufträge an die Architekten, Bildhauer und Maler, schuf die Voraussetzungen für eine lebhafte Sammlertätigkeit, ohne die die Museen und Galerien, die für Köln so bezeichnend sind, nie hätten entstehen können.

Der Handel, vor allem der Fernhandel, hat Köln reichgemacht. Doch verdankt es seinen Aufstieg als Stadt nicht minder seinen Bischöfen und deren Stellung in der Reichspolitik im Mittelalter. Zwar büßten die Bischöfe im Spätmittelalter ihre Rolle als Stadtherrn ein, doch verloren sie nicht ihre Bedeutung als geistliches Oberhaupt. Beherrschend für das Stadtbild wurde die Bischofskirche, der Dom. Zwar blieb der gotische Dom mehr als 600 Jahre unvollendet. Trotzdem wurde er zum Wahrzeichen der Stadt. In ihm findet sie ihren eigentlichen Mittelpunkt. Oft gerühmt, galt er seit dem Zeitalter der Romantik als Symbol der deutschen Einheit, so daß der Wunsch nach Vollendung neu entflammte. Mit der Verwirklichung dieses Ziels schuf das 19. Jh. eines seiner bedeutendsten Bauwerke. Aus der Erstarrung nach dem Zweiten Weltkrieg erlöste erst das Domfest 1948, das in Erinnerung an die Grundsteinlegung 700 Jahre zuvor begangen wurde. Von da an begann sich der Wille zum Wiederaufbau sichtbar zu regen. Im Mittelalter war der Dom von der Domfreiheit umgeben. Die Freilegung im 19. Jh. hatte ihn isoliert. Die Entdeckung des Dionysosmosaiks im Zweiten Weltkrieg war die Voraussetzung für die Errichtung eines großzügigen Museumsbaus, des Römisch-Germanischen Museums und damit einer neuen Sinngebung des Platzes auf der Südseite des Doms, des Roncalli-Platzes. ›Musik und Spiele am Dom‹, seit einigen Jahren regelmäßig dort veranstaltet, sind ein gutes Mittel, den Dom in noch einer weiteren Dimension als Herz der Stadt erfahren zu lassen.

Köln ist eine faszinierende Stadt. Sie lädt zum Lob ein und fordert zugleich zum Widerspruch heraus. Sie ist hochgepriesen und bitter getadelt worden. Kein Wunder, daß die Köln-Bücher Legion sind. Neben wissenschaftlichen Untersuchungen zur Geschichte der Stadt, ihrer Wirtschaft und Kultur, ihrer Kunst und ihrer Kunstsammlungen gibt es zahlreiche Bücher, die sich an einen breiteren Leserkreis wenden. Anthologien sind Teilaspekten gewidmet oder zeugen von der Atmosphäre des Einst. Untergegangene Stadtansichten werden durch die Veröffentlichung von Kupferstichen, Holzschnitten und Fotos in der Erinnerung festgehalten. – Angesichts der zahlreichen Gesamt- und Einzeldarstellungen ist die Frage sicher nicht abwegig, ob ein weiteres Buch über Köln noch berechtigt sei. Ein Jubiläum – 100 Jahre Kölner Stadt-Anzeiger – legte es dem Herausgeber, Herrn Alfred Neven DuMont, und der Geschäftsführung des Verlages M. DuMont Schauberg nahe, erneut ein Köln-Buch zu realisieren. Doch wäre es falsch, allein in der engen Verbundenheit des Verlags mit der Stadt Köln den Grund suchen zu wollen. Trotz der vielen Veröffentlichungen ist ein weiterer Band über die Stadt, eine Überschau über ihre Kunst und ihre Kunstsammlungen, eingebettet in die Geschichte der Stadt und aufgefächert in Wanderungen, durchaus gerechtfertigt; denn erstens nötigen die in den letzten Jahren und Jahrzehnten gewonnenen neuen Erkenntnisse zur erneuten Zusammenfassung und zweitens befindet sich das Bild Kölns heute in einer so intensiven Wandlung, daß eine Zwischenbilanz zu ziehen wünschenswert ist. Neue Bauwerke sind entstanden, ältere wiederaufgebaut oder erneuert worden. Anderes ist aus dem Zustand der Planung in den der Realisierung eingetreten. Planungen für das Morgen verändern bereits das Heute. Das Mittelalter glaubte für die Ewigkeit zu bauen, baute wenigstens für Jahrhunderte. Viel kurzlebiger waren die Bauwerke des 19. Jh. Ihnen waren oft nur wenige Jahrzehnte beschieden. Hat man auch früher schon um die Vergänglichkeit von Kunstwerken gewußt, erst jetzt wird es für jedermann zur quälenden, bedohlichen Erfahrung. Gewolltes und Gewordenes festzuhalten, ist notwendig, sollen Fehlplanungen vermieden werden.

Wer immer Köln beschreibt, wird sich mit dem Phänomen seiner Gegensätzlichkeit auseinandersetzen müssen. Da ist der konservative Charakter dieser Stadt, der sich nicht zuletzt auch in den großen Kunstleistungen dokumentiert. Ein konservativer Zug ist den Werken der Kölner Malerschule eigen. Gilt dies nur für das Mittelalter? Oder ist dieser konservative Charakterzug nicht auch in späteren Epochen zu belegen? War es Zufall, daß der Architekt der bedeutendsten Barockkirche Kölns, der Kirche St. Mariä Himmelfahrt, an gotische Formen anzuknüpfen schien? Wie kam es, daß nach dem Ersten Weltkrieg Max Ernst, der Dadamax, zum Bürgerschreck werden konnte? Doch ist offensichtlich der konservative Zug nur eine Seite des Kölner Charakters. Setzte Köln nicht schon vor dem Ersten Weltkrieg mit der Sonderbundausstellung ein Zeichen? Waren die Messebauten nicht ein Bekenntnis zur modernen Sachlichkeit? Wäre ohne die vorausschauende Sammlertätigkeit eines Josef Haubrich nach dem Zweiten Weltkrieg der Wiederaufbau der modernen Abteilung des Wallraf-Richartz-Museums überhaupt möglich gewesen? Traditionssinn und Fortschrittseifer widerstritten einander oft genug. Nicht immer kann man der Siege des Fortschritts unbedingt froh werden. War es wirklich ein so guter Entschluß, die Immunitätsbezirke um die Stiftskirchen restlos zu beseitigen und diese dadurch zu isolieren? Dem Willen zum Neuen mußte gegen Ende des 19. Jh. die Stadtmauer – das größte und großartigste Profanbauwerk des Mittelalters – weichen. Nur einige Tore, Türme, Mauerzüge konnten gerettet werden. Die nach dem Vorbild der Wiener Ringe konzipierte Ringanlage mit ihrem Wechsel zwischen reinen Straßen und sich parkartig ausweitenden Straßenzügen, mit ihrer sinnvollen Disponierung der Stätten des Unterrichts, der Museen, Theaterbauten, war nicht ohne Reiz. Wenig ist davon übriggeblieben. Was der Zweite Weltkrieg nicht zerstörte, wurde in den Nachkriegsjahren zugunsten individueller Lösungen weitgehend preisgegeben. Spät, fast allzuspät, setzte sich die Erkenntnis durch, daß das viel geschmähte 19. Jh. sehr wohl Beachtens- und Erhaltenswertes geschaffen hat. Straßendurchbrüche und Hochbauten haben das Bild der Stadt heute verunklärt und teilweise restlos zerstört. Das ist freilich ein Schicksal, das Köln nicht allein getroffen hat. Viele Chancen werden auch heute noch verpaßt.

Doch die gleiche Stadt, in der so vieles Erhaltenswertes untergegangen und preisgegeben worden ist, überrascht immer wieder durch geniale Lösungen, versteht es, Neues und Altes zu reizvoller Harmonie zu verbinden, dem Alten einen neuen Sinn zu geben. Kriegszerstörungen machten unter mittelalterlichen Bauwerken Architekturen der Römerzeit sichtbar – am eindrucksvollsten im Dekagon von St. Gereon –; Krieg und Nachkriegszeit förderten die Ausgrabungstätigkeit, ließen neue Erkenntnisse über das römische Köln gewinnen. Im Römisch-Germanischen Museum wie schon zuvor unter dem Spanischen Bau seines Rathauses aber auch sonst, wo es die Fundstellen erlaubten, hat Köln die Erinnerungen an die Römerzeit sichtbar zu machen gewußt. Die Art und Weise der Präsentierung verdient Anerkennung, ja Bewunderung.

Wer heute eine Stadt wie Köln beschreibt, muß sich freilich der Problematik solchen Tuns bewußt sein. Sie ist nicht nur durch die sich infolge neuer Erkenntnisse stets neu bedingte Sichtweite auf scheinbar Altvertrautes gegeben. Sie ist auch darin begründet, daß die Stadt, deren Geschichte und Kunstgeschichte beschrieben werden soll, sich längst in eine Stadtlandschaft verwandelt hat. Diese aber läßt sich kaum noch erwandern. Die Distanzen werden zu groß. Nur punktuell erscheint dann noch Exemplarisches. Immerhin ist durch Universität, Hochschule, Kulturinstitute, Museumsbau und moderne Kirchen in Lindenthal eine so eigengewichtige Kulturzone entstanden, daß eine der Wanderungen diesem Gebiet gelten muß. Eine andere Wanderung will rechts- und linksrheinisches Köln miteinander verbinden, um so die neue Einheit, die Köln bildet, zu erfahren.

Epochen der Kölner Geschichte

Lange, bevor die Stadt Köln gegründet wurde, gab es dort schon Siedlungen. Einzelfunde der Alt- und Mittelsteinzeit geben allerdings bisher noch keinen genauen Aufschluß. Immerhin deutet ein vor einigen Jahren auf dem Ostfriedhof in Dellbrück entdeckter Kernstein, aus dem einst kleinere zu Werkzeugen verwendbare Stücke gewonnen werden konnten, auf eine altsteinzeitliche Wohnstätte hin, auf Menschen, die rund 100 000 Jahre v. Chr. hier gewohnt haben. Jäger und Sammler der Altsteinzeit konnten auch auf unwirtlichem Boden leben. Für den Ackerbau, den die Bandkeramiker der Jungsteinzeit betrieben, kam in der Regel nur die lößhaltige Erde in Frage, die sich am Rande des Stadtgebietes abgelagert hat. Allerdings hat sich bei jüngeren Ausgrabungen im Domgebiet gezeigt, daß auch in den Niederungen Siedlungen nicht gänzlich ausgeschlossen sind. Mindestens für die frühesten bäuerlichen Siedlungen gilt jedoch, daß lößhaltiger Boden bevorzugt wurde.

Das fünfte vorchristliche Jahrtausend war eine Warmzeit mit Temperaturen, die zumeist zwei bis drei Grad höher lagen als die heutigen. Lockerer Eichenmischwald bedeckte Mitteleuropa. Spuren BANDKERAMISCHER SIEDLUNGEN konnten an fünf Stellen im Kölner Stadtgebiet entdeckt werden. Von diesen ist die wichtigste die beim Stüttgenhof im Bereich Lindenthal. Bei der Anlage des Grüngürtels, 1929, kam sie zu Tage. Die Freilegung nahm Jahre in Anspruch. Insgesamt konnten 52 Hausgrundrisse vollständig, 45 weitere wenigstens noch in Teilen ermittelt werden. Die rund 100 Häuser, von denen Spuren, vor allem die Grundrisse entdeckt wurden, haben allerdings nicht gleichzeitig nebeneinander bestanden. Sieben- bis elfmal wurden sie im Laufe der Zeit verlassen und wiederaufgebaut. Die Grundrisse sind rechteckig. Unter einem Dach waren jeweils Wohn- und Vorratsräume zusammengefaßt, die Häuser in einer Art Fachwerkbau errichtet. Eine Rekonstruktion des Hauses Nr. 91 findet sich im Freilichtmuseum von Asparn a. d. Zaya (Niederösterreich). Die Häuser bildeten ein Dorf, das beiderseits des Frechener Bachs lag. Ursprünglich war es unbefestigt, später jedoch von Palisade und Graben gegen Angreifer geschützt. Die Bewohner besaßen neben ihren Steinwerkzeugen mit Bandornamenten geschmückte Tonwaren, vor allem halbkugelige Schalen. Sie bauten u. a. Gerste und Flachs an. Um 3800 v. Chr. ist die bandkeramische Kultur in weiten Teilen Mitteleuropas erloschen. Auch die Kölner Dörfer wurden anscheinend zu dieser Zeit oder wenig später verlassen.

Aber immer wieder zog es Siedler in den Kölner Raum. Die Ausgrabungen an der Südseite des Domes gegen Ende der 60er Jahre erbrachten den Nachweis, daß es eine dauernde Besiedlung auch im Bereich des Kölner Stadtkerns gegeben haben muß, Funde weisen auf Siedlungen in der ersten Hälfte des 3. Jahrtausend v. Chr., dann allerdings erst wieder auf die Zeit um 500 v. Chr. Es sind vor allem Siedlungsspuren aus der Zeit der MICHELSBERGER KULTUR d. h. etwa um 3200 v. Chr. in Köln ermittelt worden. Hervorzuheben sind besonders die Michelsberger Steingeräte. Um 2500 wurde diese Kultur von den SCHNURKERAMIKERN und wenig später von der GLOCKENBECHER-KULTUR abgelöst. Von letzterer bewahrt das Römisch-Germanische Museum einen beim heutigen Fühlinger See gefundenen, vorzüglich erhaltenen Becher, der einstmals als Grabbeigabe gedient zu haben scheint (Abb. 32). Hügelgräber aus der HALLSTATTZEIT (1000–500) wurden im Bereich des neuen Ostfriedhofs in großer Zahl entdeckt. Wer hat diese Gräber angelegt? In den Gräbern wurden Aschenurnen gefunden. Die dort Bestatteten waren vermutlich Angehörige eines keltisch-illyrischen Mischvolkes. Leider sind die ihm zugehörigen Siedlungen im Kölner Raum noch nicht gefunden worden. Bemerkenswert ist, daß dort, wo einst Kelten siedelten, sich später auch Römer niedergelassen haben. So wurden wiederholt im Gebiet römischer Gutshöfe auch Spuren keltischer Niederlassungen entdeckt. Die Kelten wurden seit dem 4. Jh. von den Germanen bedrängt. Eine Art Handelsniederlassung der Germanen konnte im Bereich der Poller Dünen festgestellt werden (3.–4. Jh.). Ein Germanendorf finden wir im Merheimer Bruch, etwa 7,5 km östlich des Rheins. Wiewohl die Einzelfunde, von denen hier nur einige wenige genannt werden konnten, ein noch immer unvollständiges Bild geben, wird doch deutlich, daß Köln inmitten eines alten Siedlungslandes entstanden ist.

Die Vorgeschichtsforschung hat in Köln erst verhältnismäßig spät eingesetzt. 1903 wurde die Kölner Anthropologische Gesellschaft gegründet. Sie stellte sich sogleich zur Aufgabe, eine Sammlung vor- und frühgeschichtlicher Fundstücke anzulegen. Dank eines großzügigen Mäzenatentums kam tatsächlich in wenigen Jahren eine wertvolle Kollektion zusammen, die 1906 Aufnahme im Bayenturm fand. 1907 übergab die Anthropologische Gesellschaft ihre Sammlung der Stadt Köln. Der Bayenturm als Unterbringungsstätte galt nur als Provisorium. Aber wie so viele Provisorien war auch dieses dauerhaft. 1926 wurde das Prähistorische Museum in Museum für Vor- und Frühgeschichte umbenannt. Die Hoffnungen des ersten Direktors, Carl Rademacher, es zu einer Art Zentralmuseums für europäische Vorgeschichte zu erweitern, sollten sich nicht erfüllen. Statt dessen hieß es, sich auf den niederrheinischen Raum und sogar auf den engeren Umkreis von Köln zu beschränken. Viel zu spät begann während des Zweiten Weltkrieges die Auslagerung der Sammlungen, so daß diese unverhältnismäßig große Verluste erlitten. Der Bayenturm wurde 1943 von Bomben weitgehend zerstört. Das seines Domizils beraubte und in seinen Beständen dezimierte Museum wurde gleich nach Kriegsende, 1945, aufgelöst und mit der Römisch-Germanischen Abteilung des Wallraf-Richartz-Museums zum neuen Römisch-Germanischen Museum der Stadt Köln vereinigt. Gleichwohl mußte es jahrzehntelang ein Leben im Verborgenen führen. Der Wiederaufbau war äußerst mühsam. Erst mit der Eröffnung des Gebäudes des Römisch-Germanischen Museums konnte auch wieder eine eindrucksvolle Kollektion der vor- und frühgeschichtlichen Funde Kölns präsentiert werden.

Gab es bereits seit Jahrtausenden dörfliche Siedlungen im Gebiet Kölns, so war die Entstehung der Stadt doch an ganz bestimmte geschichtliche Voraussetzungen und Entscheidungen geknüpft. Germanische Völker aus dem Rechtsrheinischen versuchten, über den Strom hinweg nach dem Westen zu drängen und bedrohten damit CAESARS (100–44 v. Chr.) Eroberungen in Gallien. Sie abzuwehren, bezeichnet er als den entscheidenden Grund zu seinem ersten Rheinübergang, 55 v. Chr. bei Neuwied. Das spätere Köln bewahrte zur Erinnerung an ihn sein Schwert im Marstempel. Unter den Germanen standen im Rechtsrheinischen nur die an der unteren Lahn, im Neuwieder Becken und im Taunus lebenden Ubier den Plänen Caesars wohlwollend gegenüber. Da sie sich von den Sueben, denen sie tributpflichtig geworden waren, terrorisiert fühlten, boten sie dem römischen Feldherrn an, ihre Schiffe für den Rheinübergang seines Heeres zu benützen. Caesar ging auf dieses Angebot nicht ein, sondern ließ sich eine Brücke bauen. Aber es konnte ihm nur recht sein, mit den Ubiern ein Freundschaftsbündnis zu schließen, ja sie sogar zu veranlassen, sich ihm als dem mächtigeren Herrn zu unterstellen. Mit ihren Schiffen sollten sie die Rheingrenze absichern. Aus Rache für die Hinterlist des Ambiorix, der die Besatzung eines römischen Winterlagers in eine Falle gelockt und nahezu völlig vernichtet hatte, rottete er 53 v. Chr. das in der Tiefebene zwischen Maas und Niederrhein sowie in der Nordeifel siedelnde Volk der Eburonen fast völlig aus. Das entvölkerte Land lockte die rechtsrheinischen Germanen an. Die Sicherung durch den bündnistreuen Volksstamm war daher dringend notwendig. Lag es nicht nahe, sie sogar als Neusiedler zu gewinnen? In seinen ›Pharsalia‹ scheint Lukan andeuten zu wollen, daß die Ubier schon zu Caesars Lebzeiten auch auf dem linken Rheinufer Fuß faßten.

Was Caesar begonnen hatte, setzte MARCUS VIPSANIUS AGRIPPA (63–12 v. Chr.), Freund und Feldherr im Dienste des Augustus, fort. Bereits 38 v. Chr. ist er am Rhein gewesen und hat ihn überschritten. Zwar war damals seine Hauptaufgabe, zum Entscheidungskampf gegen Sextus Pompejus Hilfstruppen im Rheinland auszuheben. Doch versäumte er darüber nicht, das für dieses Gebiet politisch Notwendige zu tun. Der griechische Geograph Strabo berichtet: »Auf der andern Seite wohnten in dieser Gegend die Ubier, die Agrippa nach ihrem eigenen Willen auf das linke Rheinufer hinübergeführt hat.« Wenn nun auch die Übersiedlung systematisch betrieben wurde, so behielten die Ubier dennoch ihre rechtsrheinischen Besitzungen bei. Agrippa war nicht nur ein vorzüglicher Feldherr, sondern auch ein glänzender Organisator. Wie er sich später in Rom durch die Anlage neuer Wasserleitungen und Thermen und durch die Errichtung des Pantheons einen Namen machte, so ließ er das Rheinland vermessen. Auf hügeligem hochwassergeschützten und durch einen alten Rheinarm, der sich als Hafen nützen ließ – der Bereich des heutigen Alter- und des Heumarkts –, von der Natur begünstigtem Gelände gründete er das OPPIDUM UBIORUM. Daß Agrippa der Gründer Kölns ist, wußte noch das Mittelalter, wie die Inschrift unter der gotischen Steinfigur über dem alten Gürzenichportal an der Martinstraße bezeugt: ›Der herrliche Marcus Agrippa ein heidensch man / vur gotz geburt Agrippinam nu Coelne began‹. Das Römisch-Germanische Museum besitzt einen ihn darstellenden überlebensgroßen *Marmorkopf*, der 1911 am Heumarkt entdeckt worden ist.

Das Oppidum Ubiorum besaß im wesentlichen bereits die gleiche Ausdehnung wie die spätere Colonia. Noch war allerdings die Stadt nicht durch eine Stein-, sondern durch eine Holz-Erde-Mauer geschützt. Doch hatte sie bereits steinerne Tore und Türme. Das verraten Ausgrabungsfunde an der Nord-Ost- und Süd-Ost-Ecke der Stadtmauer. 1965 wurde unterhalb der Süd-Ost-Ecke der Römermauer, An der Malzmühle, das Ubiermonument entdeckt, ein aus Tuffquadern errichteter Molenkopf zur Sicherung der südlichen Einfahrt in den Ubierhafen. Die Zuweisung der Mole an die Frühzeit des Oppidum Ubiorum läßt sich mit der Feststellung rechtfertigen, daß die Bauart dieses Monuments bereits in nachaugusteischer Zeit als altertümlich empfunden wurde und daher bei den späteren Römerbauten nicht mehr zur Anwendung kam. Schon das Oppidum Ubiorum besaß im wesentlichen das auch für die Colonia maßgebliche Straßennetz. Wie bei hellenistisch-römischen Neugründungen üblich, wurde auch die Ubierstadt – von geländebedingten Unregelmäßigkeiten abgesehen – auf rechtwinkligem Grundriß mit geraden Straßenzügen angelegt. Trotz aller späteren Veränderungen sind die römischen Hauptstraßen noch gut zu erkennen. In der heutigen Hohen Straße lebt ihr Cardo maximus, in der Schildergasse der Decumanus maximus fort.

Das Oppidum Ubiorum war nicht nur als Flottenstützpunkt und Handelszentrum gedacht – sein Hafen bot für rund zweihundert Schiffe Anlegeplatz –, sondern auch als der religiöse Mittelpunkt der Ubier. Dem sollte die ARA UBIORUM dienen. Gleich der Ara Lugdunensis, die ihr Vorbild war, war sie dem Staatskult, dem Kult der Göttin Roma und des Kaisers Augustus, geweiht. Die Lokalisierung des Ubieraltars in Köln ist bisher noch nicht gelungen. Daß Rom sich von ihm eine Wirkung in das rechtsrheinische Germanien versprach, verrät eine Notiz in den ›Annalen‹ des Tacitus, in der ein Schwager des Arminius – Segimund – erwähnt wird. Dieser Cherusker war Priester an der Ara Ubiorum, schloß sich jedoch 9 n. Chr. dem Aufstand des Arminius gegen die Römer an. Nicht allein die Katastrophe, die das Heer des Varus erlitt, sondern auch die Mißerfolge des Kaisers Tiberius (14–37 n. Chr.) zwangen zu einer Revidierung der weitausgreifenden Pläne. Die Hoffnung, auch im Rechtsrheinischen die Römerherrschaft aufrichten zu können, mußte aufgegeben werden. Der Rhein sollte die Grenze bleiben.

Außer dem Ubieraltar gab es noch andere Heiligtümer in der Stadt, Tempel für Jupiter, Mars und Merkur. Allerdings konnten die Ausgrabungen bisher nur wenige sichere Erkenntnisse über die Innenbebauung der Ubierstadt vermitteln. Größere Wohnhäuser westlich der Kirche St. Maria im Kapitol ließen sich schon im 19. Jh.

1 Blick auf den Dom und die Stadt Köln

2 Die historische Rheinfront bei Nacht ▷

Hotel-Restaurant
Stapelhäuschen
HOTEL

4 Szenen aus dem Kölner Karneval

◁ 3 Groß St. Martin mit den im alten Stil wieder aufgebauten Häusern aus dem 13. u. 14. Jh. am Fischmarkt

5 Simon Meister, Der Rosenmontagszug 1836 auf dem Neumarkt, Kölnisches Stadtmuseum (Zeughaus) ▷

EGO
SUM
LEV

6 Gasthaus ›Zum Treppchen‹ in Rodenkirchen

7 Blick vom Rudolfplatz zum Hahnentor

8 Angleridylle im Stadtwald

9 Rheinpark mit Tanzbrunnen und Messeturm

NCAE

11 Detail aus dem Dionysosmosaik. 260 bis 280

12 Freskenfragment aus St. Gereon. Anfang 12. Jh. Schnütgen-Museum (Leihgabe)

13 Severinscheibe aus St. Severin.
11. Jh. Diözesan-Museum (Leihgabe)

14 St. Maria im Kapitol. Hauptschiff gegen Westarkade und Lettner ▷

15 St. Maria im Kapitol. Ausschnitt aus den Holztüren. 2. Viertel 11. Jh. ▷

17 Stefan Lochner († 1451), Maria im Rosenhag. Wallraf-Richartz-Museum, Köln

◁ 16 Dom. Detail aus dem Zyklus im Obergaden

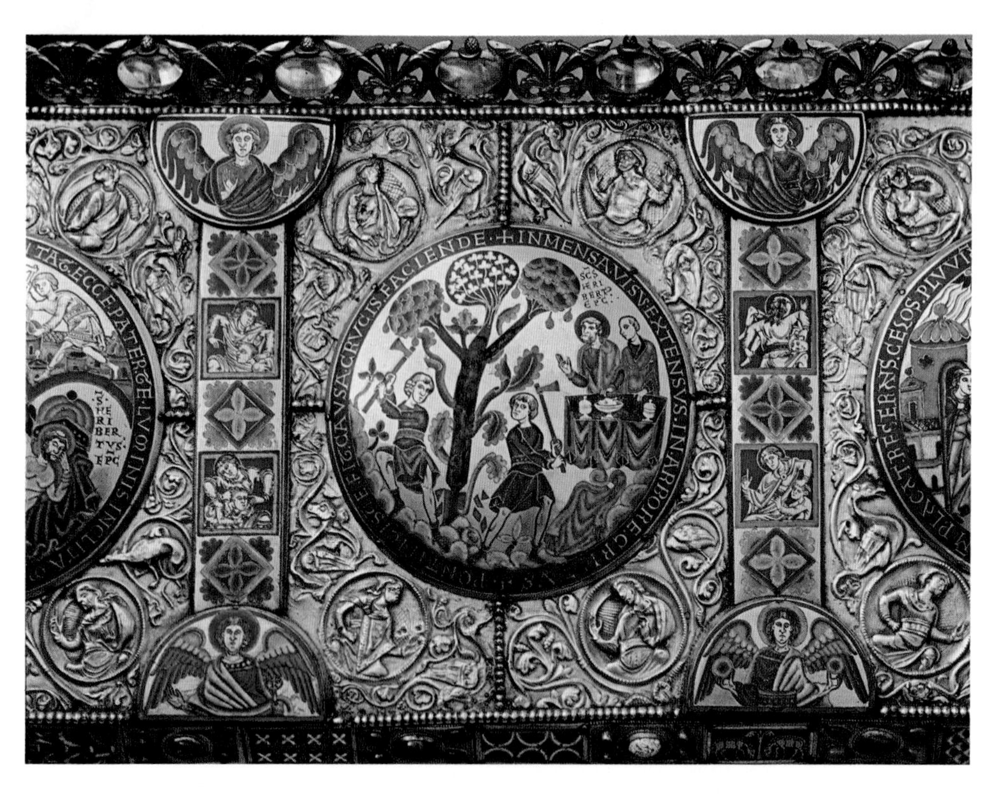
SCS HERIBERTVS EPC
S HERIBERTVS EPC
INMENSA VISV EXTENSVS IN ARBORE

nachweisen. Unter dem Kreuzgang wurden bemerkenswerte Fußbodenmosaike ubischer Wohnzimmer gefunden. An der Westseite des Doms 1969 ausgegrabene Lehmfachwerkbauten werden neuerdings für die Ubiersiedlung in Anspruch genommen. Diese Häuser waren mit schwarz-rot-grüner Feldermalerei und Schwarz-Weiß-Mosaiken geschmückt. Zunächst hatte der örtliche Ausgrabungsleiter Gundolf Precht auch diese Funde auf das römische Doppellager bezogen und gefolgert, die Colonia sei über dem Lager errichtet worden und das Oppidum nicht in ihr aufgegangen. Nach dem Zeugnis des Tacitus aber befand sich die Festung der beiden Legionen, der 1. und der 20., in der unmittelbaren Nähe der Ara und des Oppidum Ubiorum. Diese Angabe wird auch durch weitere Funde bestätigt. Der Standort der beiden Legionen befand sich in der Nähe des späteren Nordtors. Wie eine starke Brandschicht verrät, sind die Lagerbauten – wahrscheinlich nach der Katastrophe, die Varus ereilte – niedergebrannt worden. Es war nicht das einzige Militärlager bei der Stadt. Zwei Kilometer südlich des Oppidum Ubiorum stieß das den Ubiern überlassene Territorium an eine Militärgrenze. Im Namen Alteburg lebt die Erinnerung an das einstige Römerlager fort. Der Straßenname ›Auf dem Römerberg‹ ruft uns ins Gedächtnis, daß das Kastell auf dem Abhang einer bis zu 18 m ansteigenden Uferhöhe des Rheins errichtet war. Zunächst war es durch eine Holz-Erdmauer, bestehend aus zwei Palisaden, zwischen denen Erde aufgeschüttet war, geschützt. Später trat an ihre Stelle eine Grauwackemauer. Als die Rheinflotte, die ›classis Germania pia fidelis‹ an Bedeutung gewann, wurde das Lager als Flottenkastell genutzt. Im Laufe des 1. Jh. n. Chr. entstand bei dem Kastell eine Lagervorstadt mit Geschäften, Handwerksbetrieben und Vergnügungsstätten.

Gingen auch Krisen wie die Niederlage des Varus oder Aufruhr unter den Soldaten nach dem Tode des Kaisers Augustus nicht spurlos an der Stadt vorüber, so entwickelte sie sich dennoch so gut, daß sie ihre Erhebung zur Colonia nicht lediglich dem persönlichen Ehrgeiz ihrer Patronin, der jüngeren Agrippina, verdankt. Als Tochter des Germanicus und der älteren Agrippina wurde JULIA AGRIPPINA (19–56 n. Chr.) im Oppidum Ubiorum geboren. In zweiter Ehe heiratete sie, 49 n. Chr., ihren Onkel, den Kaiser Claudius. Ein Jahr später setzte sie die Erhebung ihrer Vaterstadt in den Rang einer Colonia durch. In den Annalen des Tacitus heißt es darüber: »Agrippina wollte ihre Macht auch den verbündeten Völkern vor Augen führen; sie setzte es durch, daß die Stadt der Ubier, in der sie geboren war, Veteranen erhielt und eine Colonia wurde nach ihrem eigenen Namen.« Die älteste erhaltene Abschrift dieses Textes stammt aus dem 11. Jh. Sie findet sich im ›Codex Mediceus‹ der Biblioteca Laurenziana in Florenz. Zum Gedächtnis an den Kaiser, unter dem die Stadterhebung erfolgt war, lautet der volle Name des bisherigen Oppidum Ubiorum nunmehr Colonia Claudia Ara Agrippinensis, abgekürzt C. C. A. A. Diese Abkürzung findet sich sowohl

◁ 18 Detail vom Dach des Heribertschreins. Köln, um 1170. Neu St. Heribert
◁ 19 St. Pantaleon. Westwerkempore

über dem Hauptportal des römischen Nordtors wie auf einer Reihe handwerklicher Erzeugnisse dieser Stadt. Im 3. Jh. wurde der Name Ara durch den damals höherwertig klingenden Augusta ersetzt. C. C. A. A. wurde jetzt Colonia Claudia Augusta Agrippinensium gelesen. Schon bei Tacitus und Sueton findet sich auch die Kurzform Colonia Agrippinensis. Erst mit der Erhebung zur Colonia, d. h. also im Jahre 50 n. Chr., wurde die Ubierstadt im Sinne des römischen Staatsrechts zur Stadt. Als solche nahm sie, wie es der Text des Tacitus ausdrücklich erwähnt, Veteranen auf. Diese nannten sich Agrippinenses. Ihnen, die das volle römische Bürgerrecht besaßen, suchten es die Ubier gleichzutun, erstrebten ebenfalls das volle römische Bürgerrecht, assimilierten sich der römischen Bevölkerung. Der Ubiername verschwindet. Für die Stadt setzte sich im späten 4. und frühen 5. Jh. der Kurzname Colonia Agrippina durch. Aber auch dabei blieb es nicht. Noch während des 5. Jh. wurde COLONIA schlechthin zur alleinigen Bezeichnung Kölns. Gregor von Tours (538–594) spricht von der »Stadt der Agrippinenser, die jetzt Colonia genannt wird«. Köln hatte definitiv seinen Namen gefunden.

Agrippina veranlaßte Kaiser Claudius seinen eigenen Sohn Britannicus zurückzusetzen und dafür ihren Sohn erster Ehe, Nero, zu adoptieren. Sie ließ ihren Gemahl 54 n. Chr. vergiften und rief an seiner Stelle Nero zum Kaiser aus. Anfänglich glaubte sie, ihn mit Hilfe von Burrus und Seneca lenken zu können. Aber schon bald mußte sie erkennen, daß das eine Illusion war. Sie verfeindete sich mit ihrem Sohn. Er ließ sie 59 n. Chr. umbringen. In Köln aber besaß sie noch Jahrzehnte nach ihrem Tod eine treue Anhängerschaft. Dafür ist eine *Marmorbüste*, die das Römisch-Germanische Museum bewahrt, ein Indiz (Abb. 28).

Als Stadt im Sinne des römischen Staatsrechts nahm Colonia Veteranen auf, d. h. verabschiedete Soldaten. Als eine Art Pension erhielten viele von ihnen ein kleines ›Gut‹. Dazu stellte der römische Staat aus seinem Besitz Land zur Verfügung. Allerdings gab es nun unter den Bewohnern der Stadt einen unterschiedlichen Rechtsstatus. Nicht alle waren Kölner Bürger, Agrippinenses. Das waren vor allem die Veteranen, die Staatsbeamten und eine – anfänglich wohl noch kleine – Anzahl besonders verdienter Ubier. Die Vorrechte der Vollbürger waren verlockend, wie z. B. das Privileg der Steuerfreiheit. Wie sollte da nicht der Wunsch geweckt werden, das römische Bürgerrecht zu erwerben? Das Verschwinden des Ubiernamens ist ein Zeichen für die sich verstärkende Assimilierung an die Welt der Römer. Daß auch ein einfacher Soldat, dem in langen Dienstjahren der Aufstieg in den Offiziersrang nicht gelungen war, nach seiner Verabschiedung zu Wohlstand gelangen konnte, scheint das *Grabmal des Lucius Poblicius* zu beweisen (Abb. 26). Teile davon waren schon seit Jahrzehnten bekannt, aber sie vermittelten noch keinen rechten Eindruck. Das Grabmal als ganzes wurde erst durch die Funde seit 1965 am Chlodwigplatz erschlossen. Charakteristisch für die frühe Kaiserzeit ist, daß die Familie dieses Veteranen, die das Denkmal setzen ließ, als bekrönenden Akroter eine Aeneasgruppe wählte. Auch in der Fremde wurde damit die Herkunft betont. Aeneas war, wie ihn Vergil in seinem Epos schildert, Ahnherr der Römer, mehr noch Vorbild römischer Gesinnung. Wie damals üblich war auch das Grabmal des Lucius Poblicius einst bemalt. Von den Farben haben sich freilich nur geringe Reste erhalten. In seiner Größe wirkt das Grabmal heute einmalig. Ursprünglich jedoch säumte eine Reihe ähnlicher Monumente die Ausfallstraßen vor den Toren der Stadt.

Während die einfachen Soldaten als Veteranen neben ihrem Landstück eine Barabfindung von 3000 Denaren erhielten, durften die Offiziere bei ihrer Verabschiedung auf eine wesentlich höhere Summe rechnen. Dementsprechend größer war auch der Landanteil, der ihnen zugewiesen wurde. Der in Köln-Müngersdorf erschlossene römische Gutshof hatte einen Landbesitz von rund 2,7 km². Die Anlage wurde offensichtlich mit Erfolg bewirtschaftet. Das zeigt die weitere Entwicklung, die Errichtung zusätzlicher Wirtschaftsbauten, die luxuriöser werdende Ausstattung und Erweiterung des Herrenhauses.

Die Fläche des römischen Köln betrug damals einen Quadratkilometer. Die Zahl der Bevölkerung läßt sich nur vorsichtig schätzen. Sie dürfte bei etwa 30 000 gelegen haben. Seit der Erhebung zur Colonia wurde die Stadt mit einer STEINMAUER umgeben, die zahlreiche Türme zusätzlich bewehrten. Mächtige Tore führten in die Stadt. Was davon in mittelalterliche Bauwerke einbezogen werden konnte, hatte die Chance, die Zeitläufte zu überdauern. Der besterhaltene Turm ist der ›Römerturm‹ (Abb. 124), der im Mittelalter ein Teil des Klaraklosters wurde. Wesentliche Teile des römischen Nordtors blieben bis zur Neuzeit erhalten, weil sie in die Domdechanei einbezogen waren. Im Mittelalter wurde es die Porta Paphia, Pfaffenpforte, genannt. Zwei Flankierungsbauten schlossen einen mittleren Torbau von 15,32 m Breite und 11,57 m Tiefe mit zwei seitlichen 2,40 m weiten Durchgängen und einer 5,60 m breiten mittleren Durchfahrt ein, in deren feldseitiger Archivolte die Initialen C. C. A. A. eingegraben sind. Wenigstens diese Archivolte hat sich beim Abbruch 1826 erhalten und heute ihre Aufstellung im Römisch-Germanischen Museum gefunden. Bewahrt blieb außerdem noch einer der seitlichen Durchgänge. Er steht heute auf der Domplatte in der Nähe des Standorts des einstigen römischen Nordtors (Abb. 3).

Schon bald sollten die Agrippinenser erfahren, wie notwendig der Schutz durch die Stadtmauern war. Die schwere Erschütterung des Imperium Romanum nach dem Tode Neros, als Kaiser gegen Kaiser aufstand – in Köln wurde, 69 n. Chr., VITELLIUS zum Kaiser erhoben, der allerdings noch im gleichen Jahr von Vespasian beseitigt wurde –, ermutigte zu Abfallsbewegungen, nicht zuletzt zu dem Bataveraufstand, bei dem Civilis eine maßgebliche Rolle spielte. In seinen ›Historien‹ gibt Tacitus eine eingehende Schilderung der Ereignisse. Auch Köln wurde von den Aufständischen bedroht. »Aber den Völkern von der andern Rheinseite war die Stadt wegen ihres wachsenden Reichtums verhaßt«, urteilte der römische Geschichtsschreiber: »Sie konnten sich das Ende des Kriegs nur so vorstellen, daß Köln entweder allen Germanen offenstehen oder aber zerschmettert werden sollte; dann sollten auch die Ubier in alle Winde zerstreut werden.« Nicht nur die festen Mauern der Stadt, sondern auch die Assimilierung der Ubier an die Römer war den rechtsrheinischen Germanen ein Ärgernis. Dank einer geschickten Neutralitätspolitik wußten die Ubier, die ihnen drohende Gefahr abzuwenden.

Spielte Vitellius als Kaiser nur eine unrühmliche Rolle, so erreichte wenige Jahrzehnte später in Köln einen der Großen der römischen Kaiserzeit seine Berufung. TRAJAN (53–117) war Statthalter Obergermaniens, als ihn, 98 n. Chr., Nerva adoptierte und zu seinem Nachfolger bestimmte. Er entsandte Hadrian an den Rhein, Trajan die Botschaft zu überbringen. Mit dem Regierungsantritt dieses Kaisers begann für das Römische Reich eine Zeit der Sicherheit und der wirtschaftlichen Blüte. Friedenszeiten gelten zumeist als nicht des Aufschreibens wert. So verstummen auch in Köln für die nächsten 150 Jahre die schriftlichen Nachrichten. Doch geben zahlreiche Funde über den hohen Stand der Kultur Auskunft.

Die Ausgrabungen, die 1953 im Zusammenhang mit der Wiedererrichtung des Spanischen Baus – des Verwaltungsbaus des Rathauses – einsetzten, ergaben eine Kontinuität der Verwaltungsbauten. In augusteischer Zeit hatte zwar das Doppellager, noch nicht aber das Oppidum Ubiorum ein PRÄTORIUM besessen. Das wurde anders mit der Erhebung der Stadt zur Colonia. Auf erhöhter Niederterrasse über dem Rhein und dem römischen Hafen sollte es dicht hinter der Stadtmauer entstehen. Mit der Ausrichtung seiner repräsentativen Front zum Strom hin bezeugt es die Orientierung der Stadt auf den Rhein. Das Prätorium diente dem Statthalter der Provinz als Amtssitz. Schon in römischer Zeit erfuhr der Bau erhebliche Veränderungen und Umgestaltungen. Die Schwierigkeiten des Geländes machten es notwendig, zu seiner statischen Sicherung eine Stützmauer zu errichten. Der älteste Bau, in dem Vitellius zum Kaiser ausgerufen wurde, besaß nicht nur Amtslokale, sondern auch in seinen Substruktionen Tonnengewölbe, nach vorne offene Läden. Die unmittelbare Nähe des Hafens begünstigte den Handel. Wie Sueton berichtet, fiel der Speisesaal des Prätoriums am Tage der Kaiserproklamation des Vitellius einem Brand zum Opfer. Vielleicht war dies der Anlaß für den Umbau in flavischer Zeit, bei dem das Prätorium um 6 m weiter nach Osten verschoben wurde. In diesem zweiten Bau dürfte Trajan seine Berufung zum Kaiser erhalten haben. In einer dritten Bauperiode, um 180, wurde die nach Osten verschobene Front wieder zurückgenommen und erneut Läden eingerichtet. Nach Süden öffnete sich der Bau zu einem Hof, vielleicht einem Basar. Neu war die Anlage eines Hypokaust. Dieser dritte Prätoriumsbau war wahrscheinlich die Residenz von Kaiser Postumus.

Beim Forum, westlich der Hohe Straße, dürfte die CURIA, die Stadtverwaltung ihren Sitz gehabt haben. An ihrer Spitze standen die Duoviri, die beiden jeweils für ein Jahr bestimmten Bürgermeister. Sie beriefen und leiteten die Sitzungen des Rats, des Ordo decurionum. Der Aufstieg in den Stand der Dekurionen setzte ein beträchtliches Vermögen, nicht zuletzt Haus- und Landbesitz voraus; denn die kaiserliche Regierung verlangte von den Ratsherrn eine Ausfallbürgschaft für die Reichssteuern, die die Bewohner der Stadt aufzubringen hatten. Überdies stellte die Stadt selbst an die

Gebefreudigkeit ihrer Dekurionen erhebliche Ansprüche. Einen Sold erhielten sie ebensowenig wie die hohen städtischen Beamten. Doch standen ihren ehrenamtlichen Leistungen wichtige Ehrenrechte und Privilegien gegenüber. Im Theater und Zirkus waren ihnen die Ehrenplätze reserviert; bei Geldgeschenken wurden sie zuerst bedacht; vor dem Strafgericht konnte nur ein Ratsherr ihr Ankläger sein; sie durften weder gefoltert, noch zu erniedrigenden Strafen verurteilt werden. Die Todesstrafe konnte erst dann über sie verhängt werden, wenn der Statthalter ihre Sache vor den Kaiser gebracht hatte.

Die Stadt besaß zahlreiche HEILIGTÜMER. Neben den römischen Gottheiten wurden die heimischen verehrt. Ausgrabungen nach dem Zweiten Weltkrieg bestätigten, daß die Kirche St. Maria im Kapitol ihren Namen zurecht trägt. Sie ist über einem rechteckigen, römischen Tempel errichtet. Im westlichen Teil seiner Cella wurden drei schmale, etwa 15 m tiefe Räume entdeckt, die einst zur Aufnahme der capitolinischen Trias gedient hatten: Jupiter, Juno und Minerva. Ähnlich wie beim Prätorium wurde auch beim Kapitolstempel die Rheinfront betont. Eben darum hatte man den natürlichen Geländeabfall im Südosten der Stadt gewählt und den Haupttempel zusätzlich noch auf ein stark erhöhtes Podium gesetzt. Vom Rhein her führte auf der östlichen Giebelseite eine Freitreppe in die Säulenvorhalle. Ein anderer Tempel wurde unter dem südlichen Chorumgang des Doms entdeckt. Schon vor mehr als einem Jahrhundert hat man beim Chor des Doms einen Stein mit einer Inschrift gefunden, daß zur Zeit des Kaisers Vespasian die Dekurionen Kölns zu Ehren des Mercurius Augustus einen Tempel haben errichten, bzw. wiedererrichten lassen. Wahrscheinlich stammt dieser Stein vom Architrav des neuerdings entdeckten und untersuchten Tempels, der auf der Niederterrasse mit Blick zum Hafenmarkt gestanden hat. Kaiser Augustus und einige seiner Nachfolger hatten sich als den auf die Erde herabgestiegenen Merkur verehren lassen.

Zeugen der Götterverehrung sind aber nicht nur die Tempel, sondern auch die Weihesteine, die Götterstatuen und -statuetten. Besondere Erwähnung verdient die Vielfalt der Matronenkulte. Seit dem 2. Jh. erfreuten sich die orientalischen Erlösungsreligionen wachsender Beliebtheit. So fertigte der Kölner Töpfer Servandus Terrakotten der Cybele an. Köln war außerdem eines der wichtigsten Zentren des Isiskults im spätantiken Rheinland. Die Friedhofskirchen St. Gereon und St. Ursula haben anscheinend Isisheiligtümer verdrängt. In einem Pfeiler der frühchristlichen Kirche St. Gereon war ein Weihealtar für diese ägyptische Göttin eingemauert. Gleich zwei Weihesteine für Isis fanden sich im Mauerwerk von St. Ursula. Der bedeutendste aller orientalischen Mysterienkulte wurde aber seit dem 2. Jh. der des Mithras. Bisher hat man in Köln zwei seiner Kultstätten gefunden, eine im Nordwesten der Römerstadt an der Ecke Richmod-/Breite Straße, die andere im nordöstlichen Wohnbezirk südlich des Domsüdportals in der Nähe des Tempels für Mercurius Augustus.

Ebenso wie das Prätorium und die Tempel war auch das 110 m breite BÜHNENTHEATER, das 7000 Besucher fassen konnte, zur Rheinfront orientiert. Es stand an der Nordseite des Kapitolhügels. Die Fassade muß der des Theaters von Orange geglichen haben. Ein antikes, in Kalkstein gehauenes Modell ist wenigstens teilweise erhalten (Röm.-Germ. Museum). Danach war die Fassade des Kölner Bühnentheaters zweigeschossig gegliedert, mit Pfeilern und Rundgiebeln im Unter-, mit Säulen und Spitzgiebeln im Obergeschoß. Vom Amphitheater, das es ebenfalls gegeben haben muß, sind noch keine Spuren entdeckt worden. Doch weisen Inschriften ebenso wie das Gladiatorenmosaik auf den Zirkusbetrieb hin. Im Umkreis von St. Cäcilien standen THERMEN, deren Umfang dem der noch erhaltenen Badeanlagen Triers entsprachen. Während die Ostseite der Stadt zwischen Hohe Straße und Hafen den städtischen und staatlichen Bauten vorbehalten war, befanden sich die Quartiere der Handwerker, Händler und Tagelöhner westlich der Hohe Straße. Viele ihrer WOHNUNGEN waren aus Holz errichtet. Kein Wunder, daß in dieser dichtbesiedelten Gegend oft Schadensbrände wüteten! Beim Wiederaufbau wurden die Parzellen stets neu eingeteilt. Das erschwert heute ihre Erforschung. Die in der Nordecke der Stadt, im Schatten des Doms, aufgefundenen vornehmen Häuser gehörten wahrscheinlich hohen Regierungsbeamten. Doch gab es in diesem Bereich durchaus nicht nur vornehme Häuser. Reich und Arm wohnten vielmehr dicht nebeneinander. Nach außen gaben sich übrigens auch die Häuser der Reichen bescheiden. Um so prächtiger war das Innere mit seinen Wandmalereien, Fußbodenmosaiken, Gartenanlagen mit Springbrunnen.

Schon das Oppidum Ubiorum war mit frischem Wasser aus der Gegend um Hürth versorgt worden. Eine Entschlammungsanlage blieb an der Berrenrather Straße im Äußeren Grüngürtel erhalten. Für die seit der Erhebung zur Colonia rasch anwachsende Bevölkerung reichte diese erste Anlage jedoch nicht aus. Die Römer entschlossen sich daher, das Trinkwasser aus der Umgegend von Nettersheim in der Hocheifel zu holen, und erbauten dazu eine WASSERLEITUNG von 77,6 km Länge. Die Eifelwasserleitung war eine der großartigsten Leistungen römischer Ingenieurkunst in Deutschland.

Das städtische Leben endete nicht an der Römermauer. Vielmehr entwickelten sich ganze Vorstadtviertel. Ein Beispiel für viele der luxuriösen Vorstadtvillen ist die Landvilla, die auf der Anhöhe errichtet wurde, auf der heute St. Pantaleon liegt. Vor der Stadt entstand auch eine ganze INDUSTRIEZONE, insbesondere für feuergefährliche Betriebe. Die Glashersteller hatten ihre Werkstätten offensichtlich im Norden und Nordwesten, wie große Mengen an Glasschlacken, die schon vor Jahrzehnten entdeckt wurden, beweisen. 1970 wurde in der Nähe des Römerturms, in der St.-Apern-Straße eine große Halle mit Becken und Öfen zur Herstellung von Glaswaren ausgegraben. Nicht weit davon, aber auch im Süden der Stadt bei St. Georg am Waidmarkt, ließen sich Metallgießereien nachweisen. Wie noch im Mittelalter so hatten schon in der Antike die Gerber und die lederverarbeitenden Handwerker ihre Betriebe an den Bächen. Die Keramikproduktion war auf der Westseite der Stadt angesiedelt. Die Handwerker waren zu Collegia (Zünften), die Kaufleute zu einer Vereinigung, dem ›Corpus splendissimum Cisalpinorum et Transalpinorum‹ zusammengeschlossen. Die Namen mancher Handwerker und ihre Zunftzugehörigkeit sind auf Grabsteinen verewigt worden. Der Glaube, daß der Tote noch am Mahl seiner Freunde und Angehörigen teilnehmen könne, findet seinen glänzendsten Ausdruck in der GRABKAMMER VON WEIDEN (Abb. 171). Sie fängt die ganze private Sphäre des Lebens ein, hält Sessel und Liegebett bereit. Eine begüterte Familie hat sie sich erbauen lassen und seit der zweiten Hälfte des 2. Jh. bis zur Mitte des 4. Jh. mit ihren Verstorbenen belegt (vgl. S. 293f.).

Gegen Ende des 2. Jh. zeichnete sich deutlich die wachsende Finanznot des Römischen Reichs ab. Aus Angst vor der grassierenden Inflation, die zum völligen Zerfall der römischen Währung führte, versuchten die Wohlhabenden, durch Horten hochwertiger MÜNZEN sich einen ›Notgroschen‹ zu sichern. Besonders aufschlußreich ist der unter einem Haus in der Gertrudenstraße geborgene Münzschatz. Vier große Bronzetöpfe enthielten an die 22 500 Silber- und 150 Goldmünzen. Ein großer Teil davon besaß noch Prägeglanz, war somit gar nicht oder nur kurze Zeit in Umlauf gewesen. Die spätesten der datierten Münzen stammen aus dem Jahr 236. Wenig später muß der Schatz vergraben worden sein.

Zur inneren Krise kam die äußere Bedrohung. Die Germanen formierten sich neu. Erstmals tauchte der Name Franken auf. Die Gefährdung des Rheinlands nötigte KAISER GALLIENUS (seit 253 Mitregent seines Vaters Valerianus, 260–268 Alleinherrscher), Köln zu seiner Residenz zu machen und die kaiserliche Münzstätte von Viminacium an der Donau hierhin zu verlegen. Eine wichtige Aufgabe war es, die Befestigungen instandzusetzen und zu verstärken. Das muß auch in Köln geschehen sein; denn unter den Initialen Kölns an der Archivolte des Nordtors ließ er seinen und seines Vaters Namen anbringen. Eine neue Gefahr trat auf. Die Alamannen eroberten die letzten Kastelle des obergermanisch-raetischen Limes und bedrohten Oberitalien. 259 eilte Gallienus nach Mailand, um dort den Alamannen eine vernichtende Niederlage zu bereiten. Seinen jüngeren Sohn, Saloninus – der ältere Valerianus war im Vorjahr gestorben – ließ er als seinen Stellvertreter in Köln zurück. Da Saloninus noch ein Junge war, vertraute er ihn der Obhut seines Beraters Silvanus an. Die Verteidigung der Rheingrenze legte er in die Hände seines Generals Postumus. Doch nur wenig später empörte sich POSTUMUS gegen Gallienus und ließ sich in Gallien zum römischen Kaiser ausrufen (259–268). Auch er behielt Köln als seine Residenz. Auf seinen Befehl wurde Saloninus verhaftet und hingerichtet. Darüber hinaus wurde jede Erinnerung an den rechtmäßigen Kaiser und seine Familie in Köln beseitigt, die Namen Gallienus und Valerianus am römischen Nordtor ausgemeißelt, der Porträtkopf, zu Ehren des verstorbenen älteren Kaisersohns am Neumarkt aufgestellt, wurde geschändet. Wiewohl das römische Kaiserreich in Gallien aus einer Revolte entstanden war, entbehrte es doch nicht einer inneren Notwendigkeit. Sie war letztlich in dem Versuch begründet, die lateinische Kultur im Westen, die von innen und außen bedroht war, zu erhalten. Doch dauerte dies über den Tod des Postumus nur fünf Jahre hinaus. Mit dem Tod seines zweiten Nachfolgers, Tetricus, fand es 273 sein Ende. Daß in einer Zeit verheerender Not und gefährlicher Germaneneinfälle dennoch einzelne zu Glanz und Reichtum gelangen konnten, beweist das *Dionysosmosaik*, das zwischen 260 und 280 vollendet wurde (Abb. 26).

Die Reorganisation des Römischen Reiches, von Diokletian begonnen, setzte KONSTANTIN I., der Große (Kaiser 306–337) durch. Um 310 ließ er auf der rechten Rheinseite gegenüber von Köln das Kastell Divitia (Deutz), errichten, eine fast quadratische Anlage mit rund 154 m Seitenlänge, 3,50 m starken Mauern, 14 Rundtürmen und je einem Torbau im Osten und Westen. 16 Kasernenbaracken waren für rund 900 Mann Besatzung, dem Fünftel einer Legion bestimmt. Den militärischen Brückenkopf ließ der Kaiser durch eine feste, 420 m lange, auf 19 Pfeilern ruhende Brücke verbinden, die vom Osttor der Colonia zum Westtor des Kastells lief. Das Prätorium wurde durch einen mächtigen Palast, die REGIA, ersetzt. Von einer städtischen Selbstverwaltung konnte freilich in der Zeit des Dominats kaum noch die Rede sein. Das Amt der Dekurionen bedeutete nur noch eine Last, nach der sich niemand drängte. Daher griff man auf die Juden, die bisher vom Ratsherrnamt ausgeschlossen waren, zurück. »Die Juden in den Stadtrat zu berufen«, gestattete der Kaiser 321 dem Rat von Köln. Aus diesem Dekret darf gefolgert werden, daß es seit dem Anfang des 4. Jh. in Köln nicht nur vereinzelt Juden, sondern schon eine organisierte jüdische Gemeinde gab. In der Zeit Konstantins wird erstmals auch ein Bischof für Köln genannt, Maternus, der an den Synoden in Rom und Arles, 313 und 314, teilnahm. Lange herrschte Unklarheit über den Standort der ältesten Bischofskirche. Gerade die jüngsten Ausgrabungen beim Dom erhärteten aber die These von der Kontinuität der Bauwerke auch in diesem Falle. Ein bereits im vorigen Jahrhundert entdecktes achtzackiges Wasserbecken, aus dem 5. Jh., unter dem eine weitere achteckige Beckenanlage steckt, konnte als das Baptisterium der frühchristlichen Bischofskirche identifiziert werden (vgl. S. 124). Diese selbst lag in unmittelbarer Nähe des Tempels des Mercurius Augustus, der noch bis zum Ende des 4. Jh. bestanden hat.

Bereits in der ersten Hälfte des 5. Jh. war die Lage Kölns als Grenzstadt kritisch. Eine erste Eroberung durch die Germanen 355 konnte Julian Apostata noch einmal rückgängig machen, doch blieb die Gefahr nur vorübergehend gebannt. Mitte des 5. Jh. war Köln fest in der Hand der FRANKEN. Die römische Bevölkerung wurde nicht einfach vertrieben. Aber für viele bedeutet die Einnahme der Stadt durch die Franken einen sozialen Abstieg. Salvian von Marseille (400–um 480), der wahrscheinlich aus Köln stammt, schreibt über eine Verwandte in Köln: »Es langt nicht aus, um wohnen zu bleiben und auch nicht, um wegzuziehen, weil einfach nichts mehr da ist, das Leben zu fristen oder die Flucht zu ermöglichen. Nur die eine Möglichkeit bleibt ihr, als Angestellte ihren Unterhalt zu verdienen und sich den Hausfrauen der Barbaren als Dienstmagd zu unterwerfen.« Köln diente als Königsresidenz den ripuarischen Franken, bis 507 Chlodwig I. (466–511) ihr Teilreich seiner Herrschaft einverleibte. In der Regia hatte sie anscheinend ihren Königssitz. In den Kämpfen, die zwischen den Söhnen und Enkeln Chlodwigs I. tobten, verliert Köln politisch an Bedeutung. Immerhin hatte Theuderich I., der älteste Sohn Chlodwigs I., hier eine Königshalle. Sein Sohn Theudebert I. († 548) ließ in Köln Goldmünzen prägen. Unter dem Dom wurden 1959 die um 550 angelegten Gräber einer Frau mit reichem Goldschmuck und eines Knaben mit den Waffen eines erwachsenen Fürsten gefunden, beide anscheinend Angehörige des königlichen Geschlechts der MEROWINGER. Schon vor dem Zweiten Weltkrieg waren unter St. Severin die an Beigaben reichen Gräber einer vornehmen Frau und eines Sängers aus dem 7. Jh. entdeckt worden.

Köln war damals nicht nur ein wichtiger Bischofssitz, sondern auch Anziehungspunkt wegen seiner Märtyrerverehrung. Bewundernd schreibt Gregor von Tours über den Kernbau von St. Gereon: »Bei Köln ist eine Kirche, in der 50 Männer aus jener heiligen Thebäischen Legion ihr Martyrium vollendet haben sollen. Und weil der wunderbare Bau mit seinem Mosaikschmuck wie vergoldet erglänzt, haben die Kölner sich gewöhnt, ihn ›Die Goldenen Heiligen‹ zu nennen.« Ab dem 7. Jh. gewinnen die PIPPINIDEN als Hausmeier im Merowingerreich stets wachsenden Einfluß. Plektrudis († 725) wählte nach dem Tode ihres Gemahls, Pippin des Mittleren, Köln als Witwensitz und stiftete auf dem Kapitolhügel eine Kirche (vgl. S. 170). Daß sie dort auch ein Kanonissenstift errichtete, wird neuerdings bestritten.

Mit der Berufung des Vorstehers der Hofgeistlichkeit Karls des Großen, HILDEBALD vor 787 zum Bischof von Köln, betritt der erste der großen mittelalterlichen Bischöfe die Szene dieser Stadt. Er wird als erster zum Erzbischof erhoben (794–818). Seiner Metropole Köln werden die Bistümer Lüttich, Utrecht, Münster, Minden, Osnabrück und anfänglich auch Bremen unterstellt. Hildebald gehörte der Hofakademie Karls d. Gr. an. Jedes ihrer Mitglieder hatte einen besonderen, zumeist antiken oder biblischen Beinamen. Hildebald wurde dem Hohenpriester Aaron verglichen, denn er galt als der ranghöchste Geistliche des Reichs. Er führte Papst Leo II. nach Rom zurück und salbte Ludwig den Frommen zum König. In seinem Testament setzte 811 Karl d. Gr. Köln an die Spitze der fränkischen Metropolitankirchen. In den Armen seines vertrauten Ratgebers ist der Kaiser 814 gestorben. Auch sein Nachfolger, Ludwig der Fromme, schenkte dem Kölner Erzbischof sein Vertrauen.

Hildebald begann 800 mit dem Bau des karolingischen Doms, der allerdings erst lange nach seinem Tod, nämlich 870 vollendet werden sollte. Dieser Bau ist weitgehend mit dem St. Gallener Plan verwandt. Über das Aussehen des Domes geben die Nachkriegsausgrabungen Aufschluß. Zeitgenössische Darstellungen finden sich im ›Hillinuscodex‹ (um 1000, Dombibliothek) und auf einer Emailplatte des Heribertschreins (um 1170). Hildebald war auch Begründer der DOMBIBLIOTHEK. In einem Katalog von 833 werden 175 Bücher als Bestand angeführt. Im Laufe der Zeit hat die Bibliothek Verluste erlitten. Immerhin sind ihr noch 30 Handschriften aus dem von Hildebald zusammengetragenen Bestand erhalten geblieben. Andere Schätze kamen hinzu. Die Bibliothek als Ganzes vermochte die Wirren der Gefahrenzeiten, schließlich auch die Luftangriffe im Zweiten Weltkrieg zu überstehen. Ihre Handschriften befinden sich heute teils in der Schatzkammer des Doms, im Diözesan-Museum und im Tresor der Diözesan-Bibliothek. Auf Hildebald geht auch die Gründung der Domschule zurück. Neben Handschriften mit angelsächsischem und irischem Duktus, den reich mit Flechtwerk und Tierköpfen verzierten Initialen, sollten bald andere treten, Zeugen der neuen, der karolingischen Geistesrichtung, deren Miniaturen sich im Stil antiken und italienischen Vorbildern anschließen.

Nicht minder wichtig, vielleicht sogar noch bedeutender, waren die Wirkungen, die von BRUNO I. (925–965), dem jüngsten Bruder Kaiser Ottos I. ausgingen, der im Juli 953 zum Erzbischof von Köln gewählt und noch im September des gleichen Jahres zum Herzog von Lothringen erhoben wurde. Als Bischof und Herzog zugleich verkörperte er den Typus des Reichsfürsten im Sacrum Imperium der Ottonen in idealer Weise. Sehr glücklich verbanden sich bei ihm die Treue zu seinem kaiserlichen Bruder, seine staatsmännische Begabung, seine Gelehrsamkeit und Frömmigkeit. Er förderte die Gorzer Reformrichtung unter den Benediktinern. In Köln bestand an der Stelle einer römischen Villa vor der Stadt eine kleine bereits halbzerfallene Kirche. Sie sollte durch eine größere ersetzt werden, die freilich erst lange nach Brunos Tod vollendet wurde, St. Pantaleon. Hier gründete er auch ein Benediktinerkloster im Geiste der von ihm geförderten Reform. Kirchen und Klöster stattete er mit Reliquien aus. Da der Dom auf den Apostel Petrus geweiht ist, verschaffte er ihm zwei besonders kostbare Reliquien. Aus Metz brachte er den Stab des Apostelfürsten mit. Des weiteren schenkte er der Domkirche eine Reliquie der Ketten des hl. Petrus. Dazu kamen Reliquien weiterer Heiliger. Kölns Ruf als heilige Stadt und Wallfahrtsstätte nahm unter ihm zu. Mit Güterschenkungen und kostbarem Gerät stattete Bruno die Kölner Kirchen aus. Neben St. Pantaleon, das er sich als ›Armer in Christus‹ zur Grablege auswählte, verdanken ihm St. Andreas und Groß St. Martin ihr Entstehen. An St. Severin, St. Cäcilien und St. Maria im Kapitol wurde unter ihm gebaut. Das Kloster an der zuletzt genannten Kirche ist wahrscheinlich erst unter wesentlicher Mitwirkung Brunos eingerichtet worden. Gleichzeitig aber förderte er die Kölner Märkte und den Kölner Fernhandel. Im 10. und 11. Jh. wird das in fränkischer Zeit bereits weitgehend aufgeschüttete Gelände des römischen Hafens zur Anlage des Heumarkts und des Alter Markts genützt. Kaufmannswohnungen prägen das Bild der Rheinvorstadt. Sie zu schützen ist das Ziel der ersten Stadterweiterung Mitte des 10. Jh. Die Römermauer wird im Norden im Verlauf der heutigen Trankgasse, im Süden im Verlauf des Filzengrabens zum Rhein hin durch Wall und Graben verlängert.

Als Bruno starb, war St. Pantaleon noch unvollendet. Ausgestaltung und erste Vollendung verdankt die Kirche der KAISERIN THEOPHANU († 991), die hier ebenfalls ihre letzte Ruhestätte fand. Seinem Kaisertum, das er als die Fortsetzung des Imperium Romanum deutete, die Bestätigung durch die oströmische Tradition von Byzanz zu geben, war der Wunsch Ottos I. Deshalb sandte er seinen einstigen Hofkaplan, den Kölner ERZBISCHOF GERO († 976) – an ihn erinnert das Gerokreuz im Kölner Dom – nach Konstantinopel als Brautwerber für seinen Sohn. Der Kaiser Ostroms, Johannes I. Tzimiskes, verweigerte ihm zwar die Hand seiner Tochter, war aber einverstanden, daß Otto II. seine Nichte Theophanu heiratete. Dem Kölner Kloster und seiner Kirche, die einem Heiligen ihres Volkes geweiht war, schenkte sie ihre besondere Liebe.

Byzantinischer Einfluß auf das Skriptorium in Köln, aus dem glanzvolle Werke der ottonischen Buchmalerei hervorgegangen sind, läßt sich jedenfalls schon für das Ende des 10. Jh. nachweisen. Die einzige, aufgrund ihres Dedikationsbildes, fest datierte ottonische Handschrift Kölns, das Lektionar des Erzbischofs Everger (984–999), Dombibliothek, bietet dafür ein aufschlußreiches Indiz. Neben den byzantinischen Einflüssen blieb aber auch noch die karolingische Tradition wirksam. Im frühen 11. Jh. erfuhr die Kölner Schule von der Reichenau neue Impulse. Wenn auch manche kostbare ottonische Handschrift Köln verloren gegangen ist, so blieb doch an Werken dieser Zeit noch so viel in den hiesigen Bibliotheken (Dom, Priesterseminar, Historisches Archiv) übrig, daß man ein zutreffendes Bild der ersten Kölner Malerschule gewinnen kann.

Weihnachten 983 wurde OTTO III. in Aachen zum König von Deutschland und Italien gekrönt. Seine Mutter, Theophanu, unter deren vormundschaftlicher Erziehung er bis zu ihrem Tod stand, erweckte in ihm die Sehnsucht nach dem Ideal des Imperium Romanum. Sein Freund und Kanzler, HERIBERT (Erzbischof v. 998–1021), bestärkte ihn in seinem Programm der Erneuerung des Römischen Kaiserreichs aus christlichem Geist. Als der Kaiser 1002 in Paterno der Malaria erlag, erfüllte Heribert an ihm die Freundespflicht. Er sorgte für die Überführung des Leichnams nach Deutschland und seine Beisetzung an der Seite Karls d. Gr. in Aachen. Noch im Todesjahr Otto III. gründete der Kölner Erzbischof die Benediktinerabtei in Deutz (vgl. S. 279). In Erinnerung an italienische Bauten, aber auch in Anlehnung an das Aachener Münster wurde die Kirche als Zentralbau konzipiert. Hier sollte Heribert seine Grabstätte finden. Seine Gebeine aufzunehmen, wurde um 1170 der *Heribertschrein* geschaffen (Abb. 172), der vielleicht bedeutendste Schrein vor dem Dreikönigenschrein. 1120 berief der Kölner Erzbischof Friedrich I. Rupert (1075/80–1129/30) zum Abt. Er ließ den ursprünglich flachen Chor der Kirche einwölben und mit Malerei ausschmücken. Doch war die Lage der Abtei in der Nähe der Stadt nicht ungefährlich. Kirche und Klostergebäude wurden in Kriegen, nicht zuletzt in kriegerischen Auseinandersetzungen zwischen der Stadt und dem Stadtherrn, dem Erzbischof, wiederholt zerstört. So ist von dem ursprünglichen Bau und den Neuerungen Ruperts nichts geblieben.

Die enge Verbindung zwischen den Kölner Erzbischöfen und dem sächsischem Herrscherhaus fand ihre Fortsetzung in dem Vertrauensverhältnis zu den SALIERN, wie es schon Erzbischof PILGRIM (1021–1036) herstellen sollte, der Kanzler des letzten Ottonenkaisers Heinrich II. In Köln krönte er 1024 die Gemahlin Konrads II., Gisela, und vier Jahre später in Aachen den jungen Heinrich III. Seither lag das Recht zur Königskrönung unbestritten in der Hand des Kölner Erzbischofs. 1031 wird das Erzkanzleramt für Italien mit dem Kölner Erzstuhl verbunden. Erzbischof Pilgrim baute die Apostelnkirche nach den Plänen seines Vorgängers Heribert zu einem Stift aus. In dieser Kirche fand er seine letzte Ruhestätte. Lange Jahre war auch HERMANN II. (Erzbischof v. 1036–1056), der Sohn des Pfalzgrafen Ezzo und Bruder der Polenkönigin Richezza († 1057), die sich als Witwe an den Rhein zurückzog und ihr Grab in der

Kirche Maria ad Gradus finden sollte, Kaiser Heinrich III. verbunden. Hermann II. förderte vor allem die Stiftung seiner Eltern, die Abtei Brauweiler (vgl. S. 298). Er plante bereits die Errichtung des Mariengradenstiftes. Doch mußte er die Verwirklichung dieses Planes seinem Nachfolger, ANNO II., überlassen. Gegen den Willen der Kölner übertrug Kaiser Heinrich III. 1056 am Hof zu Koblenz dem Schwaben Anno Ring und Stab Hermanns II. Wie bedenkenlos der neue Erzbischof in der Wahl seiner Mittel war, sollte sich nicht nur in der Art und Weise zeigen, wie er das Ezzonenerbe an sich zu bringen wußte, sondern auch in dem Anschlag von Kaiserswerth. Im Frühjahr 1062 ließ er dort den 12jährigen Heinrich IV. auf sein Schiff locken und samt den Insignien nach Köln entführen. Damit verdrängte er die Kaiserinwitwe Agnes aus der Regentschaft. Er selbst übte das Amt eines Reichsverwesers aus. Sein Verhalten fand auch unter vielen seiner Zeitgenossen heftige Ablehnung. Dennoch war seine Frömmigkeit unbestreitbar. Nicht zuletzt wegen seiner Verdienste als Kirchengründer wurde er schon bald nach seinem Tod als Heiliger verehrt. In Köln begründete er die Stifte Maria ad Gradus und St. Georg. Damit schließt sich der Kreis der zwölf Stiftskirchen, die für das Bild der Stadt bestimmend bleiben. Mauern grenzten im allgemeinen den Immunitätsbezirk der Stifte deutlich von der übrigen Stadt ab. Wegen seiner Abgeschlossenheit wurde der Stiftsbezirk Kloster genannt. Namen wie Apostelnkloster, Domkloster, Gereonskloster meinen kein Mönchskloster, sondern den Bereich der Stiftsimmunität, der meist eine ganze Reihe von Gebäuden umfaßte: Propstei, Kanonikerhäuser, Wirtschaftsgebäude, nicht selten auch ein Hospital oder eine Herberge.

Mit der politischen war auch die wirtschaftliche Bedeutung Kölns gewachsen. Der Stolz und das Selbstbewußtsein der Kölner Kaufmannschaft wurde von einem Willkürakt des Erzbischofs tief getroffen. Wie Lambert von Hersfeld berichtet, feierte 1074 der Erzbischof mit dem Bischof von Münster das Osterfest in Köln. Seine Hausbediensteten erhielten den Auftrag, ein geeignetes Schiff für die Rückfahrt des Freundes zu besorgen. Sie beschlagnahmten das Schiff eines reichen Kaufmanns. Dieser hatte einen erwachsenen Sohn, der durch seine Kühnheit und seine körperliche Stärke bekannt war. Er nahm sein Gesinde und andere junge Leute aus der Stadt. Eilends begab er sich mit ihnen zu dem Schiff und verjagte die Diener des Erzbischofs. Der Tumult wurde für Anno selbst gefährlich. Er rettete sich in den Dom und konnte durch einen Geheimgang aus der Stadt flüchten. (Dieser Fluchtweg ist bei der Domgrabung 1948 wiederentdeckt worden.) Mit einem starken Truppenkontingent kehrte der Erzbischof zurück und verlangte die Kapitulation. 600 der reichsten Kaufleute flüchteten in der Nacht. Die Zurückbleibenden weigerten sich, die von Anno verlangte Buße zu übernehmen. Aber nach drei Tagen mußten sie sich der Übermacht beugen. Das Strafgericht war fürchterlich. Der Anführer des Aufstands und einige andere, die als Rädelsführer galten, wurden geblendet, überdies schwere Bußgelder verhängt. Die Revolte war gescheitert. Ein Jahr später starb Anno. Noch einmal hatte der Erzbischof sich als Stadtherr durchsetzen können. Die Rivalität zwischen ihm und der Bürgerschaft aber war bereits sehr deutlich geworden.

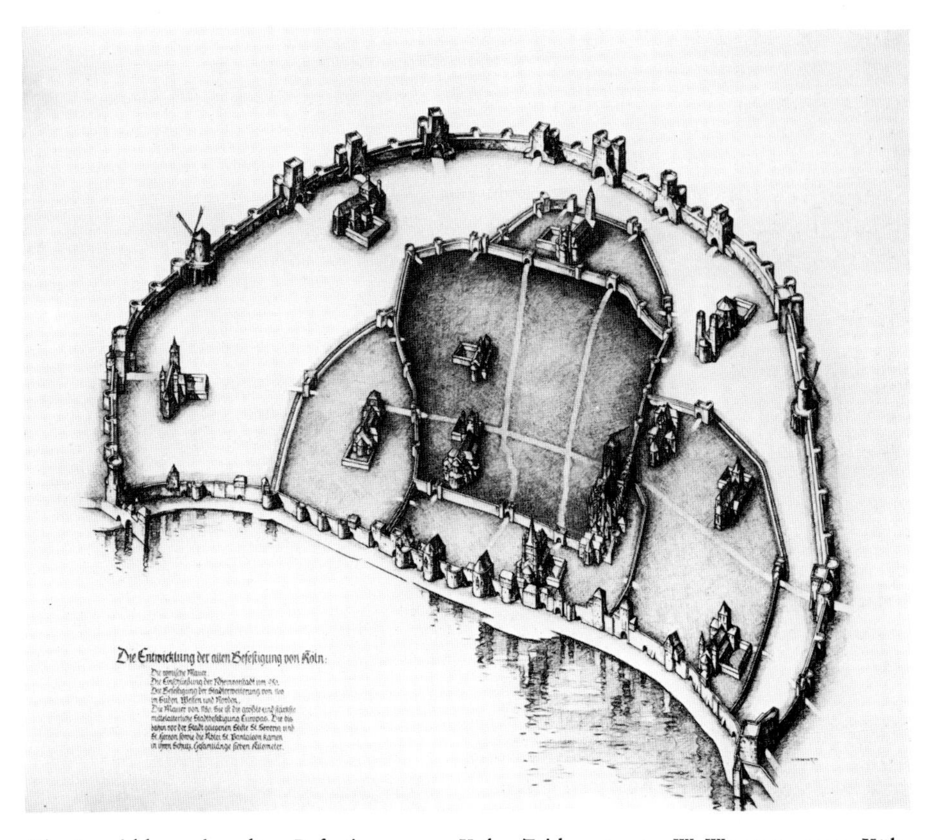

Die Entwicklung der alten Befestigung von Köln. Zeichnung von W. Wegener. 1950. Köln. Stadtmuseum (Graph. Slg.)

Die römische Mauer – Die Einschließung der Rheinvorstadt um 950 – Die Befestigung der Stadterweiterung von 1106 im Süden, Westen und Norden – Die Mauer von 1180. Sie ist die größte und stärkste mittelalterliche Stadtbefestigung Europas. Die bis dahin vor der Stadt gelegenen Stifte St. Severin und St. Gereon sowie die Abtei St. Pantaleon kamen in ihren Schutz. Gesamtlänge 7 km.

Köln war inzwischen über die Grenzen der Römermauer weiter hinausgewachsen. Im Norden gab es den neuen Stadtteil Niederich, im Süden den Stadtteil Oversburg und im Westen eine Siedlung um St. Aposteln. Kaiser HEINRICH IV. fand in seinem Sterbejahr 1106 vor seinem Sohn Zuflucht in Köln und »ließ die Stadt mit Wall und Graben befestigen«. Die neuen Stadtteile wurden durch halbkreisförmig an die römische Stadtmauer angebaute Wallgräben in das Befestigungssystem einbezogen. Durch seine Parteinahme für Heinrich IV. hatte sich Köln freilich dessen Sohn, HEINRICH V., zum Feinde gemacht. Im Aufstand des Jahres 1114 wußte es sich gegen den König zu behaupten und gewann dadurch ein verstärktes Selbstbewußtsein. Der Wille, die Verwaltung in die eigenen Hände zu nehmen, regte sich.

Seit der Mitte des 12. Jh. führt die Stadt ein eigenes SIEGEL, das die Umschrift trägt: Sancta Colonia Dei Gratia Romanae Ecclesiae Fidelis Filia – Das heilige Köln, durch Gottes Gnade der römischen Kirche treue Tochter. Köln verdankt diesen Ehrentitel seinen vielen Kirchen und kostbaren Reliquien. Die älteste uns erhaltene Urkunde mit diesem Siegel stammt von 1149. In ihr wird das Bürgerhaus in der Judengasse, das spätere Rathaus, erwähnt. Sie ist aber auch in anderer Hinsicht aufschlußreich. Sie gibt uns Auskunft über die Organisation der Handwerke in Bruderschaften. Schon ist eine Spezialisierung eingetreten. Von den Webern hatten sich anscheinend bereits die Leineweber abgesondert. Von ihnen lösen sich jetzt die Decklakenweber. Die Zünfte beginnen sich zu formieren. Da sie als christliche Bruderschaften organisiert sind, finden Juden keine Aufnahme. Berufsbeschränkungen bahnen sich für sie an. Um 1135 entsteht in Köln das Schreinswesen. Der Name leitet sich von den Schreinen her, in denen die Pergamenturkunden und seit 1220 nach und nach die handlicheren Bücher aufbewahrt wurden, die die Aufzeichnungen über Veränderungen am Grundbesitz enthalten, die ältesten deutschen Zeugnisse über das Liegenschaftswesen, Vorstufe der Grundbücher. Das Judenschreinsbuch bezeugt, daß die Juden in Köln vor 1347 Grundbesitz haben durften.

Der erste Ratgeber und Reichskanzler Kaiser Friedrich Barbarossas, RAINALD VON DASSEL († 1167), wird 1159 Erzbischof von Köln. Mehr noch als seine großen Vorgänger ist er an der Reichspolitik aktiv beteiligt. Den Staufer begleitet er nach Italien. Köln sieht ihn relativ selten. Immerhin betätigt er sich in seiner Bischofsstadt als Bauherr. Um 1150 beginnt das ›große Jahrhundert‹ des Kölner Kirchenbaus. In der Stauferzeit erhalten die Stiftskirchen ihre endgültige Gestalt, vor allem die prächtigen Schauseiten. Charakteristisch wird die Dreikonchenanlage: St. Aposteln, St. Maria im Kapitol, Groß St. Martin. Ein Antagonismus zwischen dem Dom und den übrigen Stiftskirchen wird erkennbar.

Die Profanarchitektur bereicherte Rainald von Dassel durch die Errichtung einer neuen Residenz am Domhof. Den hohenstaufischen Palastbauten entsprechend, wies sie im Obergeschoß eine Galerie auf, im Stil nicht unähnlich der Zwerggalerie im Giebel von St. Gereon. Weitere Gebäude, wie sie für eine fürstliche Hofhaltung benötigt werden, gliederte der Erzbischof seiner Residenz an. Von diesen Bauten ist nichts mehr erhalten. Als Kriegskontribution bekam Rainald von Dassel 1164 für seine Bischofsstadt kostbare Reliquien, die der makkabäischen Brüder und ihrer Mutter, und vor allem die der Hl. Drei Könige. Köln als Wallfahrtsort erhielt dadurch erneuten Auftrieb.

Seit Jahrzehnten gab es in Köln eine hochentwickelte Goldschmiedekunst und bedeutende Emailarbeiten. Nun galt es, für die Gebeine der Hl. Drei Könige einen Schrein zu schaffen, der an Kostbarkeit das bisher Erreichte noch in den Schatten stellen sollte. Auftraggeber war das Domkapitel. Doch trug auch der aus ihm hervorgegangene Nachfolger Rainalds von Dassel dafür Sorge, PHILIPP VON HEINSBERG († 1191), der in den langen Zeiten der Abwesenheit des Erzbischofs bereits die Geschicke der Kölner Kirche geleitet hatte. Neben den Kölner Goldschmieden konnte Nikolaus von Verdun (Arbeiten nachweisbar 1180–1205), gewonnen werden, der am Stilwandel des späten 12. Jh., der Wende zu einer realistischen Gestaltung des Menschenbildes, einen entscheidenden Anteil hatte. In dem Idealbild Rainalds von Dassel auf der Rückseite des *Dreikönigenschreins* ist dem Erzbischof ein Denkmal gesetzt. Überraschend ist, daß sich auch auf der Vorder-, der Schauseite des Schreins, das Bild eines deutschen Fürsten findet. Seitlich neben den Königen aus dem Morgenland steht König Otto IV., den die Stadt und das ihr verbundene Domkapitel durch die Heiligen dem Schutz der Gottesmutter empfehlen (Abb. 9).

Neben den Goldschmiede- dürfen die Elfenbeinarbeiten nicht übersehen werden, die ebenfalls im 12. Jh. in Köln eine Blütezeit erleben. Sie stehen im Dienste der Buchkunst, für die es aus der gleichen Zeit nicht minder gute Beispiele gibt, wie z. B. aus den Jahren um 1140–1150 das Evangeliar aus St. Pantaleon (Historisches Archiv) und das Perikopenbuch (Paris, Bibl. Nat.), dessen Miniaturen einen ähnlichen Stil aufweisen wie die gleichzeitigen Wandmalereien aus dem Chor von St. Gereon.

Für die wirtschaftliche Entfaltung Kölns spielte der ENGLANDHANDEL eine wichtige Rolle. In London besaßen die Kölner Kaufleute ein eigenes Haus. Schon 1157 hatte ihnen der englische König Heinrich II. den gleichen Schutz wie seinen eigenen Untertanen zugesagt. Wenn nun England den dem eigenen Königshaus verwandten Welfen in seinem Thronanspruch unterstützte, dann hatte Köln handfeste Gründe, auf diese stauferfeindliche Politik einzuschwenken, zumal sein Verhältnis zu jenem Herrscherhaus keineswegs ungetrübt war. Die Stadt wußte sogar ihren Erzbischof, Adolf von Altena, und dessen Nachfolger, Bruno von Sayn, auf ihre Linie festzulegen. Erst nach langer Belagerung konnte sie 1207 von Philipp von Schwaben bezwungen werden. Sie erlitt zwar eine Niederlage, hatte sich aber doch als so mächtig erwiesen, daß der König ihre Freundschaft zu erlangen suchte. Hatte bereits 1180 Friedrich Barbarossa einen Vergleich zwischen der Stadt und dem Erzbischof Philipp von Heinsberg bestätigt, der es den Kölner Bürgern erlaubte, die neue, die dritte Stadterweiterung vorzunehmen, so gestand nun Philipp von Schwaben am 30. April 1207, in dem ersten, direkt an die Stadt gerichteten Privileg, erneut Köln das Recht zur Errichtung und Instandhaltung dieser Befestigung zu. In einem großen Halbkreis umgab sie die Stadt. Sämtliche Stifte waren darin eingeschlossen. Neben dem Siedlungsgebiet gab es weite Grünflächen. Die um die Mitte des 13. Jh. vollendete STADTMAUER mit ihren 12 mächtigen Toren – ein Abbild des Himmlischen Jerusalems – machte die Stadt bis zur Neuzeit uneinnehmbar. Tonangebend in ihr waren die Patrizier. Urkundlich wird um 1180 bereits erstmals die Richerzeche erwähnt, die sich aus ehemaligen Bürgermeistern und Schöffen zusammensetzte. Der Name bedeutet Gemeinschaft der Reichen. Die Patrizier erbauten sich repräsentative Häuser. Erhalten blieb das Overstolzenhaus, um 1220–1230 errichtet (Abb. 90).

Um 1222 gründen die Dominikaner, die Predigerbrüder, im Immunitätsbereich von St. Andreas ein Kloster. Sieben Jahre später folgen die Minderbrüder und lassen sich in Köln nieder. Ebenso fassen Augustiner und Karmeliter hier Fuß. Den Weltgeistlichen, den Stiften und den Benediktinerabteien machen die neuen Orden, die Bettelorden, Konkurrenz. Als Prediger und Seelsorger genießen sie einen guten Ruf.

Dem sich rasch ausbreitenden Dominikanerorden konnte Paris als Studienzentrum nicht mehr genügen. 1248 beschließt daher das Generalkapitel des Ordens die Errichtung weiterer Generalstudien. Noch im gleichen Jahr wird das Kölner Generalstudium unter der Leitung Albert des Großen († 1280, Grab in St. Andreas) eröffnet. Kostbares Zeugnis seiner Lehrtätigkeit sind die Autographe seiner Kommentare zu des Aristoteles Tiergeschichten und zum Matthäusevangelium (Historisches Archiv). Sein berühmtester Student war Thomas von Aquin († 1274), der in seinen Kölner Jahren, 1248–1252, die Vorlesung seines Lehrers zur Nikomachischen Ethik mitschrieb.

Noch aus einem anderen Grund war das Jahr 1248 für Köln höchst bedeutsam. Der Alte Dom schien als Herberge für die Gebeine der Hl. Drei Könige nicht mehr zu genügen. Schon Engelbert I. (1216–1225) regte beim Domkapitel einen Neubau an. Noch scheute man vor der Größe der Aufgabe zurück. KONRAD VON HOCHSTADEN (1238–1261) setzte sich erneut für den Plan ein. 1247 faßte das Domkapitel den Beschluß, den bisherigen Bau durch einen neuen zu ersetzen. Die Grundsteinlegung fand am 15. August des folgenden Jahres statt. Vorbild war die 1220 begonnene Kathedrale von Amiens. Das Andenken an den Erzbischof, dessen Initiative der Dom sein Entstehen verdankt, wahrt sein Denkmal, ein Bronzeguß nach 1261. Es ist das Idealbild eines geistlichen Fürsten (Abb. 13).

Unzweifelhaft hat Konrad von Hochstaden an Köln sehr gehangen und die Hauptstadt seines Territoriums in seiner Weise nach Kräften zu fördern versucht. Aber er konnte sich nicht damit abfinden, daß die Stadt weitgehend der Herrschaft der Erzbischöfe entglitten war. Daher suchte er die Entwicklung rückgängig zu machen. Schon Engelbert I. hatte die Rechte der Richerzeche und der Schöffen beschnitten. Diese Politik setzte Konrad von Hochstaden fort. Mehrfach hat dabei Albert der Große als sowohl vom Erzbischof als von der Stadt respektierter Schiedsrichter in die Auseinandersetzungen eingegriffen. Zwar konnte der mit der Waffe ausgetragene Streit um die Münzrechte 1252 durch einen Schiedsspruch beigelegt werden. Doch sechs Jahre später kam es aus geringfügigem Anlaß erneut zum kriegerischen Zusammenstoß. Abermals einigte man sich auf ein Schiedsgericht. Konrad von Hochstaden erhob vor den Schiedsrichtern den Anspruch, »höchster Richter und Herr der Stadt Köln« zu sein. Im ›Großen Schied‹ wird zwar die Oberhoheit des Erzbischofs anerkannt, zugleich aber auch das Recht der Bürgerschaft auf Selbstverwaltung bestätigt. Dank seines Bündnisses mit den Zünften wußte der Erzbischof sich dennoch weitgehend die Macht zu sichern.

Am 7. Mai 1259 verlieh Konrad von Hochstaden der Stadt das für die Kölner Wirtschaftsgeschichte bedeutsame Stapelrecht. Aufschlußreich freilich für die Machtstellung des Erzbischofs ist die Strafformel, mit dem jedem, der sich nicht an die Bestimmungen der Urkunde hält, Entfernung aus dem Amt »ohne Hoffnung, dieses wiederzuerlangen oder in den Rat der Stadt aufzusteigen« angedroht wird. Das Stapelrecht ver-

Die Schlacht bei Worringen 1288. Aus der Chronik des Johann Koelhoff. 1499

pflichtete sowohl die niederrheinischen als auch die oberrheinischen Kaufleute in Köln anzuhalten und ihre Ware dort zum Großverkauf anzubieten.

Bei all seiner Härte hatte Konrad von Hochstaden doch Augenmaß für das politisch Mögliche besessen. Gerade daran mangelte es seinem Nachfolger ENGELBERT II. VON FALKENBURG (1261–1274). Konrad von Hochstaden hatte den Kölner Bürgern wenigstens den äußeren Schein der Selbstregierung gewahrt, sein Nachfolger suchte, Köln auch formell auf den Stand einer landesherrlichen Stadt herabzudrücken. Die Bedrohung veranlaßte die Patrizier, denen mehr noch als den minder begüterten Bevölkerungsschichten an der Wahrung der verfassungsrechtlichen Sonderstellung Kölns lag, dieser durch Außenbürgerverträge zu begegnen, durch die sie sich des Rückhalts bei den Grafen und Herren im Lande versicherten. Im Bündnis mit dem Grafen Wilhelm IV. von Jülich konnten sie den Erzbischof besiegen und gefangensetzen. Noch als Gefangener suchte er den Streit zweier Kölner Patriziergeschlechter zu seinen Gunsten auszunutzen. Doch die von ihm gegen die Overstolzen unterstützten Weisen unterlagen im Kampf bei der Ulrepforte, 1268. Ein *Relief* aus der Zeit um 1360, eines der ältesten historischen Denkmäler Deutschlands, erinnert an dieses Ereignis (Abb. 136).

Auch das Verhältnis zu SIEGFRIED VON WESTERBURG (1274–1297) war gespannt. Das Mißtrauen der Kölner wurde geweckt, als der Erzbischof trotz der Zusage, in der Nähe der Stadt keine Burg zu errichten, mit einem Neubau in Worringen begann. Als sich im Limburgischen Erbfolgestreit der Erzbischof aus Furcht vor dem Machtzuwachs des Herzogs Johann I. von Brabant mit dessen Gegenspieler, dem Grafen Rainald von Geldern verbündete, schlug sich die Stadt auf die Seite des Brabanters. In der SCHLACHT BEI WORRINGEN (1288) wurde der Erzbischof entscheidend geschlagen. Köln konnte ihm daher seinen Willen diktieren. Die Stadt war seither in einem gewissen Sinne bischofsfrei. Der Erzbischof mußte künftig seinen Wohnsitz außerhalb Kölns nehmen. Er blieb nur der oberste Gerichtsherr der Stadt.

Zu dieser Zeit gibt es noch immer Zeugnisse einer hochstehenden Buchmalerei. Freude an der Pflanzenwelt und an den Tieren zeichnen die Miniaturen des Minderbruders Johannes von Valkenburg aus. In den ersten Jahrzehnten des 14. Jh. erlebt die Mystik unter den Dominikanern in Köln ihre Hochblüte. Meister Eckhart († vor 1328) predigt in vielen Kölner Klosterkirchen. Zu den Klöstern kommen die Häuser der Beginen hinzu. 1334 wird der Bau des Kölner Kartäuserklosters St. Barbara begonnen. Zeichen einer neuen, mitleidenden Frömmigkeit ist das *Gabelkreuz* in St. Maria im Kapitol (Abb. 100).

1308–11 entsteht das Chorgestühl des Kölner Doms. Am 27. September 1322 weiht Heinrich II. von Virneburg (1304–1332) den vollendeten Chor des Doms ein. Die Anziehungskraft Kölns verrät ein Brief Petrarcas vom 9. August 1333 über seine Reise an den Rhein. Über Köln schreibt er: »Dieser Ort ist durch seine Lage, durch seinen Strom und durch seine Bevölkerung berühmt. Man ist erstaunt, in diesem Barbarenland eine derartig feine städtische Bildung anzutreffen. Welch ein Stadtbild, welche Würde bei den Männern, welche Anmut bei den Frauen!« Petrarca spürte auch den Zeugnissen der Antike in Köln nach: »Ich habe das Capitol gesehen, ein Abbild des unseren ... Ich habe den Dom gesehen inmitten der Stadt, ein herrliches Bauwerk, wenn es auch noch nicht vollendet ist; nicht zu Unrecht nennen die Kölner es das Höchste.«

Doch gab es in dieser Stadt nicht nur Glanz. Risse gingen durch ihre Gesellschaft. Ängste regten sich. An der Rechtgläubigkeit von Beginen und Begarden wurden Zweifel laut. Damit im Zusammenhang dürften auch die Anklagen gegen Meister Eckhart stehen. Anstoß erregten einige als zu kühn empfundene Sätze in seinen Predigten. In dieser Zeit beginnt sich der Widerspruch gegen die Bettelorden überhaupt zu regen. Anlaß dazu boten die reichlichen Schenkungen von Grundbesitz und Renten. Das plötzliche Auftreten der Pest 1348 suchte man sich wie vielerorts, mit der Behauptung zu erklären, die Juden hätten die Brunnen vergiftet. 1349 wurden auch in Köln die Juden vernichtet. Der Rat unternahm nichts, den Pogrom der Juden zu steuern, zumal manche seiner Mitglieder bei den Juden hoch verschuldet waren und auf diese Weise ihrer Verpflichtungen ledig wurden. Anschließend schlossen der Erzbischof Wilhelm von Gennep (1349–1362), dessen Schutz die Juden unterstanden, und der Rat der Stadt einen Vertrag über die Verteilung des Vermögens der Erschlagenen. Für Jahrzehnte hatte man die Juden aus Köln verbannt.

Bis ins letzte Jahrzehnt des 14. Jh. blieb das Patriziat im Besitz des Stadtregiments. Es schuf sich anstelle des früheren Bürgerhauses ein repräsentatives RATHAUS (Mitte 14. Jh.). In seinem großen Saal wurde 1367 ein Bündnis der Hansestädte gegen König Waldemar Atterdag von Dänemark und Hakon von Norwegen geschlossen. An dieses Ereignis erinnert der neuzeitliche Name Hansasaal. Köln war eine mächtige Stadt innerhalb der Hanse geworden. Allerdings konnte es auch zu Konflikten mit dieser Institution kommen, wenn deren Politik den wirtschaftlichen Interessen der Stadt zuwider lief. Dann scheute sich Köln nicht, aus der Hanse auszuscheren.

Noch in der Zeit der Herrschaft des Patriziats wurde die Kölner UNIVERSITÄT gegründet. Sie ist die erste, die in Deutschland von einer Stadt ins Leben gerufen wurde. An der Besoldung der Professoren mußten sich die Stifte der Stadt mit beteiligen. Die Vorlesungen fanden weitgehend in den Hörsälen der Studienhäuser der Mendikantenorden statt. Hier wurde auch die Wahl des Rektors abgehalten. Die theologische Fakultät bekam im Dombezirk eine eigene ›Aula theologica‹ eingerichtet. Was die Universität an eigenen Gebäuden errichtete, so die beiden Gebäude der juristischen Fakultät, an die der Name der Rechtschule erinnert, war bescheiden. Ein repräsentatives Gebäude stand der Universität während der reichsstädtischen Zeit nicht zur Verfügung. Die Studenten fanden, soweit sie nicht Angehörige eines Ordens waren, Aufnahme in den Bursen. Die theologisch und philosophisch interessierten Bursen legten sich dabei auf eine der Schulrichtungen, insbesondere den Thomismus und Albertismus fest.

Der Wohlstand der Stadt hing nicht nur vom Unternehmergeist der Kaufleute, sondern auch von der Leistungsfähigkeit seines Handwerks ab. Seine schon im 12. Jh. zu bemerkende Spezialisierung nahm in der Folgezeit noch zu. In dem Maße, in dem aus abhängigen Lohnarbeitern selbständige Handwerkermeister wurden, genügte die Organisation in berufsspezifische Bruderschaften nicht mehr. Es entstanden die ZÜNFTE im eigentlichen Sinne. Um 1300 werden die ersten Zunfthäuser erwähnt. Gegen Ende des 14. Jh. gibt es in Köln 42 Zünfte und eine gleiche Anzahl Bruderschaften. Ursprünglich geselligen Zusammenkünften, später auch politischen Zielen dienten die 22 Gaffeln, die neben den Handwerkern auch andere Mitglieder, etwa Kaufleute aufnehmen konnten. Ihr Name wird von der Vorlegegabel abgeleitet, die bei gemeinsamen Essen benutzt wurde. Zumeist waren mehrere berufsverwandte Zünfte in einer Gaffel zusammengeschlossen. Die Zunftordnungen regelten nicht nur die Zahl der Gesellen und Lehrlinge, die ein Meister beschäftigen durfte, die Bedingungen zur Aufnahme in die Zunft, die Arbeitszeit und den Lohn, sondern suchten auch die Qualität der Arbeit zu garantieren. Wie die Zunft nach innen auf die Qualität der Arbeit achtete, so verbürgte sich die Stadt nach außen für ihre Güte. So bestätigte sie in einem Brief, den sie 1373 an Venedig und andere Städte sandte, daß sie die Arbeit der Goldschläger und Goldspinner überwache und genau prüfe, daß die »kunstgewerblichen Stücke jederzeit mit der nötigen handwerklichen Sorgfalt gefertigt werden und ihre Legierung den gesetzlichen Vorschriften entspricht«, um dann darauf aufmerksam zu machen, daß es Kaufleute gibt, die widerrechtlich fremde als Kölner Waren anbieten. Als Warenschutz hat sie daher einen Stempel eingeführt: »Wir schicken euch ein Muster dieses Stempels, verschlossen in diesem Schreiben, mit. Jedes Stück, das nicht einen derartigen Stempel trägt, dürft ihr, ohne zu zögern, zurückweisen und für unecht, gefälscht und nicht aus Köln stammend erklären.«

Neben den Werken der Tafel- und Wandmalerei, den Glasgemälden und Miniaturen sollten die Web- und Stickarbeiten nicht vergessen werden. Zahlenmäßig stand in Köln die Weberzunft obenan. Gegen Ende des 14. Jh. gab es bei einer Gesamtbevölkerung von rund 30 000 Einwohnern an die 6000 Weber, die in etwa 300 Werkstätten beschäftigt waren. Angesichts ihrer zahlenmäßigen Stärke empfanden die Weber die Alleinherrschaft der Patrizier als unerträglich. Für ihre Reformwünsche fanden sie bei den übrigen Zünften Bundesgenossen und setzten 1370 die Abschaffung der Richerzeche und die Neugestaltung des Rats durch. Auf die Dauer verärgerte ihr Sieg die Zünfte. Als die Weber wagten, ein zum Tode verurteiltes Mitglied des Wollenamts dem Henker zu entreißen, wurde die Stimmung gegen sie feindselig. Dies nützten die Geschlechter, die sich mit den Kaufmannsgaffeln und mehreren Zünften verbündeten, zum STURM auf das Zunfthaus DER WEBER, während sich die Mehrheit der Kleinhändler und Handwerker neutral hielt. Im blutigen Kampf unterlagen am 20. November 1371 die Weber ihren Angreifern. Von den Überlebenden des Wollenamts verließen viele mit Erlaubnis des Rats die Stadt. Das Vermögen der Erschlagenen und der Ausgewiesenen wurde eingezogen. Von Kaiser Karl IV. (1347–1378) ließ sich der Rat 1373 die Rechtmäßigkeit der Verbannung der Weber bestätigen.

Noch einmal hatten sich die Geschlechter behauptet. Aber sie waren uneins, in zwei Parteien gespalten. Jede der beiden Richtungen suchte die andere zu verdrängen. Unter diesen Umständen hatte der HANDSTREICH DER ZÜNFTE vollen Erfolg. Am 18. Juni 1396

Die Weberschlacht 1371. Aus der Chronik des Johann Koelhoff. 1499

wurden die Geschlechter überrumpelt. Wer nicht Urfehde schwor, mußte die Stadt verlassen. Ein neuer Rat, in dem die Kaufleutegesellschaften und die Zünfte das Übergewicht hatten, trat zusammen und gab sich mit dem Verbundbrief vom 14. September 1396 eine neue Verfassung. Jeder Kölner mußte nun einer der Gaffeln angehören. Zünfte und Gaffeln verbanden sich in dem Treuegelöbnis zum Rat, dem sie alle obrigkeitliche Gewalt übertrugen. Er wählte die beiden Bürgermeister, die ebenso wie die Ratsherrn ihr Amt ein Jahr lang innehatten. Wiederwahl war nach zwei Jahren möglich. Bei Heerfahrten, Bündnisverträgen und stärkeren finanziellen Belastungen wie bei Ausgaben über 1000 Gulden mußte die Zustimmung der Vierundvierziger eingeholt werden, einer Körperschaft, die aus je zwei Mitgliedern jeder Gaffel bestand. Zwar wurde die bisherige Oberschicht, das Patriziat, politisch, wirtschaftlich und gesellschaftlich weitgehend ausgeschaltet, doch begann 1396 mit dem Verbundbrief keine Demokratie im heutigen Sinne der Gleichberechtigung aller Stadtbewohner. Es gab auch weiterhin erhebliche soziale Unterschiede und Abstufungen in der persönlichen Rechtsstellung. Neben vollberechtigten Bürgern standen Gesellen, Tagelöhner, Knechte, Arme, Schutzverwandte, Juden. Eine wirkliche politische Vertretung der Gruppen fehlte. Sehr rasch konnte sich eine neue Oberschicht bilden. Es sollte nicht lange dauern, bis der Rat wieder exklusive Züge annahm. Durch die Zahlung von 11 000 Gulden erkaufte sich das neue Regiment die Anerkennung von König Wenzel (1378–1400). Als Zeichen des Sieges der Zünfte baute der neue Rat den Rathausturm. In dem Ratsprotokoll vom 19. 8. 1406 heißt es über die Innengestaltung: »Der Bau solle enthalten: 1. einen Keller für die Weine der Stadt, 2. ein Ratszimmer, 3. ein Gewölbe zur Aufbewahrung der Privilegien der Stadt und 4. ein Zimmer oder Gewölbe zur Aufbewahrung der städtischen Gerätschaften.« Im Gürzenich errichtete sich der Rat 1441–44 ein Fest- und Tanzhaus.

Auf Veranlassung des Patriziats hatte der Rat 1372 die Juden wieder zugelassen. Doch galt die Aufenthaltserlaubnis nur für jeweils zehn Jahre und mußte dann erneuert werden. Weit mehr noch als die Patrizier waren die Zünfte den Juden feindlich gesonnen. Daher und wegen der Kompetenzstreitigkeiten mit dem Kölner Erzbischof als ihrem Schutz- und Gerichtsherrn entschloß sich der neue Rat, den Zehnjahresvertrag nicht mehr zu erneuern. Die Juden mußten 1424 erneut die Stadt verlassen. Der Dompropst gab zwei Jahre später die Zustimmung, daß an Stelle der Synagoge die auf den Titel Maria von Jerusalem geweihte Rathauskapelle errichtet wurde. Für sie malte Stefan Lochner einen heute im Dom befindlichen *Flügelaltar* (Abb. 16). Einer Notiz im Tagebuch von Dürers niederländischer Reise verdanken wir es, daß wir die Bilder Lochners identifizieren können, während die Werke der anderen Meister Notnamen tragen. Aufgrund der Wappen und der schriftlichen Zeugnisse ist in vielen Fällen die Identifizierung der Stifter möglich. Der Wunsch nach Selbstdarstellung nahm im 15. Jh. zu. Das Stifterbild gab dazu die willkommene Gelegenheit. Erst gegen Ende dieses Jahrhunderts setzte sich das selbständige Porträt durch. Als Porträtmaler war vor allem Barthel Bruyn d. Ä. hochgeschätzt (vgl. Abb. 46).

Auf vielen Tafelbildern werden Heilige – vor allem Maria – in kostbaren Büchern lesend dargestellt. Neue Impulse geben der Buchmalerei die Brüder vom gemeinsamen Leben, die sich den Idealen der Devotio moderna weihten. Das Kölner Haus ›Am Weidenbach‹ fertigte Handschriften für den Dom, St. Aposteln, St. Gereon, St. Kunibert und die Pfarrkirche St. Brigida an. Solche Bücher waren kostbarer Besitz, den sich nur wenige leisten konnten. Erst der BUCHDRUCK ermöglichte die Herstellung relativ erschwinglicher Bücher. Kölns Geschichte als Buchdruckerstadt beginnt mit der Eintragung des Ulrich Zell aus Hanau († 1507) in die Universitätsmatrikel am 17. Juni 1464. Er ließ sich bei dieser Artistenfakultät einschreiben, da er es als studierter Mann vorzog, sich der Gemeinschaft der Lehrenden und Studierenden, statt einer Zunft anzuschließen. Durch Heirat mit einer Patriziertochter wurde er Bürger und Hausbesitzer. In einer Hand vereinigte er Druckerei und Verlag. Seine ersten Drucke erschienen bereits 1465. Zunächst begnügte er sich mit der Veröffentlichung von mäßig umfangreichen Quartbänden meist theologischen Inhalts. Erst die Konkurrenz anderer Drucker in Köln nötigte ihm größeren Wagemut ab. Den Wettbewerb mit ihm nahm als erster Arnold ter Hoernen auf. Sein erster datierter Druck, eine Marienpredigt des Kölner Kartäusers Werner Rolevinck († 1502), von 1470, ist für die Geschichte des gedruckten Buchs von Bedeutung, weil hier erstmals der Versuch gemacht wurde, mit Blattzahlen eine neue Fixierung des Textes zu ermöglichen. Das einzige illustrierte Buch, das bei ihm erschien, ist der ›Fasciculus temporum‹, die Weltchronik Rolevincks. Sie enthält das erste gedruckte Bild Kölns. Aus Lübeck kam 1472 der Buchdrucker und geschickte Unternehmer Johann Koelhoff († 1493). Sein Sohn veröffentlichte unter dem Datum des 23. 8. 1499 die ›Cronica van der hilliger Stat van Coellen‹. Verfasser dieser ersten gedruckten Kölner Stadtgeschichte war möglicherweise ein Dominikaner. Das Buch enthält Illustrationen mit Kölner Motiven wie dem Dom und anderen Kirchen, aber auch dem ›Kölner Bauern‹*. Da die Stadtgeschichte einige recht unfreundliche Bemerkungen über den Rat der Stadt enthielt, verbot dieser die Verbreitung des Buchs. Um die Schulden decken zu können, mußte der jüngere Koelhoff einen Teil seines Besitzes veräußern.

Der bedeutendste frühe Druck in Köln aber ist der der Kölner Bibel. Diese erste niederdeutsche Bibelübersetzung ist zugleich einer der frühesten illustrierten Drucke der Heiligen Schrift. Als Vorlage dienten den Holzschnitten die Zeichnungen einer um 1460 entstandenen Kölner Bibelhandschrift (Berlin, Staatsbibliothek). In ihrer Qualität stehen die Holzschnitte der Kölner Bibel gegen Ende des 15. Jh. einzig dar. Erst das 16. Jh. sollte einen Aufschwung des Holzschnitts bringen. Dies wird vor allem Anton Woensam († 1541) verdankt, von dem 549 Holzschnitte für den Buchschmuck bekannt sind. 1531 schuf er seinen großen Kölnprospekt.

Als Ulrich Zell nach Köln kommt, steht es im Kurstaat wirtschaftlich und politisch nicht zum Besten. Die Fehden des Kurfürsten Dietrich von Moers (1414–1463) hatten den wirtschaftlichen Ruin gebracht. Sein Nachfolger, KURFÜRST RUPRECHT VON DER PFALZ (1463–80), hatte zwar die Erblandesvereinigung, das Grundgesetz des Kurstaats beschworen, versuchte aber schon bald, die absolute fürstliche Gewalt wiederherzustellen. 1471 nahm er Zons und brach damit offen die Erblandesvereinigung. Als er auch Neuss in seine Gewalt zu bringen suchte, sagten sich die Stände 1473 von ihm los und wählten den Dekan von St. Gereon, Landgraf Hermann von Hessen, zum Stiftsverweser. Erzbischof Ruprecht rief Karl den Kühnen (Herzog 1467–77) um Hilfe an. Dieser sah in dem Konflikt eine günstige Chance, seinen Staat abzurunden und doch noch die Königskrone zu erlangen. Die Eroberungswünsche des Herzogs erregten am Niederrhein Furcht. Albrecht Achilles, der Kurfürst von Brandenburg, erkannte die Bedrohung des Reichs. Ihm gelang es, eine Koalition gegen den Burgunder zusammenzubringen und schließlich auch Kaiser Friedrich III. (1440–93) zum Eingreifen zu bewegen. Inzwischen war der Burgunder in das Rheinland einmarschiert und belagerte

* Der ›Kölner Bauer‹ ist das Symbol der Wehrhaftigkeit der Stadt.

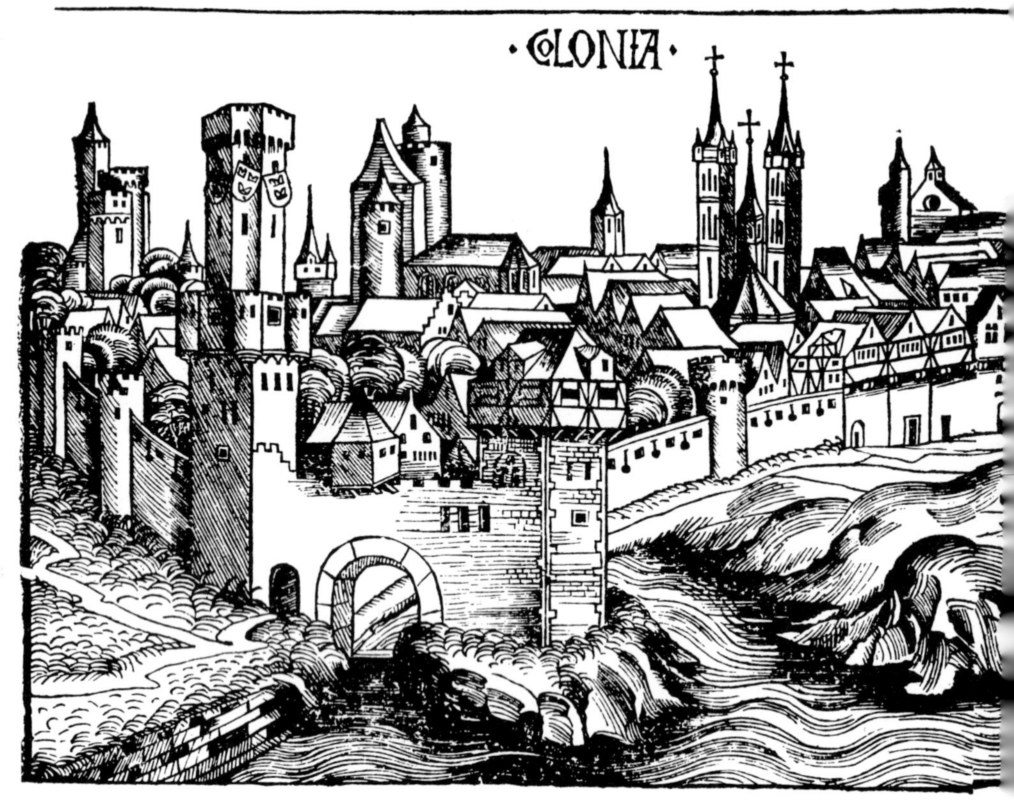

Köln. Rheinansicht von Südosten. Holzschnitt. Blatt 91 aus Hartmann Schedels Weltchronik. 1493

seit dem 29. Juli 1474 Neuss. Drei Tage später erklärte die Stadt Köln Karl dem Kühnen und dem ihm verbündeten Kölner Erzbischof den Krieg. Im Winter sandte Köln dem belagerten Neuss 200 Reiter und 2000 Fußsoldaten zu Hilfe. Doch Monat um Monat verstrich, bis der Kaiser mit seinem Entsatzheer erschien. Es wurde darüber Mai. Der Burgunder gab nach. Am 5. Juni 1475 zogen die Kaiserlichen in die Stadt ein. Die Hoffnung der Kölner, sich für ihre Unkosten an burgundischer Kriegsbeute schadlos halten zu können, wurde vom Kaiser enttäuscht, da dieser im Hinblick auf die beabsichtigte Heirat seines Sohnes mit der Tochter Karl des Kühnen einen für Burgund glimpflichen Frieden wünschte.

Am 19. September 1475 erneuerte der Kaiser die Privilegien Kölns und bestätigte formal die REICHSUNMITTELBARKEIT. Hinfort mußte die Stadt nur noch dem Reich, nicht jedoch mehr dem Erzbischof huldigen. Im Bewußtsein der Bürger war Köln freilich schon längst freie Reichsstadt.

Seit dem Neusser Krieg stand Köln in einem freundschaftlichen Verhältnis mit Friedrich III. und Maximilian I. (1493–1519). Als Herr der burgundischen Erblande weilte

Maximilian I. gerne in Köln. Die ›Koelhoffsche Chronik‹ berichtet von dem Turnier auf dem Alter Markt anläßlich des Besuches Kaiser Friedrich III. und seines Sohnes 1486. Maximilian trat dabei gegen den Pfalzgrafen Philipp an. Abends lud er seine Gäste auf das Haus Quatermarkt ein. »Der König tat den Fürsten und den Jungfrauen sehr gütlich, und als man gegessen hatte, tanzten die Herren mit den Frauen auf dem Tanzhause Gürzenich.« Als Kaiser hielt Maximilian mehrere Reichstage im Gürzenich ab. Am Neumarkt ließ ihm der begüterte Nicasius Hackeney ein Stadtpalais bauen »mit ausgeladenen Fenstern, Erkern und Körben« (vgl. S. 194).

Aber es bestand durchaus nicht nur Anlaß zum Feiern. Die Kriegskosten, die der Stadt aus der Hilfe für Neuss erwuchsen, hatten nur durch Steuererhöhungen aufgefangen werden können, die böses Blut machten. 1481 kam es zu einer Rebellion, die rasch scheiterte. Klagen über zu hohe Steuern und über Günstlingswirtschaft verstummten auch im ersten Jahrzehnt des 16. Jh. nicht. Eine blutige Schlägerei bei den Meisterwahlen der Steinmetzen am 21. Dezember 1512 löste den Aufstand gegen den Rat aus. Ein Teil der schuldigen Steinmetzen hatte sich in die Immunität von St. Maria im

Kapitol geflüchtet. Als der Rat sie dennoch unter Mißachtung des Asylrechts festsetzen ließ, solidarisierten sich mit ihnen die übrigen Steinmetzen, die Zimmerleute, Dachdecker und eine Schar Studenten. Andere Zünfte verweigerten dem Rat die Unterstützung. Anfang des neuen Jahres erhoben die Gaffeln die Forderung nach Aufhebung der außerordentlichen Auflagen und Bestrafung derjenigen, die die bürgerlichen Freiheiten verletzt hatten. Unter Führung der Weber und Faßbinder wurden die Stadttore besetzt. Ein Teil der Ratsherren flüchtete, die übrigen tagten unter dem Schutz der letzten loyal gebliebenen Stadtsoldaten. Am 5. Januar 1513 wählten die Zünfte 178 Vertrauensmänner zur Bildung einer provisorischen Nebenregierung, die im Haus Quatermarkt zusammentrat. Doch der Aufstand radikalisierte sich. Der alte Rat mußte auch formal zurücktreten. Die Ratsherren wurden, soweit sie nicht geflüchtet waren, gefangengesetzt. Ein neuer Rat bildete sich, der sich den Wünschen der Zunftgenossen vom Quatermarkt und des Volkes beugte. Gegen die alten Ratsherren wurde ein Prozeß angestrengt. Zehn von ihnen, darunter die beiden Bürgermeister des Jahres 1512, Johann von Reidt und Johann Oldendorp, wurden hingerichtet. Dieser Vorgang löste Aufsehen und Entrüstung im ganzen Reich aus. Mit einer Summe von 11 400 Gulden ließ sich Kaiser Maximilian I. die Anerkennung des neuen Regiments teuer bezahlen. Der Transfixbrief vom 15. Dezember 1513 verstand sich als Ergänzung zum Verbundbrief, in dem er dessen Bestimmungen in einigen Punkten präzisierte und erweiterte. Dazu gehörte die stärkere Kontrolle der Stadtverwaltung und eine Erweiterung der bürgerlichen Freiheiten und Rechte. Aber auch der Transfixbrief vermochte nicht zu verhindern, daß die wichtigsten Ämter in der Hand weniger, einflußreicher Männer verblieben.

Auch in Köln hatte der HUMANISMUS an der Wende zum 16. Jh. Eingang gefunden. Für viele Humanisten war es charakteristisch, sich nicht für längere Zeit zu binden. Aber sie kamen gerne einige Monate nach Köln. Der berühmteste dieser wandernden Gelehrten, die wenigstens zeitweilig auch in Köln wirkten, war der italienische Jurist Petrus Ravennas. Am 3. August 1506 wurde er in Köln immatrikuliert. Ortwin Gratius beschreibt den Andrang der Hörer zu seiner Antrittsvorlesung. Der Saal konnte nicht alle fassen, so daß einige draußen auf die Bäume kletterten, um wenigstens einen Blick durch das Fenster zu erhaschen. Petrus Ravennas wahrte der Stadt auch nach seinem Weggang, 1508, ein gutes Gedenken. Sein Scheiden war nicht zuletzt durch seinen Streit mit dem Dominikanerinquisitor Jakob Hochstraten († 1527) begründet. Er hatte sich nämlich für die Bestattung Hingerichteter eingesetzt. Der Dominikaner aber bestritt dieses Recht. Hochstraten förderte den 1505 zum Christentum übergetretenen Juden Johannes Pfefferkorn († um 1522), der in den folgenden Jahren eine Reihe Pamphlete gegen seine ehemaligen Glaubensgenossen verfaßte. Von Kaiser Maximilian erwirkte er sich die Ermächtigung, den Talmud und andere jüdische Religionsbücher einziehen zu dürfen, da diese das Haupthindernis ihrer Bekehrung seien. Aufgrund der Bedenken, die gegen diese Maßnahmen erhoben wurde, übertrug der Kaiser die Angelegenheit dem Mainzer Erzbischof Uriel von Gemmingen. Dieser forderte eine Reihe von Gutachten, darunter auch von Johannes Reuchlin, an. Durch dessen – nicht für die Öffentlichkeit bestimmtes – Gutachten, fühlte sich Pfefferkorn persönlich gekränkt und veröffentlichte seine Gegenschrift, den Handspiegel. Damit löste er die Kontroverse aus, die in den ›Dunkelmännerbriefen‹ kulminierte. In ihnen geht es freilich nicht mehr um das Recht der Juden auf ihre Bücher. Statt dessen werden die humanistenfeindlich eingestellten Theologen in grobschlächtiger Weise verhöhnt.

Diese Auseinandersetzung wurde bald von einer anderen, viel weitergehenden überschattet. Auch in Köln fanden REFORMATORISCHE GEDANKEN Widerhall. Ein Indiz dafür sind die Verbote des Rats, evangelische Bücher zu drucken und zu verbreiten. Das Ratsprotokoll vom 17. August 1524 verzeichnet die Anweisung an die Buchdrucker und Buchhändler. Die religiöse Revolution verband sich mit einer sozialen. Die BAUERNAUFSTÄNDE fanden auch in Köln ein Echo. Das Buch ›Weinsberg‹, die Chronik, in der der Kölner Ratsherr Hermann von Weinsberg (1518–1597) zugleich mit seiner Familiengeschichte die Geschicke der Stadt beschreibt, weiß zu berichten: »Mich gedenkt dieser Bauernschlacht sehr wohl, denn auch das Gesinde war allenthalben widerspenstig und scheute sich nicht, öffentlich zu sagen: ›Heut bist du Herr, morgen werd ich es sein, heute ist's noch dir, morgen mir‹, und sie wollten nicht arbeiten.« Das Scheitern der Bauernaufstände hatte das Erlahmen der revolutionären Tendenzen in Köln zur Folge. Der Rat ließ die Rädelsführer festnehmen und 1526 hinrichten. Vielleicht war es gerade die Verquickung religiöser und sozialer Motive, die den Rat in den folgenden Jahren zu schärferem Vorgehen veranlaßte. Weil Peter Fliesteden im Dom die Messe verhöhnt hatte, wurde er 1527 verhaftet und nach langem Prozeß gemeinsam mit dem Wanderlehrer Adolf Clarenbach, der ein Jahr später wegen seines evangelischen Bekenntnisses gefangengesetzt wurde, am 28. September 1529 auf der Hinrichtungsstätte Melaten dem Feuertod überliefert. Dieser Hinrichtung hatte auch der Kurfürst, HERMANN VON WIED (1515–47) zugestimmt. Dabei war er für Reformen durchaus aufgeschlossen und wurde darin von seinem Berater Johannes Gropper (1503–59), bestärkt. Das Kölner Provinzialkonzil von 1536 darf als ein ernsthafter innerkatholischer REFORMVERSUCH gewertet werden. Als Hermann von Wied jedoch den Reformator Martin Butzer (1491–1551) als Prediger an das Bonner Münster berief und dieser die ›Kölnische Reformation‹ erarbeitete, erhob sich heftiger Widerspruch. Auf kaiserlichen Druck hin und vom Papst seines Amts enthoben, resignierte der Erzbischof und zog sich auf seine Stammburg zurück († 1552). Auch der zweite Reformationsversuch eines Kölner Kurfürsten, der des Gebhard Truchseß von Waldburg (1577–83), sollte scheitern. Vergeblich war sein Bestreben, das Erzstift in ein weltliches Fürstentum zu verwandeln. Allerdings gab er nicht so schnell auf, sondern suchte sich mit Waffengewalt auch nach seiner Absetzung in Kurköln zu behaupten. Jahrelang tobte der TRUCHSESSISCHE KRIEG. Unter ihm hatte die Stadt Köln wirtschaftlich sehr zu leiden. Eine wichtige Stütze für die katholische Reform waren die Jesuiten. 1556 übernahm Johannes Rethius die Leitung einer Burse, aus der das spätere Gymnasium Tricoronatum hervorging. Christoph Wamser baute ab 1618 für die Jesuiten die Kirche St. Mariä Himmelfahrt.

Wiewohl Köln katholisch blieb, bekannten sich manche seiner Bürger zur Reformation. Auch Flüchtlinge aus den Niederlanden fanden in der Stadt Aufnahme. So kommt es, daß Rubens hier seine Kindheit verbrachte, der holländische Barockdichter Joost van den Vondel hier 1587 geboren wurde. Ihre Grabstätte fanden die Protestanten zuerst auf dem Elendsfriedhof, 1576 wurde der Geusenfriedhof für sie angelegt.

Im 16. Jh. zeichnete sich der wirtschaftliche Niedergang der Stadt bereits deutlich ab. Die politischen Veränderungen zogen wirtschaftliche nach sich. Ein harter Schlag war 1598 die Aufhebung der Privilegien der Hanse durch Königin Elisabeth I. Immerhin fehlte es im 16. Jh. in Köln nicht an Versuchen, neue Wege zu gehen, wie durch die Gründung der Börse, die zunächst unter freiem Himmel auf dem Rathausplatz, seit 1580 auf dem Heumarkt stattfand. Zeichen der Zeit war, daß Mitte des 16. Jh. der Weiterbau am Dom, nach dem er schon lange nur noch schleppend vorangegangen war, gänzlich eingestellt wurde. Pfarrkirchen allerdings wurden noch gebaut.

Schon im 16. Jh. ist das Interesse für Kölns römische Vergangenheit lebendig. Richtete sich das Augenmerk zunächst auf römische Grabmäler und ihre Inschriften, so wandte sich die Sammlerleidenschaft bald auch den Münzen und den Kupferstichen zu. Neben der Antike erscheint seit dem 17. Jh. auch das Mittelalter darstellens- und erforschenswert. Wissenschaftler und Sammler ergänzten einander, verbanden sich nicht selten in ein und derselben Person. Eine Kunstsammlung von internationalem Rang brachte die Familie Jabach zusammen, die sich in der Sternengasse, Pfarrei St. Peter, den Jabacher Hof erbaute, in den sie 1615 übersiedelte. Dem Sammlereifer der Jabachs ist der einzige Dürer zu verdanken, den das Wallraf-Richartz-Museum besitzt.

Ebenfalls noch ins 16. Jh. gehen die Anfänge des KÖLNER ZEITUNGSWESENS zurück. Vorläufer waren die durch die Polemik der Glaubenskämpfe begünstigten Einblattdrucke und Flugblätter. Michael Eyzinger veröffentlichte gegen Ende des 16. Jh. regelmäßig ›Relationes‹. ›Relationes‹ waren es auch, welche die Nachfolger von Bertram Hilden in der Mitte des 17. Jh. herausbrachten. Aus diesen publizistischen Aktivitäten entwickelte sich das heutige Kölner Verlagshaus M. DuMont Schauberg, das Mitte des 19. Jh. mit der ›Kölnischen Zeitung‹ zu internationaler Bedeutung aufstieg. Um die Mitte des Dreißigjährigen Kriegs gab es in Köln die ›Wöchentliche Postzeittungen‹. International beachtet und gefürchtet war im 18. Jh. die von Jean Ignace Roderique redigierte und gedruckte ›Gazette de Cologne‹. Zwar erschien die Zeitung mit dem Privileg des Kaisers und der Freien Reichsstadt Köln. Das hinderte jedoch z. B. Friedrich den Großen nicht, beim Rat der Stadt Köln Beschwerde einzulegen und zu verlangen, Roderiques »vermessenes und strafbares Betragen nach Verdienst zu ahnden und bestrafen«. 1742/43 gab Heinrich Lindenborn bei Gereon Arnold Schauberg seine satirische Wochenschrift heraus: Der die Welt beleuchtende ›Cöllnische Diogenes‹, das erste deutsche Witzblatt. Eine Zeitlang redigierte er auch den ›Eilfertiger Welt- und Staats-Both‹. Der gleiche Mann tat sich aber auch als Herausgeber einer Sammlung von Kirchen- und Hausliedern hervor.

Schandsäule mit Kopf des Nikolaus Gülich. Radierung von B. Beckenkamp

Während des DREISSIGJÄHRIGEN KRIEGS blieb Köln dank seiner starken Mauern unangetastet. Auch schien sich die Neutralitätspolitik der Reichsstadt zu bewähren. Um so empfindlicher hatte es unter dem Merkantilismus der Territorialstaaten seiner Nachbarschaft, einschließlich Kurkölns zu leiden. Kein eigenes Territorium zu besitzen, erwies sich nunmehr als schwerer Nachteil. Köln ging es in dieser Hinsicht nicht besser als den übrigen Reichsstädten. Dazu kamen innere Probleme: die veraltete Zunftverfassung bei gleichzeitiger Herausbildung einer Oberschicht, die allein im Rat das Sagen hatte. Kein Wunder, daß es auch im 17. und 18. Jh. Unruhen innerhalb der Stadt gab. Die ernsteste Krisis beschwor der AUFSTAND DES NIKOLAUS GÜLICH 1680 herauf. Eigene Ungeschicklichkeit sowie das Eingreifen Kaiser Leopold I. ließen ihn scheitern. Am 23. Februar 1686 wurde Gülich in Mülheim hingerichtet. An Stelle seines Hauses, das dem Erdboden gleichgemacht wurde, errichtete die Stadt eine ›Schandsäule‹, gekrönt mit seinem erzgegossenen Kopf (heute im Stadtmuseum).

Barocke Fürstenschlösser, wie sie in der Umgebung, in Bensberg, Bonn und Brühl, entstanden, waren für eine freie Reichsstadt undenkbar. Dennoch hielt auch in Köln der BAROCK Einzug. Nur allzuviel ging davon verloren, vor allem während des Zweiten Weltkriegs. Zugrunde gingen die Werke des Johann Franz von Helmont, der Hochaltar von St. Kolumba (1703–17) und die Kanzel von St. Johann Baptist (1723). Zerstört wurde der Muschelsaal im Rathaus (1750). Verloren ging das Palais des Bürgermeisters Heinrich Balthasar von Mülheim, um nur einige Beispiele zu nennen. Im 19. Jh. mußte die barocke Dompropstei wie alle andern Bauten der Domumgebung den Freilegungsplänen geopfert werden. Geblieben sind die Kirchen der Karmelitinnen, Maria im Frieden, und der Ursulinen. Ein Juwel des Rokoko ist das Kirchlein auf dem Elendsfriedhof (1765–68). Trotzdem kommt Köln in manchen Reiseberichten des späten 18. Jh. nicht gut weg. Mag darin auch manches auf Voreingenommenheit beruhen, so läßt sich nicht leugnen, daß am Ende der reichsstädtischen Zeit der Zustand mancher Straße und vieler Gebäude schlecht war. Die Zeichen des Niedergangs waren unverkennbar.

Es darf daher nicht verwundern, daß der Einzug der Revolutionsheere 1794 von weiten Kreisen freudig begrüßt wurde. Die 20jährige FRANZÖSISCHE FREMDHERRSCHAFT führte zu tiefgreifenden Veränderungen. Formal blieb zwar die Ratsverfassung noch zwei Jahre bestehen, in Wirklichkeit hatte aber schon die Besetzung durch die Franzosen das Ende der Freien Reichsstadt gebracht. An die Stelle der Magistrats- trat die Munizipalverfassung. Alte Benachteiligungen wurden aufgehoben. Seit dem 18. November 1797 konnten Protestanten in Köln das Bürgerrecht erwerben, 1802 gestattete man ihnen die freie Religionsausübung. Die Antoniterkirche wurde ihnen als erstes Gotteshaus überlassen. Seit 1798 waren auch Juden wieder in Köln zugelassen. Im gleichen Jahr wurde das Gerichtswesen neu geordnet und erfuhr das Unterrichtswesen einschneidende Veränderungen. An Stelle der Universität und der bisherigen Gymnasien trat ein neues Schulsystem nach französischem Muster. 1802 wurden mit einem Federstrich alle Klöster und Stifte aufgehoben. Zahlreiche Kirchen wurden geschlossen und abgerissen. Zugleich begann die Verschleuderung von Bibliotheken und Kunst-

Extra-Blatt der kölnischen Zeitung.

Köln, den 6. April.

Die große Nachricht der Einnahme von Paris bestätigt sich ganz, wie wir sie im gestrigen Extrablatt mittheilten. Zu Brüssel wurden am [illegible] auf Befehl des Prinzen von Sachsen-Weimar offizielle Nachrichten bekannt gemacht, wovon wir unsern Lesern hier das Wesentliche zu liefern eilen:

Die Korps von Mortier und Marmont zogen sich nach ihrer bei Fere-Champenoise erlittenen Niederlage gegen Paris zurück. Die große alliirte Armee, die Napoleon durch seine Bewegung an der Marne von der Hauptstadt wegzulocken gewünscht hatte, verfolgte dieselben, griff sie am 30. von neuem vor Paris an; schlug sie und eroberte 70 Kanonen. Abends kapitulirte die Hauptstadt. Kaiser Alexander und König Friedrich zogen am 31. März [illegible] ein. Die Trümmer der Korps von Marmont und Mortier zogen sich nach der Bretagne zurück, welche Provinz indessen ganz in Aufstand ist... Napoleon hat sich am 27. März mit 40 bis 50,000 Mann von Passy wieder über St. [illegible] gegen Vitry in Marsch gesetzt, um Paris, jedoch zu spät, zu Hülfe zu kommen.

— Die Alliirten wurden von den Parisern mit lebhafter Freude empfangen: eine Freude, die durch nachstehendes Aktenstück ihren höchsten Grad erreichte.

Erklärung.

Die Armeen der verbündeten Mächte haben die Hauptstadt Frankreichs besetzt; die alliirten Monarchen genehmigen den Wunsch der französischen Nation,

Sie erklären:

Wenn die Friedensbedingungen, so lange es darauf ankam, dem Ehrgeitze Bonaparte's Schranken zu setzen, stärkere Versicherungs-Maasregeln in dieser Hinsicht enthalten mußten, so müssen sie günstiger werden, sobald Frankreich, zu einer weisen Regierung zurückkehrend, selbst die Verbürgung der Ruhe darbietet.

Die alliirten Monarchen erklären demnach, daß sie weder mit Napoleon Bonaparte noch mit einem Mitglied seiner Familie sich weiter in Unterhandlung einlaßen, daß sie die Integrität des [illegible] reichs respektiren, so wie sie unter rechtmäßigen [illegible] Bestand; sie können sogar noch mehr [illegible], weil sie immer den Grundsatz bekennen, daß Frankreich zum Wohl Europens groß und stark seyn müsse; daß sie die Konstitution anerkennen und sichern wollen, welche die [illegible] Nation sich selbst gibt.

Sie laden daher den Senat ein, eine provisorische Regierung festzusetzen, welche für die Bedürfnisse der Verwaltung sorgen und die Konstitution vorbereiten möge, die dem franz. Volke genügen kann.

Die Gesinnungen, welche ich hier ausdrücke, theile ich mit allen verbündeten Mächten.

Paris, den 31. März 1814, um 3 Uhr Nachmittags.

Unterz. Alexander.

Nesselrood.

— Antwerpen hat, laut Nachrichten aus Brüssel vom 4., zu kapituliren begehrt.

Köln, gedruckt bei M. Du Mont Schauberg an der Brücke Nro. 8.

Extrablatt der ›Kölnische Zeitung‹ vom Einmarsch der Alliierten in Paris Ende März 1814 werken. Den Dreikönigenschrein und die Dombibliothek hatte man zwar noch rechtzeitig in Sicherheit bringen können. Vieles wurde nach Frankreich verschleppt, von dem allerdings Eberhard Groote 1815 einen guten Teil wieder zurückholen konnte –, anderes von der Kölner Bevölkerung selbst aus den Kirchen geholt und als Trödel verkauft. Liebe zu Köln und Liebe zur Kunst veranlaßte Männer wie Ferdinand Franz Wallraf und die Brüder Boisserée zum Eingreifen. Sulpiz Boisserée erinnert sich: »Zu Anfang des Winters (1803) waren die aufgehobenen Klöster und Kirchen geräumt worden, und was die ausgestoßenen Bewohner nicht mitgenommen, die Regierungsbevollmächtigten nicht mit Beschlag belegt hatten, war in schnödester Hast an Händler und Trödler verkauft worden.« Die Hoffnung, die Boisserée hegte, in Köln die Universität in Verbindung mit einer Kunstakademie wiedererstehen zu sehen, der er seine Kunstsammlung vermachen wollte, erfüllte sich freilich nicht. 1827 erwarb König Ludwig I. von Bayern die einzigartige Sammlung Boisserée.

Am 14. Januar 1814 wurde Köln von preußischen und russischen Truppen besetzt. Die Franzosenzeit war zu Ende. Die 1809 unter der französischen Besatzung verbotene ›Kölnische Zeitung‹ unter Marcus DuMont, Vater des Joseph DuMont (S. 313), konnte endlich wieder erscheinen. In den folgenden Jahrzehnten entwickelte sich die ›Kölnische Zeitung‹ aufgrund ihres politischen und kulturellen Engagements, das von der liberalen Einstellung der Verleger und der jeweiligen Chefredakteure getragen wurde, zu einem Blatt von internationalem Ansehen. 1876, zunächst als ergänzendes Anzeigenblatt zur Kölnischen Zeitung gedacht, profilierte sich der ›Kölner Stadt-Anzeiger‹ zu einer selbständigen Zeitung. Kölns Bedeutung als Zeitungsstadt beweist auch die katholische ›Kölnische Volkszeitung‹ der Verlegerfamilie Bachem, die ebenfalls großes Ansehen genoß. Der Wiener Kongreß sprach die RHEINLANDE 1815 definitiv PREUSSEN zu. Köln wurde Festungsstadt. Zu Beginn der preußischen Zeit war die Bevölkerungsziffer noch kaum über den Stand am Ende des Mittelalters hinausgewachsen. 1816 lebten in Köln 49 276 Menschen. Der wirtschaftliche Aufschwung und die Industrialisierung ließen die Einwohnerzahl rasch emporschnellen: 1871 waren es schon 129 233 Einwohner. Die Einengung durch die Stadtmauern wurde immer mehr als bedrückend empfunden. Nicht zuletzt diese Bedrückung war die Triebfeder für den Entschluß, die Mauer Preußen abzukaufen und niederzulegen. Die Stadt hat aber noch andere Gründe, Preußen gram zu sein. Die Hoffnungen auf die Wiedererrichtung der Universität sollten sich nicht erfüllen. Statt dessen erhielt sie Bonn. Köln erhielt als einzige Provinzialbehörde lediglich den Rheinischen Appellationsgerichtshof. Durch die Bulle ›De salute animarum‹ wurde 1821 das ERZBISTUM KÖLN wiederhergestellt. Die Erzbischöfe residierten nunmehr, wie vor der Schlacht von Worringen, in Köln.

Mit den Preußen hielt der KLASSIZISMUS Einzug in Köln. Erhalten blieb der rechte Flügel des von Matthias Biercher 1830–32 errichteten Gebäudes für den Regierungspräsidenten. Wiederhergestellt werden konnte die im Stil der Florentiner Renaissance 1840 erbaute Alte Wache. Die wichtigste architektonische Leistung des 19. Jh. aber ist die VOLLENDUNG DES DOMS. Die Romantiker hatten dafür ihre Stimme erhoben. Sulpiz

Blick auf den Dom, im Hintergrund rechts Groß St. Martin

2 Köln 1945, ein Trümmerfeld

3 Seitlicher Durchgang des einstigen römischen Nordtors auf der Domplatte. 1. Jh.

4 Mittelschiff nach Osten zum Chor. 1248–1322 u. 19. Jh.

5 Blick vom Chor nach Westen

6 Durchblick, Seitenschiff

7 Südportal, ein Hauptwerk der Neugotik

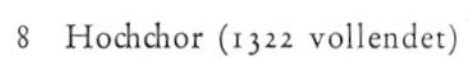

8 Hochchor (1322 vollendet)

9 Dreikönigenschrein, Stirnseite. Um 1198–1206

10 Gerokreuz. Um 970

11 Petrus und Andreas vom Petrusportal. Um 1370–80

12 Sakramentskapelle, Mailänder Madonna

13 Johanneskapelle, Tumba Konrads von Hochstaden. Nach 1261

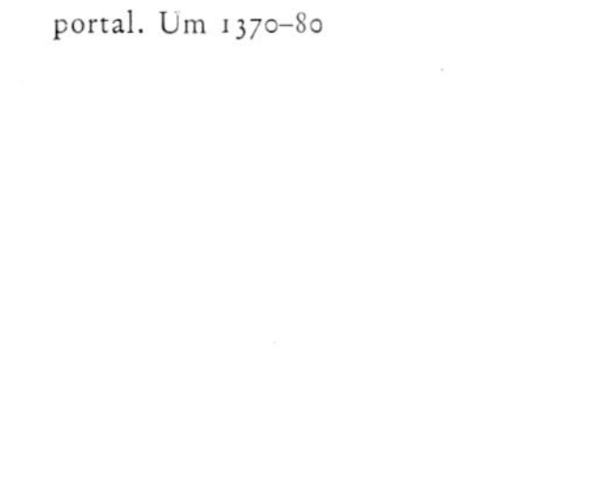

14 Chorgestühl, Misericordia unter den Sitzen. 1308–11

15 Das brennende Köln. Detail des Ursulaportals von E. Mataré, 1953

16 Stefan Lochner, Mittelbild (links) und Flügel des sog. ›Dombildes‹. Um 1445 für die Rathauskapelle gemalt. Auf den Flügeln die Stadtpatrone St. Ursula und St. Gereon

17 Titelbild der ›Briefe und kleineren Schriften des hl. Hieronymus‹. Köln, um 1130

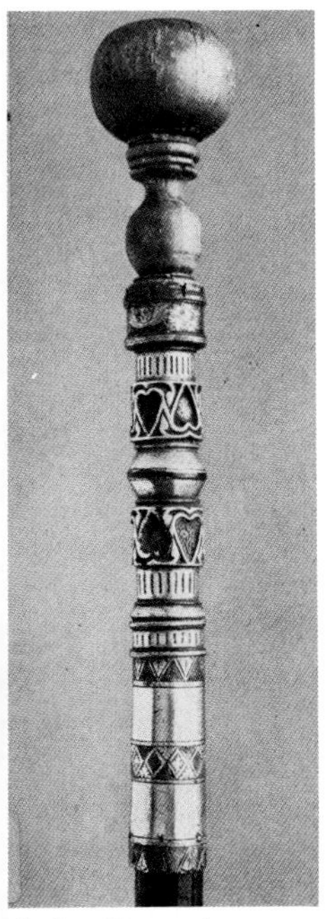

18 Sog. Petrusstab. Vermutlich ältester Bischofsstab des Abendlandes

19 Jurisdiktionsschwert der Kölner Erzbischöfe. Um 1450–60

20 Stab des hl. Heribert. 11. Jh.

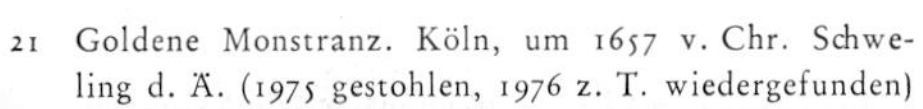

21 Goldene Monstranz. Köln, um 1657 v. Chr. Schweling d. Ä. (1975 gestohlen, 1976 z. T. wiedergefunden)

22 Diözesan-Museum. Detail des Herimannkreuzes. Mitte 11. Jh. Das antike Christusköpfchen trägt die Züge der Kaiserin Livia

23 Luftaufnahme des Stadtkerns um den Dom mit Hohenzollern- und Deutzer Brücke

24 Café auf dem Domplatz vor dem Römisch-Germanischen Museum

25 Römisch-Germanisches Museum. Im Vordergrund: Das Philosophenmosaik (Anfang 3. Jh.)

26 Römisch-Germanisches Museum. Poblicius-Denkmal (vor 70) und Dionysosmosaik (260–80)

27 Römisch-Germanisches Museum. ›Kölner Bürger‹

28 Porträt der Kaiserin Agrippina

29 Glasbüste des Prinzen Constantius II. Höhe 8 cm

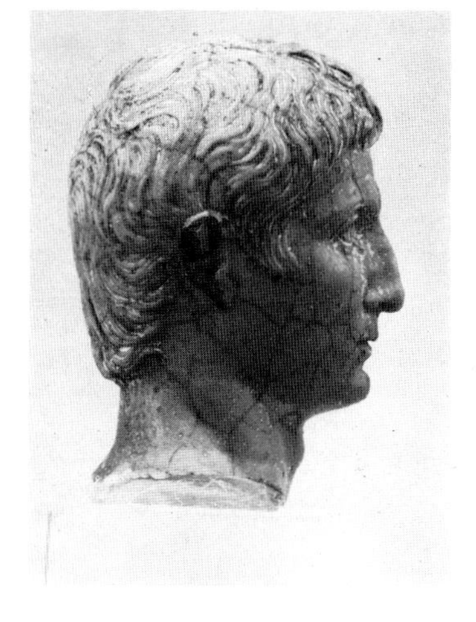

30 Glasköpfchen des Kaisers Augustus. Höhe 4,7 cm

31 Zweihenkelflasche. Höhe 27,5 cm

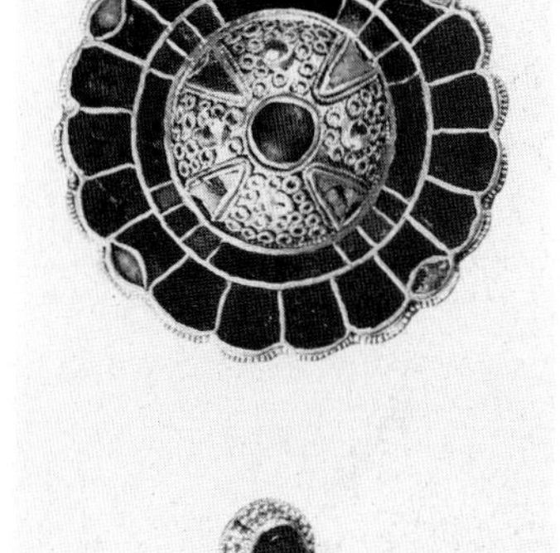

32 Glockenbecher von Fühlingen

33 Diözesan-Museum. Schmuckstück aus dem fränkischen Fürstengrab unter dem Kölner Dom. Mitte 6. Jh.

34 Römisch-Germanisches Museum. Circusschale 320–340

35 Taubenbrunnen, nach einem Entwurf von E. Mataré 1953

36 St. Mariä Himmelfahrt (1977 wiedereröffnet). Blick durch das Langhaus auf den Hochaltar

37 Makkabäerschrein. Köln, Anfang 16. Jh. von Peter Hanemann

38 Wandmalerei der Westkapelle der Nordseite. Um 1340

39 Blick in das Langhaus (rechts)

40 Der Heinzelmännchenbrunnen

41/42 Details vom Heinzelmännchenbrunnen, nach der Sage von den Heinzelmännchen und der neugierigen Schneidersfrau

43 Das Wallraf-Richartz-Museum (links) und der Westdeutsche Rundfunk

44/45 Treppenhaus und untere Halle im Wallraf-Richartz-Museum

46 Barthel Bruyn d. Ä., Bürgermeister Arnold von Brauweiler. 1535

47 Lucas Cranach d. Ä., Maria Magdalena. 1525

48 Rembrandt, Selbstbildnis. Um 1668

49 Wilhelm Leibl, Johann Heinrich Pallenberg. 1871

50 E. L. Kirchner, Die Maler der Künstlergruppe ›Brücke‹. 1925

51 Auguste Renoir, Das Ehepaar Alfred Sisley. Um 1868

52 Stefan Lochner († 1451), Das Weltgericht. Ausschnitt: Die Seligen

54 Kalvarienberg der Stifterfamilie von dem Wasservaß. Um 1420–30 ▷

53 Meister der hl. Veronika, Ankunft der hl. Ursula vor der Stadt Köln (Ausschnitt). Um 1411

55 Vincent van Gogh, Die Brücke von Arles. 1888

56 Max Ernst, Das Rendez-vous der Freunde. 1922

57 Richard Lindner, Disneyland. 1965

58 Roy Lichtenstein, M – Maybe. 1965

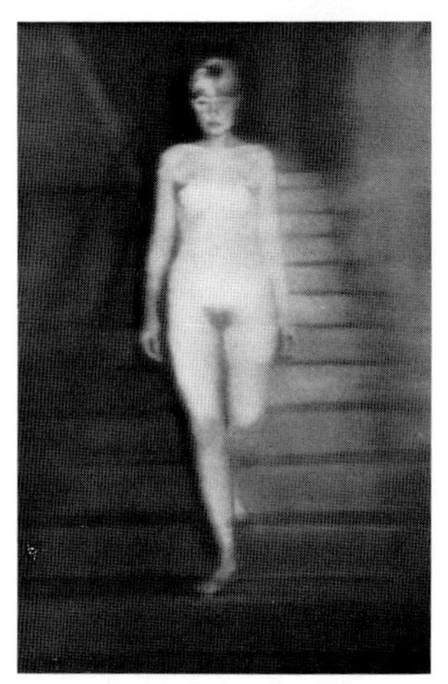

59 Gerhard Richter, Emma – Akt auf einer Treppe. 1966

60 George Segal, The Restaurant Window. 1967 (rechts)

61 Edward Kienholz, The Portable War Monument. 1968

62 Blick über die Nord-Süd-Fahrt auf die Antoniterkirche

63 Antoniterkirche. Der trauernde Engel von Ernst Barlach. 1927

64 Kapelle ›Maria in den Trümmern‹. 1950. Architekt: Gottfried Böhm

Boisserée, Josef Görres, August Reichensperger und andere hatten dafür geworben. Die Entdeckung wichtiger Domzeichnungen in Darmstadt 1814 und zwei Jahre später in Paris wirkte stimulierend. Zunächst galt es, die bestehenden Teile zu restaurieren. Entscheidend für den Weiterbau, der 1842 begann und bis 1880 dauerte, wurde der erste Dombaumeister Ernst Friedrich Zwirner, der als Schüler Karl Friedrich Schinkels zwar Klassizist war, sich jedoch in die neue Aufgabe vorzüglich einzufühlen wußte.

Hat sich die Eingliederung in Preußen somit in mancher Hinsicht segensreich ausgewirkt, so verdankt Köln doch seinen wirtschaftlichen und kulturellen Aufstieg im 19. Jh. im wesentlichen der Initiative seiner BÜRGER. In seinem 1831 gebauten Haus am Rothgerberbach, einst eines der besten Beispiele des Klassizismus in Köln, richtete Stadtbaumeister Johann Peter Weyer († 1864) eine vielbesuchte Privatgalerie ein, die er zudem durch Kataloge bekanntmachte. Weyer hatte sich jedoch bei seinen Bebauungsplänen übernommen. Daher mußte er 1862 seine Sammlung Heinrich Lempertz zur Auktion übergeben. Dessen Auktionshaus bestand seit 1845. Die Sammlung Wallraf war zuerst im alten Jesuitengymnasium, dann in den ehemaligen kurfürstlichen Hof an der Trankgasse überführt worden. Aber auch hier erwiesen sich die Räume als zu beengt. Die großherzige Stiftung des Häutegroßhändlers Johann Heinrich Richartz ermöglichte einen repräsentativen Museumsbau im Stile der englischen Gotik, errichtet an Stelle des Minoritenklosters unter Einbeziehung des Kreuzgangs (Architekten: Josef Felten und F. August Stüler). Nach sechsjähriger Bauzeit konnte 1861 das WALLRAF-RICHARTZ-MUSEUM eröffnet werden. Aufgrund der Initiative des Vereins für die christliche Kunst wurde als zweites Museum das ERZBISCHÖFLICHE DIÖZESAN-MUSEUM gegründet und 1860 eröffnet.

Nach langen und zähen Verhandlungen konnte die Stadt dem preußischen Staat den bisherigen Festungsrayon abkaufen und 1881 mit der STADTERWEITERUNG, der Erschließung der Neustadt beginnen. Die Niederlegung des ersten Mauerstücks 1881 gestaltete sich geradezu zu einem Volksfest. Nur dem strikten Gebot der preußischen Regierung ist es zu danken, daß wenigstens einige Türme und Mauerzüge erhalten blieben. Als Stadtbaumeister wurde Josef Stübben (1845–1936) berufen. Nach dem Vorbild Wiens konzipierte er eine halbkreisförmige Ringanlage mit platzartigen Erweiterungen. Um sie legte er ein dichtgespanntes Netz von Radial- und Diagonalstraßen. Dem Beispiel Wiens folgend, wenn auch mit den bescheideneren Mitteln einer Provinzstadt, zierten die Ringe öffentliche Gebäude.

Der erste feste THEATERBAU wurde 1782–83 in der Komödienstraße errichtet. Er mußte 1828 dem klassizistischen Neubau von Matthias Biercher weichen. Dieser und ein weiterer fielen Bränden zum Opfer. Nach dem Vorbild der Louvrefassade erbaute nunmehr in der Glockengasse Julius Raschdorff († 1914) ein neues Theater, das dem Schauspiel vorbehalten war, seit Karl Moritz 1902 am Habsburgerring das neubarocke, mit Jugendstilelementen angereicherte Opernhaus vollendete. Unter der Ära Max Martersteigs (1905–11) erlebten die Vereinigten Stadttheater einen künstlerischen Aufschwung, zahlreiche Ur- und Erstaufführungen im Schauspielhaus, Opernfestspiele, die ein künstlerisches Ereignis waren.

Die Wertschätzung des Kunstgewerbes in der zweiten Hälfte des 19. Jh. und der Wunsch, dem Handwerk Anleitung durch künstlerisch wertvolle Vorbilder zu geben, hatte wie auch in anderen Städten Deutschlands in Köln 1888 zur Gründung des KUNSTGEWERBEMUSEUMS geführt. Die Stiftung des Seidenfabrikanten Otto Andreae (1833–1910) ermöglichte einen großzügigen Museumsbau am Hansaring, den Franz Brantzky (1871–1945) 1897–99 im Stil der deutschen Frührenaissance errichtete. Begeistert nannte der ›Local-Anzeiger‹ das Museumsgebäude »die hervorragendste Zierde des großen Ringstraßenzuges auf dem Gebiete der Profanarchitektur«. Gleich Otto Andreae war der Möbelfabrikant Jakob Pallenberg (1831–1900) aus der Überzeugung, daß die handwerkliche Qualitätsarbeit nicht verkümmern dürfe, an der Förderung des Kunstgewerbemuseums interessiert und stiftete die Ausstattung des Festsaals. Sie wurde Melchior Lechter, dem Freunde Stefan Georges, übertragen. Der vom religiösen Symbolismus geprägte Pallenbergsaal galt als sein Hauptwerk (vgl. Abb. 94).

Die Sammlungen seines Schwagers, des allzu früh verstorbenen Ethnologen Wilhelm Joest (1852–1898) der Öffentlichkeit zugänglich zu machen, war das Motiv für die Stiftung, die Eugen Rautenstrauch (1879–1956) der Stadt machte. Das nach den Plänen von Edwin Crones am Ubierring errichtete RAUTENSTRAUCH-JOEST-MUSEUM, das der Kunst und Kultur außereuropäischer Völker gewidmet ist, konnte 1906 eröffnet werden.

Alfred Hagelstange, dem Direktor des Wallraf-Richartz-Museum, und der Initiative von Männern wie Joseph Feinhals, dem Inhaber eines Zigarren-Importhauses, ist die SONDERBUNDAUSSTELLUNG zu verdanken, die 1912 am Aachener Tor zustandekam. Bilder von Vincent van Gogh, Paul Cézanne, Paul Gauguin, Pablo Picasso, Edvard Munch waren zu sehen, dazu die Brücke-Maler, Oskar Kokoschka und Egon Schiele. Noch 1934 erinnerte sich Emil Nolde: »Wir jungen Maler erhielten bevorzugte Plätze, wie wir es bis dahin noch nicht kannten ...« Hagelstange nahm die Gelegenheit wahr, einige der Gemälde für sein Museum zu sichern. So konnte er von Vincent van Gogh die ›Brücke von Arles‹, von Auguste Renoir ›Das Ehepaar Sisley‹ erwerben. Populär war die Ausstellung freilich nicht. Zu konservativ war bei den meisten Kölnern die Einstellung zur Kunst.

Auf die große WERKBUND-AUSSTELLUNG 1914 fielen bereits die Schatten des Ersten Weltkriegs. Bemerkenswert waren auf ihr vor allem das Werkbundtheater von Henry van de Velde und die Glasfenster von Jan Thorn-Prikker. Den Museen am Ring fügte 1922 der Kölnische Kunstverein sein Ausstellungsgebäude hinzu, das Ludwig Pfaffendorf am Friesenplatz baute. In einem ehemaligen Hotel am Salierring richtete 1932 Carl Niessen das INSTITUT DER THEATERWISSENSCHAFT an der Universität Köln ein mit einer Schausammlung, die die gesamte Theatergeschichte dokumentiert.

Die Voraussetzungen für die WIEDERBEGRÜNDUNG DER UNIVERSITÄT schuf der Industrielle Gustav von Mevissen (1815–1899), als er sein Vermögen zur Gründung einer

Die Einweihung des Wallraf-Richartz-Museums in Köln 1861. Nach einer Originalzeichnung von Osterwald

kommunalen Handelshochschule bestimmte. 1901 gegründet, erhielt sie 1904 ein eigenes Gebäude am Römerpark, Nähe Ubierring, das Ernst Friedrich Vetterlein errichtete. Hans Vogts nannte das Gebäude »eine akademische Leistung, von der immer eine auffällige Kälte ausging«. Ihr Direktor, Christian Eckert, plädierte für den Ausbau der Handelshochschule zur Universität. In dem Kölner Oberbürgermeister Konrad Adenauer fand er den Promotor seiner Pläne. Im ersten Nachkriegsjahr, 1919, gelang es, die Widerstände in Berlin zu überwinden. Kölns Universität erstand, verjüngt und zukunftsweisend.

Trotz der wirtschaftlichen und politischen Ungunst der Zeit verstand es Konrad Adenauer als Oberbürgermeister von Köln (1917–33, 1945) der Stadt zu neuem Glanz zu verhelfen. Seine weitschauenden Pläne setzte er, obwohl auch ihm Rückschläge nicht erspart blieben, doch zu einem guten Teil dank seines zähen Verhandlungsgeschicks und seiner Unbeirrbarkeit durch. Nicht zueltzt kam ihm dabei zustatten, daß er begabte Mitarbeiter um sich zu scharen wußte. Noch einmal, 1922, konnte er eine Stadterweiterung erreichen, Voraussetzung für die Ansiedlung weiterer Industrien im Norden der Stadt. Flächenmäßig war Köln zur fünftgrößten Stadt Deutschlands geworden. Adenauer erkannte die Notwendigkeit, die Stadt in eine Stadtlandschaft zu verwandeln. Seine Hoffnungen auf eine noch weitergehende Abrundung des Gebiets der Stadt sollten sich freilich weder damals noch nach dem Zweiten Weltkrieg erfüllen. Auch die Stadterweiterung 1975 blieb hinter seinen Ansprüchen zurück. Die Eingemeindungen von 1914 hatten die Einwohnerzahlen erstmals die 600 000 überschreiten lassen. Nach den Eingemeindungen von 1922 gab es 674 700 Einwohner in Köln. 1932 wurde die Zahl 750 000 überschritten. Mit dem Ende des Ersten Weltkriegs hörte Köln auf, Festungsstadt zu sein. Für die städtebauliche Umgestaltung des Festungsgürtels, die Anlage des Grüngürtels, gewann Adenauer als Stadtbaumeister 1920 Fritz Schumacher († 1947).

Die Werkbund-Ausstellung hatte den Wunsch geweckt, den bereits im 19. Jh. gehegten Plan gewerblicher Messen wiederaufzugreifen. Adenauer erreichte, ungeachtet erheblicher Widerstände, die Verwirklichung dieser Wünsche. Auf dem Gelände der einstigen Werkbund-Ausstellung im Rheinpark, konnte er 1924 die MESSE eröffnen. Hans Verbeek (1873–1945) legte um eine hierhin verbrachte Ausstellungshalle, die als ›Festhalle‹ gedacht war, hufeisenförmig weitere Ausstellungsanlagen. Adolf Abel baute 1926–28 diesen Komplex großzügig unter Betonung der Horizontalen und Vertikalen um und gab ihr einen starken Akzent durch den Messeturm. Zwischen den Fachmessen sollten Sonderausstellungen stattfinden. Vor allem zwei davon sind im Gedächtnis geblieben. Zur Erinnerung an die tausendjährige Zugehörigkeit des Rheinlands zum Deutschen Reich inaugurierte Adenauer 1925 die JAHRTAUSENDAUSSTELLUNG. Die historische, politische und kunstgeschichtliche Entwicklung des Rheinlands sollte dabei ebenso berücksichtigt werden wie die neuen kommunal- und wirtschaftspolitischen Aspekte. Die erste internationale Ausstellung war die ›PRESSA‹ des Jahres 1928. Ihr war die Aufgabe gestellt, alles zu zeigen, was zum Zeitungswesen und zur Nachrichtenübermittlung gehört – von der Papierherstellung bis zum Druck. Ein von Riphahn für den Verlag M. DuMont Schauberg erbauter Pavillon erregte durch seine moderne Architektur Aufsehen. Berühmt wurde die Stahlkirche, die Otto Bartning auf dem Ausstellungsgelände errichtete. Sie und St. Engelbert in Riehl, 1931 von Dominikus Böhm errichtet, stehen am Anfang eines neue Wege weisenden Kirchenbaus (vgl. S. 285). Abel erstellte nicht nur die Hauptbauten für die Pressa, sondern konzipierte auch den Bau der neuen Universität. Auch die Mülheimer Brücke ist sein Werk. Jakob Koerfer († 1930) gab mit dem Hochhaus 1925 dem Hansaring einen neuen Akzent. Es war Mitte der zwanziger Jahre das höchste Hochhaus Europas. Die Kunstgewerbeschule wurde 1928 in Kölner Werkschule umbenannt. Ihr Direktor, der Architekt Martin Elsässer, konnte den langgehegten Plan eines eigenen Baus für sie am Ubierring verwirklichen. 1924 fand die Eröffnung statt. Elsässer erweiterte das Programm der Schule. In den 20er Jahren konnten bedeutende Künstler zur Mitarbeit gewonnen werden, z. B. der Maler Friedrich Ahlers-Hestermann, der Architekt Dominikus Böhm, der Maler Richard Seewald, der Glasmaler Jan Thorn-Prikker. Zwar wirkte eine Ausstellung mit Werken von Max Ernst 1920 im Brauhaus Winter provokativ. Doch da der ›Dadamax‹ bereits 1922 Köln verließ, blieb der Dadaismus nur Episode. Wichtiger für die Kunstszene der 20er Jahre hier waren die Progressiven Heinrich Hoerle und Franz Wilhelm Seiwert, die dem Konstruktivismus als Künstler verpflichtet, Politik und Kunst miteinander zu verbinden suchten.

Hoerles ›Krüppelmappe‹ war als Herausforderung gedacht. Die Grauen des Krieges ungeschminkt und ungeschönt darzustellen, galt vielen als anstößig. So mußte im Wallraf-Richartz-Museum das 1924 erworbene ›Schützengrabenbild‹ von Otto Dix hinter einem Vorhang verborgen werden.

Noch in den dreißiger Jahren wuchsen den Kölner Museen wichtige Sammlungen zu. 1936 konnte für das Wallraf-Richartz-Museum die Sammlung Adolfs von Carstanjen erworben werden, deren Schwerpunkt bei den Niederländern liegt, unter ihnen drei Gemälde von Rembrandt. Das bewegendste ist Rembrandts Selbstbildnis als alter Mann (Abb. 48). Um so schmerzlicher machte sich die NATIONALSOZIALISTISCHE KUNSTDIKTATUR bemerkbar, die ein Jahr später die moderne Abteilung des Museums förmlich ausblutete. Doch dies war erst ein Vorspiel zu den Kriegsverlusten, die die Stadt erleiden sollte. Der Knebelung des Geistes, der Ausschaltung politisch, rassisch oder religiös unerwünschter Gruppen und Einzelpersonen folgten die KRIEGSVERWÜSTUNGEN. Am Ende des Zweiten Weltkriegs war die Altstadt zu 90 Prozent zerstört. Kaum mehr als 30 000 Menschen lebten noch in der Trümmerstadt. Allerdings setzte bereits 1945 eine starke Rückwanderung ein. Aber noch Mitte der fünfziger Jahre war der Vorkriegsstand nicht erreicht. Ende der sechziger Jahre zählte Köln 864 800 Einwohner. Erst die Eingemeindungen von 1975 ließen die Millionengrenze erreichen. Da von den eingemeindeten Orten Wesseling Mitte 1976 wieder ausschied, ist sie heute wieder unterschritten.

Der Wiederaufbau vollzog sich nur langsam. Schon in den 20er Jahren hatte Konrad Adenauer die Notwendigkeit von Straßendurchbrüchen erkannt. Bereits in den 30er Jahren war mit der Ost-West-Achse begonnen worden. Die Verkehrsentwicklung nach dem Zweiten Weltkrieg machte die Anlage weiterer breiter Straßenzüge und nicht zuletzt den Ausbau der Nord-Süd-Achse notwendig. Diese Verkehrsstraßen zerschneiden allerdings in schmerzlicher Weise das Stadtbild. Der Neumarkt hat an Geschlossenheit verloren, der Heumarkt wurde durch die Auffahrt zur Deutzer Brücke geradezu in zwei Plätze zerteilt. Sehr spät erst setzte sich ein Gespür für die Qualität des Hausbaus auch des ausgehenden 19. Jh. durch. So blieben die architektonischen Chancen der Ringstraßenanlage ungenutzt. Das Rautenstrauch-Joest-Museum erinnert allein daran, daß öffentliche Gebäude einst die Ringe geziert hatten.

Der Wiederaufbau hat mehrere Kulturzentren entstehen lassen. Genannt seien der Komplex um den Dom, um Kunsthalle und Volkshochschule, an der Universität. Beim Wiederaufbau der Kirchen war der Wunsch nach neuen Lösungen mit der Verpflichtung gegenüber der Tradition in Einklang zu bringen, eine nicht immer leichte Aufgabe. Bei den Neubauten, vor allem bei den neuen Kirchen, wurden oft reizvolle Lösungen gefunden. Langsam schließen sich die Lücken. Das Rathaus konnte wiederhergestellt werden, neue Theaterbauten entstanden. Das Schnütgen-Museum erhielt in der Cäcilienkirche, das Kölnische Stadtmuseum im Zeughaus ein würdiges Domizil. Teile der Schausammlungen des Kunstgewerbemuseums werden im Overstolzenhaus gezeigt. Die neuere Abteilung des Wallraf-Richartz-Museums wurde 1946 durch die Sammlung Haubrich bereichert. Es folgte in den 50er Jahren die Sammlung Strecker. Das Wallraf-

Richartz-Museum wurde 1957 im wiedererrichteten Gebäude eröffnet, 1974 bekam das Römisch-Germanische-Museum ein neues Haus. Doch bereiteten sich erneut erhebliche Veränderungen vor. Die Sammlung Ludwig, die 1968 als Leihgabe in das Wallraf-Richartz-Museum kam, um die Kunst der 60er Jahre vor allem Amerikas zu dokumentieren, wurde 1976 zur Schenkung. Mit ihr wurde die neuere Abteilung des Wallraf-Richartz-Museums zum Museum Ludwig zusammengefaßt. Beide Museen sollen in einen Gebäudekomplex umziehen, der bis 1985 an Stelle des heutigen Omnibusbahnhofes errichtet werden wird. Dieser Plan steht im Zusammenhang mit der Absicht, die Altstadt zu revitalisieren – durch Schaffung einer Fußgängerzone und Verlegung des Autoverkehrs in einen Tunnel die Stadt an den Rhein heranzuführen. Zugleich mit dem Museumsgebäude ist ein Konzertsaal geplant, hinzu kommen Rheinterrassen zwischen Dom und Rhein.

Bereits 1977 konnte das Schnütgen-Museum nach seiner Neugestaltung wiedereröffnet werden. Seit Dezember 1977 präsentiert sich das Museum für Ostasiatische Kunst in seinem Neubau am Aachener Weiher neben dem Japanischen Kulturinstitut.

Inzwischen stellte im August 1979 das Land Nordrhein-Westfalen auch die benötigten Mittel für die Neuerrichtung des Theatermuseums im ehemaligen Brügelmannhaus zur Verfügung (vgl. S. 291).

Die Tradition großer Ausstellungen wurde auch nach dem Zweiten Weltkrieg fortgesetzt. Ein Wiedersehen mit Kostbarkeiten Kölner Kunst gab es 1950 bei einer Ausstellung, die an das Datum der Erhebung des Oppidum Ubiorum vor 1900 Jahren zur Colonia erinnerte. 1963–64 konnte im Zeughaus die Ausstellung ›Monumenta Judaica‹ zur Geschichte der Juden am Rhein veranstaltet werden. Der Raum für Sonderausstellungen war in den Museen allzu knapp. Erst der Bau der Kunsthalle erlaubt eine großzügigere Disposition. 1967 wurde sie mit der Ausstellung ›Römer am Rhein‹ eröffnet. Kunst- und kulturgeschichtlich überragende Ereignisse waren die Ausstellungen ›Rhein und Maas‹ 1972, sowie ›Die Parler und der schöne Stil‹ 1978.

Die Museen werden durch den Kunstverein und eine Vielzahl von Galerien und das Auktionshaus Lempertz ergänzt. Zwar gab es auch schon in früheren Jahrzehnten beachtenswerte Galerien in Köln. Doch wuchs ihre Zahl in den 60er Jahren sprunghaft an. Eine Spitzengruppe unter ihnen schloß sich zur Veranstaltung des Kunstmarkts zusammen. Da auch in Düsseldorf und in Basel inzwischen Kunstmärkte abgehalten werden, kam eine Übereinkunft zustande, nach der jetzt alternierend der Kunstmarkt einmal in Köln, einmal in Düsseldorf stattfindet. Schon seit einigen Jahren alterniert die Westdeutsche Kunstmesse ebenfalls zwischen diesen beiden Städten. Mit dem 1949 gestifteten Großen Kunstpreis suchte die Stadt Künstler, Musiker, Schriftsteller zu fördern. Seit Ende der 60er Jahre beschränkt sie sich auf Förderpreise. Köln haben sich manche bildende Künstler zum Wohnsitz auserwählt. Die Stadt hilft einer Reihe Künstlern nicht zuletzt durch die ihnen zu günstigen Bedingungen überlassenen Atelierhäuser. – So ist Köln eine Stadt, in der Altes und Neues heute eng miteinander verknüpft ist. Vielleicht macht gerade dies ihren Reiz aus.

Wanderungen durch Köln

1. Dom und Umgebung

Tradition und Erneuerung sind die Prinzipien, die Geschichte und Gestalt des DOMS bestimmen. Was noch bis in die Nachkriegszeit bezweifelt wurde, haben die jüngsten Domgrabungen bestätigt: Seit es in Köln eine Bischofskirche gibt, hat sich ihr Platz nicht geändert. Die älteste Kirchenanlage ist kurz nach 313 wahrscheinlich noch unter dem ersten namentlich bekannten Kölner Bischof Maternus nach dem Vorbild von Alt-St. Peter in Rom errichtet worden, zwar in verkleinertem Maßstab aber doch schon in einer Länge von mehr als 130 m. Auch in ihrer Westausrichtung entsprach sie dem damals üblichen römischen Brauch. Von Osten her führte der Weg in den Vorhof mit dem Baptisterium und einem beheizbaren Wohngebäude. Treppen leiteten zum Atrium, an dessen Westseite die Vorhalle der eigentlichen, etwa 40 m langen Bischofskirche lag. In der ersten Hälfte des 5. Jh. wurde die Taufkirche auf kreuzförmigem Grundriß neu errichtet. Das achteckige *Taufbecken* ist noch erhalten und heute durch eine Gittertür (Dom Ostseite) zu sehen. In der Marienkapelle des Atriums, Mitte des 6. Jh., befanden sich die Gräber einer Dame und eines Jungen, Mitglieder der merowingischen Königsfamilie (vgl. S. 40). Wenig später wurde unter Bischof Carentius (erwähnt um 565) die eigentliche BISCHOFSKIRCHE zu einer doppelchörigen Anlage von rund 85 m Länge erweitert, das Atrium bei dieser Gelegenheit überbaut. Im Ostchor befand sich eine Rundkanzel von 4,5 m Durchmesser. Sie wurde im 8. Jh. durch eine rechteckige Schola cantorum ersetzt. Unter Bischof Kunibert († um 665) wird erstmals das Petrus-Patrozinium erwähnt. Anscheinend war damals schon der Westchor dem Apostelfürsten, der Ostchor der Gottesmutter Maria geweiht. Erzbischof Hildebald erneuerte die Bischofskirche, erweiterte den Westchor querhausartig und lagerte ihm ein ringförmiges Atrium vor. Die Ähnlichkeit mit dem St. Gallener Klosterplan ist nun auffällig. Doch noch vor dem Tode Hildebalds, 818, vermochte der oftmals veränderte Bau nicht mehr zu gefallen. Er wurde abgebrochen. An seine Stelle sollte ein monumentaler Neubau treten, der jedoch im wesentlichen das bisherige Grundrißschema beibehielt: der ALTE DOM. Seine dreischiffige Anlage wurde durch Erzbischof Bruno um je ein Seitenschiff im Norden und Süden erweitert. Erz-

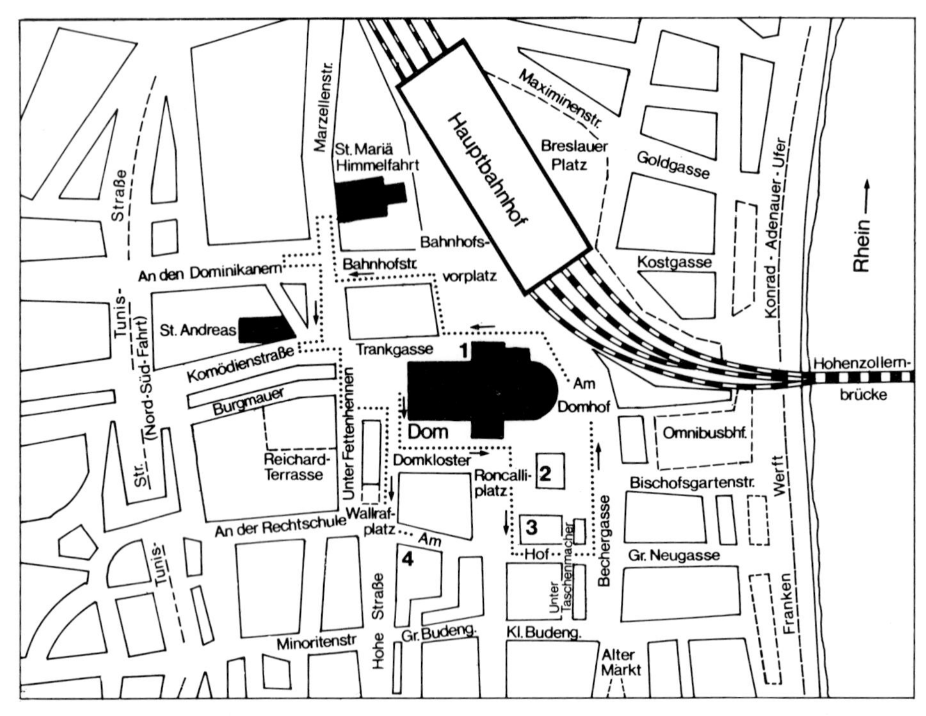

1 Schatzkammer 2 Römisch-Germanisches Museum 3 Diözesan-Museum 4 Heinzelmännchenbrunnen

bischof Heribert erbaute südlich des Ostchors eine zweigeschossige Pfalzkapelle, möglicherweise die erste Doppelkapelle auf Vierstützengrundriß überhaupt (Reste in der Dombauhütte). Sie war eine vereinfachte Wiederholung der Pfalzkapelle Karls d. Gr. in Aachen. Erzbischof Anno II. ließ östlich des Doms die Stiftskirche St. Maria ad Gradus errichten. Zwei lange Säulenhallen verbanden sie mit dem Dom. Erzbischof Rainald von Dassel bereicherte das Gotteshaus durch zwei hölzerne Türme. Vor allem aber brachte er 1164 die Gebeine der Heiligen Drei Könige nach Köln. Sie galt es, in einen kostbaren Schrein zu fassen. Im frühen 13. Jh. wurde der Wunsch laut, den Alten Dom durch einen Neubau zu ersetzen. Die Grundsteinlegung dieses NEUEN DOMS fand am Fest Mariä Himmelfahrt, dem 15. August 1248, unter Erzbischof Konrad von Hochstaden statt.

Wie sein Vorgängerbau ist auch der gotische Dom fünfschiffig. Die neuen Außenmauern schließen sich eng an die bisherigen an. Karolingischer und gotischer Dom sind fast gleich breit. Trotz seiner Anknüpfung an bereits Vorhandenes aber wirkt der Grundriß wie aus einem Guß. Bei allem Streben in die Höhe sind die Gesetze des

Maßes, die der Schönheit wesentlich sind, genau beachtet worden. Das bestätigt ein Blick auf die Verhältniszahlen. Das zugrundegelegte Werkmaß hat bereits der Jesuit Hermann Crombach 1654 als das römische Fußmaß (= 29,57 cm) erkannt. Die Hauptmaße betragen, worauf Herbert Rode aufmerksam macht: 25, 50, 100, 250 und 300 römische Fuß. Sie ergeben folgende Proportionen: Breite zu Höhe, je 150 Fuß = 1:1; Länge des Langhauses zur Vierung und zum Chor, je 150 Fuß = 3:1; Vierung zur Breite des Querhauses, 50:100 Fuß = 1:2; Vierung zur Breite des Chors, 50:150 Fuß = 1:3; Vierung zur Länge von Westen nach Osten ohne Turmhalle und Chorhaupt, 50:300 Fuß = 1:6; Vierung zur Länge des Querhauses, 50:250 Fuß = 1:5. Nach entsprechenden Verhältniszahlen sind auch alle anderen Maße bestimmt. Das gilt auch für die Türme, deren Höhe ursprünglich mit 500 Fuß veranschlagt gewesen sein dürfte. Breite zur Länge verhalten sich 1:2, ein Maßverhältnis, das der auch im Mittelalter hochgeschätzte römische Architekt Vitruv für einen Tempelbau gefordert hatte. Es kann daher kein Zufall sein, daß sowohl hinsichtlich der Verhältniszahl 1:1 wie bezüglich des tatsächlichen Maßes, je 150 Fuß, Breite und Höhe des Kölner Doms denen des Pantheon in Rom genau entsprechen. In Metern angegeben, betragen die Maße des Kölner Doms für die Gesamtlänge außen 144,58 m, Innenlänge des Mittelschiffs 199 m, Gesamtbreite Querhaus 86,25 m, Breite der Westfassade 61,54 m, Breite der Querfassaden 39,95 m, Innenbreite des Langhauses 45,19 m, Höhe des Nordturms 157,38 m, Höhe des Südturms 157,31 m, Querhausfassadenhöhe 69,95 m, Höhe des Dachfirstes 61,10 m, Höhe des Mittelschiffes 43,35 m, Höhe der Seitenschiffe 19,80 m. Das Zahlenverhältnis geht vom Quadrat aus. Der Vierung kommt somit eine besondere Bedeutung zu. Hier sollte der Dreikönigenschrein seine Aufstellung finden. Von der quadratischen Vierung führen vier halbquadratische Joche, begleitet von je zwei Seitenschiffen, in den Chor und enden im Chorhaupt als sieben Seiten eines Zwölfecks. Die äußeren Seitenschiffe münden in den Chorkapellen, die inneren schließen sich zum Chorumgang zusammen und bilden so den Prozessionsweg der Wallfahrer. Die gleiche Jochzahl, jedoch nur von einem Seitenschiff rechts und links begleitet, haben die beiden von der Vierung ausgehenden Querhäuser. Sechs Joche besitzt das im Duktus des Chores stehende Langhaus. Die auf quadratischem Grundriß errichteten Doppeltürme im Westen sind ihm vorgelagert. Die Mauern sind fast gänzlich den Fenstern gewichen. Triforien schließen die oberen Fenster nach unten ab. Die schlanken Pfeiler bilden ihren steinernen Rahmen. Grund- und Aufriß stammen vom ersten Dombaumeister Gerhard († vor 1271). Der große Fassadenplan geht auf Meister Johann (nachweisbar ab 1296–1330/31) zurück. Entgegen den ursprünglich vorgesehenen fünf Portalen der Westfront erfolgte nun eine Reduzierung auf drei. Statt dessen wurden die Türme breiter angelegt.

Vorbild war die Kathedrale von Amiens. Ihre Ausmaße und ihre Formvollendung sollten sich in Köln zu einer letzten und höchsten Vollkommenheit steigern. Zunächst ging der Bau rüstig voran. Der Kapellenkranz des Außenchores war schon um 1265 vollendet, der Hochchor um 1300. Das Couronnement des obersten Fensters der damals errichteten Abschlußmauer zum Querhaus zeigte das Wappen des Erzbischofs Wikbold von Holte († 1304). Erst 1863 sollte die Trennwand entfernt werden. Am 27. September 1322 fand die feierliche Schlußweihe des Chores statt. Inzwischen hatte bereits der Bau des Südturms begonnen. In dem um 1410 vollendeten zweiten Geschoß wurden 1448 und 1449 die Glocken Pretiosa (11,2 t) und Speciosa (6,0 t) aufgehängt. Das dritte Geschoß wurde noch über die Fensterbänke hinausgeführt. Aber in einer Höhe von 59 m endete die mittelalterliche Bautätigkeit. Bis tief ins 19. Jh. krönte den Turmstumpf ein Baukran. Im Anschluß an die Vollendung des Erdgeschosses des Südturms wurden die beiden südlichen Seitenschiffe bis zur Höhe von 14 m gebaut. Im 15. Jh. wurde vor allem an den nördlichen Seitenschiffen gearbeitet. Dabei folgte man nicht dem eigenen Geschmack, sondern hielt sich an den vorgegebenen Plan. Daher entsprechen die nördlichen Seitenschiffe weitgehend den 150 Jahre jüngeren südlichen Bauteilen. Nur Laubwerk und Pfeilerbaldachine verraten den spätgotischen Zeitstil. Zwar hatte sich die Bautätigkeit verlangsamt, aber noch bestand Hoffnung auf Vollendung. Erst 1560 trat ein völliger Stillstand ein. Freilich ließ sich der Wunsch nach einer Wiederaufnahme der Arbeiten am Dom nicht gänzlich unterdrücken. Ein Barockisierungsversuch im 18. Jh. brachte der Kathedrale mehr Schaden als Nutzen.

Erst im 19. Jh. war der Wille stark genug und die Mittel ausreichend, den Dombau zu vollenden. Die Grundsteinlegung zum Weiterbau fand am 4. September 1842, die Dom-Vollendungsfeier am 15. Oktober 1880 statt. Ernst Friedrich Zwirner (1802–1861) und sein Nachfolger Richard Voigtel (1829–1902) setzten es sich zur Aufgabe, den ursprünglichen Plan zu verwirklichen. Wie sehr sie sich auch mühten, den Stil des Doms zu treffen, sie bauten ihren eigenen Stil: »neugotisch; integriert zwar in den alten Bestand, aber doch unverkennbar eigenständig, besonders dort, wo es an verbindlichen Fakten mangelte: an den Querhausfassaden. Sie gerieten zu wahren Glanzstücken neugotischer Baukunst, an den Außenseiten von klassizistischer Eleganz und im Innern, bei den Wandfeldern unter dem großen Mittelfenster, von berückender Schönheit« (Arnold Wolff). Kurz nach der Jahrhundertwende begannen schwere Verwitterungsschäden sichtbar zu werden. Sie machten die Fortsetzung der Arbeit der Dombauhütte notwendig. Hinzu kamen die Zerstörungen an den Gewölben und am nördlichen Strebepfeiler der Westfassade durch Fliegerangriffe im Zweiten Weltkrieg. Dombaumeister Willy Weyres (tätig 1944–1972) stellte bis 1948 den Chor, bis 1956 den westlichen Teil der Kathedrale wieder her. Inzwischen ist die Restaurierung verwitterter Teile des für die statische Sicherheit des Mittelschiffgewölbes unentbehrlichen Strebewerks so dringlich geworden, daß um ihretwillen die Beseitigung der letzten Kriegsschäden aufgeschoben werden mußte. Noch lange wird die Ziegelsteinplombe im Nordturm an die Notzeit des Zweiten Weltkriegs erinnern. Bei den Wiederherstellungsarbeiten gilt der Grundsatz: Treue zur Grundstruktur und zu allen geometrisch faßbaren Formen, Freiheit bei den plastischen Einzelwerken. Zwirner hatte um die Mitte des vergangenen Jahrhunderts nicht einfach mittelalterliche Kapitelle kopieren, sondern nach Gipsabgüssen möglichst naturalistisches Bauwerk meißeln

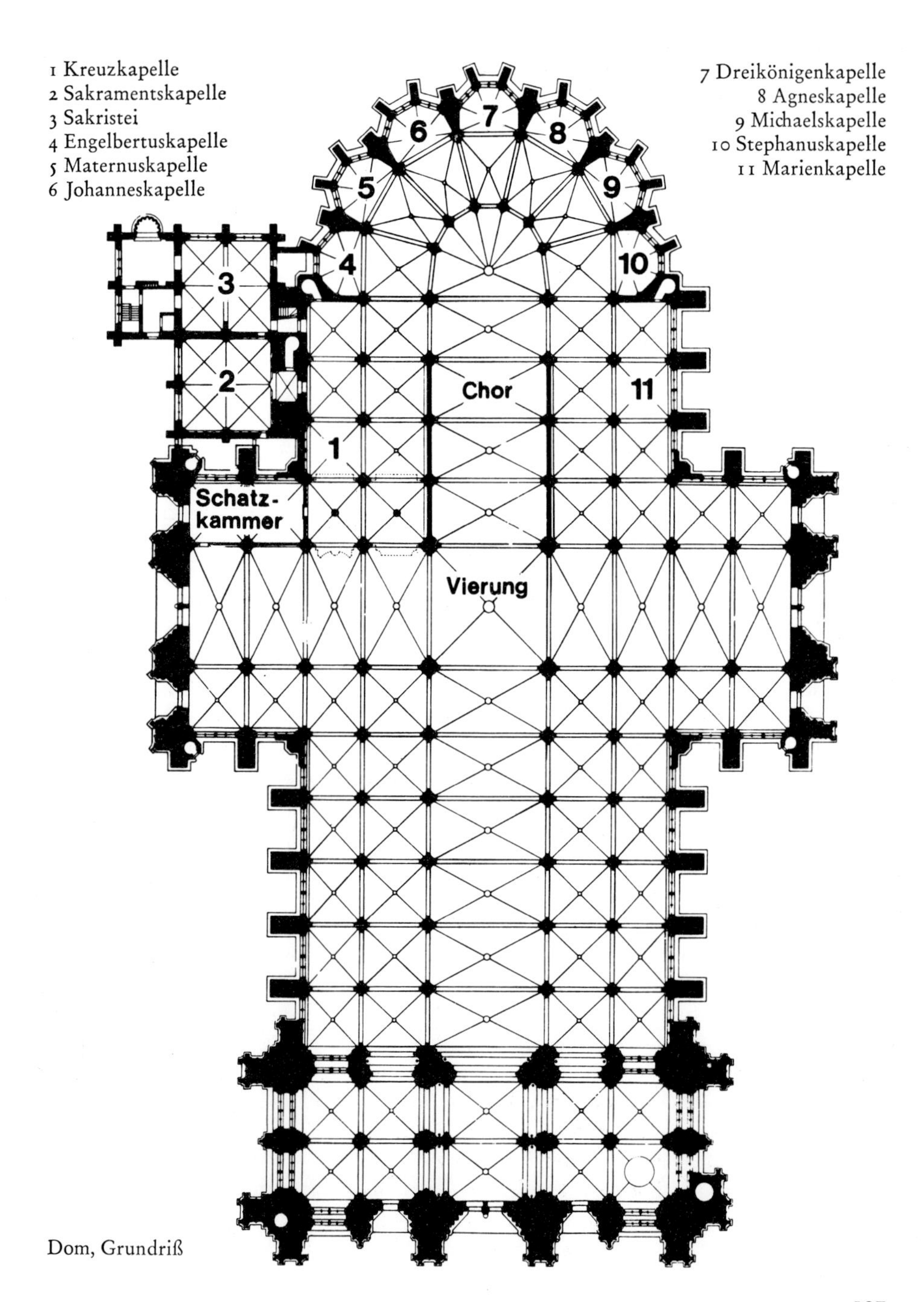

Dom, Grundriß

lassen. Weyres ermunterte ein Jahrhundert später seine Bildhauer, dem Spiel ihrer Phantasie freien Lauf zu lassen. – Bereits in der Franzosenzeit wurde der Dom manches wertvollen Ausstattungstückes beraubt. Dafür bieten Kunstwerke einen Ersatz, die aus säkularisierten Kirchen Kölns in die Kathedrale überführt worden sind. Nach dem Zweiten Weltkrieg sind weitere Kunstwerke, Schöpfungen zeitgenössischer Künstler hinzugekommen, die sich dem Gesamtkunstwerk gut einfügen.

Trotz der verwirrenden Fülle der Einzelformen ist die Gliederung der Westfassade klar und übersichtlich (Abb. 1). Zwar erzwingt die Ausgedehntheit der Türme eine Einschnürung der Fassadenmitte. Doch wird dadurch der Eindruck der Monumentalität nicht gestört. Die dreitorige Portalzone wirkt allerdings gemessen an der Höhenerstreckung der Türme klein und durch die flankierenden Fenster sogar unregelmäßig. Doch soll das Auge nicht an Einzelheiten haften, sondern die Gesamtwirkung beachten. Der Fünfschiffigkeit des Langhauses entsprechen an der Westfassade die fünf Fenster des zweiten Geschosses. Vom dritten Geschoß an verlassen die Türme die quadratische Grundform und gehen unmerklich ins Achteck über. Sie gipfeln in den mehr als 50 m hohen durch Kreuzblumen gekrönten Türmen. Gesimse, Galerien, Vorlagen, Sockelzonen, Wimperge, Ecktürme betonen die Horizontalen und Vertikalen, gliedern die Fassade, ohne ihr etwas von ihrer Monumentalität zu rauben. Nur das südliche, das PETRUSPORTAL, weist Figurenschmuck auf, der aus dem Mittelalter stammt (Abb. 11). Von den großen Gewändefiguren stammen fünf aus den Jahren 1370–80: rechts (von innen nach außen) Petrus, Andreas und Jakobus, links Paulus und Johannes. Wegen ihres schlechten Erhaltungszustandes wurden sie durch Kopien in Steinguß ersetzt (Originale, Diözesan-Museum). Im Tympanon sitzen in der unteren Zone Propheten, in der mittleren ist das Martyrium der Apostel Petrus und Paulus, in der oberen der Himmelssturz des Simon Magus dargestellt. In den Hohlkehlen über den Gewändefiguren sitzen unter reichen Baldachinen Evangelisten, Kirchenväter, heilige Frauen, Märtyrer, Engel und Erzengel – erste Kölner Beispiele des weichen Stils, der die Folgezeit beherrschte. Die Figuren sind im Umkreis der Parler entstanden. Beziehungen zwischen Köln und den Parlern in Böhmen werden übrigens auch sichtbar in der Parlerbüste des Schnütgen-Museums von Heinrich IV. Parler, der zuvor am Veitsdom in Prag tätig war und 1383 erstmals in Köln nachweisbar ist (Abb. 109). Das naturalistisch Wirkende und dennoch nicht wirklichkeitsgetreue Blattwerk der Konsole erinnert an Beifuß. – Die nachmittelalterlichen Figuren des Petrusportals und der beiden anderen Portale stammen durchweg aus der Werkstatt des Dombildhauers Peter Fuchs (tätig am Dom 1869–84). Die im Zweiten Weltkrieg zerstörten Figuren am Mittel- und Nordportal wurden durch neue von Erlefried Hoppe (1955/58), Elisabeth Baumeister-Bühler (1958/60) und Klaus Iserlohe (1956/58) ersetzt.

Das MITTELSCHIFF fasziniert durch seinen Höhendrang, atmet freilich zugleich eine gewisse Kühle (Abb. 4). Das mag mit der Armut an Ausstattungsstücken zusammenhängen. Die Pfeilerfiguren, die Heilige des frühen Frankenreichs darstellen, wurden von Peter Fuchs und Anton Werres geschaffen. Ihr Aussehen gemahnt an die Dürerzeit.

Konsolen und Baldachine stammen aus dem 14. und 15. Jh. Bemerkenswert am zweiten Pfeiler links die Eichenholzplastik des *hl. Michael,* die Georg Grasegger 1919 zum Gedächtnis der Gefallenen schuf. Bei besonderen Anlässen gewinnt das Mittelschiff eine eigentümliche Wärme, wenn um Pfingsten oder Fronleichnam die Rubensteppiche zwischen den Pfeilern aufgehängt werden, acht großformatige Gobelins, die 1645 nach Kartons von Peter Paul Rubens in Brüssel hergestellt worden sind. Sie stellen den Triumph der Eucharistie über die Opfer des Alten Bundes und der Heidenwelt sowie über Un- und Irrglauben dar. Die Vierung, in der ursprünglich der Dreikönigenschrein aufgestellt werden sollte, dient heute der Feier der Liturgie. Ihre Ausstattung stammt zum größten Teil von Elmar Hillebrand. Der VIERUNGSALTAR (1960) besteht aus gegossenen Bronzeplatten, die am oberen Rand einen breiten, durchbrochenen Zierfries mit Trauben und Ähren – Symbolen der Eucharistie – zwischen Eierstäben zeigen. Am linken (nordöstlichen) Vierungspfeiler das *Sakramentshäuschen* (1964) in Savonièrestein mit Friesen aus Cipollinostein. Der eigentliche Körper zeigt Blätterreihen heilkräftiger Bäume, die Friese Wundertaten Christi. Ihm gegenüber am rechten (südöstlichen) Vierungspfeiler die älteste Kölner *Kanzel,* eine Renaissancearbeit, Eichenholz, 1544; auf dem Mittelfeld das Kapitelwappen, rechts und links die Apostel Petrus und Paulus.

Hinter der Vierung erhebt sich der HOCHCHOR. Er ist der architektonisch glanzvollste Teil des Innenraums. Sanft und bruchlos geht der Lang- in den Rundchor über. Nach der baulichen Vollendung 1304 zog sich die Ausstattung bis in die dreißiger Jahre des 14. Jahrhunderts hin. Trotz schmerzlicher Verluste ist sie immer noch besser als in jeglichem Kathedralchor sonst erhalten und dazu von höchster künstlerischer Qualität. Von der Welt der Menschen in ihrer Sündenanfälligkeit – Fabelwesen des Chorgestühls – gleitet der Blick über die weltüberwindenden Heiligen – Chorschranken – zu den Aposteln, den Stützen der Kirche, hinauf zu den anbetenden Engeln in den Arkadenzwikkeln und dem himmlischen Hofstaat in den Glasfenstern, bis er Ruhe findet in den Ornamenten des Couronnement der Maßwerkfenster, die auf die unnennbare Schönheit Gottes verweisen. Gerade im Hochchor enthüllt sich der Sinn des Doms als einer Vergegenwärtigung des Himmlischen Jerusalems. Der *Hoch-* bzw. *Stiftsaltar* ist einer der größten der Christenheit. Die Mensaplatte aus schwarzem Marmor (um 1310–20) hat die ungewöhnliche Länge von 4,52 m. Auch an den vier Seiten ist der Altar mit schwarzem Marmor verkleidet, dem eine weiße Blendarchitektur vorgesetzt ist. Unter gotischen Arkaden – verwandt den Arkaden der Tumben der ältesten Hochgräber im Dom – sind Szenen aus dem Marienleben dargestellt. Die 38–42 cm hohen Figürchen sind jeweils um eine Mittelszene angeordnet, auf der Vorderseite (allein original): Marienkrönung; Rückseite: Anbetung des Kindes durch die Heiligen Drei Könige; südliche Seite: Mariä Verkündigung, nördliche Seite: Darbringung im Tempel (die Figuren dieser Seiten sind Kopien, Originale im Schnütgen-Museum). Der Stil dieser Figuren scheint nach Lothringen zu weisen. Wenigstens drei Meistern sind sie zuzuschreiben. Die Figur des Apostel Petrus trägt eine zweikronige Tiara, wie sie bis 1314 üblich war. Die Figuren sind behäbig-weich dargestellt.

Hinter dem Hochaltar hat nach dem Zweiten Weltkrieg der *Dreikönigenschrein* seine Aufstellung gefunden. Nach zwölfjähriger Arbeit konnte 1973 die durchgreifende Restaurierung beendet werden, die dem nach der Flucht vor den französischen Revolutionsheeren verstümmelt heimgekehrten Schrein seine ursprüngliche Größe zurückgab und die alte Anordnung der Propheten- und Apostelfiguren wiederherstellte. Der Schrein hat die Form einer dreischiffigen Basilika; denn außer den Gebeinen der Weisen aus dem Morgenland im unteren Teil nahm er im oberen Teil die Gebeine der Märtyrer Felix und Nabor und dazu noch die des hl. Gregor von Spoleto auf. Er ist 153 cm hoch, 110 cm breit und 220 cm lang. Der Gesamtplan und die Ausführung der Prophetenfiguren ist dem Nikolaus von Verdun zuzusprechen. Stilgeschichtlich schließen sich die Propheten den zuletzt entstandenen Tafeln des Klosterneuburger Altars an. Um 1181 begann Nikolaus von Verdun seine Arbeit am Dreikönigenschrein. »Jede seiner Prophetenfiguren zeigt eine unverwechselbare, sofort wiedererkennbare Personalität, eigenständig in Haltung, Bewegung und Gesichtsausdruck. Diese Individuation greift seiner Zeit voraus« (Joseph Hoster). Die Sitzfiguren der Propheten sind aus vergoldetem Silber getrieben. Die Mitte nimmt jeweils ein König ein: rechts David; links Salomon. Die Propheten repräsentieren die Zeit unter dem Gesetz. Die in Verlust geratenen Rundfelder des unteren Dachs enthielten Szenen aus dem Leben Jesu, die Zeit in der Gnade. Die Apostel in den oberen Reihen repräsentieren die Zeit unter der Gnade. Auch sie sind einer Mitte zugeordnet; auf der Davidseite dem Cherub »Fülle des Wissens«, auf der Salomonseite dem Seraph, »Brennend vor Liebe«. Die 18 verlorenen Felder der Dreipaßbögen des oberen Dachs hatten Weltgerichtsszenen zum Inhalt, repräsentierten somit die Endzeit. Die Stirnseite, wohl von Kölner Goldschmieden in der Nachfolge des Heribertschreins in einem Figurenschmuck aus purem Gold geschaffen, das Otto IV. zugleich mit antiken Kameen und Gemmen 1204 für den Schrein gestiftet hatte, hat die dreifache Erscheinung Christi zum Gegenstand: als Kind vor den Heiden, den Heiligen Drei Königen; vor den Juden bei der Taufe im Jordan; und im Gericht am Ende der Tage (Abb. 9). Die wohl erst nach 1225–30 entstandene Rückseite zeigt in der unteren Zone die Passion Christi, in der oberen die Aufnahme der Märtyrersoldaten Felix und Nabor durch Christus in den Himmel. Im Dreieckfeld darunter ist die Büste Rainalds von Dassel zu sehen, dem Köln die Reliquien verdankt. Das Thema der Heiligen Drei Könige steht somit keineswegs im Vordergrund, sondern ist vielmehr dem Programm der christlichen Heilsgeschichte integriert.

Das *Chorgestühl* (Eichenholz, ungefaßt, 1308–11), mit 104 Sitzen das größte in Deutschland, ist für das Domkapitel bestimmt, das im Mittelalter aus 24 Vollmitgliedern, davon 16 aus dem hohen Adel und 8 Gelehrten, der entsprechenden Zahl der Stellvertreter, sowie Papst und Kaiser als Ehrenmitgliedern und endlich aus dem Dompropst bestand. Diesen insgesamt 51 Personen war jeweils die oberste Reihe des Gestühls vorbehalten. Dabei kam dem Papst bzw. seinem Vertreter der östlichste Sitz auf der Nord-, dem Kaiser der gleiche Sitz auf der Südseite zu. Die übrige Geistlichkeit nahm in der unteren Reihe Platz. Reichgeschnitzte Wangen zieren Enden und Durch-

Gemme aus der Zeit des Kaisers Augustus (links) und Kameo aus der Zeit des Kaisers Nero (?). Edelsteine von der Stirnseite des Dreikönigenschreins

gänge jeweils der unteren Sitzreihe; zwischen den einzelnen Sitzen Knäufe mit Laubwerk, Tier- und Menschenfiguren. Der Hauptschmuck aber sind die Misericordien unter den Sitzen (Abb. 14). Dargestellt ist das irdische Leben des Menschen mit seiner Lust und Dämonie, mit seiner Verführbarkeit zur Sünde und seiner Erlösungssehnsucht. Antike und biblische Beispiele verbinden sich mit der Zeitsatire. Da fehlt nicht der Triumph der Weiberlist, die Zähmung des Aristoteles durch Phyllis. (Diese Szene mag das Aristoteles-Studium durch Albert d. Gr. verspotten.) Auch das botanische und zoologische Interesse mag manchen Domherrn befremdet haben. Warum hat der eine ferkelsäugende Sau beobachtende Mönch einen Schweinskopf erhalten? Das Schwein kommt noch in einem anderen Zusammenhang vor. Als Judensau symbolisiert es das Laster der Gula, der Gefräßigkeit. Auf einer weiteren Wange ist ein schreibender Mönch dargestellt. Über ihm sitzt eine auf einer kurzbauchigen Fiedel spielende Frau. Die Szene läßt sich als die musikalische Inspiration deuten.

Hinter dem Chorgestühl erheben sich die gemauerten *Chorschranken.* Ihre Innenseiten sind mit Wandmalereien wahrscheinlich aus den ersten Jahren der Regierung des Erzbischofs Walram von Jülich (1332–1349) bedeckt. Die Malerei wurde in öl- und harzhaltiger Tempera ausgeführt, einer Technik, die eher für die Tafelmalerei bestimmt war. Auf der Nord- und der Südseite sind jeweils drei Gemäldezyklen zu sehen. Dargestellt ist das Leben von Heiligen, die in besonderer Weise dem Kölner Dom verbunden sind. Eine subtil gemalte Baldachinarchitektur, entsprechend den Chorsitzen, teilt die Zyklen in jeweils sieben, insgesamt also 42 Felder auf. Die Bildfolge beginnt jeweils im Osten und zeigt auf der südlichen Seite: das Marienleben, die Legende der Heiligen

Drei Könige, die Legenden der Märtyrer Felix und Nabor sowie Gregor von Spoleto; auf der nördlichen Seite: die Legende der Apostel Petrus und Paulus sowie die Legenden des Papstes Silvester, des Kaisers Konstantin und seiner Mutter Helena. Unter diesen Bildzyklen stehen jeweils auf einem durchlaufenden Arkadenfries auf der Südseite beginnend mit Caesar die römischen Kaiser und deutschen Könige, auf der Nordseite beginnend mit Maternus die Kölner Bischöfe und Erzbischöfe. Beide Reihen reichen bis in die damalige ›Gegenwart‹. Gemeinsam mit den Zyklen der Heiligenlegenden ergeben sie das Sacrum Imperium, das Heilige Reich. Wiewohl die Malerei im Laufe der Zeit sehr gelitten hat, offenbart sie doch in den gut erhaltenen Partien höchste Qualität. Die Temperatechnik ermöglicht eine reiche Hell-Dunkel-Modellierung, die den großen Figuren eine auffallende Körperlichkeit verleiht. Köstlich die Details: auf den gemusterten Hintergründen der großen Szenen, die ›Miniaturen‹ höfischer Damen, Liebespärchen, Soldaten, Musikanten, Fabelwesen. Die Technik der Chorschrankenmalerei läßt an den Einfluß der englischen Hofkunst denken, die über Nordfrankreich an den Rhein gelangt sein könnte. Bei vielen Architekturformen und der Gestaltung der Bodenstreifen scheinen ebenfalls über Frankreich vermittelte italienische Vorbilder wirksam geworden zu sein. Jedenfalls sind diese Bilder für die internationale Verflechtung der Kölner hochgotischen Malerei wesentliches Zeugnis.

Auf reichen Blattkonsolen stehen an den CHORPFEILERN Christus, Maria und die zwölf Apostel. Dargestellt ist die himmlische Vermählung Mariens, der Repräsentantin der Kirche, mit Christus. Über diesen beiden Statuen befinden sich daher nur Fialen; über denen der Apostel hingegen Baldachine mit musizierenden Engeln. Wie Herbert Rode nachgewiesen hat, sind die Chorpfeilerfiguren um 1270–80 unter dem zweiten Dombaumeister, Arnold, entstanden, unter dem die Bildhauerkunst der Kölner Dombauschule einen Höhepunkt erreichte. Alle Chorfiguren sind bemalt. Sie tragen die kostbarsten Stoffe ihrer Zeit, golddurchwirkten Seidenbrokat, vor allem italienische Gewänder aus Lucca und Venedig. Bei der Restaurierung im 19. Jh. sind die ursprünglichen Muster erhalten geblieben. Bei den Figuren fällt ein Kontrast zwischen Weltnähe und zugleich doch einem überfeinerten, weltfern wirkenden Lebensstil mit zeremonieller Gestik auf. Christus, Maria und die Apostel sind als Residierende im Himmlischen Jerusalem dargestellt unter dem Bilde der »höfischen Gesellschaft der zweiten Hälfte des 13. Jh. mit ihrer sich der ›mâze‹ gesetzhaft fügenden und durch die Etikette kultivierten Lebensform« (Herbert Rode). Durch die von Eduard von Steinle gemalten Engel der Arkadenzwickel wurden die bei der Barockisierung beschädigten mittelalterlichen Engel ersetzt.

Die 16,70 m hohen OBERGADENFENSTER mit ihrem Zyklus von je 24 alten und jungen Königen auf abwechselnd rotem und blauem Hintergrund – Repräsentationen der 24 Ältesten der Apokalypse und der 24 Könige Judas – wurden um 1304 begonnen und spätestens 1311 vollendet (Ft. 16). Er ist der einzige geschlossene Monumentalzyklus, der an seinem Ursprungsort erhalten ist. Im Mittelfeld: Anbetung des Kindes durch die Heiligen Drei Könige. Die Gesamtzahl der Könige entspricht somit der der Mitglieder des Domkapitels. Alle Fenster werden Stiftungen verdankt. Jeweils im untersten Feld sind die Stifterwappen zu sehen. Sie sind nach ihrem Rang geordnet. Das Achsenfenster zeigt das Wappen Heinrichs von Virneburg, des Erzbischofs, der den Chor einweihte. Die Fenster im Chorhaupt waren dem Adel, die Fenster der Langseiten der Stadt Köln und ihrem Patriziat, darunter die Familien Overstolz und Hardevust, vorbehalten.

Nicht minder bedeutende Fenster finden sich in den CHORKAPELLEN. Die Achsen-, Dreikönigskapelle erhielt bereits um 1260/61 das *Ältere Bibelfenster,* das früheste Fenster im Dom überhaupt und zugleich ursprünglich das einzig farbige im Chorumgang; die andern waren zunächst nur in Grisaille ausgeführt. Die Thematik der älteren Wurzel-Jesse-Fenster überschreitend, bietet es durch die Gegenüberstellung von jeweils 10 Szenen aus dem Leben Jesu und ihren alttestamentarischen Entsprechungen ein klares typologisches Programm. Die Bilder werden von unten nach oben gelesen. Die linke, alttestamentliche Reihe endet in der sitzenden Gottesmutter Maria, die neutestamentliche rechte gipfelt im thronenden Christus. Die Szenen der ersteren Serie sind in ein blau-rotes Rankenmuster, die der letzteren in der Vegetation eines grünenden Baums eingefangen. Ähnlich ist die Typologie auch des *Jüngeren Bibelfensters,* einer Stiftung Alberts d. Gr. und des Erzbischofs Siegfried von Westerburg um 1280 für die Dominikanerkirche, nach der Säkularisation in den Dom überführt und heute in der Stephanuskapelle. Im Rankenwerk tauchen nur Könige, keine Propheten, auf. Sie, wie die herrscherlich auf dem Thron sitzende Gottesmutter Maria, verweisen auf das Königtum Christi. Der Stil, kontrapostisch durchgliederte Figuren mit weich gerundeten Faltenzügen und frischer Farbigkeit ist das erste Beispiel gotischer Malerei in Köln; weitere Fenster der ehemaligen Dominikanerkirche aus der Zeit um 1280–90 befinden sich in der Michaelskapelle, der Sakristei und im Kapitelsaal. Zukunftweisend war an ihnen außer dem gotischen Figurenstil die Überhöhung der Standfiguren durch eine Baldachinarchitektur. Drei einstige Mittelfenster der Chorkapelle um 1320 sind heute in der JOHANNESKAPELLE zusammengefaßt: Allerheiligenfenster, Jakobusfenster, Marienkrönungsfenster. Im letzteren, dessen reiche Architekturrahmung schon früh gerühmt wurde, künden vier Personifikationen die Tugenden Mariens, die sie bei der Verkündung auszeichneten: Züchtigkeit, Klugheit, Jungfräulichkeit, Demut; darüber sechs Propheten. Ebenfalls aus der Zeit um 1320 stammen die Fenster der AGNESKAPELLE. Ursprünglich waren sie flankierende Seitenfenster. Sie stellen außer der hl. Agnes Kölner Heilige dar: die Bischöfe Severin, Anno II., Kunibert, die Märtyrer Gereon und Mauritius, beide in zeitgenössischer ritterlicher Tracht und über ihnen in den kleinen Fialenarkaden weltliche Turmmusikanten.

Ab etwa 1400 ändert sich der Charakter des Glasbildes. Die Malerei wird toniger. Das bisherige dichte Bleinetz wird aufgegeben. Statt dessen folgen die Bleiruten nur noch wenigen Konturen. Das Glasbild beginnt sich stilistisch und kompositionell der Tafelmalerei anzupassen. Ab Mitte des 15. Jh. setzt sich dann auch die Trennung von Malerentwurf und Ausführung durch einen Glasmaler durch. Der Kölner Dom bietet für diese Entwicklung eindrucksvolle Beispiele. Im Nordquerhaus ist ein Gnadenstuhlfenster zu sehen (heutige Komposition: Willy Weyres, 1959), dessen alte Scheiben aus dem Chor der 1804 abgebrochenen Augustiner-Chorherrenkirche Herrenleichnam stammen, ein hervorragendes Zeugnis für die Kölner Richtung des ›weichen Stils‹ um 1435, unten Bildnisse der Stifter, des Kölner Kaufherrn Zeliis Rokoch und der Witwe Beelgin. Der Bildtypus des Gnadenstuhls in Verbindung mit der Mutter Gottes mit Kind wurde vor allem in Burgund entwickelt. Aus dem Kreuzgang von St. Cäcilien stammen Fenster, die in die Sakramentskapelle übernommen worden sind. Aus dem Kreuzgang des Zisterzienserinnenklosters St. Apern wurde ein Zyklus in das nördliche Querhaus des Doms übernommen. In beiden Fällen handelt es sich um einen Christuszyklus. Der Lebens- und Leidensweg des Herrn soll meditativ nachvollzogen werden. Ebenfalls aus dem Kreuzgang von St. Apern stammt ein Bernhardzyklus, heute im nördlichen Querhaus.

Die eindrucksvollsten *Fenster* des ausgehenden Mittelalters aber finden sich in den NÖRDLICHEN SEITENSCHIFFEN. Ihre Stifter sind Philipp von Daun als Domdechant und als Erzbischof, die Stadt Köln, der Erzbischof Hermann von Hessen und schließlich Philipp II. von Virneburg. Die Zyklen dieser Bilder wurden 1507–09 geschaffen, und zwar von bedeutenden Vertretern der Kölner Malerschule, dem Meister von St. Severin und dem Meister der Heiligen Sippe, Zeugnisse der Renaissancekunst. Das von der Stadt Köln gestiftete Mittelfenster entspricht der Mitteltafel eines Altars: unten Agrippa als Gründer der Stadt und Marsilius, der Kölner Lokalsage nach ein römischer Held, dazwischen das Stadtwappen; in der Mitte als ritterliche Helden Georg, Mauritius, Gregor und Gereon; darüber die Anbetung der Hirten; die beiden seitlich anschließenden Fenster mit Petrus und Mariendarstellungen gleichen den Seitenflügeln eines Altars.

Auch das 19. Jh. hat den Dom durch figürliche Glasfenster bereichert. 1842 stiftete König Ludwig I. von Bayern die fünf großen Fenster des südlichen Seitenschiffs als Gegenstück zu den Renaissancefenstern der Nordseite. Hervorgehoben sei das *Drei Königenfenster*. Diese Fenster, die zum Domjubiläumsjahr 1848 eingesetzt wurden, gehören zu den frühesten und zugleich besten Werken monumentaler Glasmalerei des 19. Jh. Im Zweiten Weltkrieg haben sie allerdings Einbußen erlitten. Ihre Wiedereinsetzung nach dem Krieg entspricht nicht mehr genau der ursprünglichen Anordnung. Die Kriegsverluste machten überhaupt teilweise eine Neuverglasung notwendig. So enthält der Dom neben den Zyklen und Einzelbildern mittelalterlicher Glasmalerkunst und Werken des 19. Jh. auch gute Beispiele moderner Glasmalerei. Hier sei wenigstens aufmerksam gemacht auf die Marienkrönung im Westfenster (Vincent Pieper, 1964).

Nach den Glasfenstern verdienen besondere Aufmerksamkeit auch die beiden Beispiele mittelalterlicher Wandmalerei in den Chorkapellen. Als im Mittelalter der Brauch aufgegeben wurde, die Messe zum Volk hin zu lesen, statt dessen die Altäre in den rückwärtigen Teil des Chores bzw. an die Wände gerückt wurden, ergab sich die Notwendigkeit, die Wandfläche über dem Altar zu schmücken. Vor den Retabeln wurden die Bilder unmittelbar auf die Wand aufgetragen. So entstand als Wandbild im frühen 14. Jh. das Altarbild der JOHANNESKAPELLE. In der Form eines ungleichen Triptychons ist Christus am Kreuz dargestellt, eingeknickt mit seitlich verschobenen Knien und erhobenen Händen. In tiefer Gemütsbewegung werden Johannes auf der einen Seite, die Frauen auf der anderen Seite neben dem Gekreuzigten gezeigt. Dagegen wirken Johannes der Täufer und Laurentius jeweils in den Seitenflügeln statuarisch. Haupt- und Seitenflügel sind in eine Scheinarchitektur eingegangen. Der gleichen Zeit, um 1320, jedoch viel stärker erneuert, gehören auch die Wandbilder in der STEPHANUSKAPELLE an. Dargestellt sind das Martyrium der Hll. Stephanus und Gero, der mit einer Hostie sich anschickt, das Bild des Kruzifixes zu heilen. – Seit Errichtung des Kranzes der Chorkapellen dienten diese als Grablege der mittelalterlichen Kölner Erzbischöfe. Für den Gründerbischof, Konrad von Hochstaden, war die Achsenkapelle reserviert. Nach der Weihe des Chores, 1322, wurde jedoch der Schrein der Heiligen Drei Könige, da die Vierung noch nicht vollendet war, in die Achsenkapelle überführt. Die *Tumba Konrads von Hochstaden* mußte deshalb weichen. Sie wurde in die Johanneskapelle verlegt. Die Bronzeverkleidung wurde in der Revolutionszeit entwendet, die Liegefigur des Erzbischofs schwer beschädigt. Nach Entwürfen von Ludwig Schwanthaler erfolgte die Wiederherstellung in der Gießerei Miller in München, 1847. Die Liegefigur ist schon bald nach dem Tod des Erzbischofs (1261) von der Kölner Dombauhütte nach französischen Vorbildern geschaffen worden, wohl das bedeutendste Bronzewerk des 13. Jh. in Deutschland. Der Verstorbene ist als idealer Fürst dargestellt, von einer geradezu klassischen Schönheit (Abb. 13). Erhalten geblieben ist die hochgotische Tumba um 1280 aus Trachyt für die hl. Irmgardis (von Süchteln, † um 1085). Bemerkenswert die grazilen Wimpergarkaden, in denen ehemals gemalte Figuren, wahrscheinlich ein Trauerzug, standen. Das einzige Grab eines weltlichen Herrn, das in der Grablege der Kölner Erzbischöfe ebenfalls Aufnahme gefunden hat, ist das *Hochgrab des Grafen Gottfried IV. von Arnsberg* († 1374), der kinderlos vermählt, seine Grafschaft dem Kölner Erzstift geschenkt hat. Das Grab befindet sich am westlichen Eingang zur Marienkapelle, die Grabfigur ist aus hartem Syenit, der Unterbau mit Wappen geschmückt. Der Graf ist in seiner Rüstung wirklichkeitsgetreu wiedergegeben. Besonders ins Auge fällt unter den Bischofsgräbern das *Hochgrab des Philipp von Heinsberg* († 1191), weil es die Form einer Stadtmauer mit Zinnen, Türmen und Toren hat; inmitten dieses ›Kastells‹ die Liegefigur des Erzbischofs aus Stein in jugendlicher Anmut. Mit diesem um 1368 entstandenen Grabmal sollte an die Errichtung der großen Stadtmauer 1180 während der Regierung des Erzbischofs erinnert werden. Drei weitere Gräber seien hier noch besonders hervorgehoben: das *Hochgrab des Erzbischofs Friedrich von Saarwerden* (1370–1414) in der Marienkapelle; eine mächtige Liegefigur des *Elogius von Lüttich*, die spätgotischen Arkaden der Tumba umfassen 23 Figuren, in den Endarkaden Wappenengel, die Sockelfiguren repräsentieren das bedeutendste Werk des ›weichen Stils‹ kölnischer Richtung; das *Grabmal des Erzbischofs Dietrich von Moers* (1414–63) in der Dreikönigenkapelle (vor dem

Dreikönigenschrein), das einer Krippendarstellung ähnelt. Über der Inschriftentafel in der Mitte thront Maria, von rechts nähern sich die Heiligen Drei Könige, links kniet der Erzbischof, den Petrus der Gottesmutter vorstellt; wahrscheinlich ein Werk des Dombaumeisters Kuyn (1443–69); die *Wandepitaphien* Adolfs und Antons von Schauenburg, die ihnen ihr Nachfolger auf dem Kölner Erzstuhl Gebhard von Mansfeld noch in ihrem Todesjahr, 1558, setzen ließ, Stephanus- und Engelbertuskapelle, von Cornelius Floris und seiner Werkstatt in schwarzem und weißem Marmor ausgeführt. Karyatiden tragen den Sarkophag mit der Liegefigur des Erzbischofs im Ornat.

So bedeutend die Grabfiguren auch sind, an Ruhm übertreffen sie zwei andere Werke der Bildhauerkunst. Das älteste erhaltene Großkreuz des Abendlandes, Vorbild aller späteren Triumphkreuze der mittelalterlichen Kirche, ist das *Gerokreuz* (Abb. 10), benannt nach Erzbischof Gero († 976). Angeregt durch ähnliche Darstellungen des Gekreuzigten, die er in Konstantinopel sah, als er um die Hand der Theophanu für Otto II. warb, hat der Kölner Erzbischof diesen Kruzifixus in Auftrag gegeben. Der Körper des Gekreuzigten ist plastisch durchgebildet mit genauer, wirklichkeitsgerechter Beobachtung des Todesleidens. Im Tode haben sich die Augen geschlossen. Das Erlösungswerk ist vollendet. Der Kruzifixus stand ursprünglich in der Mitte des Alten Doms. Davor hatte Gero unter einem Mosaikboden von rotem und grünem Porphyr sein Grab gefunden. Dieser Belag ist auf dem gotischen Hochgrab Geros, um 1260, in der Stephanuskapelle erhalten. Heute ist das Gerokreuz Teil des barocken, 1683 gestifteten und 1976 restaurierten Kreuzaltars im Chorumgang. Nachfolgerin einer Marienstatue, die Rainald von Dassel zugleich mit den Reliquien der Heiligen Drei Könige aus Mailand nach Köln brachte, ist die *Mailänder Madonna* aus bemaltem Nußbaumholz, möglicherweise eine eigenhändige Arbeit des gleichen Meisters Arnold, dem auch die Chorpfeilerfiguren verdankt werden (Abb. 12). Sie besitzt die gleiche höfische Eleganz wie diese. Kronen, Zepter und Fassung wurden im 19. Jh. erneuert. Als Andachtsbild von großer Lieblichkeit hat sie seit einiger Zeit ihren Standort in der Sakramentskapelle gefunden. Über diesen Hauptanziehungspunkten sollten aber die anderen kostbaren Plastiken nicht vergessen werden. Hingewiesen sei auf die *Schöne Madonna,* eine malerische Steinfigur, Kalkstein, Ende des 14./Anfang 15. Jh., im südlichen Querhaus gegenüber der Riesenstatue des hl. Christophorus, Tuffstein, um 1470, ein Werk des Meisters Tilmann, alte Fassung in Resten erhalten. Dort steht auch der Agilolfusaltar aus der einstigen Stiftskirche Maria ad Gradus, ein Antwerpener Schnitzaltar aus den Werkstätten des Jan de Molder und Meister Gielisz (Schrein) sowie des Adrian van Overbeeke (Gemälde), 1521. Im Mittelschrein ist die Passion Jesu dargestellt, auf den Flügeln sind Szenen aus dem Leben der Erzbischöfe Anno und Agilolf gemalt. Um 1270/80 entstand die *Thronende Muttergottes* aus Füssenich, die Domkapitular Alexander Schnütgen für die Kölner Kathedrale erwarb, Dreikönigenkapelle (Fassung 1950 erneuert).

Alle Mariendarstellungen im Kölner Dom aber überglänzt das *Dombild,* das allerdings richtiger ›Altar der Stadtpatrone‹ genannt werden müßte, das Hauptwerk

Stefan Lochners (Abb. 16). Um 1445 für die Rathauskapelle gemalt, war es der geistliche Mittelpunkt der bürgerlichen Gemeinde Kölns. Jede Ratssitzung wurde mit einer Messe vor diesem Altar begonnen. Wie bei der ›Majestas‹ in den Rathäusern der oberitalienischen Stadtrepubliken huldigt auch hier die Bürgerschaft ihrem göttlichen Herrn, indem sie sich durch ihre Patrone, St. Ursula und St. Gereon auf den Seitenflügeln, Maria und den Heiligen Drei Königen auf dem Mittelflügel am Himmlischen Hof vertreten läßt. Die Pracht der Stoffe, die venezianischen Brokate und Schursamte, die Köstlichkeit der Edelsteine symbolisieren die himmlische Herrlichkeit. »Das Bild ist im Maßstab von (oberitalienischen) Fresken gemalt, aber mit der Präzision eines Niederländers. Lochner bringt die vornehmsten Elemente der beiden großen Malschulen souverän in sein zutiefst kölnisches Meisterwerk ein« (Arnold Wolff). In den beiden letzten Wochen der Advents- und Fastenzeit ist das Dombild geschlossen. Im Gegensatz zur Farbenpracht der Innenseiten sind die Außenflügel, die die Verkündigung zeigen, in gedämpften Farben gemalt. 1809 wurde Lochners großes Altarbild in den Dom überführt. Es steht heute in der Marienkapelle. Erwähnenswert ist dort noch die überlebensgroße *Holzplastik des hl. Hubertus,* ein Werk des Jeremias Geisselbrunn, 1. Hälfte 17. Jh. Der Hubertusverehrung in Köln ist es zu danken, daß diese Statue nicht gleich andern Barockstatuen im 19. Jh. aus dem Dom entfernt worden ist.

Nach dem Zweiten Weltkrieg hat Ewald Mataré aus gegossener Bronze und Mosaik neue PORTALTÜREN für das südliche Querhaus geschaffen; 1948 für das Mittelportal: rechte Türe, *Papsttüre,* in der Supraporte Wappen Pius XII., in den Feldern Hahn und Pelikan als Symbol der Wachsamkeit und Liebe; linke Türe, *Bischofstüre,* Wappen von Kardinal Frings, in den flachen Kassettenplatten darunter das Wirken des Heiligen Geistes in der Geschichte, exemplifiziert durch Kölner Heilige als Repräsentanten seiner Gaben: Albert d. Gr. = Rat, Thomas von Aquin = Weisheit, Ursula = Gottesfurcht, Gereon = Stärke, Petrus Canisius = Wissenschaft, Johannes Duns Scotus = Verstand, Hermann Joseph = Frömmigkeit; 1953 für das westliche *Ursulaportal:* Supraporte, Himmlisches Jerusalem, rechte Türseite, das brennende Köln (Abb. 15), linke Türseite, Noah mit Arche und Regenbogen als Zeichen der Versöhnung; 1954 Tür für das östliche, das *Gereonsportal:* Supraporte: Schöpferhand Gottes, linke Türseite oben, Erscheinung Gottes im Alten Bund, brennender Dornbusch, rechte Türseite oben, Gotteserscheinung im Neuen Bund, Tabor, beide Türseiten unten, Netz Satans, durch die Leidenswerkzeuge entschärft.

Die SCHATZKAMMER ist der Tresor der Domsakristei. Was hier aufbewahrt wird, dient noch immer dem Gottesdienst. Der Domschatz spiegelt manches Kapitel der Geschichte der Kölner Kathedrale. Die ältesten Gegenstände sind schon mehr als ein Jahrtausend im Besitz des Doms. Wiewohl die Schatzkammer im Laufe der Zeiten manch schwere Einbußen, zuletzt durch den Diebstahl im November 1975 (im Juli 1976 aufgeklärt), erlitten hat, ist sie immer noch reich an bedeutenden Kunstwerken. Einige Beispiele mögen das bezeugen.

Die beiden wichtigsten Reliquien, die sie birgt, sind die Petrusketten und der Petrusstab, beides Erwerbungen des Erzbischofs Bruno I. Die *Petrusketten* befinden sich in einer Reliquienmonstranz, Silber, vergoldet, um 1500. Der *Petrusstab* ist ein Stab in Form eines antiken Kugelzepters, das Signum der Konsuln der römischen Kaiserzeit (Abb. 18). Da Konstantin d. Gr. den Bischöfen den Rang und damit auch die Abzeichen dieser Würdenträger zubilligte, könnte es sich bei dem Petrusstab um einen der ältesten Bischofsstäbe der abendländischen Kirche handeln. Elfenbeinknauf und Holzstab gehören wahrscheinlich dem 4. Jh. an, Teile der Metallfassung unter dem Knauf dem 10.–16. Jh. Zu den ältesten Schätzen gehört auch die *Kriegsfahne,* Seide mit Seidenstickerei, wahrscheinlich ein Geschenk der Königin Gerberga von Frankreich zur Kaiserkrönung ihres Bruders Otto I. 962. Der *Stab des hl. Heribert* (Abb. 20) besitzt eine Krücke aus Walroßzahn mit Silberfassung aus dem 11. Jh. Die beiden Krückenenden sind als Löwenköpfe gestaltet, die Mitte zeigt auf der einen Seite den Gekreuzigten, auf der anderen den thronenden Christus. Der Magister chori war verantwortlich für den liturgischen Vollzug des Chorgebets. Laut Inschrift wurde für die Festtage 1178 von Hugo, Dekan des Domkapitels, ein silberverkleideter *Vorsängerstab* gestiftet. Über einem konisch zulaufenden und einem weiteren runden Bergkristall gabelt sich die Bekrönung in drei Äste mit niellierten Jagdszenen und Ranken. Nach Ausweis der Wappen wurde der figürliche Aufsatz ›Anbetung des Kindes durch die Heiligen Drei Könige‹ unter Wilhelm von Gennep um 1350 hinzugefügt. Anno II. stiftete der Kirche St. Maria ad Gradus eine byzantinische *Kreuzlade,* 11. Jh. Um 1200 wurde sie in Köln unter Verwendung byzantinischer Beschläge in ein Triptychon umgewandelt. Die Kreuzreliquie selbst zeigt noch die byzantinische Fassung. Sie ist laut Inschrift ein Geschenk des Kaisers Alexios I. (1081–1118). An der Reliquie hängt ein Stück des ›Aaronstabes‹.

Mit besonderer Sorgfalt hütete das Domkapitel das *Jurisdiktionsschwert* des Erzbischofs und Kurfürsten (Abb. 19). In späterer Zeit gab es dieses fürstliche Signum niemals in des Bischofs Hand, sondern ließ es nur beim feierlichen Einzug des Erzbischofs in Köln vorantragen. Das Jurisdiktionsschwert ist eine Kölner Arbeit, um 1450/60, Griff aus getriebenem Silber, blattförmig endend. Die gerade Parierstange mündet in Löwenköpfen. Ein reichdurchbrochenes Ornament aus vergoldeten Zweigen und Blättern auf rotem Samt ziert die Scheide. Hermann von Wied fügte die Wappen hinzu. Die jetzige Klinge wurde 1662 von Erzbischof Maximilian Heinrich gestiftet.

Zu den eindrucksvollsten Reliquiaren gehört die silbergetriebene und teilweise vergoldete *Büste des hl. Gregor von Spoleto* um 1500. Von bezwingender Eindringlichkeit ist der Blick des herrlich modellierten Kopfes. Die Reliquien des Heiligen hatte Bruno I. für Köln erworben. Kölner Arbeit aus dem Anfang des 16. Jh. ist ein *Antependium* mit der Wurzel Jesse. In der Mitte unten Jesse, aus dem der Stammbaum Christi hervorwächst, über ihm im Strahlenkranz als Halbfigur Maria auf einer Mondsichel, in 12 Rundfeldern zu beiden Seiten die königlichen Vorfahren Jesu. Den oberen Abschluß bildet eine Kölner Borte mit Verkündigung, Abendmahl, Auferstehung,

Pfingstwunder und Marienkrönung. An den Kölner Domherrn Jakob von Croy, der 1502 Fürstbischof von Cambrai wurde, erinnert ein *Epitaph* in vergoldeter Bronze, Brabant, nach 1518. Ein kleingegliederter Renaissancerahmen umfaßt unter gedrücktem Bogen die Szene der Anbetung des Kindes durch die Heiligen Drei Könige. Im Vordergrund links kniet auf einem Betpult der Domherr, den sein Namenspatron, der Apostel Jakobus, der Mutter und ihrem Kind empfiehlt. Hinter ihm wird ein Kerzenträger sichtbar. Konrad Duisbergh in Köln vollendete 1633 den *Engelbertschrein,* Silber, teilweise vergoldet. Die silbergegossenen Figuren sind nach Modellen von Jeremias Geisselbrunn angefertigt. Der Schrein ist das Hauptwerk der Kölner Goldschmiedekunst aus der ersten Hälfte des 17. Jh. Auf der vorderen Schmalseite steht Christus zwischen Petrus und Maternus, dem ersten Kölner Bischof. Auf der hinteren Schmalseite ist die Anbetung der Heiligen Drei Könige dargestellt. An den Längsseiten zehn hl. Kölner Bischöfe. Als zwölfter Kölner Bischof ruht Engelbert auf dem Deckel des Schreins zwischen ihm huldigenden Engeln. Silberreliefs schildern sein Leben und Wirken. Die goldene *Monstranz* (Abb. 21), eine Kölner Arbeit, um 1657 von Christian Schweling d. Ä. angefertigt, eine Stiftung des Kölner Erzbischofs Maximilian Heinrich, ist das kostbarste Stück, das beim Diebstahl 1975 der Schatzkammer entwendet und zerstört wurde. Die 1976 aufgefundenen Edelsteine verpflichten zur Rekonstruktion. Die *Kasel* der Capella Clementina gehört zu dem reichen Bestand der Paramente, die Kurfürst Clemens August 1742 in Lyon anfertigen ließ und zunächst für die Zeremonie der Kaiserkrönung seines Bruders Karl VII. bestimmte. Kulturgeschichtlich bemerkenswert ist der *Kelch,* den nach dem Tode Friedrichs von Schlegel 1829 seine Witwe Dorothea, geb. Veith, zur Erinnerung an ihrer beider Konversion im Jahre 1808, dem Kölner Dom stiftete, eine Hanauer Arbeit, Silber, vergoldet.

Bis 1794 war die Dombibliothek im Raum über der Schatzkammer untergebracht. Es ist darum sehr sinnvoll, daß einige ihrer schönsten HANDSCHRIFTEN in der Schatzkammer präsentiert werden. Wegen der Darstellung des Alten Doms auf dem Widmungsblatt ist der ›Hillinuscodex‹ die bekannteste Handschrift aus der Dombibliothek. Die Reichenauer Mönche Purchard und Chuonrad schrieben dies Evangeliar im Auftrag des Kölner Domherrn Hillinus. Den Anfang der ottonischen Buchmalerei in Köln bildet das Evangeliar des Erzbischofs Everger (984–999). Ein wichtiges Werk der Kölner Buchmalerei der Stauferzeit ist der Band der ›Briefe und kleineren Schriften des hl. Hieronymus‹, der im Auftrag des gelehrten Kölner Erzbischofs Friedrich I. (1099–1131) geschrieben wurde. Auf dem Titelbild ist er zwischen Büchern sitzend, in den Händen ein Schriftband haltend, dargestellt (Abb. 17). Ein Beispiel feiner Malerei kölnischen Stils vom Ende des 13. Jh. ist die ›Bibliotheca divina‹ des hl. Hieronymus. Für die Geschichte der Notenschrift ist das ›Breviarium Franconium‹ wichtig, das wahrscheinlich aus einem Benediktinerkloster bei Würzburg stammt (12. Jh.) und farbige Federzeichnungen enthält. Das Vorsatzblatt des ›Kaiserevangeliars‹ (Anfang des 12. Jh., Einband Ende des 17. Jh.) enthält den Eid der deutschen Kaiser, den sie bei der Aufnahme in das Kölner Domkapitel leisteten. Das Graduale aus der

Werkstätte der Fraterherrn vom Weidenbach (16. Jh.) läßt bereits den Ausklang der Buchmalerei spüren. Die Bilder in den Initialen gehen auf Holzschnitte zurück. Unter anderem wurde Dürers Anbetung aus dem ›Marienleben‹ zum Vorbild genommen. Blumen, Putten und spielende Tiere füllen die Randleisten aus. Den Holzschnitten der von Erasmus von Rotterdam herausgegebenen ›Makkabäergeschichte‹, aber auch den Reliefs des Makkabäerschreins in St. Andreas verwandt sind die Miniaturen der ›Geschichte der Makkabäerbrüder und des Kölner Benediktinerinnenklosters‹, die 1522/25 im Auftrage seines Rektors Elias Hertz hergestellt wurde. Auch diese Handschrift ist durch köstliche Zierleisten ausgezeichnet.

Den Vorstellungen monumentaler Architektur des 19. Jh. hatte es entsprochen, den Dom zu isolieren und alle Gebäude der unmittelbaren Umgebung als die Sicht behindernd niederzulegen. So entstand der Eindruck eines auf einem hohen Sockel in der Ebene freistehenden Gebäudes. Aber gerade dadurch wurde die Kölner Kathedrale zu einer Insel im immer mehr zunehmenden Verkehr. Diesem unbefriedigenden Zustand ein Ende zu machen, war das Ziel der Neugestaltung der Domumgebung Ende der 60er Jahre. Der Verkehrsstrom wurde zurückgedrängt, die früheren Niveauverhältnisse weitgehend wiederhergestellt. Heute kann der Fußgänger den Dom gefahrlos erreichen und von allen Seiten umschreiten. Die Wiedererrichtung des Seiteneingangs des römischen NORDTORS auf dem Platz vor der Westfassade (Abb. 3), der Bau des Römisch-Germanischen Museums auf der Südseite (Abb. 24) tragen dazu bei, die Kathedrale in einem richtigeren Maßstab erleben zu lassen.

Bereits 1964 konnte in den neuen Räumen des ERZBISCHÖFLICHEN DIÖZESAN-MUSEUMS im Kuriengebäude, auf der Südseite des Doms, Roncalliplatz 2, die Ausstellung ›Der Meister des Dreikönigenschreins‹ vorgestellt werden. Die ständige Schausammlung allerdings ist erst seit 1972 der Öffentlichkeit zugänglich. Die fünf ihr zur Verfügung stehenden Räume sind in ihren Ausmaßen bescheiden. Aber unter den ausgestellten Werken befinden sich große Kostbarkeiten. Die Dombesichtigung findet ihren Abschluß erst mit dem Besuch dieses Museums. Die Eingangshalle dient zu einem Teil als Lapidarium. Von der Verwitterung bedrohte Wimpergfiguren, zwei Wasserspeier, eine Fialenbekrönung haben hier Zuflucht gefunden. Hierhin wurden auch romanische Doppelkapitelle, darunter einige des Samsonmeisters, geborgen. In zwei Vitrinen sind die Funde aus dem *Grab der Dame und des Knaben* zu sehen (s. S. 40 u. Abb. 33), darunter kostbarer Goldschmuck, der zum Teil mit Almandinen ausgelegt ist, Waffen und Helm des Knaben, Glasgefäße, die die Fortdauer der Handwerkstradition auch im fränkischen Köln bezeugen. Aus dem ausgehenden Mittelalter seien zwei Werke genannt, die dem Dom entstammen: Für den 1445 verstorbenen Dombaumeister Nikolaus von Büren schuf Konrad Kuyn aus Kalkstein ein *Epitaph* der Vier Gekrönten, die durch ihre Attribute als Baumeister, Bildhauer, Steinmetz und Polier gekennzeichnet sind; denn die Heiligen gelten als Patrone der Bauleute. Die Gesichter sind individuell und lebensnah gestaltet. Das Holzrelief des *Schmerzensmannes* in

Halbfigur mit mächtiger Dornenkrone (Anfang des 16. Jh.) war einst ein Gnadenbild des Doms. Aus dem Barock wären weitere Teile der Clementina zu nennen, darunter ein goldbesticktes Pluviale. Beachtung verdienen auch die Handschriften aus der Dombibliothek. Doch stammen die Kunstschätze des Diözesan-Museums nicht nur aus dem Dom. Dem Reichskreuz nicht unähnlich ist das *Herimannkreuz*, wahrscheinlich eine Arbeit der Werdener Benediktiner aus der Mitte des 11. Jh. Es wurde von Erzbischof Hermann und seiner Schwester Ida, der Äbtissin von St. Maria im Kapitol, gestiftet. Überraschend an ihm ist, daß der bronzene Kruzifixus ein antikes Frauenköpfchen aus Lapislazuli mit den Zügen der Kaiserin Livia als Christuskopf trägt (Abb. 22). Ähnlich wie das Herimannkreuz verrät auch die *Severinscheibe* (Köln frühes 11. Jh.) – Gold und versenkter Zellenschmelz aus durchscheinendem und opakem Email, vermutlich vom zerstörten Severinschrein – in ihrer Technik byzantinischen Einfluß (Ft. 13). Diese Scheibe dürfte die bedeutendste erhaltene figürliche Arbeit der Goldzellenschmelze ottonischer Zeit nördlich der Alpen sein. Die Statue der *Jungfrau mit dem Kinde* (rheinisch, frühes 12. Jh.) ist eines der ältesten Beispiele des Typus der Sedes Sapientiae: Maria repräsentiert den Thron Salomons oder der Weisheit. Um die Mitte des 12. Jh. entstand das *Kreuz aus Erp* mit bekleidetem Kruzifixus. Die *Nikolausstatue* (Köln, um 1330) fasziniert nicht zuletzt wegen der auf dem Sockel gemalten Szenen aus der Legende des Heiligen. Von Stefan Lochner besitzt das Museum die *Muttergottes mit dem Veilchen*. Der Maler hat sich von dem stehenden Marientypus der byzantinischen Hodegetria-Ikonen inspirieren lassen. Zu Füßen der Gottesmutter kniet die Stifterin, Elisabeth von Reichenstein, seit 1443 Äbtissin von St. Cäcilien. Da sie noch nicht die Insignien ihrer späteren Würde trägt, dürfte das Bild anfangs der 40er Jahre entstanden sein. Byzantinische und sassanidische Textilien stammen aus den Gräbern Kölner Bischöfe des Mittelalters. Schließlich sei auch noch auf die mittelalterlichen Textilien, darunter auch Kölner Borte, hingewiesen.

Der Wunsch, das Dionysosmosaik an seinem Fundort zu erhalten, war maßgeblich für die Wahl des Standorts des neuen RÖMISCH-GERMANISCHEN MUSEUMS an der Südseite des Domchors. Es sollte den Südplatz des Doms nach Osten hin abschließen, aber doch nicht als Barriere wirken. Die großen Fenster geben dem Untergeschoß den Charakter der Durchlässigkeit. Gleich von außen kann der Besucher einen Blick auf zwei Hauptsehenswürdigkeiten, Dionysosmosaik und Poblicius-Denkmal, werfen (Abb. 26). Steinerne Denkmäler, die vor dem Museum Aufstellung gefunden haben, die römische Hafenstraße, zu der an der Südseite des Museums eine breite Treppe herunterführt, wollen neugierig machen. Schon hierin wird offenkundig, daß das Römisch-Germanische Museum im Kontrast zum herkömmlichen Museumstyp steht. Nicht nur museumpädagogische Erkenntnisse waren für die neue Konzeption verantwortlich, sondern auch die Notwendigkeit, der Tatsache Rechnung zu tragen, daß dieses Museum fast ausschließlich auf Kölner Funde konzentriert ist. Seine Aufgabe ist es nicht, Spitzenleistungen antiker Kunst zu präsentieren. In dieser Hinsicht wird es von andern

Museen bei weitem überboten. Statt dessen soll die Welt der antiken Provinzstadt Köln mit ihrer Vorgeschichte ebenso wie ihrem Nachwirken in die fränkische Zeit vorgestellt werden. Soweit es die Funde erlauben, wird das tägliche Leben dokumentiert. Spitzenwerke z. B. der Gläser sind deshalb mit weniger bedeutenden in einer Vitrine zusammengefaßt (Ft. 10). Der Besucher soll so davor bewahrt bleiben, die Antike nur nach ihren Glanzleistungen zu beurteilen. Die verschiedenen Aspekte des Lebens der Römer und Germanen werden nach Sachgruppen geordnet dargeboten. Neben den Schrifttexten helfen die audiovisuellen Medien zum besseren Verständnis. Denkmäler und Plastiken sollen möglichst frei im Raum stehen, so daß sie von allen Seiten betrachtet werden können (Abb. 25). Von »Inszenierung der Antike« in seinem Museum spricht der Direktor, Prof. Hugo Borger, nicht zu Unrecht. Kernteil des Museums sind Dionysosmosaik und Poblicius-Denkmal, die als eine Raumgruppe erlebbar sind. Schreitet der Besucher die Treppe herauf, die ein Betrachten beider Kunstwerke aus verschiedenen Distanzen erlaubt, so findet er in der Ausstellungshalle im Obergeschoß folgende Sachgruppen: Frühe Eisenzeit – Gründung Kölns, Ubier und Römer – Architektur der Straßen und Bauten – Stadtverwaltung – Gewerbe und Handel – Kunst und Politik – Kulturbetrieb – Einheimische Muttergöttinnen – Bauten und Bilder der alten Götter – neue Erlöser – Staats- und Kaiserkult – die ersten Christen in Köln. Die unteren Räume tragen die Namen Dionysos- und Terrassengeschoß. Ersteres ist dem Alltagsleben der Römer, letzteres dem Totenkult vorbehalten. Wiewohl es provinzialrömische und nicht Weltkunst ist, die das Museum präsentiert, besitzt doch manches seiner Kunstwerke einen eigentümlichen Reiz, der es vor anderen auszeichnet. Daher ist es berechtigt, eine kleine Auswahl hier vorzustellen.

Das *Dionysosmosaik* (260–80) schmückte einst einen Speisesaal. Davon ist die Thematik bestimmt. Während im Mittelfeld sich der trunkene Gott des Weines auf einen Satyrn mit einem Thyrsos stützt, Satyrn und Mänaden in den begleitenden Feldern erscheinen (Ft. 10), erinnern kleinere Felder vor allem in der Randzone an die Funktion des Saales. Gleich am Eingang sehen wir ein breites Feld mit Austern. Andere Felder enthalten Früchtekörbe oder zweirädrige Wägelchen mit Gartengerät oder Obst, wieder andere Tierdarstellungen, wie den Erpel der Gattung Stockente oder einen Pfau mit einer Birne im Schnabel. Die Säkularisierung des Bacchuskultes wird in diesem Mosaik mit seiner meisterhaften Handhabung von Licht- und Schatteneffekten deutlich. Das Museum besitzt noch ein zweites großes Fußbodenmosaik (1. Viertel 3. Jh.), das 1844 im Garten des Bürgerhospitals entdeckte *Philosophenmosaik*, möglicherweise ehemals Schmuck einer kynischen Philosophenschule (Abb. 25). Dargestellt sind die ›Sieben Weisen‹, allerdings mit andern als den im antiken Schema üblichen Personen, im Mittelpunkt der Kyniker Diogenes. Zwei der Porträts wurden nach 1850 aufgrund der Kartons des Konservators des Wallraf-Richartz-Museums, Johann Anton Ramboux (1790–1866), ergänzt: Platon und Aristoteles. Bei der Domgrabung 1969 aufgedeckte Wandmalereien römischer Häuser sind im Zusammenhang mit diesen Mosaiken im Museum ausgestellt.

An der Rückfront des Treppenhausoberlichtsaales erhebt sich das *Poblicius-Denkmal* (Abb. 26). Mit einer Höhe von 14,60 m erreicht es fast das ideale römische Baumaß, 50 römische Fuß (14,80 m). Vielleicht war der Sockel ursprünglich größer als er es heute ist. Im Obergeschoß des Grabmals, in der Säulenhalle seiner Ädikula, stehen die Statuen der Verstorbenen. Von den Reliefs seien die des Pans, jeweils an der Schmalseite der Ädikula, als Todüberwinder genannt.

Reich ist das Römisch-Germanische Museum an GLÄSERN; denn im römischen Köln blühte eine umfangreiche und hochentwickelte Glasmanufaktur. Allerdings nicht aus Köln, sondern aus Rom stammt der 4,7 cm große Kopf des gealterten KAISER AUGUSTUS (Abb. 30), dargestellt als der vergöttlichte Herrscher. Vermutlich hat er einmal eine Statuette gekrönt. Der Künstler hat sich für seinen Kaiserkopf anscheinend eine Großplastik zum Vorbild genommen. Daß auch in Köln die Glaskünstler zu derartigen Werken befähigt waren, beweist das Büstchen des CONSTANTIUS II. in lapislazulifarbenem Glas (Abb. 29). Die kleine Plastik zeigt den Kaisersohn als Knaben im Festgewand der Triumphatoren. Ursprünglich war sie als Einsatz in einer großen Schale befestigt. Viele Gestalten vermögen die Glasbläser ihrem Material zu geben. Ein Parfümbehälter aus kobaltblauem Glas hat die Form eines Ebers, eine große Flasche aus farblosem Glas die eines flötespielenden Affen. CIRCUSSCHALE wird die halbkugelige Schale aus farblosem Glas genannt (Abb. 34), mit der Schliffdarstellung des Wagenrennens im Circus Maximus in Rom, in ihrer Mitte der Sonnengott mit Strahlenkrone und Peitsche, ringsum vier Quadrigen mit Wagenlenkern und Pferden mit prächtigem Kopfschutz. Das Meisterstück der Kölner Schlangenfaden-Werkstatt ist eine große, plattbauchige ZWEIHENKELFLASCHE aus schwach grünlichem Glas auf Standfuß mit konischem Hals und Trichtermündung (Abb. 31); die beiden Henkel mit abgetreppter opakweißer Fadenauflage, die Seitenkanten mit ebensolcher blauer Fadenverzierung, auf den Schauflächen Girlanden- und Blattmuster mit blauen, roten, weißen und goldenen Schlangenfäden. Eines der schönsten DIATRETGLÄSER Kölns wurde 1960 entdeckt (Ft. 10). Sein griechisch geschriebener Spruch: »Trinke, damit du immer lebst« weist es als Trinkglas aus. Eine kugelförmige Schale aus blauem Glas mit leider jetzt abgeriebener Blattgoldauflage, anläßlich des 20jährigen Regierungsjubiläums Kaiser Konstantin I. wahrscheinlich in Köln hergestellt, zeigt alttestamentliche Szenen, darunter Noah in der Arche und die Rettung des Propheten Jona, als Prototypen des christlichen Erlösungsglaubens.

Den zahlreichen SCHMUCKSTÜCKEN, die aus römischen und fränkischen Gräbern Kölns stammen, konnte 1935 die große Kollektion völkerwanderungszeitlichen Schmucks der Sammlung Johannes von Diergardt hinzugefügt werden, so daß diese Abteilung des Römisch-Germanischen Museums zu einer der bedeutendsten Schmucksammlungen Europas geworden ist. Prunkvoll, aber einfallslos im Ornament ist das Diadem einer reichen Hunnin. Neben dem Goldschmuck verdient auch der aus Bernstein und Gagat Beachtung. Zum Bereich des Totenkults gehören wohl die *Gläsernen Schuhe,* die 1972 in der Severinstraße entdeckt wurden.

Die Treppe südlich des Römisch-Germanischen Museums und die Hafenstraße hinabgehend, erreicht man die Straße ›Am Domhof‹. Neben dem Museum, noch südlich vom Domchor, befindet sich die neue Dombauhütte, 1969/70 im Zusammenhang mit dem Museumsbau errichtet. Ein paar Schritte weiter, eingerahmt von der Terrassenarchitektur der Domumbauung, findet sich als modernes Gegenstück zum Dionysosmosaik der DIONYSOSBRUNNEN, eine Bronzeplastik von Karl Burgeff. Einige weitere Schritte, und wir stehen vor der Gittertür, die uns einen Blick auf das Taufbecken des Baptisteriums des 5. Jh. tun läßt. Auf dem gegenüberliegenden Platz, der bis 1979 als Omnibusbahnhof diente, soll bis 1985 der Komplex des neuen Wallraf-Richartz-Museums und des Museums Ludwig gebaut werden.

Hinter dem Hauptbahnhof erhebt sich die HOHENZOLLERNBRÜCKE, 1907–11 für Eisenbahn- und Straßenverkehr errichtet, 1945 gesprengt, nach dem Krieg nurmehr als Eisenbahnbrücke wiederaufgebaut (vgl. Abb. 23). Nach dem Willen der Hohenzollern führt die Brücke auf die Achse des Doms zu. Die *Reiterstandbilder* Kaiser Friedrichs III. und Kaiser Wilhelms II. schuf 1910 für die Kölner Seite der Brücke Louis Tuaillon. Sie traten an die Stelle der nun auf die Deutzer Seite versetzten Reiterstandbilder König Friedrich Wilhelms IV. von Gustav Blaeser (1861/63) und Kaiser Wilhelms I. von Friedrich Drake (1867).

Der HAUPTBAHNHOF erhielt nach dem Zweiten Weltkrieg eine neue Empfangshalle, 1957 vollendet. Die Domumbauung ist so gestaltet, daß man vom Dom aus, ohne die Straße überqueren zu müssen, den Bahnhofsplatz erreicht. Gegenüber dem Hauptbahnhof die neue ABC-Bank. Sie verdeckt den Blick auf das Langhaus der Kirche ST. MARIÄ HIMMELFAHRT. Durch die Bahnhofstraße erreicht man die Marzellenstraße. Biegt man nach rechts ein, so steht man nach wenigen Schritten vor der ehemaligen Jesuitenkirche.

Im 16. Jh. hatten die Jesuiten die Leitung des Gymnasium Tricoronatum übernommen. Johann Konrad Schlaun errichtete ihm 1728 einen edlen Bau. Als die nunmehr Dreikönigengymnasium benannte Schule 1912 neue Gebäude am Thürmchenswall bezog, wurde der Barockbau leider abgerissen. Den Gottesdienst hielten die Jesuiten seit 1582 in der Kirche des Augustinerinnenklosters St. Achatius. Der Erwerb des ihrer Niederlassung gegenüberliegenden, ausgedehnten kurfürstlichen Weingartens erlaubte es ihnen, einen großzügigen Neubau ihres Klosters und ihrer Kirche zu errichten. Gefördert wurden sie dabei von Ferdinand von Bayern, Kurfürst von Köln 1612–50, der sich machtvoll für die katholische Reform einsetzte. Von den vier eingereichten Plänen wurde der des Christoph Wamser (um 1580–vor 1649) ausgewählt. Er nimmt die bereits in der Jesuitenkirche St. Peter in Münster realisierte Konzeption einer dreischiffigen Emporenbasilika mit Netzgewölben in ihrer Verbindung nachgotischer und Renaissanceformen wieder auf, bereichert sie durch Barockelemente und führt sie in Köln zur vollendeten Form. St. Mariä Himmelfahrt wurde der bedeutendste Jesuitenbau in Nordwestdeutschland und zugleich die größte Barockkirche Kölns. Trotz des Rückgriffs auf historisch gewordene Formen wirkt der Bau nicht eklektizistisch. Die Verschmelzung der Formen zur neuen Einheit ist schon an der FASSADE abzulesen, die

St. Mariä Himmelfahrt. Lithographie von Wünsch/Weyer. 1827

gegenüber den romanisierenden Flankierungstürmen ein wenig von der Straßenfront zurückweicht. Das große Maßwerkfenster erinnert an die Gotik, während das Portal mit dem Wappen Max Heinrichs (Kurfürst 1650–1688) und der geschweifte Giebel charakteristisch für den Frühbarock sind. Der gleiche Eindruck wiederholt sich im INNEREN: gotisierende Formen, schlanke Rundpfeiler, reiche Sternengewölbe, Maßwerkfenster, jedoch barockes Stuckwerk und ein neues Raumempfinden. Das Langhaus mündet in einen polygonalen Chor. In der Chorachse steht der romanisierende Chorturm. Mit der Architektur verbunden und in sie hineinkomponiert ist die Innenausstattung. Angefertigt wurde sie in den Werkstätten des Jesuitenkollegs unter der Leitung des Laienbruders Valentin Boltz – von ihm stammen der Hochaltar und vier Seitenaltäre (1628), sowie die Kanzel (1634; Abb. 36) – unter der Mitarbeit des Laienbruders Johannes Münch sowie des Bildhauers Konrad Wolff. Jeremias Geisselbrunn schuf um das Jahr 1630 die Pfeilerfiguren; Christus, Maria und die Apostel. 1618 fand die Grundsteinlegung statt, 1629 konnte die Kirche für den Gottesdienst benutzt werden. Doch gingen die Arbeiten bis zur Konsekration 1678 weiter. Der nördliche Fassadenturm wurde sogar erst 1689 vollendet. In der Franzosenzeit wurde die Kirche zum ›Tempel der Vernunft‹ erklärt und dann auf Abbruch verkauft. Der Ratsherr Laurenz Fürth erwarb sie und schenkte sie seiner Pfarrei. Seit 1803 ist sie katholische Pfarrkirche. Im Zweiten Weltkrieg verlor die Kirche ihre Dächer, das Gewölbe des Mittelschiffs und des Chores, außerdem wichtige Teile der Inneneinrichtung. Zehn Jahre später war das Innere durch Errichtung eines neuen Dachs und neue Verglasung gesichert. Die Fassade wurde 1956 neu verputzt, 1961–65 das Gewölbe in der alten Form wieder eingezogen und der Baudekor wiederhergestellt. Aus Bruchstücken der Dekorationsformen hat man das Ensemble des Rankenbergs, der Baluster, der Kehlungen und der Säulchen rekonstruiert, einschließlich der ursprünglichen Farbwerte. Der Jubel des Goldweiß-Blau und Rosa der barocken Farbfreude steht im bewußten Gegensatz zur Strenge der gotisierenden Architekturelemente. Dem barocken Pathos ist das geistliche Spiel verwandt. In Erinnerung an das 1627 erstmals in St. Mariä Himmelfahrt aufgeführte Jesuitendrama wird – nach der Wiedereröffnung Juni 1977 – im Herbst d. J. der ›Cenodoxus‹ des Jakob Bidermann gezeigt.

Nördlich an die Kirche schließt sich das ehemalige Jesuitenkolleg an, heute GENERALVIKARIAT. Es wurde gleichzeitig mit dem Bau der Kirche begonnen. Der Straßenflügel war 1689 vollendet. Die reich profilierte Eingangsfassade, 1715, wurde als künstlerisches Gegengewicht zur Kirche errichtet. Der im Krieg zerstörte Mitteltrakt wurde 1955/56 von Wilhelm Schlombs neu erbaut (im Innern Wandbild von Peter Hecker, *Wunderbare Brotvermehrung*, 1960; an den Fenstern farbige Mosaiken von Willy Strauß mit den Wappen der Bistümer der Kölner Kirchenprovinz und der Dekanate). Ebenso wurden im Krieg Nord- und Osttrakt zerstört; Wiederaufbau 1952/53 als Karl-Joseph-Haus für berufstätige und alte Frauen.

Nun empfiehlt es sich, zur Bahnhofstraße zurückzugehen. Diese setzt sich in die Straße ›An den Dominikanern‹ fort, die an das mittelalterliche Dominikanerkloster erinnert. An seiner Stelle steht heute das Gebäude der HAUPTPOST. Wir folgen jedoch der Marzellenstraße bis zur Komödienstraße und erreichen nach wenigen Schritten die Kirche ST. ANDREAS. Anstelle einer älteren kleineren Kirche, vermutlich St. Matthäus in fossa, erbaute – wie sein Biograph Ruotger berichtet – Bruno I. eine neue Kirche und berief an sie Kanoniker von St. Maria im Kapitol. Aber erst sein Nachfolger Gero konnte am 2. Mai 974 die Stiftskirche »zu Ehren des hl. Apostels Andreas und aller Apostel Christi« einweihen. Von diesem ottonischen Bauwerk sind die Unterbauten der beiden Treppentürme im Winkel der Choranlage und Teile der Krypta erhalten geblieben. In staufischer Zeit errichteten die Chorherrn einen Neubau, eine dreischiffige Basilika gebundenen Systems mit vorgelegtem Westbau und einer Choranlage in Dreikonchenform, wie es der rheinischen Spätromanik entsprach. Kurz nach der Vollendung, Anfang des 13. Jh., erlitt St. Andreas durch Brand schweren Schaden. Bei der Wiederherstellung, die mit Unterstützung des Erzbischofs Engelbert I. erfolgte, wurde das Mittelschiff eingewölbt und der Vierungsturm um ein Stockwerk erhöht. 1244/45 wurde die Westempore gebaut. Der außen dreigeschossig gegliederte Westquerbau ist turmlos mit risalitartig vorspringendem Mittelgiebel. Gegenüber dem mittelalterlichen Anblick ist sein Äußeres im 19. Jh. insofern verändert worden, als die heutige Vorhalle mit den eigentümlichen Zackenbögen der Gewölbegurte ursprünglich ein Flügel des 1843 mit den Stiftsgebäuden abgerissenen Kreuzgangs war. Das LANGHAUS ist kraftvoll gegliedert (Abb. 39). Den kreuzförmigen Haupt- und quadratischen Zwischenpfeilern sind Halbsäulen mit Kapitellen, vorzüglichen Beispielen spätromanischer Bildhauerkunst, vorgelagert. Nicht minder gut ist die Ausführung des über den Arkaden umlaufenden Rankenfrieses. Das Nischentriforium wurde bei der Restaurierung 1876 wiederhergestellt. Wegen der zunehmenden Zahl der Kanoniker wurden im 14. Jh. die Seitenschiffe geöffnet und ihnen Kapellen vorgelagert. Dadurch wirkt das Langhaus gedrungen. Dieser Eindruck wird noch durch den Kontrast zu den lichten Chören verstärkt. Anfang des 15. Jh. werden Dreikonchenanlage und Krypta aufgegeben. Nach dem Vorbild des 1414 geweihten Chores des Aachener Münsters wird 1414 mit dem Bau des Ostchors begonnen. Über drei rechteckigen Kreuzjochen errichtet, mit polygonalem Abschluß, erreicht er fast die Länge des Langhauses. Als musizierende Engel und Chorsänger gestaltete Konsolen, die die Dienste tragen, sind gute Beispiele des ›weichen Stils‹. Während der nördliche Chorarm über dem halbrunden Sockeljoch mit 5/8 Schluß errichtet wurde, ist der südliche Chorarm ein völliger Neubau. Der Barockisierung fielen die mittelalterlichen Glasfenster und der Lettner zum Opfer. Nach der Säkularisierung 1802 wurde die Kirche zunächst der evangelischen Gemeinde als Pfarrkirche angeboten; von ihr jedoch abgelehnt. 1837 wurde sie von König Friedrich Wilhelm III. als katholische Pfarrkirche bestätigt. Die Restaurierungen des 19. Jh. zielten auf eine Wiederherstellung der mittelalterlichen Gestalt der Kirche. Im Zweiten Weltkrieg wurde St. Andreas stark beschädigt.

Die Wiederherstellung erfolgte schon bald nach Kriegsende, die Innenrestaurierung allerdings erst 1965/66. 1953 wurde die KRYPTA wieder freigelegt und nach einem Entwurf von Karl Band neugestaltet. Hier befinden sich nun in einem antiken *Sarkophag* die Gebeine Alberts d. Gr. An den östlichen Wandpfeilern sind Reste mittelalterlicher Wandmalereien erhalten. Ebenfalls 1953 erfolgte die Neuakzentuierung der Vierung durch den großen Volksaltar. In der SAKRISTEI, einem zweijochigen Annexbau im nördlichen Chorwinkel wurde das staufische Löwentor wiederhergestellt. Eindrucksvoll sind die noch erhaltenen *Wandmalereien** in den Seitenkapellen. Obwohl die Erdfarben viel von ihrer Leuchtkraft verloren haben und trotz starker Ergänzungen gehören sie wenigstens zum Teil zu den bedeutendsten Wandmalereien der Hochgotik im Rheinland. Der Wandschmuck in der Ostkapelle der Südseite ist stilistisch den Malereien der Chorschranken des Kölner Doms verwandt. Christus als Weltenrichter ist das Thema auf der Altarseite (um 1320), die Krönung Mariens das der Gegenseite. Aus der Westkapelle der Nordseite seien das Marienleben (um 1340, Abb. 38)

* Konservierung 1979 eingeleitet.

und ein überlebensgroßer Christophorus genannt. Unter den bildhauerischen Arbeiten verdienen Erwähnung das reichverzierte *Chorgestühl* im Ostchor (um 1420), das Renaissance-*Sakramentshaus* (um 1550), in der ersten Nische des nördlichen Seitenschiffs die Holzstatue einer *Pietà,* ein gutes Beispiel der rheinischen Vesperbilder aus dem 14. Jh. Die monumentale Plastik des Erzengels Michael am linken Pfeiler der Vierung ist ein Werk des Kölner Stadtsteinmetz Tilman von der Burch, um 1470. Aus der gleichen Werkstatt dürfte auch der überlebensgroße Christophorus gleich beim Eingang in das Langhaus stammen. Die *Rosenkranzmadonna,* eine kölnische Arbeit von 1471, am rechten Vierungspfeiler, wurde ebenso wie das Gemälde der Rosenkranzbruderschaft, Meister von St. Severin um 1500, westliche Kapelle des südlichen Seitenschiffs, aus der Dominikanerkirche nach St. Andreas übertragen. Zum Kirchenschatz in der Sakristei gehört die Kasel Alberts d. Gr. In sie wurden seine Gebeine bei der Erhebung 1483 gehüllt. Sie ist aus blaugrünem Samt. Ihre Stäbe sind Kölner Borte. Aus dem Makkabäerkloster kamen der *Blutbrunnen der hl. Ursula* (Vorhalle) und vor allem der *Makkabäerschrein* (Abb. 37), südlicher Chorarm, eine Stiftung des Elias Merz, ein Werk des Peter Hanemann ›vur der paffenportzen‹. Nach dem Vorbild der rheinischen Reliquienschreine des 12. und 13. Jh. gab er dem Gehäuse die Gestalt einer Kapelle. Die Reliefs auf den Wänden und dem Dach zeigen als Vorbild und Erfüllung das Martyrium der Makkabäerbrüder und die Passion Christi. Das Leiden der Mutter mit ihren sieben Söhnen wird den sieben Schmerzen Mariens verglichen. Der HOCHALTAR im Chorhaupt trägt als Retabel ein Triptychon von Barthel Bruyn d. Ä. Das Mittelbild stellt die Kreuzigung dar. Das Portal von Fritz Winter, 1963, zeigt die Hauptstationen des Erlösungswerks. Den Vierungsturm schmückt eine Wetterfahne mit posaunenden Engeln von Elmar Hillebrand. Die Anbauten an der Südseite von St. Andreas – Dominikanerkloster (Karl Band, 1954/55) und Sparkasse (Theodor Kelter, 1956) – sind dem Kirchenbau wohl proportioniert. Wenige hundert Schritte westlich erinnert ein 1964 freigelegter Rest der römischen Stadtmauer daran, daß St. Andreas vor der Römerstadt gegründet wurde.

Wir gehen in östlicher Richtung wieder zum Anfang der Komödienstraße und biegen nach rechts in die Straße ›Unter Fettenhennen‹. So hieß zunächst nur das Haus des Buchhändlers Franz Birckmann. Gegen Ende des Mittelalters hatten sich hier wegen der Nähe der Aula theologica eine Reihe Buchhändler, Verleger und Drucker niedergelassen. Im Hintergrund der REICHARD-TERRASSE steht eine Säule vom Verbindungsgang zwischen der Stiftskirche St. Maria ad Gradus und dem Alten Dom. Der Domumbauung vorgelagert ist die Bank für Gemeinwirtschaft (Fritz Schaller, 1952/53). Vor ihr befindet sich ein kleiner Platz mit dem TAUBENBRUNNEN, 1953 nach einem Entwurf von Ewald Mataré (Abb. 35). Zwischen Dom und Domhotel ist bei der Neugestaltung der Domumbauung ein rechteckiger Springbrunnen errichtet worden. Aus der Zeit um die Jahrhundertwende stammt der HEINZELMÄNNCHENBRUNNEN, Südseite des Domhotels, der die von August Kopisch bearbeitete Sage von den Heinzelmännchen und der neugierigen Schneidersfrau zum Gegenstand hat (Abb. 40–42). Errichtet

65 Fußgängerzone ›Hohe Straße‹

66 Blick auf St. Alban und den Gürzenich

67 Gürzenich

68 Ruine St. Alban. Trauernde Eltern, nach einem Entwurf von Käthe Kollwitz

69 Detail vom Fastnachtsbrunnen auf dem Gülichplatz

70 Alter Markt. Doppelhaus ›Zur Brezel‹ und ›Zum Dorn‹

71 Rathauslaube. 1569–73 von W. Vernukken erbaut

72 Hansasaal mit den ›Neun Guten Helden‹. Nach 1356

73 Löwenhof. 1541

74 Intarsien-Prunkportal mit Allegorien auf die Tugenden. 1601

75 Judas Makkabäus, König David, Josua. Mittelgruppe der ›Neun Guten Helden‹

76 Das röm. Prätorium, 1953 unter dem ›Spanischen Bau‹ freigelegt

77 Haus zum St. Peter, Heumarkt 77. Nach 1568

78 Ausgrabungen bei Groß St. Martin. Zustand 1970

79 Alter Markt
Der ›Kallendresser‹ am Haus ›Em Hanen‹

80 Im Martinsviertel. Das Kölner ›Hänneschen‹

81 Willi Ostermann-Brunnen

82 Alter Markt um 1912

83 Blumenmarkt auf dem Alter Markt

84/85 Idyllen in der Kölner Altstadt

86 Blick auf den Rheinauhafen, im Hintergrund der Malakoffturm

87 Altstadt-Panorama mit Groß St. Martin und Deutzer Brücke

88 St. Maria Lyskirchen. Innenansicht nach Westen mit Deckenmalereien. 13. Jh.

wurde er 1899 von Heinrich Renard, Figuren von Edmund Renard. Peter Fuchs hatte 1866 den PETERSBRUNNEN geschaffen. Er stand ursprünglich in der Domachse. Bei der Neugestaltung der Domumbauung hat er seine Aufstellung beim Nordende des Domchors gefunden.

Wenigstens ein Zeugnis gotischer Wohnhäuser in der Domnähe konnte einigermaßen wiederhergestellt werden. Südlich der Domumbauung, in der Straße ›Unter Taschenmacher‹ steht als Nr. 15/17 DAS HAUS SAALECK. Unter diesem Namen war es schon 1301 bekannt. Es wurde aber 1461 in erneuerter Form für den Kaufmann Gottschalk von Gilse wiedererrichtet. Beim Haus Saaleck wie auch bei anderen Kaufhäusern hat man die Architekturformen des städtischen Gürzenich adaptiert. Nach dem Zweiten Weltkrieg wurde es unter Verwendung der erhalten gebliebenen Steinreste erneut aufgebaut, allerdings ohne die für ein Handelshaus charakteristischen Türen.

2. Vom Wallraf-Richartz-Museum zum Heumarkt

Vom Dom aus erreichen wir der Straße ›Unter Fettenhennen‹ folgend den Wallrafplatz. Wir biegen nach rechts ein. Der Straßenname ›An der Rechtschule‹ erinnert uns daran, daß sich die Gebäude der Juristischen Fakultät der Alten Universität einst an dieser Stelle befanden. Vor uns liegt der Komplex der Kölner Gemäldegalerie (Abb. 43). Das dank der großzügigen Stiftung von Johann Heinrich Richartz anstelle des Minoritenklosters errichtete Museumsgebäude von 1851–61 ist im Zweiten Weltkrieg zerstört worden. Der Neubau, 1955/56 von Rudolf Schwarz und Joseph Bernard erstellt, ist in schlichtem Klinker errichtet. Vor dem Museum halten die beiden Sitzfiguren die Erinnerung an die Stifter Ferdinand Franz Wallraf und Johann Heinrich Richartz fest (Bronzeplastiken von Wilhelm Albermann, 1900). In dem durch das einstige Quadrum des Minoritenklosters vorgegebenen Innenhof steht neben anderen Bildwerken vor allem Ewald Matarés *Lochnerengel.*

Aufgabe der Gemäldegalerie ist es, die Kontinuität des künstlerischen Schaffens bis in die Gegenwart zu dokumentieren. Deshalb sind bisher alte und moderne Abteilung unter einem Dach vereint. Die mit der Stiftung Ludwig verbundenen Museumspläne haben sowohl zu einer Umbenennung wie einer Neugliederung der Bestände geführt. Seit 1976 lautet die Bezeichnung der Sammlungen WALLRAF-RICHARTZ-MUSEUM UND MUSEUM LUDWIG. Die provisorische Neuordnung reserviert das erste Stockwerk des Museumsgebäudes für die ältere Abteilung unter dem Titel Wallraf-Richartz-Museum (vom Mittelalter bis zur Schwelle des 20. Jh.). Das zweite Stockwerk umfaßt unter dem Namen Museum Ludwig die gesamte moderne Abteilung (vom Expressionismus bis zur Kunst in den 70er Jahren), also auch die Sammlung und Stiftung Haubrich sowie die Sammlung Strecker.

Die Bestände des Museums sind weithin das Ergebnis der Sammlerleidenschaft einzelner Bürger. Freilich blieben schmerzliche Lücken, die trotz der geschickten Anschaf-

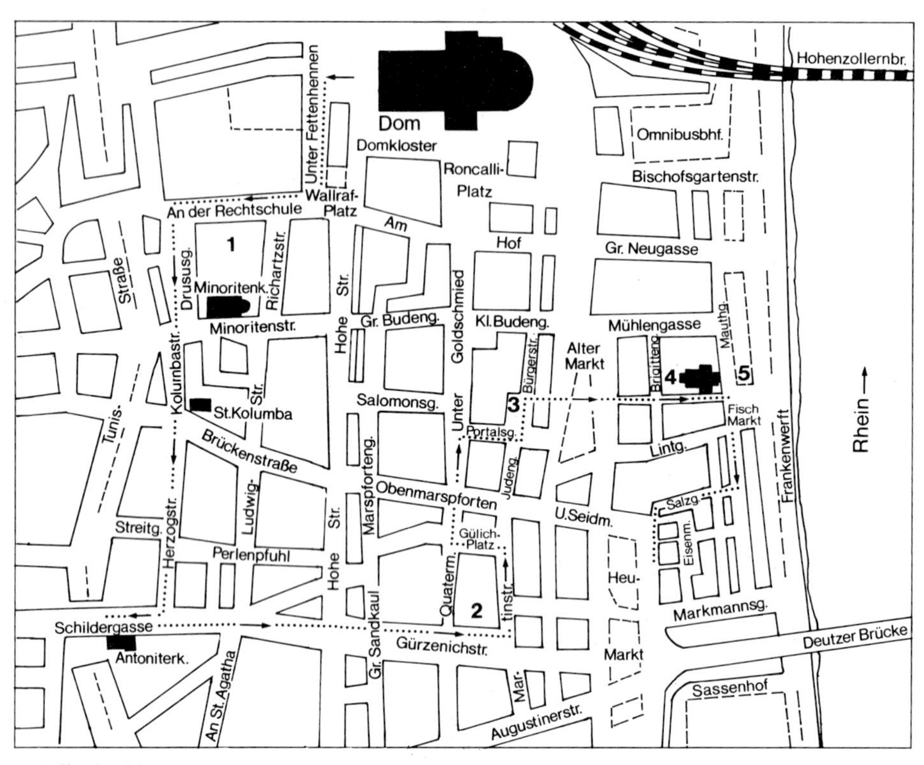

1 Wallraf-Richartz-Museum 2 Gürzenich 3 Rathaus 4 Groß St. Martin 5 Stapelhaus

fungspolitik der Kölner Museumsdirektoren nicht völlig geschlossen werden konnten. Selbst auf dem ureigensten Sammelgebiet, dem der Kölner Malerschule, fehlt Wichtiges, da einzig die Slg. Wallraf in Köln verblieben ist. Doch erfolgten auch hier bemerkenswerte Ergänzungen. Somit ist gerade der Bestand an Werken der KÖLNER MALERSCHULE faszinierend. Hier einige Beispiele: *Flügelaltar mit Kreuzigung* (1. Viertel 14. Jh.). Am Kreuz kniet die Stifterin, vermutlich Petronella von Schwerwe, Äbtissin des Kölner Klarissenklosters; das Diptychon mit der *Marter der zehntausend Christen,* um 1325–30; der *kleine Kalvarienberg*, ein Frühwerk des Meisters der hl. Veronika, um 1400, ein Schlüsselbild für die spätgotischen Golgothadarstellungen; vom gleichen Meister die als Andachtsbild konzipierte *Madonna mit der Wickenblüte,* ein Werk, das zu dem in Köln heimischen Typ der ›Trag- und Hausaltärchen‹ gehört, Zeugnisse individueller Frömmigkeit. Das *Martyrium der hl. Ursula* vor der Stadt Köln, um 1411, ist wichtig als die älteste, topographisch recht getreue Darstellung der Stadt Köln (Abb. 53). Es gehört in die Reihe der frühesten Stadt- und Landschaftsansichten überhaupt. Während hier Köln als die sakrale Stadt erscheint, ist es die Atmosphäre der

Handels- und Bürgerstadt, die am Ende des Jh. das dem Meister der Verherrlichung Mariens zugeschriebene Bild der *Hll. Christophorus, Gereon, Petrus und Anna Selbdritt* wiedergibt. Ein Künstler, der das Schema vom biederen Handwerksmeister sprengt, ist der Maler des *Kalvarienbergs der Stifterfamilie von dem Wasservaß* (um 1420–30) in seiner expressiven Farbenkühnheit, Freude an der Landschaft und erzählerischen Begabung (Abb. 54).

Der Meister des Marienlebens und der Meister der Lyversberg-Passion waren anscheinend Werkstattgenossen. In der Tradition der ›Paradiesgärtlein‹ steht, freilich zugleich durch seine Raumtiefe und wirklichkeitsgerechte Darstellung von Pflanzen und Musikinstrumenten bereits auf eine modernere Malweise hindeutend, das berühmteste Bild des Museums, Stefan Lochners *Madonna im Rosenhag* (Ft. 17). Über der Wirklichkeitsbeobachtung kommt der Symbolsinn nicht zu kurz. Das Einhorn auf der Brosche der Madonna weist ebenso auf ihre Jungfräulichkeit wie auf das Mysterium der Inkarnation hin. Das Lapislazuliblau des Mantels unterstreicht noch einmal ihre Christusnähe. Nackt wie Adam trägt der Jesusknabe, der neue Adam, die Sünden der Menschheit. In seiner Linken hält er den Apfel. Malus heißt lateinisch der Apfelbaum, malum das Böse. Die Lieblichkeit Mariens begegnet uns wieder bei den Seligen, die Engel in die Himmelsstadt geleiten (Abb. 52), auf Lochners *Weltgerichtsbild* (er hatte es als Mitteltafel für die Kirche St. Laurenz gemalt, Seitenflügel in Frankfurt und München). Laster hat die Leiber der Verworfenen, die in die brennende Höllenstadt verschleppt werden, entstellt. Kein Stand ist so hoch, daß nicht auch in ihm Verdammte sein können. Aber so zerbrechlich die Waffen der Engel zu sein scheinen, es gelingt ihnen dennoch, im letzten Augenblick einige der Auferstehenden aus den Krallen Satans zu retten. Das Thema des ›Hortus conclusus‹ begegnet noch auf einem dritten Bild des Meisters. Im Glanz einer übernatürlichen Aureole, umgeben von Glaubenszeugen tritt auf dem *Thomasaltar* des Meisters des Bartholomäusaltars, dem bedeutendsten Kölner Maler in den Jahrzehnten nach Lochner, der Auferstandene dem kleingläubigen Jünger entgegen. Diesen wie auch den Kreuzaltar des gleichen Meisters stiftete der Jurist Peter Rinck dem Kölner Kartäuserkloster. Auch der Meister der Hl. Sippe und der Meister von St. Severin sind gut in der Sammlung des Wallraf-Richartz-Museums vertreten. Noch 1975 konnte es eine weitere *Anbetung der Heiligen Drei Könige* des letzteren erwerben, die nach dem Urteil von Alfred Stange »mit solcher Delikatesse gemalt ist, daß sie alles übertrifft, was wir sonst von dem Severiner kennen«. Erklärte Absicht des Museums ist, die Sammlung altkölnischer Tafelbilder weiter zu akzentuieren.

Als Porträtist unbekannter und bekannter Kölner Bürger, wie des Bürgermeisters ›Arnold von Brauweiler‹ (Abb. 46) und des Juristen ›Petrus de Clapis‹ ist BARTHEL BRUYN D. Ä. im Museum gut vertreten. Ein Beispiel der Vanitassymbolik sind Totenkopf und Spruch aus dem Buch Hiob auf der Rückseite des Porträts der ›Eheleute Gerhard und Anna Pilgrum‹, 1528. Das Triptychon mit dem ›Tod Mariens‹ des JOOS VAN CLEVE hatten die Brüder Georg und Nicasius Hackeney in Auftrag gegeben. Es ist aufschlußreich für das Interieur einer vornehmen Bürgerwohnung der Renaissance. ›Zwei

Musikanten‹, von denen einer die Trommel schlägt, der andere die Schalmei bläst, zeigt der rechte Außenflügel eines von ALBRECHT DÜRER gemalten Altars aus der Kapelle des Jabach'schen Hofs (linker Flügel mit leidendem Hiob, Frankfurt). Der Trommler darf als ein verstecktes Selbstbildnis Dürers angesehen werden. Das einzige Bildnispaar, das sich von HANS BURGKMAIR D. Ä. erhalten hat, ist das ›Porträt Hans und Barbara Schellenberger‹. LUCAS CRANACH D. Ä. ist mit vier Bildern vertreten. ›Maria mit dem Kinde‹, ›Maria Magdalena‹ (Abb. 47), ›Bildnis eines Prinzen‹ und ›Parisurteil‹.

Das Museum besitzt ebenfalls vorzügliche Werke der Niederländer des 17. Jh. Aus Jabach'schem Besitz stammt die ›Heilige Familie mit Elisabeth und Johannes d. T.‹ von RUBENS. Letztlich als Allegorie zur Verherrlichung des menschlichen Auges und seines Widerscheins in Kreatur und Kosmos deutet Hans Kauffmann ›Juno und Argus‹ des gleichen Malers. In seinem späten Selbstbildnis stellt sich REMBRANDT als lachender Greis dar (Abb. 48). Neben ihm ist das Gemälde einer antiken Skulptur zu sehen, wahrscheinlich der Gott Terminus, eine Andeutung des Todes, dem der Maler sich stellt. Weitere Rembrandtbilder im Museum sind das ›Bildnis eines Gelehrten‹ und ›Christus an der Geißelsäule‹. FRANS HALS ist mit den Porträts einer Frau und eines Mannes vertreten. JACOB JORDAENS, ›Der gefesselte Prometheus‹ (der Adler nach Frans Snyders); FRANS SNYDERS, ›Stilleben mit Geflügel und Wildpret‹; JACOB RUISDAEL, ›Wasserfall bei einer Kirche‹ seien als weitere Beispiele der Niederländer im Kölner Museum genannt. Nicht zu vergessen ist JAN STEEN, der sich für sein Bild ›Samson und Dalila‹ anscheinend vom volkstümlichen Theater der Rederijker-Schauspieler hat inspirieren lassen.

Aus der Reihe der Franzosen, Italiener und Spanier bis 1800 seien genannt: PARIS BORDONE, ›Bathseba im Bade‹; FRANÇOIS BOUCHER, ›Ruhendes Mädchen‹ (Louison O'Murphy), eine zum Bildnis verselbständigte Studie für eine schwimmende Najade; ANTONIO CANALETTO, ›Canal Grande in Venedig‹; NICOLAS LANCRET, ›Spielende Kinder‹; MATHIEU LE NAIN, ›Der Gärtner‹; CLAUDE LORRAIN, ›Landschaft mit Errettung der Psyche‹ und ›Hafenlandschaft mit trauernden Heliaden‹ (die vierflügelige Palastanlage im Mittelgrund ist eine Abwandlung der Villa Medici in Rom); BARTOLOMÉ ESTÉBAN MURILLO, ›Hl. Franziskus in Portiuncula‹, büßende ›Maria Magdalena‹ sowie ›Alte Frau und Knabe‹; JUSEPE DE RIBERA, ›Hl. Eremit Paulus‹. Wie er es bei seinen Freundschaftsbildnissen liebte, hat HYACINTHE RIGAUD auch den Kölner Kunstsammler Everhard IV. Jabach lässig gekleidet und in Hauskappe porträtiert.

Eine beherrschende Stellung nimmt unter den Gemälden des 19. Jh. die Kollektion der Porträts WILHELM LEIBLS ein, darunter das ›Bild des Vaters‹, des Domkapellmeisters Karl Leibl, das des Fabrikanten ›Johann Heinrich Pallenberg‹ (Abb. 49) und das von leiser Melancholie überschattete Bild der ›Marie Ebersberger‹, des Mädchens am Herd. Ein Gleichnis des Wesens der Ehe in der gegenseitigen Zuneigung und Hinwendung ist das von AUGUSTE RENOIR gemalte ›Bildnis des Ehepaars Sisley‹ (Abb. 51). ALFRED SISLEY selbst ist mit der ›Brücke bei Hampton Court‹ vertreten. Welcher Kontrast dazu die ›Brücke von Arles‹ des VINCENT VAN GOGH (Abb. 55)! Im Wallraf-Richartz-Museum gibt es ebenso gute Beispiele für die symbolistischen Landschaftsbilder eines CASPAR

DAVID FRIEDRICH und CARL ROTTMANN wie für die realistischen eines GUSTAVE COURBET. LOVIS CORINTH, MAX LIEBERMANN und MAX SLEVOGT, die deutschen Impressionisten, setzen den Realismus der Leibl-Generation fort, bis die schwere Erkrankung Corinth eine neue Weise des Sehens und Malens lehrt, die ihn dem Expressionismus annähert. Das ›Selbstporträt des Sechzigjährigen‹ spricht von tiefer Leiderfahrung. ›Vier Mädchen auf der Brücke‹ unter türkisfarbenem Himmel stellt EDVARD MUNCH dar. Drei von ihnen kehren dem Beschauer den Rücken zu, das vorderste ist ihm zugewandt. Aber es ist gesichtslos, sphinxhaft.

Vorzüglich sind die Expressionisten im Museum Ludwig vertreten. Der einzigen Künstlergemeinschaft deutscher expressionistischer Maler, der ›Brücke‹, hat 12 Jahre nach dem Bruch, 1925, ERNST LUDWIG KIRCHNER mit seinem Bild der Künstlergemeinschaft ein Denkmal gesetzt (Abb. 50), die Gründungsmitglieder Kirchner (auf die ›Brückechronik‹ deutend), Heckel, Schmidt-Rottluff stehen, vorn links sitzt der später hinzugekommene Otto Mueller. Man vergleiche dazu das in der Thematik ähnliche, in der Stimmung jedoch völlig andere ›Rendez-vous der Freunde‹, das MAX ERNST 1922 gemalt hat, als er nach seiner eiligen Abreise aus Köln bei den französischen Surrealisten Aufnahme gefunden hatte (Abb. 56). Literatur und Malerei berührten sich nicht nur in Frankreich. OSKAR KOKOSCHKA und ERNST BARLACH sind Doppelbegabungen. Als Mitarbeiter an der Zeitschrift ›Der Sturm‹ lernte Kokoschka um 1910 den Dichter Peter Baum kennen und porträtierte ihn. Nach schwerer Kriegsverletzung ließ er sich in Dresden-Weißer Hirsch nieder und schloß sich einem Literaten- und Schauspielerkreis an. Das ›Die Heiden‹ betitelte Paar wird wahrscheinlich von der Schauspielerin Käthe Richter und dem Dichter Walter Hasenclever verkörpert. Ähnlich seinen Dichtungen haben Barlachs Plastiken oft Gleichnischarakter wie z. B. ›Der Rächer‹. Kokoschka und Barlach haben die Schauspielerin Tilla Durieux porträtiert. Von dem Dichter Theodor Däubler besitzt das Museum das von OTTO DIX gemalte Porträt. Fast wie eine Karikatur wirkt das Bildnis, das Dix von seinem Schwager, dem Arzt Hans Koch gemalt hat. Erschreckend traurig der ›Blick des jungen Mädchens‹ von GEORGE GROSZ. Von ihm besitzt das Museum auch ein höchst sensibles Bildnis des Kunsthistorikers Eduard Plietzsch. MAX BECKMANN ist mit 15 Bildern vertreten, darunter ›Selbstbildnis mit schwarzer Kappe‹, ›Mädchen in Rot und Grün mit Mandoline‹, eine Widerspiegelung der archetypisch tradierten Bildvorstellung der Leda, ›Der Leiermann‹, eine Allegorie auf die Situation des Künstlers nach Hitlers ›Machtübernahme‹ in Deutschland. Neun Bilder besitzt das Museum von NOLDE, darunter ›Schwärmer‹. Drei Tierbilder von FRANZ MARC trösten über den Verlust des ›Blauen Pferdes‹ im Jahre 1937 hinweg. KANDINSKY und KLEE sind mit wenigen, aber charakteristischen Bildern vertreten, BRAQUE mit drei, PICASSO mit sechs. Von dem mit Marc befreundeten AUGUST MACKE besitzt das Museum die ›Dame in grüner Jacke‹, den ›Lesenden Mann im Park‹ und ›Abschied‹. Hingewiesen sei auch auf die Bilder von HOERLE und SEIWERT. Von Matisse und Gauguin stilistisch beeinflußt malte CHAGALL 1909 das Porträt seiner Schwester Mania. Van Goghs ›Nachtcafe‹ von 1888 inspirierte ihn zu seinem Gemälde ›Sabbath‹.

Bedrohlich wirken die Riesenpuppen auf den Bildern RICHARD LINDNERS (Abb. 57). Fotos inspirierten ANDY WARHOL zu ›129 DIE IN JET‹, 1962, und EDWARD KIENHOLZ zu ›The Portable War Memorial‹ (Abb. 61). Die Technik des Comic-Strip regte ROY LICHTENSTEIN zu seinem Bild ›M-Maybe‹ an (Abb. 58). Neben Bildern der Anklage, z. B. WOLF VOSTELLS, ›Miss America 1968‹, steht das Wunschbild nach der schönen, klinisch reinen, aber zum reinen Geschlechtswesen reduzierten Frau. Charakteristisch dafür sind TOM WESSELMANNS ›Badewanne‹ und ›Großer amerikanischer Akt‹. GEORGE SEGAL mumifiziert den Alltag, baut Figuren aus Gips, die vom lebenden Modell abgeformt werden, so in ›Das Restaurantfenster‹ (Abb. 60) und in ›Frau, die sich ihren Fuß im Waschbecken wäscht‹. JAMES ROSENQUIST schafft in ›Horse Blinders‹ aus Alltagsdingen ein Environment. R. RAUSCHENBERG verwandelt zu Abfall Gewordenes in neue Bildgestalten.

Wenn auch die Sammlung des KUPFERSTICHKABINETTS sich nicht mit den großen der Welt messen darf, so zählt sie doch heute mehr als 43 000 druckgraphische Blätter, rund 8000 Handzeichnungen und 231 Miniaturen. Nur jeweils wenige, aber oft sehr charakteristische Aquarelle und Handzeichnungen der großen Künstler vom ausgehenden Mittelalter bis zum 19. Jh. konnten erworben werden, darunter ein doppelseitiges Blatt mit Studien von Leonardo da Vinci, drei Zeichnungen von Dürer, zwei von Rembrandt, die bisher einzige bekannte Kompositionsskizze von Barthel Bruyn d. Ä., eine ›Auferstehung Christi‹, Entwurfszeichnung zu einem Flügel des Xantener Altars, von Runge die Bleistiftzeichnung ›Lichtlilie mit Genien und Morgenstern‹. Leibl ist mit 31 Zeichnungen vertreten. An Qualität und Umfang (290 Zeichnungen und Aquarelle) ist die Aquarellsammlung deutscher Expressionisten, die mit der Sammlung Haubrich (1946) in das Kupferstichkabinett kam, ganz vorzüglich. Die moderne Abteilung wurde durch weitere Sammlungen bereichert, so durch die Sammlung Strecker (1959) und zuletzt durch die Sammlung Peill (1976). Die Sammlung der Miniaturen wurde 1960 durch das Stundenbuch der Sophia von Bylant vermehrt, das der Meister des Bartholomäusaltars mit seinen Miniaturen geschmückt hat.

Wallraf-Richartz-Museum und Museum Ludwig besitzen eine repräsentative Sammlung von PLASTIKEN des 19. und des 20. Jh. Einiges davon haben wir im Zusammenhang mit den Gemälden erwähnt. Besonders hingewiesen sei noch auf Hans Arp, Jean Dubuffet, Wilhelm Lehmbruck, Jacques Lipchitz, Aristide Maillol, Henry Moore, Claes Oldenburg, Renée Sintenis, Ossip Zadkine.

Dem Wallraf-Richartz-Museum und Museum Ludwig gegenüber liegt das Studiogebäude des Westdeutschen Rundfunks (Abb. 43), unten an der Fassade ein 98 m langes Band aus griechischem Marmor, Reliefstrukturen von Karl Hartung, 1964. Der Haupteingang zum Funkgebäude befindet sich am Wallrafplatz. (Hauptgebäude errichtet nach einem Entwurf von P. F. Schneider, 1948–52, Farbfenster Georg Meistermann, Schliffglasfenster und Rundfunkrelief Ludwig Gies.)

Vom Museumseingang wenden wir uns nach links zur ›Drususgasse‹. In der Grünanlage mit dem fast 130 Jahre alten Schnurbaum stehen römische Sarkophage und ein

Stück der römischen Wasserleitung. Das DENKMAL FÜR ADOLF KOLPING erinnert uns daran, daß in der MINORITENKIRCHE der katholische ›Gesellenvater‹ sein Grab gefunden hat. Noch ein zweites Grab verdient unsere Aufmerksamkeit, das des JOHANNES DUNS SCOTUS im nördlichen Seitenschiff dieser Kirche, Sarkophag von Josef Höntgesberg, 1957. Auf der Deckplatte seine Ganzfigur. Sie hält ein Buch in den Händen mit den Worten: »Potuit, decuit, fecit« (Er [Gott] konnte es, es ziemte sich, also tat er es), die Formel zur Begründung des Glaubens an die Unbefleckte Empfängnis Mariens. Die Minoritenkirche ist die einzige in Köln erhaltene mittelalterliche Mendikantenordenskirche. Im Severinsviertel gründeten die Minderbrüder 1229 ihre erste Niederlassung. 1244/45 verlegten sie das Kloster in die Kolumbapfarrei und begannen mit dem Bau der Kirche. Schon 1260 erfolgte die Weihe des Chores. Reste der Bogenanfänge im südlichen Seitenschiff lassen erkennen, daß das Langhaus ursprünglich als dreischiffige Halle geplant war. Nach einer Planänderung wurde es jedoch als Basilika errichtet, in den Seitenschiffen mit Bogennischen über kreisrunden Fenstern. Um die Mitte des 14. Jh. war auch das Langhaus vollendet. Schon im schlanken, rippengewölbten CHOR spricht sich die neue, gotische Baugesinnung aus. Die hohen Maßwerkfenster über niedriger Sockelzone lösen die Wände fast völlig auf. Das Armutsideal des Bettelordens zeigt sich in der Strenge des Baus, im Verzicht auf Querschiff und Schmuckformen. Die WESTFRONT wird durch das große Maßwerkfenster beherrscht. Im Zweiten Weltkrieg brannte die Kirche aus und verlor ihre Gewölbe. Die Wiederherstellung war bis 1958 im wesentlichen abgeschlossen. Anstelle des schönen, mit Blei verkleideten und reich verzierten Dachreiters über dem Chorbogen steht jetzt ein einfacher, verschieferter. Ohne die einstige reiche Ausstattung kommt heute die Herbheit der Architektur um so eindrucksvoller zur Geltung. An den beiden ersten Pfeilern beim Westeingang wurden nach dem Krieg *Temperamalereien* aus der ersten Hälfte des 14. Jh. freigelegt, gut erhalten die Kreuzigungsgruppe am südlichen Pfeiler. Im Chor: Flügelaltar aus Alfeld, um 1480, Fenster von Helmut Kaldenhoff, 1963.

Die Drususgasse setzt sich in die Kolumbastraße fort. Schon zur Zeit Bischof Kuniberts († um 665) dürfte hier ein Heiligtum zu Ehren des Märtyrers Kolumba gewesen sein. Doch wird die Kirche erst 1135 urkundlich erwähnt. Als ›parochia primaria‹ hatte die KOLUMBAKIRCHE einen führenden Rang unter den Stadtpfarrkirchen Kölns. Außerdem diente sie als Universitätskirche. Die dreischiffige Basilika des 12. Jh. wurde im 15. Jh. zu einer fünfschiffigen Emporenbasilika umgestaltet. Im Zweiten Weltkrieg wurde sie bis auf einen Teil der Umfassungsmauern völlig zerstört. Von dem reichen plastischen Schmuck blieb nur an einem Pfeiler eine spätgotische *Madonna* (Steinfigur, um 1460) fast unversehrt erhalten, ›Maria in den Trümmern‹. Oberpfarrer Josef Geller (1877–1958) – ein Anwalt der modernen Kunst bereits in einer Zeit, als die Neugotik allein als kirchlich zulässige Kunst galt – ließ 1950 von Gottfried Böhm für sie eine achteckige KAPELLE bauen, Zugang durch den Turmstumpf der Kolumbakirche. Architektur und Ausstattung fügen sich zu einer künstlerischen und liturgischen Einheit. So sind die Fenster des Kapellenraums mit dem Motiv der Engelsonnen von Ludwig Gies auf Maria als die apokalyptische Frau bezogen (Abb. 64); im Turmstumpf Heilig-Geist-Fenster von Jan Thorn-Prikker – 1911 ein erstes Beispiel moderner Glasmalerei – und Katharina von Siena, ein Fenster von Georg Meistermann. Im Bogen zur Kapelle eine Plastik von Ewald Mataré: *Antonius predigt den Fischen.* Während die Kapelle MARIA IN DEN TRÜMMERN lichtdurchflutet ist, herrscht Dämmerung in der sich nördlich an den Turmstumpf anschließenden SAKRAMENTSKAPELLE, 1956 ebenfalls von Gottfried Böhm. Hell ist nur der Marmoraltar, den vier Lichtbäume rahmen, Tabernakel von Elisabeth Treskow. In den Basalt der Rückwand sind Kreuzwegstationen eingeschnitten. Der Kolumbakirche gegenüber in der Brückenstraße steht das DISCHHAUS, 1928/29 von Bruno Paul gebaut, der sich von den kurvierten und durch Fensterbänder gegliederten Geschäftshäusern Erich Mendelsohns inspirieren ließ.

Die Kolumba- setzt sich in die Herzogstraße fort. Durch sie erreichen wir die Schildergasse, die einstige Straße der Kölner Malerzunft, und die ANTONITERKIRCHE (Abb. 62). Die sich der Krankenpflege widmenden Antoniter, Chorherren nach der Augustinusregel, hatten seit 1298 ihre Niederlassung in der Schildergasse. In der Mitte des 14. Jh. begannen sie mit dem Bau der jetzigen Kirche, einer kleinen dreischiffigen Gewölbebasilika (Weihe um 1384). Im 16. Jh. wurden die Fenster und das Südportal umgestaltet. Nach der Säkularisation 1802 hat man die Kirche Lutheranern und Reformierten zur gemeinsamen Benutzung übertragen. Um sie als Predigerkirche geeigneter zu machen, erfolgte 1805 ein Umbau, bei dem von den sechs Pfeilern vier herausgenommen wurden. Da die beiden verbleibenden Pfeiler keine gliedernde Funktion mehr haben, entstand ein einheitlicher, breiter Gemeinderaum. 1896 erhielten die Seitenschiffe gotisierende Maßwerkfenster. Nach schweren Kriegsschäden wurde die Kirche wiederhergestellt und 1963 bis 1,30 m über den Tunnel der Nord-Süd-Fahrt erweitert. Das Bronzeportal mit Pfingstwunder schuf Ulrich Henn 1964. Der Taufstein stammt aus dem 12. Jh., die farbigen Fenster im Chor mit Darstellung der Kreuzigung vom Anfang des 16. Jh. Den eigentlichen Ruhm aber macht der *Trauernde Engel* mit den Gesichtszügen der Käthe Kollwitz aus, die Personifikation der Totenklage über den Gräbern der Kriegsgefallenen (Abb. 63). Ernst Barlach hatte ihn 1927 für den Dom von Güstrow geschaffen. Der Erstguß ist während des Dritten Reichs eingeschmolzen worden. Ein glücklicherweise nach dem Gipsmodell angefertigter Zweitguß konnte jedoch versteckt und dadurch gerettet werden. Er hängt seit 1952 im nördlichen Seitenschiff der Antoniterkirche. Nach dem Zweitguß wurde ein dritter angefertigt, heute am ursprünglichen Ort im Güstrower Dom.

Die Schildergasse setzt sich östlich in der Gürzenichstraße fort, die erst im Zusammenhang mit dem Bau der Hängebrücke (heute Deutzer Brücke) angelegt worden ist. Dabei wurde auch das 1697 errichtete Haus ›Zum Maulbeerbaum‹ abgerissen. Erhalten blieb sein reiches Barockportal, das 1911/12 an die Seite des Stadthauses (Gr. Sandkaul 6) versetzt wurde. In seinem Treppenhaus hat die Skulptur des Vater Rheins Aufstellung gefunden (Kunststeinguß nach einem Modell des Vater-Rhein-Brunnens, den Adolf v. Hildebrand für den Kaiser-Wilhelm-Ring geschaffen hatte, 1922 enthüllt, 1942 zerstört).

Der Gürzenich. Um 1810

Wenige Schritte weiter erreichen wir den GÜRZENICH, den bedeutendsten gotischen Profanbau Kölns (Abb. 67). Seinen Namen hat er von einem Anwesen, das bis 1233 dem Dürener Landadelsgeschlecht der Herrn von Gürzenich, danach verschiedenen anderen Besitzern gehört hatte. Hier errichtete die Stadt 1441–44 den zweigeschossigen Gürzenich als ›des Rathes Tanzhaus‹. Architekt war wahrscheinlich der Stadtbaumeister Johann von Buren. Der vornehme Rechteckbau übersetzt die Formen der Gotik ins Profane und wird damit zugleich für das Bürgerhaus vorbildlich (vgl. Haus Saaleck, S. 145). Hohe Fenster gliedern die Geschlossenheit des Bauwerks. Ihre Vertikallinie setzt sich in den feinen Maßwerkblenden der Schmalseiten fort, an den Ecken Erkertürmchen. Der zweischiffige SAAL im Obergeschoß sah Kaiserempfänge und glanzvolle Feste im Herbst des Mittelalters. Dann folgten nüchternere Zeiten. Der Gürzenich diente als Kaufhaus. Eine neue Zeit des Glanzes kam mit dem 19. Jh. Karneval und Konzerte hielten ihren Einzug. Julius Raschdorff renovierte den traditionsreichen Bau 1854–58 und gab dem Saal eine dreischiffige Gestalt. 1943 brannte der Gürzenich aus. 1952/53 erfolgten Wiederaufbau und Erweiterung durch Rudolf Schwarz und Karl Band. Der

Maskenball im Gürzenich. Holzstich. 2. Hälfte 19. Jh.

FEST- und KONZERTSAAL ist einschiffig wiedererstanden, Decke von Ludwig Gies, Fenster – unter Verwendung von Formen, die an fallende Blätter aus Gold erinnern – von Wilhelm Teuwen. Außer dem großen gibt es noch einen kleinen Festsaal, ISABELLENSAAL genannt. Seinen Namen hat er von einem Wandgemälde, das im 19. Jh. zur Erinnerung an den Besuch der englischen Prinzessin Isabella, der Braut Kaiser Friedrich II., 1235 in Köln, angefertigt wurde. Statt des untergegangenen Wandgemäldes schmückt ein Wandteppich von Jean Lurçat die Stirnwand. Für den neuen Eingang auf der Ostseite schuf Ewald Mataré bronzene TÜREN mit eingeritzten Symbolen der Kölner Geschlechter, Zünfte und Gaffeln.

Dem Gürzenich benachbart ist ST. ALBAN, eine der ältesten Pfarrkirchen der Stadt. Im Kern romanisch wurde sie im 14. Jh. gotisch, im 17. Jh. im Geiste des Barock umgestaltet. Während des Zweiten Weltkriegs brannte sie aus. Teile der Gewölbe und der Mauern stürzten ein. Zwar konnte die Bausubstanz gesichert werden, aber wenn schon vor dem Zweiten Weltkrieg die Pfarrgemeinde durch die Verwandlung der Wohn- in ein Geschäftsviertel zusammengeschmolzen war, dann war die Hoffnung auf ein Wiedererstehen einer eigenen Gemeinde jetzt nicht mehr gegeben. Die Ruine wurde daher 1954 der Stadt überlassen. Rudolf Schwarz bezog sie in den Komplex des wiederaufgebauten Gürzenich ein (Abb. 66). Die Treppenhalle legte er um die Kirchenruine. »Die Feste des Lebens werden vor den Hintergrund des Todes gestellt«, schreibt er dazu.

Der Eingang auf der Westseite – Quatermarkt – gibt den Blick frei auf die wie verloren in der Ruine knienden *Trauernden Eltern*, angefertigt 1954 von Schülern Ewald Matarés nach den Skulpturen, die Käthe Kollwitz in Erinnerung an ihren gefallenen Sohn Peter und im Gedenken an den Opfertod der Kriegsfreiwilligen geschaffen hat (Abb. 68). Das Original wurde 1932 in Roggevelde bei Eessen aufgestellt und befindet sich heute auf dem Soldatenfriedhof Vlaadslo bei Dixmuiden. Auf der Eingangsseite ist auch eine kleine Kapelle eingerichtet worden, für die Peter Hecker 1962 Wand- und Deckenmalereien zu dem Thema Liebe ist Gedenken schuf.

Wir setzen den Weg auf der gleichen Straße fort und erreichen als nächstes den GÜLICHPLATZ, umfaßt von den Häusern der beiden Firmen Haus Neuerburg und Johann Maria Farina. In das Farina-Haus ist die Galerie GMURZYNSKA eingezogen, die sich vor allem auf die Präsentation russischer Konstruktivisten spezialisiert hat. Der Platz ist anstelle des Hauses des als Revolutionär hingerichteten Nikolaus Gülich entstanden (vgl. S. 60). An Revolution und Blutvergießen wird man allerdings nicht erinnert, wenn man den FASTNACHTSBRUNNEN betrachtet, den der einstige Lehrer an der Kunstgewerbeschule, Georg Grasegger, 1913 geschaffen hat. Das Brunnenbecken gleicht einem großen Humpen, der von vier Paaren der Hilligen Mägde und Knäächte, einer Kölner Karnevalsgruppe, umtanzt wird (Abb. 69). Der Tanz ist nicht rauschhaft, sondern gleicht eher einem Schäferreigen. In der Mitte des Beckens erhebt sich eine zierliche, von einem Putto gekrönte Spindel.

Der Name Judengasse erinnert uns daran, daß sich hier im Schatten des Rathauses bis zur Ausweisung 1424 das mittelalterliche Judenviertel befand. Nach dem Zweiten Weltkrieg ist die Mikwe, das JUDENBAD, freigelegt worden. In vielen Jahrhunderten ist der RATHAUSKOMPLEX zusammengewachsen. Die weitgehende Zerstörung im Zweiten Weltkrieg hat das alte Bild auf Jahrzehnte hinaus völlig entstellt. Auch nach dem Wiederaufbau sieht nun manches wesentlich anders aus, als es sich früher dem Beschauer dargeboten hat. Einiges ist überhaupt nicht wiederhergestellt worden, so die Rathauskapelle, die 1426 anstelle der Synagoge errichtet worden ist und für die Stefan Lochner das sogenannte Dombild gemalt hatte (vgl. Abb. 16). Verhältnismäßig glimpflich kam einzig und allein die RATHAUSLAUBE davon (Judengasse). Wilhelm Vernukken aus Kalkar hat im Geiste der Renaissance, 1569–73, anstelle der baufällig gewordenen mittelalterlichen Vorhalle die Rathauslaube unter Verwendung von Plänen des Cornelis Floris de Vriendt aus Antwerpen geschaffen (Abb. 71). Von dem offenen Obergeschoß, das wie ein Lettner wirkt, verlasen die Regierenden Bürgermeister die Ratsbeschlüsse. Der Fries über den Bögen des Erdgeschosses zeigt Medaillons mit den Köpfen römischer Kaiser. Auf der Brüstung des Obergeschosses ist die Sage des Kampfes des Bürgermeisters Gryn mit dem Löwen dargestellt, jene Sage, die die Rivalität zwischen dem Herrschaftsanspruch des Erzbischofs und dem Selbständigkeitsstreben der Stadt spiegelt. Die Inschriften berichten von Kölns römischer Geschichte. In der Ädikula auf dem

Der Rathausplatz. Lithographie von Wünsch/Weyer. 1827

Obergeschoß steht die Statue der Gerechtigkeit. Verloren gegangen ist die Gestalt des ›Kölner Bauern‹, die sie noch überhöht hatte.

Bei der Restaurierung des RATHAUSES wurden die Treppen wieder eingefügt, die zum Hansasaal führen. Völlig neu gestaltet ist die heutige Vorhalle. Hingegen konnte der HANSASAAL im Obergeschoß weitgehend wiederhergestellt werden (Abb. 72). Ursprünglich hieß er Langer Saal. Die Bezeichnung Hansasaal erhielt er erst im 19. Jh. in Erinnerung an die Kölner Konföderation von 1367 gegen den Dänenkönig. Er ist das Kernstück des Rathauses, seiner Anlage nach einem Kapitelsaal ähnlich (Länge 30 m, Breite 7,60 m, höchste Raumhöhe 9,58 m). Fast sakral wirkt die Südwand, die heute wie früher in einem gotischen Fialwerk die *Neun guten Helden* zeigt, Steinplastiken aus der Zeit um 1360 (Abb. 72). Sie symbolisierten die drei Heilszeiten, vor dem Gesetz, unter dem Gesetz, unter der Gnade, durch die drei Gruppen Alexander d. Gr., Hektor und Julius Caesar – Judas Makkabäus, David, Josua (Abb. 75) – Gottfried

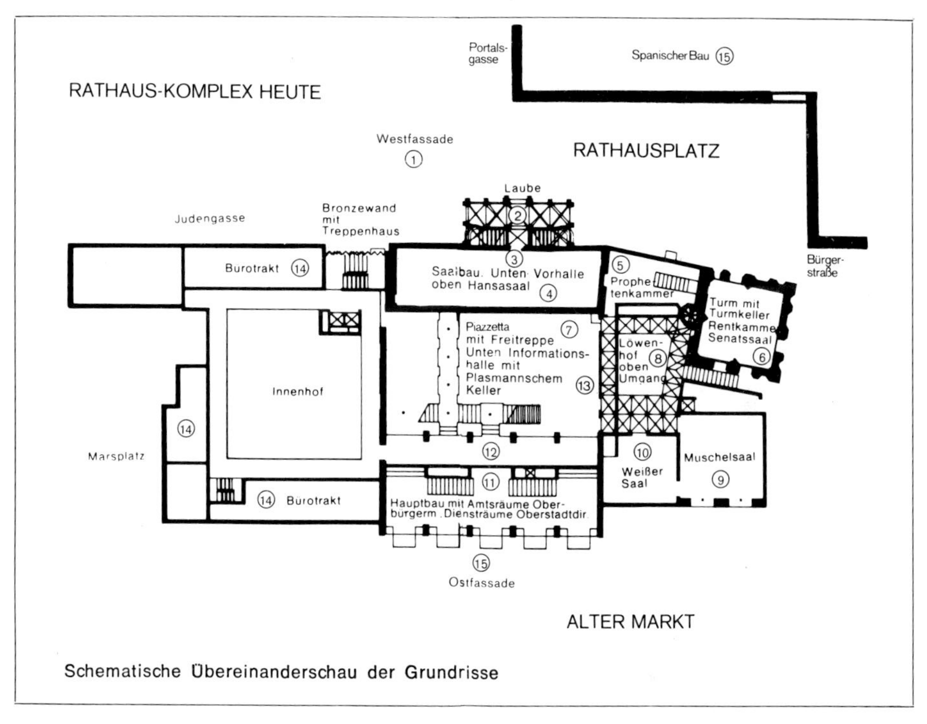

Schematische Übereinanderschau der Grundrisse

von Bouillon, König Artus und Karl d. Gr. Darüber sehen wir Kaiser Karl IV. mit allegorischen Figuren, die sich auf das von ihm 1349 bestätigte Stapel- und das 1355 bestätigte Festigungsrecht beziehen. Die im Krieg zerstörte NORDWAND mit ihrem achtteiligen Blendmaßwerk und der 18teiligen Rose ist in der ursprünglichen architektonischen Form wiederhergestellt worden. Jedoch traten an die Stelle der einzelnen figürlichen Wandmalereien die Plastiken der acht um 1410 geschaffenen Prophetenfiguren, die früher in der benachbarten Prophetenkammer aufgestellt waren. Um 1360/70 war die Nordwand mit den Bildern der Propheten, der Kurfürsten und Kaiser Karls IV. bemalt worden. Im 16. Jh. hat man diese Bilder übermalt und erst 1859 in Resten wiederentdeckt. Relativ gut erhalten blieben die Köpfe von vier Propheten und der des Kaisers (heute Wallraf-Richartz-Museum). Nördlich an den Saalbau schließt sich die PROPHETENKAMMER an. Ihr Hauptschmuck ist heute das herrliche *Intarsien-Holzportal* mit Stadtwappen und allegorischen Figuren von Melchior von Reidt (um 1600). Nördlich des Saalbaus an der Bürgerstraße errichteten 1407–14 die Zünfte den RATHAUSTURM in der Art niederländischer Belfriede. Die 130 Steinstatuen, die sein Äußeres schmückten, gaben ihm eine fast sakrale Wirkung. Der architektonische Aufbau des Rathausturmes ist dem der Domtürme insofern nicht unähnlich, als sein Erdgeschoß und die beiden ersten Obergeschosse vierkantig, die darauf aufgehenden Geschosse achteckig sind. Der Wiederaufbau wurde im wesentlichen 1975 abgeschlossen, allerdings unter Verzicht auf den Skulpturenschmuck. Wiederhergestellt wurde der ›Platz-Jabbeck‹, eine holzgeschnitzte Fratze, die beim Stundenschlag der Turmuhr ihr Maul aufreißt und die Zunge herausstreckt. Die Helmspitze hat 1954 eine Wetterfahne, einen Ratsbläser darstellend, erhalten. Nach altem Vorbild wurde die Rentkammer im Erdgeschoß des Rathauses wiederhergestellt. Der SENATSSAAL im ersten Obergeschoß ist neben dem Hansasaal Ausdruck des Sinns für repräsentatives Raumgefühl. Der Rat hatte sich diesen Saal 1597–1602 für seine Sitzungen erstellen lassen. Köstlich die Leistenstuckdecke mit Imperatorenmedaillons, bemerkenswert das *Intarsien-Portal* von Melchior von Reidt mit Allegorien auf die Tugenden (Abb. 74). Intarsienarbeiten auch im Ratsgestühl. Glücklicherweise war die Ausstattung während des Krieges ausgebaut und ausgelagert. Daher konnte dieser Saal in seiner alten Schönheit wiedererstehen.

In der beginnenden Neuzeit erwies sich das Rathaus noch immer zu klein, um allen Bedürfnissen gerecht werden zu können. Zum Alter Markt hin waren daher Erweiterungen notwendig. Als Verbindung zwischen dem Prophetenkammertrakt und den weiteren Bauten am Alter Markt ließ der Rat 1541 vom Stadtsteinmetzen Laurenz von Kronenberg einen Galeriehof, den LÖWENHOF, erstellen (Abb. 73). Auf wuchtige Spitzbogennischen setzte Kronenberg umlaufende Bogengänge. Die Pfeiler dieser Bogengänge waren bereits in Renaissanceart profiliert, die Rundbögen darüber noch der Gotik nahe. Die Brüstungen zwischen den Pfeilern zeigten Reliefs mit Kaiserköpfen, Fabelwesen, Wappen. Insgesamt aber war der Löwenhof ein gutes Beispiel der Frührenaissance in Köln. 1594 erst wurde der Bogengang an der Ostseite aufgeführt. Eines seiner Reliefs zeigte den Kampf des Bürgermeisters Gryn mit dem Löwen. Daher der Name für die ganze Anlage. In Zweiten Weltkrieg zerstört, wurde er nach historischem Vorbild, jedoch unter Verzicht auf die Reliefs, wiederaufgebaut. Am Ausgang des Hofes findet sich heute ein grinsender Löwenkopf von Karl Burgeff.

Der Innenbereich des Rathauses zwischen Saalbau und Alter Markt-Trakt ist nicht wieder in alter Form entstanden. Statt dessen wurde hier ein kleiner überdeckter Platz, die PIAZZETTA, geschaffen. So kostbar die für diesen Freiraum verwendeten Materialien sind und so imposant die Piazzetta erscheint, so wenig scheint sie praktisch zu nutzen zu sein. Auch die neue Alter Markt-Fassade wirkt eigentümlich schwer. Einst waren im Alter Markt-Trakt repräsentative Räume, deren Schmuck durch die Formen des Rokoko bedingt waren. Nur der Name MUSCHELSAAL erinnert an die einstige Pracht. Die heutige Gesamtkonzeption und Ausgestaltung stammt vom Kölner Maler Joseph Faßbender. Das Muschelmotiv der Rocaille ist wieder aufgegriffen, aber nicht in der alten Form, sondern als Naturform. Für die einstigen Brüsseler Gobelins aus der Werkstatt des Josse de Vos muß jetzt ein geknüpfter Wandteppich in abstrakter blau-rosa-schwarz Musterung Ersatz leisten, der die Nordwand bedeckt. Ner Name WEISSER SAAL erinnert an den gleichnamigen Saal im Alter Markt-Trakt. Auch er ist in veränderter Form wiedererstanden. An seiner Südwand ein handgewebter Wandbehang von F. Ahrend, Karlsruhe.

Platzjabbek am Kölner Rathaus. Holzschnitt. 1913

Dem Gebäudekomplex des alten Rathauses wurde nach Süden ein neuer Bürotrakt angegliedert. Karl Band hat die historischen Teile des alten Rathauses mit den Neubauten zu einer Einheit zusammengefügt. 1972 konnte das historische Rathaus wieder bezogen werden. Allerdings hat sein Wiederaufbau den zuvor erstellten Verwaltungsbau keineswegs überflüssig gemacht.

Schon in früheren Jahrhunderten gab es am Rathausplatz gegenüber dem Saalbau einen für die Bedürfnisse des Rates genutzten Bau, zunächst als Kanzlei, 1513 als Gebäude für die Schreinsbücher, ab 1549 aber auch von den Schöffen benutzt. Matthias von Gleen erbaute 1607–15 in Anlehnung an die Formen der niederländischen Spätrenaissance den ›Neuen Bau‹. 1623 tagte in ihm der Kompositionstag der spanischen Liga (Vereinigung der katholischen Länder im Dreißigjährigen Krieg). In Erinnerung daran erhielt das Gebäude den Namen SPANISCHER BAU. Im Zweiten Weltkrieg wurde er völlig zerstört. Der erste Abschnitt des Wiederaufbaus des Rathauskomplexes galt der Erstellung eines modernen Verwaltungsgebäudes, das lediglich den Namen ›Spanischer Bau‹ erhielt. Bei den Ausschachtungsarbeiten für diesen Bau wurden die Fundamente von vier römischen Vorgängerbauten freigelegt, die von den Anfängen der Römerstadt bis zur konstantinischen Zeit reichen. Hier befand sich das PRÄTORIUM, der Sitz des Statthalters von Niedergermanien. Unter einer gewölbten Betondecke sind diese archäologischen Funde museal erhalten und der Öffentlichkeit zugänglich (Abb. 76).

1956 konnte der Rat in den Spanischen Bau übersiedeln. Obwohl der Verwaltungsbau im ganzen sehr schlicht ist, fehlt es doch nicht an einzelnen künstlerischen Details. Am Haupteingang Steinreliefs mit Ährenbündeln als Symbol für Wachsen und Gedeihen, gestaltet von Günther Lossow. Im Treppenhaus Geschichtsfenster von Georg Meistermann, im unteren Foyer ein Europamosaik von Hans Jürgen Grümmer, an der Nordseite die Bronzeplastik Mutter Colonia von Sepp Weidl. Doppeladler und drei Kronen von Joseph Jaekel dienen als Dachreiter. Die römischen Bauten ragten in den Rathausplatz herein. Sie sind vor einigen Jahren freigelegt worden.

Wir steigen die Treppe nördlich des Rathausturms herab und erreichen den ALTER MARKT. Er galt noch im 19. Jh. als der schönste der Kölner Plätze. Zwar hat er durch die Kriegszerstörungen viel von seinem Reiz verloren. Aber immer noch gehört er zu den stimmungsvollsten Plätzen der Stadt (Abb. 83). W. Albermann schuf 1895 den JAN VAN WERTH-BRUNNEN zur Erinnerung an den in Köln volkstümlichen Reitergeneral aus dem Dreißigjährigen Krieg. Wenigstens ein gutes Beispiel der Renaissance-Architektur konnte wiederhergestellt werden, das schlanke Doppelhaus ›Zur Bretzel‹ und ›Zum Dorn‹, 1580/82 von Benedikt von Schwelm erbaut (Abb. 70), neben ihnen das Haus ›Em Hanen‹ im alten Maßstab, jedoch in moderner Linienführung erbaut. Der Architekt ist Hans Spiertz. Der Bauherr, Jupp Engels, hat die Architektur durch künstlerische Beigaben von Ewald Mataré bereichert. Kölsche Mentalität trifft vorzüglich der *Kallendresser* (Abb. 79). Er erinnert an eine einstige Spottfigur, den ein Kölner Bürger, der mit dem Abt von Groß St. Martin in Konflikt lebte, diesem zum Ärger hatte errichten lassen. Ein Pförtchen führt uns vom Alter Markt auf das Brigittengäßchen – der Name erinnert an die einstige Pfarrkirche St. Brigida, die neben der Abteikirche Groß St. Martin gestanden hat.

Wir befinden uns hier im Zentrum des Martinsviertels. Dieses hat in den letzten Jahren in seinem nördlichen Teil sein Antlitz gründlich gewandelt. Nach einheitlichem Plan ist ein moderner Häuserkomplex entstanden, der sich im Stil den Altstadthäusern glücklich angleicht (Architekt Schürmann). Für Wohnungen, Geschäfte, Restaurants ist gleichermaßen Platz geschaffen. Im Gebäude der einstigen Firma Brügelmann wird das Theatermuseum sein künftiges Domizil finden. Auf dem Platz hinter seinem Haus hat Jupp Engels 1967 lebensgroße Bronzeplastiken der Personifikationen kölschen Humors *Tünnes und Schäl*, gestaltet von Wolfgang Reuter, aufstellen lassen. 1969 ließ er außerdem die sogenannte Schmitzsäule aufstellen (Schmitz gilt als Urkölner). Dem Viertel gab GROSS ST. MARTIN den Namen.

Erzbischof Bruno gründete Kirche und Kloster. Der jetzige Bau stammt jedoch aus der Stauferzeit. Von dem 1150 begonnenen und 1172 geweihten Neubau sind der als Trikonchos angelegte Chor und die unteren Teile des Vierungsturmes erhalten. Der Ausbau des Turmes und des zuerst einschiffig, dann dreischiffig geplanten Langhauses beanspruchte einen längeren Zeitraum, jedoch war mit der Einwölbung des Mittelschiffes um 1235–40 und der Errichtung der Westvorhalle um 1250 einer der großartigsten Kirchenbauten Kölns und des Niederrheins vollendet. Die Dreikonchenanlage gab es schon zuvor bei St. Maria im Kapitol. Aber gerade durch die Wiederaufnahme in Groß St. Martin wurde sie für viele andere Kirchen des späten 12. und frühen 13. Jh. vorbildlich. Die Kirche ist städtebaulich wie architekturgeschichtlich gleich bedeu-

Alter Markt um 1660. Kupferstich von Toussyn/Aubry

tend. In Weiterführung der nur wenig früher entstandenen Doppelkirche in Schwarzrheindorf (s. S. 306) kommt dem Formenreichtum des steil emporsteigenden Außenbaus eine wichtige Funktion zu, nämlich die der Verschleierung der Massigkeit des Baukörpers. Bis zur Vollendung der Domtürme war der Turm von Groß St. Martin der wichtigste städtebauliche Akzent in Köln. Dazu gehört auch die Auszeichnung der dem Rhein zugewandten Ostseite durch den Kleeblattchor. In der Nahsicht aber wird nur die Fülle der Gliederungsformen bewußt, die sich nach oben hin häuft und immer plastischer wird. Zweigeschossige Blendarkaden gliedern die Konchen. Darüber führt ein Plattenfries und eine Zwerggalerie um den gesamten Chor. Der Plattenfries wiederholt sich noch einmal beim Turm. Von Groß St. Martin an gehört er zum festen Bestand der rheinischen Apsidengliederung. Noch der Westchor des Mainzer Doms ist von ihm beeinflußt. Auch das Innere der Kirche ist bedeutsam durch die Auflösung der Konchen in Nischen und den zweischalig gestalteten Säulengang, der der Wand die lastende Schwere nimmt. Im Zweiten Weltkrieg erlitt die Kirche schwerste Beschädigungen. 1961/63 wurde der Turm wieder aufgebaut. Das Langhaus hat inzwischen ein neues Dach erhalten (Abb. 78).

Mit wenigen Schritten erreichen wir von Groß St. Martin die Mauthgasse. Im Haus Mauthgasse 9 wurde 1807 Robert Blum geboren. Eine Gedenktafel erinnert an den linken Demokraten der Paulskirche. Hier, mit Blick zum Fischmarkt, steht das STAPEL-

HAUS. Errichtet wurde es einst als Fischkaufhaus 1558–61. Es war ein typisch kölnisches, sehr sachliches Bauwerk. In seiner Zweischiffigkeit, den Kreuzfenstern und Eckwarten erinnerte es noch an den mehr als hundert Jahre älteren Bau des Gürzenich. Der Renaissancetreppenturm und andere Details verrieten aber bereits ein neues künstlerisches Empfinden. Erst im 19. Jh. wurde das Fischkaufhaus als Stapelhaus verwendet. Von daher hat es seinen Namen. Um die Jahrhundertwende wurde es zum Naturkundlichen Museum umgebaut, das unter anderem eine bedeutende Abteilung aus Afrika hatte. Im Gegensatz zu fast allen anderen Museen, deren Bestände ausgelagert werden konnten, sind die Sammlungen des Naturkundlichen Museums im Stapelhaus zugrunde gegangen. Das Museum ist nicht wieder erstanden. Das Stapelhaus wurde in vereinfachter Form, aber in Anlehnung an den traditionellen Bau neu errichtet.

Am FISCHMARKT selbst stehen noch einige für das Panorama Alt-Kölns charakteristische Häuser (Ft. 3), darunter das STAPELHÄUSCHEN. Die Gassen südlich von Groß St. Martin haben überhaupt am meisten von der Altstadtatmosphäre bewahrt (Abb. 84). Hier begegnet man noch an manchem Haus den sogenannten Grinköpfen, aus schwarzem Basalt gehauene Köpfe über dem Türsturz oder sonst an der Fassade mit offenem, kinnlosem Mund. Ursprünglich waren sie über den Kellereingängen angebracht als Widerlager für Schrotbalken, mit deren Hilfe man Fässer und Lasten in die Keller beförderte. Derartige Grinköpfe findet man vielfach gerade in Weinorten. Das Martinsviertel zu erhalten und als Stätte der Gastlichkeit zu kultivieren, ist eine der Aufgaben, die sich die Stadt gestellt hat in der Erkenntnis, daß die Wiederbelebung der City dringend notwendig geworden ist (Abb. 85).

Schon in den dreißiger Jahren hat es an Restaurierungs- und Sanierungsversuchen übrigens nicht gefehlt. So entstand 1935 der EISENMARKT. Hier hat das Kölner ›Hänneschentheater‹ seine Heimstatt gefunden (vgl. Abb. 80). Ein anderer kleiner Platz ist dem Andenken Willi Ostermanns geweiht; der zwei Jahre nach seinem Tod, 1938 ihm zu Ehren errichtete BRUNNEN wurde 1975 verkleinert und neu gestaltet (Abb. 81). Dabei blieben jedoch die Plastiken erhalten, die Typen seiner Lieder repräsentieren. Durch die Salzgasse erreichen wir den Heumarkt.

3. Vom Heumarkt zum Neumarkt

Aufschüttungen des Römerhafens erlaubten die Anlage der mittelalterlichen Fernhandelsmärkte, des ALTER- und des HEUMARKTS. Die aus dem Warenumschlag erzielten Gewinne kamen der Errichtung vornehmer Kaufmannshäuser zugute. Ihr Anblick veranlaßte noch im frühen 17. Jh. den englischen Touristen Thomas Coryate zu dem Urteil, der Heumarkt sei dem Markusplatz in Venedig vergleichbar. Doch schon die Öffnung des Heumarkts zu der festen Brücke hin, die 1913/15 unter der Mitwirkung des Architekten Karl Moritz errichtet wurde, konnte als Minderung des Raumeindrucks

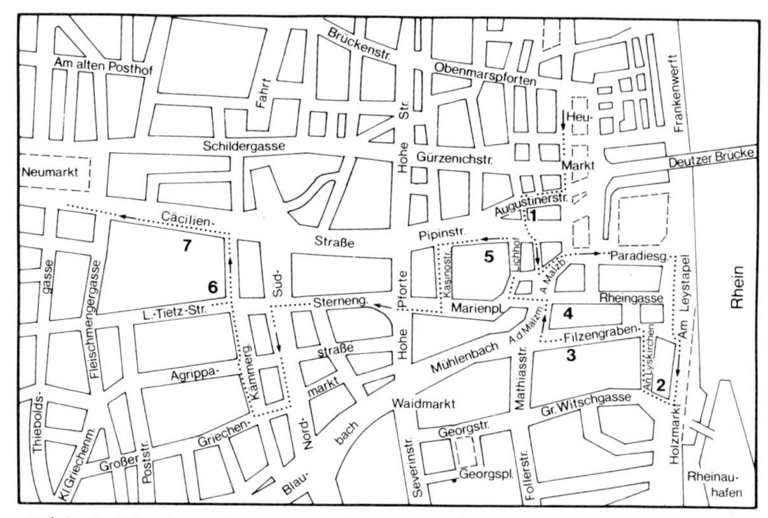

1 Klein St. Martin 2 St. Maria Lyskirchen 3 Trinitatiskirche 4 Overstolzenhaus 5 St. Maria im Kapitol 6 St. Peter 7 Schnütgen-Museum

empfunden werden. Im Zweiten Weltkrieg zerstört, wurde sie durch eine Balkenbrücke ersetzt. Die Nachkriegsjahre erlaubten nur eine »Sparkonstruktion«. 1979 erweitert, hat sie nun eine Breite von fast 40 Metern (vgl. S. 278). Brückenauffahrt und heutige Straßenführung zerschneiden den Heumarkt förmlich in zwei Plätze. Architektonisch wertvolle Häuser, Zeugen der Wohlhabenheit und des Kunstsinns Kölner Großbürger, sind bereits Jahrzehnte vor dem Zweiten Weltkrieg der Spitzhacke zum Opfer gefallen. Immerhin standen am Anfang des Krieges am nördlichen Teil des Heumarkts noch manche bemerkenswerte Bürgerhäuser aus dem 16.–18. Jh. Nur wenige haben die Luftangriffe überstanden, wie das fünfgeschossige mit einem Volutengiebel versehene Haus ›Zum St. Peter‹, Heumarkt 77 (Abb. 77), das sich der Ratsherr Wilhelm Peter Terlaen von Lennep um 1568 errichten ließ. Im Innern besitzt es Stuckbalkendecken. – Nr. 62 hat eine Rokokofassade von 1776. ›Zur Timpe‹, Nr. 25, stammt ebenfalls aus dem 18. Jh., Nr. 6 besitzt ein Portal aus dem Jahre 1744.

Die Straßenbahn biegt vom Heumarkt kommend in die Augustinerstraße ein. Wir gehen in gleicher Richtung und sind nach wenigen Schritten beim Turm der einstigen Pfarrkirche KLEIN ST. MARTIN. Die Kirche selbst wurde nach der Säkularisation abgebrochen, der Turm blieb erhalten, weil in ihm bereits seit 1637 die Glocken von St. Maria im Kapitol aufgehängt waren. Im Zweiten Weltkrieg brannte er aus. Nach Behebung der Schäden wurde 1954 in seinem, heute unter dem Straßenniveau liegenden Erdgeschoß eine Andachtskapelle eingerichtet. Die Straße ›Vor St. Martin‹ führt uns zum Restaurant ›Zur alten Münze‹, in dessen Kellergeschoß sich ein Stück der römischen Rheinmauer mit einem schön gemauerten Kanalauslaß befindet.

Unser Weg folgt der Südseite des Heumarkts. Der Neubau der HANDWERKSKAMMER hat Proportionselemente spätmittelalterlicher Häuser dieser Gegend aufgegriffen, stilisiert und ins Moderne umgesetzt. Seit 1958 ist die Arbeitsgemeinschaft des Deutschen Kunsthandwerks hier untergebracht. Das Gebäude ist mit einem großen Raum für Wechselausstellungen versehen. – Wir biegen nach rechts in den Thurnmarkt ein, benannt nach zwei Türmen der mittelalterlichen Rheinmauer. Sie sind längst verschwunden. Ein Mauerpförtchen aber blieb erhalten. Die Fortsetzung der Straße heißt ›Am Leystapel‹. Im Mittelalter war hier die Anlegestelle der Oberländer Schiffe, heute ist da noch ein Kai für die Mittelrheinschiffahrt. Hier ist auch der Anfang des Rheinauhafens, der seinen Namen von der Insel Rheinau, auch Rheinwerthchen geheißen, hat. Gleich an seinem Beginn steht der MALAKOFFTURM (Abb. 86), der Rest der neuen Rheinbefestigung aus den 1850er Jahren und ein wenig weiter der TAUZIEHER von Nikolaus Friedrich, 1911. Malakofftürme wurden sonst gerne im Bergbau verwandt, einige von ihnen haben sich noch im östlichen Ruhrgebiet erhalten. Name und Erscheinung weisen auf ein besonders stark befestigtes Fort der Festung Sewastopol, die im Krimkrieg eine große Rolle spielte.

Schon in fränkischer Zeit gab es an dieser Stelle vor den römischen Stadtmauern eine Fischervorstadt. Hochwassergefährdet, trug sie den bezeichnenden Namen Noit(Not)-hausen. Um 1100 wurde sie zusammen mit der benachbarten, aber hochwassergeschützten Siedlung Oversburg Köln einverleibt. In einer unechten, gleichwohl sachlich zutreffenden Urkunde wird erstmals 948 eine Marienkirche erwähnt. Seit dem 12. Jh. wird sie Maria Lysolfi, Lysolfikirche oder ähnlich genannt. Erzbischof Anno II. inkorporierte sie 1067 dem Stift St. Georg. Seit 1809 ist ST. MARIA LYSKIRCHEN selbständige Pfarrkirche. Den Zweiten Weltkrieg hat sie relativ glimpflich überstanden. Die Ost- und Schauseite ist dem Rhein zugewandt. Ihr vorgelagert ist das auf dem Unterbau der staufischen Stadtmauer im 18. Jh. errichtete Küsterhaus. Die Schaufront ist über einer Krypta erbaut worden. Von den beiden Türmen wurde nur der nördliche vollendet und mit einem Rautendach versehen. Die Apsis ist in gotisierenden Formen erneuert worden. Maria Lyskirchen wurde um 1220 als Emporenbasilika erbaut. An der Westfassade ist nur das Portal, der einzige etwas reicher gegliederte und geschmückte Teil des Außen-

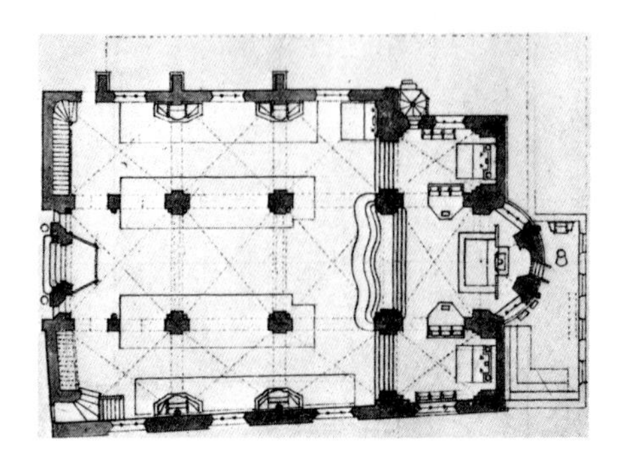

Grundriß der Kirche St. Maria Lyskirchen

baus, mit den seitlichen Fenstern unverändert erhalten geblieben. Im INNERN halten sich ursprünglicher Bestand und spätere Umgestaltungen in etwa die Waage. Bei Restaurierungen im 19. Jh. und nach dem Zweiten Weltkrieg wurde ein großer Teil der *Wand-* und *Deckenmalerei* wieder freigelegt (Abb. 88). An den Bildzyklen und Einzeldarstellungen in Maria Lyskirchen kann man den Weg verfolgen, den die rheinische Malerei im Zeitraum eines Jahrhunderts, von 1230–1330, durchmißt. Die Kirche besitzt im Mittelschiff einen typologischen Zyklus von einem Umfang, wie er in der erhaltenen Malerei des Rheinlandes selten ist. Das älteste der Wandbilder befindet sich über dem Westportal, eine ›Anbetung der Könige‹, konzipiert als Huldigung an die Gottesmutter, die Patronin der Kirche. Im typologischen Zyklus der Hauptschiffgewölbe stehen von Osten nach Westen verlaufend je zwölf Szenen des Alten Testaments auf der nördlichen und des Neuen auf der südlichen Seite einander gegenüber. In jedem der drei Gewölbe fügen sich je vier Szenenpaare zu einem Kreis. Der Bildgrund ist blau, grün gerahmt, mit teils roten, teils gelben Abschlußstreifen. Überdies sind die alt- von den neutestamentlichen Szenen durch ein Ornamentband getrennt. Die Anordnung der einander entsprechenden, jeweils gegenüberliegenden Szenen sieht so aus: ÖSTLICHES GEWÖLBE: Verheißung Isaaks – Verkündigung; Geburt Isaaks – Geburt Christi; Darbringung Samuels im Tempel – Darstellung Christi im Tempel; Bad Naemans im Jordan – Taufe Christi im Jordan; MITTLERES GEWÖLBE: Moses mit den Gesetzestafeln – Verklärung Christi; Einzug Salomons in Jerusalem – Einzug Christi in Jerusalem; Gastmahl des Ahasver – Letztes Abendmahl; leidender Hiob – Geißelung Christi; WESTLICHES GEWÖLBE: Verehrung der ehernen Schlange und ihre Zerstörung – Kreuzabnahme; Samson mit den Toren von Gaza – Christus in der Vorhölle; Himmelfahrt des Elias und des Henoch – Pfingstwunder. In der Scheitelzone des Ostgewölbes stehen die Figurationen von Gesetz und Gnade, in der des Westgewölbes die vier sittlichen Tugenden. Die Scheitelzone des mittleren Gewölbes ist leer. In den Zwickeln stehen in Öffnungen einer als Mauer zu lesenden Zone: Propheten, die Königin von Saba und Bileam auf ihren Reittieren, Heilige, die Personifikationen der Ecclesia und – allerdings nicht ganz zweifelsfrei – der Synagoga. Die Taufe Christi im Jordan zeigt Anklänge an die entsprechende Szene auf der Holztüre in St. Maria im Kapitol. Der Künstler durchbricht das gewohnte Schema, wenn er bei der Geburt Christi das Bad des Neugeborenen darstellt. Ergreifend ist die Kreuzabnahme geschildert.

Der Zyklus ist ein wichtiges Bindeglied zwischen der Typologie, wie sie etwa der Klosterneuburger Altar repräsentiert, und der der frühen ›Armenbibeln‹, die im 14. Jh. ihren Aufschwung erleben. Die zahlreichen Inschriften und Spruchbänder zur Erläuterung der Bilder lassen den Zyklus selbst sogar als eine große Bilderbibel erscheinen. Der Figuren und Gewändern eigentümliche Zackenstil begründet die Datierung um 1250. Im oberen Teil der Westwand sind noch Reste eines Erzengels Michael und des Drachens zu erkennen, ebenso Spuren der Vorzeichnung eines bärtigen Heiligen. Auch die Obergadenwände und die Apsis waren einmal bemalt. Nur Reste sind davon noch erkennbar. Hingegen sind in der südlichen Chorkapelle recht gut die Darstellungen aus der Legende des hl. Nikolaus erhalten, darunter die Rettung Schiffbrüchiger, die Rettung dreier unschuldig Verurteilter, Überführung eines Diebes durch das Bild des Heiligen.

In einer Schifferkirche durfte die Legende des Schutzheiligen nicht fehlen! Die Szenen sind lebendig erzählt. Sie sind um 1270 gemalt. Weniger gut erhalten und sehr restauriert sind die Szenen der nördlichen Chorkapelle aus dem Leben der hl. Katharina, wahrscheinlich um 1280 entstanden. In den beiden Blendbögen auf der Westempore sind die Reste eines biblischen Zyklus zu sehen (wahrscheinlich um 1330). Von der AUSSTATTUNG verdienen Erwähnung: im südlichen Seitenschiff der achteckige Taufstein, zweite Hälfte 13. Jh.; in dem 1957 von Karl Band und Elmar Hillebrand neugestalteten Altarraum eine zartgliedrige stehende Muttergottes mit Kind, 2. Viertel 14. Jh.; die sog. *Schiffermadonna,* um 1420, die zum Typus der ›Schönen Madonnen‹ gehört (Abb. 89); im nördlichen Seitenschiff Glasmalereien, 1520/30. Der KIRCHENSCHATZ enthält noch immer einige Kostbarkeiten, darunter ein kupfervergoldetes Vortragekreuz (2. Hälfte 11. Jh.) mit langbekleidetem Christus (2. Hälfte 12. Jh.) und eine Rokokomonstranz (3. Viertel 18. Jh.).

Wir biegen jetzt in den Filzengraben ein, viele Jahrhunderte lang eine Straße der vornehmen Bürger. Im Zweiten Weltkrieg gingen die Patrizierhäuser zugrunde. Im Sommer 1976 begann man das Barockhaus, Nr. 43, erst ›Zur gelben Lilie‹, später Weinhaus Duhr genannt, mit überhängendem Obergeschoß und Mansarddach zu restaurieren. Die Erinnerung an das Faßbinderzunfthaus mit seiner herrlichen Renaissancefassade von 1539 hält die Gravierung auf der Bronzetür des Hauses Messingmüller fest, Nr. 18/20. An Hand der alten Pläne konnte die im Zweiten Weltkrieg bis auf die Umfassungsmauern zerstörte TRINITATISKIRCHE rekonstruiert werden. Mit Unterstützung König Friedrich Wilhelms IV. wurde sie auf dem Areal des 1613 erbauten, 1857 abgebrannten Klosters St. Lucia nach Plänen von Friedrich August Stüler als ›Evangelischer Dom‹ errichtet. Um zu verhindern, daß sie mit den »ausgezeichneten Werken romanischen und gotischen Stils« in Köln verglichen werde, baute man sie nach dem Vorbild altchristlicher Basiliken, bereicherte aber in Wahrheit Köln durch ein Beispiel des Berliner Spätklassizismus. Die Trinitatiskirche ist eine Emporenbasilika mit vorgelegter Arkadenhalle an der Straßenfront und schlankem Glockenturm neben dem Chor. Beim Wiederaufbau erhielt sie eine moderne Stuckdecke. Zur neuen Ausstattung gehören eine bronzene Kanzel und ein Hängekreuz aus silberunterlegten, geschliffenen Glasplatten zwischen vergoldeten Stegen, Werke von Wolf von Borries. Die Wiederweihe fand 1965 statt.

An der Malzmühle 1 – der Filzengraben führt darauf zu – ist der Eingang zum UBIERMONUMENT, dem aus Tuffquadern errichteten Molenkopf, Eckbastion zur Sicherung der südlichen Einfahrt in den römischen Hafen. Die Parallelstraße zum Filzengraben, die Rheingasse, war im 13. Jh. von den Stammhäusern großer Kölner Patrizierfamilien umsäumt. Im 19. Jh. wohnten hier reiche evangelische Kaufleute. Das OVERSTOLZENHAUS, Nr. 8, – im 13. Jh. auch ›Haus zur Scheuren‹ genannt und im Laufe der Jahrhunderte den verschiedensten Besitzern gehörend – ist das einzige in Köln noch be-

Weinhaus Duhr.
Zeichnung von R. Anheisser.
1910. Köln. Stadtmuseum,
Graph. Slg.

stehende romanische Haus, um 1220–30 erbaut (Abb. 90). In seiner Vornehmheit kann es mit italienischen Patrizierhäusern konkurrieren. Die allerdings erneuerte Fassade besitzt einen Treppengiebel und eine reiche Fenstergliederung. In einer Bogennische wurde eine Turnierszene von drei gegeneinander reitenden Ritterpaaren freigelegt, Wandmalerei vom Ende des 13. Jh. Mit modernen Annexbauten versehen, dient das Overstolzenhaus dazu, in wechselnden Ausstellungen die wichtigsten Abteilungen des KUNSTGEWERBEMUSEUMS zu präsentieren. Erst ein eigenes Museumsgebäude wird es erlauben, die gesamte Schausammlung vorzustellen.

Um Vorlagen für das Kunstgewerbe der eigenen Zeit zu haben, sammelte das Museum kunsthistorisch wertvolle Gegenstände aus verschiedenen Jahrhunderten. Mit der Überwindung der Vorherrschaft des Historismus stellten sich dem Museum neue Aufgaben. Alle Bereiche des Lebens und der Kunst, auch die der dekorativen Künste, sollten erneuert werden. Die Werkstoffe neu zu sehen und ihnen neue Möglichkeiten abzugewinnen, hieß jetzt die Losung. Schon der Jugendstil ist nicht einfach das Ende der historischen Stile, sondern eher ein Aufbruch zu modernen Techniken mit moderner Formgebung. Hier sollte das Museum mit anregend wirken. Eine Zielsetzung, die auch heute noch gilt. Darüber ist jedoch die ursprüngliche Aufgabenstellung nie vernachlässigt worden, die Geschichte künstlerischen Gestaltens im Handwerk sowohl des heimischen als auch des überregionalen Bereichs zu dokumentieren.

Sammler wie Albert Figdor und Wilhelm Clemens beschränkten sich nicht nur auf Erzeugnisse des Kunstgewerbes, sondern waren auch an individuellen künstlerischen

Erzeugnissen interessiert, wenn an ihnen handwerkliches Gestalten dokumentiert werden konnte. Die Sammlung Figdor ist leider auseinandergerissen worden. Das Kölner Kunstgewerbemuseum konnte aus ihr die *Schleifkanne* der Bäcker zu Schweidnitz (1498) erwerben, ein mächtiges walzenförmiges Gefäß auf drei Blockfüßen mit sitzenden Löwenpaaren. Das Sammeln von Kunstwerken unter dem eben genannten Gesichtspunkt kann man um so besser an der Sammlung Wilhelm Clemens demonstrieren. Sie enthält u. a.: *Maria mit dem Kinde,* gemalt vom Meister der Magdalenenlegende, Brüssel, Ende 15. Jh.; *Maria mit dem Kinde,* Lindenholzskulptur von Tilman Riemenschneider, Würzburg um 1500/10 (Abb. 92); *Geburt Christi,* gemalt von Hans Memling, Brügge, um 1470 (als Leihgabe im Wallraf-Richartz-Museum). Die Vielfalt der Sammlung Clemens wird deutlich, wenn wir etwa folgende Stücke nebeneinander stellen: bronzevergoldetes *Vortragekreuz,* Schwaben, 2. Viertel 12. Jh.; *Deckelbecher* in hellem blaugrünen Glas, Deutschland, 1. Hälfte 16. Jh.; eiserne *Barbuta* (Helm), Mailand, 2. Drittel 15. Jh.; *Plakettenmodell Dido* von Peter Flötner, Nürnberg, vor 1546, aus Speckstein; bronzene *Lukretia* von Conrad Meit, um 1510–15; *Bacchus,* Lindenholzfigur von Balthasar Permoser, Ende 17./Anfang 18. Jh.

Kölner Wohnkultur wird uns deutlich, wenn wir den Wirkteppich der Manufaktur J. Fournier (Aubusson, um 1760/65) betrachten, eine *Landschaft mit Wahrsagerin,* der aus dem abgebrochenen Palais Geyr stammt.

Aufgabe eines Kunstgewerbemuseums ist es, die Werkstoffe und die in ihnen liegenden Möglichkeiten künstlerischen Gestaltens möglichst gleichmäßig zu präsentieren. Die Glassammlung ist besonders reizvoll, weil sie zum Vergleich mit den römischen und fränkischen Gläsern des Römisch-Germanischen Museums herausfordert. Besonders faszinierend ist der *Hochzeitspokal* aus dunkelgrünem Glas mit Vergoldung und farbiger Emailmalerei, die einen Triumphzug zeigt, Venedig, letztes Viertel 15. Jh. Aus Köln nennen wir das *Flügelglas mit Köln-Wappen* von Peter Wolf aus dem 17. Jh. (Abb. 93). Daneben können wir einen *Deckelpokal* aus farblosem Glas mit Schliff und Mattschnitt stellen, der die Stadtansicht und das Wappen von Breslau zeigt, Schlesien, um 1730/40. Aus Böhmen, um 1590, nennen wir einen *Humpen* mit Gold und farbiger Emailmalerei auf rauchfarbenem Glas. Eine besondere Kostbarkeit ist der *Deckelbecher* mit Planetengöttern von Jakob Fröhlich, Nürnberg, 2. Hälfte 16. Jh. Der Becher ist Silber, vergoldet, die Planeten sind auf Medaillons in Hinterglasmalerei dargestellt. Kölner Kannen mit Wappen der Stadt Köln begegnen wir unter den Zinnwaren. Kulturgeschichtlich von höchstem Interesse sind die *Pilgerzeichen* aus Zinn. Das älteste stammt aus Rom, 12.–13. Jh., eine Darstellung der Apostel Petrus und Paulus. Die Pilgerzeichen haben die Form von kleinen, runden oder rechteckigen, gelegentlich auch ovalen oder rhombischen Plaketten mit Reliefdarstellungen. Das schönste ist wohl das des hl. Quirinus, Neuß, 1. Hälfte 15. Jh. Dem Wallfahrtswesen werden die *Pilgerflaschen* verdankt, von denen das Museum ebenfalls gute Beispiele besitzt. Reich ist das Kölner Museum an Beispielen italienischer MAJOLIKEN. Auch die PORZELLANSAMMLUNG ist vielfältig, reizvoll etwa die anbetende Chinesin von Bustelli. Kulturgeschicht-

Pilgerzeichen aus Zinn.
Kunstgewerbemuseum

lich interessant der Freimaurer aus Meißen, 1743, und die Dame vom Mopsorden (der Mopsorden war eine um 1740 gegründete Deckorganisation der Freimaurer, nachdem Papst Clemens XII. sie 1736 exkommuniziert hatte), Meißen 1744, beides Modelle von J. J. Kaendler. Porzellanfiguren von Ernst Barlach und Ludwig Gies zeigen, daß auch im 20. Jh. diesem Werkstoff originelle Schöpfungen abgewonnen werden konnten. Unter den TEXTILIEN seien die Zeugnisse für Kölner Borte genannt. Das Bild wäre unvollständig, wiesen wir nicht auch noch auf die schönen Intarsienschränke hin.

Nach Verlassen des Museums wenden wir uns wieder nach links, durchschreiten den Filzengraben und biegen in die Königstraße ein, die uns zum Marienplatz führt. Gleich rechter Hand befindet sich das DREIKÖNIGENPFÖRTCHEN. In den Nischen auf der Innenseite stand die Gruppe der Anbetung der Heiligen Drei Könige; denn der Überlieferung nach wurden die Gebeine der Weisen aus dem Morgenland durch dieses Pförtchen nach Köln und in den Dom gebracht. Um die Figuren vor weiteren Verwitterungsschäden zu bewahren, befinden sie sich heute als Leihgabe im Schnütgen-Museum. Die Kalksteingruppe ist im 3. Jahrzehnt des 14. Jh. entstanden. Die Muttergottes ist eine kölnische Umformung einer lothringischen Sitzmadonna. Eigenartig ist die Nacktheit des auf dem Schoß Mariens stehenden Jesuskindes. Das Motiv des vorgehaltenen Tuchs begegnet im Kölner Kunstkreis des öfteren.

Durch das Dreikönigenpförtchen betreten wir den Lichhof, den früheren Stiftsfriedhof. Von hier haben wir einen guten Blick auf die Dreikonchenanlage von ST. MARIA IM KAPITOL (1975 weitgehend wiederaufgebaut). Wir biegen in die Pipinstraße ein bis zur Kasinostraße, um zum Eingang der Kirche zu kommen. Der im 19. Jh. wiederhergestellte KREUZGANG und die ihn umschließenden Gebäude schaffen eine Zone der Ruhe und Vorbereitung (Abb. 95). Im Quadrum steht die Steinfigur *Trauernde* von Gerhard

Marcks. Das Motiv des trauernden Engels, das uns in der Antoniter-Kirche bei Ernst Barlach begegnet war, kehrt noch einmal wieder. Gestiftet wurde die Kirche St. Maria im Kapitol von der Gemahlin Pippins II., Plektrudis, um 689. Im Normannensturm 881 ist dieser Gründungsbau, wie so viele andere Kölner Kirchen, untergegangen. Die Erneuerung folgte unter Erzbischof Bruno. Damals wurden die Fundamente des Westwerks gelegt. Doch ist der eigentliche Kirchenbau im wesentlichen der Äbtissin Ida (1015–1060) zu danken, einer Tochter des Pfalzgrafen Ezzo von Brauweiler und Schwester des Erzbischofs Hermann I. von Köln. Um 1200 wurde der Ostchor als Schauseite zum Rhein hin in reinsten romanischen Formen ausgestaltet. Reizvolle Zutaten der Spätgotik sind die beiden Kapellen zu Seiten der Ostapsis, die Hardenrathkapelle von 1466 und die Hirtzkapelle, 1493. Der Westturm stürzte 1637 ein und wurde verkürzt, mit barockem Helm wieder aufgebaut. Die für das 11. Jh. einzigartige Grundrißgestaltung mit Dreikonchenanlage und den Chorumgängen macht St. Maria im Kapitol zu einer der bedeutendsten Kirchen des Abendlandes.

Der kleeblattförmige CHOR hat in Köln und am Niederrhein im 13. Jh. des öfteren Nachfolge gefunden. An Größe kommt die Dreikonchenanlage dem Langhaus gleich. Die KRYPTA, die unter ihr liegt, steht in unmittelbarer Nachfolge der Krypta des Kaiserdoms zu Speyer (Abb. 96). Sie besteht aus einem dreischiffigen Hauptraum mit fünf Jochen und drei anschließenden Kapellen sowie zwei querschiffartig durch Arkaden verbundenen quadratischen Nebenräumen über Mittelpfeilern mit Altarnischen. – Im Westen erhob sich der nur in seinen unteren Teilen erhaltene quadratische Mittelturm, der sich in den unteren Geschossen durch eine kunstvolle Arkadenwand zum Langhaus hin öffnet. In zwei Entlastungsbögen sind dreiteilige Arkaden eingestellt, deren obere zwei weitere Säulen tragen. Das Obergeschoß, durch antikisierende, korinthische Formen nachahmende Kapitelle geschmückt, war wohl dem Herrscher bzw. der den Ottonen verwandten Äbtissin vorbehalten. – Die Maße des LANGHAUSES waren durch den römischen Vorgängerbau bestimmt. Sieben Arkaden auf breiten Pfeilern gliedern das Mittelschiff. In den steilen Seitenschiffen sind den Pfeilern halbrunde Säulen mit glatten wuchtigen Würfelkapitellen vorgelagert, zwischen den Gurten Kreuzgratgewölbe. Sie gehören zu den frühen Einwölbungen. Das Mittelschiff wurde erst um 1240 eingewölbt. Im Zweiten Weltkrieg wurde St. Maria im Kapitol aufs schwerste beschädigt. Sogar die Decke zur Krypta wurde aufgerissen. 1948 stürzte die ungesicherte Ostkonche ein, eine Spätfolge des Zweiten Weltkrieges. Die Wiederaufbauarbeiten waren außerordentlich mühevoll und dauern jetzt noch an. 1951 wurde die Krypta, 1956 das Langhaus (Ft. 14) und das Westwerk wiederhergestellt. Dabei wurde auf eine Wiedereinwölbung des Mittelschiffs verzichtet. Statt dessen entschied man sich für eine flache, dem ursprünglichen Zustand nahekommende Holzdecke aus farbig gemusterten Naturhölzern. Sie ist als Gegenakzent zum Westwerk gedacht. Die Kreuzgratgewölbe in den Seitenschiffen sind zum Teil erneuert worden. Die Maßwerkfenster im südlichen Seitenschiff – ebenso wie die Decke ein Werk von Willy Weyres – wollen keine bloße Nachahmung vergangener Formen sein, wirken aber vielleicht gerade des-

Dreikönigenpförtchen und Sangesmeisterhäuschen an St. Maria im Kapitol. Zeichnung von R. Anheisser. 1910. Köln. Stadtmuseum, Graph. Slg.

wegen ein wenig schwerfällig. 1975 wurde die Rekonstruktion des Trikonchos im Rohbau vollendet. Doch kann die Trennwand zum Langhaus hin erst nach völliger Wiederherstellung entfernt werden.

Der Bedeutung der Architektur entspricht die Qualität der Ausstattung. Etwa gleichzeitig mit den gegossenen Augsburger Türen sind die hölzernen Türen für St. Maria im Kapitol entstanden (2. Viertel 11. Jh.). Sie schlossen einst das Portal der Nordkonche, dem der Stadt zugewandten Teil der Choranlage. In der Anordnung von Rahmen und Reliefs folgen die *Holztüren* den altchristlichen Vorbildern, wie sie in St. Ambrogio, Mailand (Ende 4. Jh.) und Santa Sabina, Rom (422–32), überliefert sind. Auf dem linken Türflügel ist die Jugendgeschichte Christi nach Matthäus dargestellt: Verkündigung (Abb. 102), Heimsuchung, Hirten auf dem Feld, Geburt, die Heiligen Drei Könige vor Herodes, Anbetung, Warnung Josephs durch den Engel im Traum, Flucht nach Ägypten (Abb. 103), die Nachricht vom Wegzug der Heiligen Drei Könige, Aussendung von Boten des Herodes zu den Schriftgelehrten, Aussendung von Kriegern, bethlehemitischer Kindermord, Darbringung im Tempel, Taufe Christi, darunter angestückt

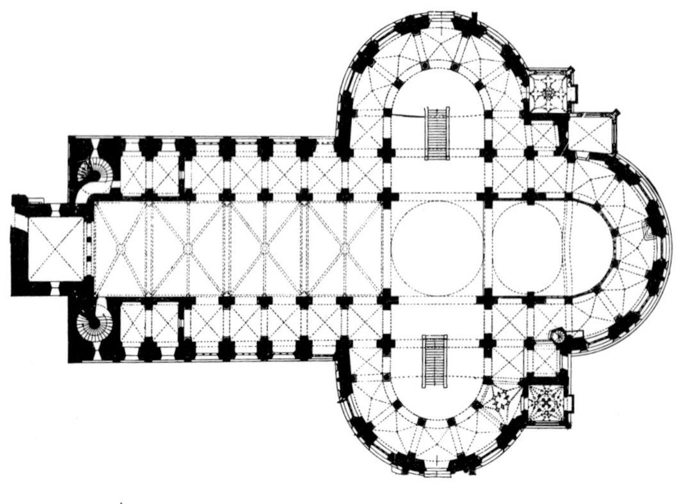

St. Maria im Kapitol.
Grundriß (1907) und
Längsschnitt des
Zustandes von 1065
(nach W. Schorn)

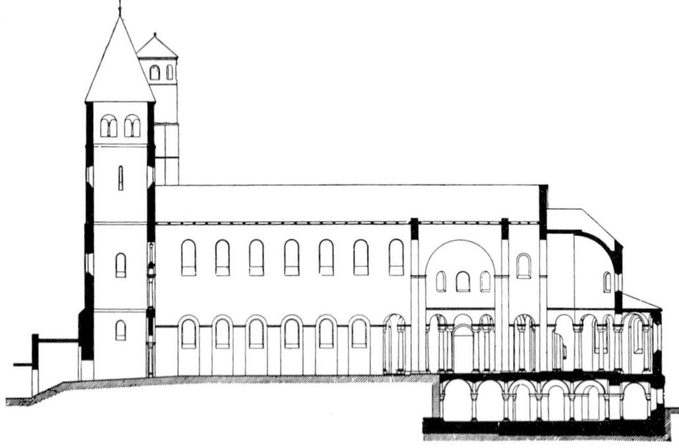

die erste und zweite Versuchung Christi. Der rechte Flügel enthält die Leidensgeschichte, das meiste nach Lukas: Einzug Jesu in Jerusalem, Heilung des Blinden, Auferweckung des Lazarus (Ft. 15), Jesus am Ölberg, Einsetzung Petri, letztes Abendmahl, Himmelfahrt, Kreuzigung, Frauen am Grabe, Pfingsten (Abb. 101) und wieder angestückt die dritte Versuchung, sowie die Engel, die zu Christus treten, um ihm zu dienen. Auf dieser Seite ist also die chronologische Ordnung teilweise umgestellt. Bei den Bildern wechseln Einzeldarstellungen und Doppelszenen. Möglicherweise haben zwei Künstler die Schnitzereien geschaffen. Auffallend ist jedenfalls, daß neben Szenen, die wie Kultbilder wirken, andere mehr erzählerischen Charakters stehen. Für das letztere sei auf die köstliche Darstellung des Brezel tragenden Joseph in der Szene der Flucht nach Ägypten verwiesen (Abb. 103). Besonders bemerkenswert ist die Pfingstdarstellung; denn mitten unter den Aposteln, über denen die Flammen des Heiligen Geistes zucken, steht Christus (Abb. 101). Die Formensprache der Schnitzerei verrät Abhängigkeit von kleinfigurigen Elfenbeinen, die um die Jahrtausendwende an der Maas entstanden sind. Von der ursprünglichen festlichen Farbigkeit in leuchtenden roten, gelben, blauen und grünen Tönen geben Reste nur noch eine unvollkommene Vorstellung.

Um 1180/1190 ist die *Kalksteingrabplatte* für die Stifterin *Plektrudis* anzusetzen (Abb. 98). Der Blick der großen Augen und die erhobene Rechte verleihen ihr eine stille Hoheit. Reizvoll ist der Vergleich mit dem *Epitaph der Plektrudis* aus dem letzten Drittel des 13. Jh., es verbindet Ernst und Würde mit höfischer Gesittung. Plektrudis ist mit dem Modell der Kirche in der Linken unter gotischer Arkade stehend dargestellt. Dem Ende des 12. Jh. gehört die ursprünglich als Relief konzipierte Steinfigur einer stehenden *Muttergottes* an, die den mit einem langen Gewand bekleideten Knaben auf der Linken hält. Sie soll das Marienbild gewesen sein, das der hl. Hermann-Joseph in seiner Kindheit täglich aufgesucht hat. Fast befremdlich wirkt auf uns heute die von der Giebelnische stammende *Thronende Maria mit Kind* (Abb. 97). Die blockhafte Gestalt mit dem eigentümlich glotzenden Blick aus den Glasaugen besitzt den Charakter des Urtümlichen. An die Straßburger und Freiburger Madonnen erinnert die um 1300 entstandene *Madonna* aus Eichenholz (Abb. 99). Der Spätgotik gehört die reich gewandete *Maria als Fürbitterin* an, die 1466 zugleich mit der Figur des Christus als Salvator mundi geschaffen wurde. Von erschütternder Wirkung ist der *Gabelkruzifixus* von 1304 (Abb. 100). In Todesqual verkrampft und heftig blutend hängt der ausgezehrte Körper in sich zusammengesunken an den Zweigen des Kreuzesbaumes.

Trotz der Brandschäden verdient der LETTNER besondere Beachtung (Ft. 14). Angefertigt nach einem Entwurf von Jan van Roome in Mecheln, 1523, ist dieses Meisterwerk flandrischer Bildhauerei zugleich das früheste Renaissancedenkmal Kölns. Gestiftet wurde er, wie die Wappen und die Heiligen als Namenspatrone beweisen, von Georg und Nicasius Hackeney. St. Maria im Kapitol besitzt auch noch einen wertvollen Kirchenschatz, darunter einen romanischen Tragaltar aus der Werkstatt von St. Pantaleon, um 1170 entstanden. Beim Verlassen der Kirche und des ihr vorgelagerten Kreuzganges fällt unser Blick auf das schlichte Äbtissinnenhaus aus dem 18. Jh., Kasinostraße Nr. 3. Eine Inschrift über der Tür erinnert uns daran, daß in diesem Gebäude Friedrich von Schlegel 1804–06 gewohnt hat.

Die Kasinostraße führt uns in linker Richtung zur Stephanstraße und von dort in die Sternengasse. Die schönen Patrizierhäuser sind im Kriege völlig zerstört worden. Aber noch immer ist diese Straße für den Kölner voll interessanter geschichtlicher Erinnerungen. Im Haus Nr. 10 verbrachte Peter Paul Rubens seine Kindheit. Maria de Medici starb als Emigrantin 1641 in der Sternengasse (ihr Herz ist in der Dreikönigenkapelle des Doms beigesetzt). Vom Jabachschen Hof stand bis ins 20. Jh. wenigstens noch der Gartensaal. Im Saal der Musikalischen Akademie gab Beethoven als Siebenjähriger am 26. März 1778 sein erstes öffentliches Konzert. Im Haus Nr. 22

wurde 1844 der Maler Wilhelm Leibl geboren. Heute wird die Sternengasse durch das FERNMELDEZENTRUM (1958–65) mit dem 70 m hohen Turmhochhaus beherrscht (Abb. 145). Die Straße wird unterbrochen durch die in den frühen 60er Jahren angelegte Nord-Süd-Fahrt. In diesem Abschnitt heißt sie Neuköllner Straße. Ihr folgen wir nach links, bis wir über eine kleine Treppe den Großen Griechenmarkt erreichen. Nr. 39 ist ein doppelgiebliges Bürgerhaus von 1590 IM BACHEM. Es besitzt die einzige erhaltene alte Wendeltreppe in einem Kölner Haus. Wir wenden uns nach rechts zur Kämmergasse, benannt nach den Wollkämmern, die hier im Mittelalter ihren Sitz hatten. Hier steht das 1958 errichtete AGRIPPABAD. Die Kämmergasse führt uns auf die Fortsetzung der Sternengasse, heute Leonhard-Tietz-Straße, mit dem 1950 errichteten Verwaltungsbau der Kaufhof AG.

Im Zweiten Weltkrieg wurde der Bezirk der St. Peters-Pfarrei in eine Ruinenlandschaft verwandelt. Auch die beiden Kirchen St. Peter und St. Cäcilien, das einzige Beispiel einer noch bestehenden Doppelkirchenanlage in Köln, wurden schwer getroffen. Beim Wiederaufbau ist die Peterskirche in eine neue Pfarrinsel eingebettet worden, deren Bauten Karl Band verdankt werden. Wenn wir die Kirche von außen betrachten, müssen wir uns klar sein, daß die Gestalt der Dächer heute viel einfacher und schmuckloser ist, als sie es vor der Zerstörung war. Um die Mitte des 12. Jh. wird ST. PETER als Pfarrkirche des Cäcilienstiftes erstmals genannt. Von der romanischen Kirche dieser Zeit stammt der Westturm. Vermächtnisse und Stiftungen des kölnischen Patriziats ermöglichten es, 1512–30 eine spätgotische Emporenkirche zu errichten, die letzte baukünstlerische Leistung der kölnischen Spätgotik. Beim Eintritt in die Kirche ist man von der großzügigen Raumwirkung beeindruckt. Allerdings wird sie heute durch die kassettierte flache Holzdecke etwas beeinträchtigt. Aus statischen Gründen mußte auf eine Wiedereinwölbung des Mittelschiffs verzichtet werden. In den Seitenschiffen sind die Gewölbe erhalten geblieben, bzw. zum Teil wiederhergestellt worden. Hier befinden sich die spätexpressionistischen Fresken, die Hans Zepter 1925/28 nach Angaben von Hans Verbeek angefertigt hat. Die auf der Westseite zum Teil zerstörten Emporenbrüstungen und die Werksteinbrüstungen an der Taufkapelle hat G. H. Reifschneider neu geschaffen. Die neue Orgel wurde nach einem Entwurf von Karl Band gebaut. Erhalten blieb glücklicherweise ein Teil der schönen *Renaissanceglasfenster*. Die Kabinettscheiben im Chor sind Stiftungen. Die mittlere mit der Darstellung der Kreuzigung und der Fahrt Christi in die Vorhölle wurde 1528 von der Äbtissin des Cäciliendamenstiftes Elisabeth von Manderscheid gestiftet. Das nördliche Chorfenster ist eine Stiftung des Kirchmeisters Hermann von Wesel und seiner Tochter Katharina. Die erhaltenen Renaissancefenster durch moderne Glasfenster zu ergänzen, war eine schwierige Aufgabe, die mit großem Einfühlungsvermögen gelöst worden ist.

Der von den Erben Jabach gestiftete Hochaltar von 1642 mit *Petri Kreuzigung* von Rubens wurde Ende des 19. Jh. aus stilistischen Gründen abgebrochen und durch einen niederländischen Flügelaltar um 1525 ersetzt. Der Krieg zerstörte dieses Kunstwerk. Zwei der Altarflügel konnten gerettet werden, *Auferstehung* und *Ecce Homo*.

Das Pfarrsiegel von St. Peter

Sie hängen jetzt in der Kreuzkapelle. Die *Kreuzigung Petri* ist heute vor der Taufkapelle hinter einem schönen Gitter aufgestellt (Abb. 112). Wenn man die Kirche von der Südseite aus betritt, steht man als erstes vor diesem berühmten Bild. Der gewaltige Greisenkörper des Apostelfürsten leuchtet durch sein helles Inkarnat. Ihm gegenüber verblassen die Henker, die wohl von der Hand von Rubensschülern stammen. Die Peterskirche besitzt noch einige weitere schöne Ausstattungsstücke, so eine *Madonna mit Kind* aus dem Anfang des 15. Jh. (zweiter linker Pfeiler). Eine barocke Madonnenfigur befindet sich an der östlichen Turmwand. In ihrer Formstrenge beeindruckt die herbe Holzskulptur der *Pietà* von Josef Rikus, Paderborn (südliches Seitenschiff). Eine gute Südtiroler Arbeit der Spätgotik ist der *Christus an der Geißelsäule.* Im Kirchenschatz finden sich bedeutsame Werke Kölner Silberkunsthandwerks und ebenso Kaseln mit Kölner Borten.

Durch den Nordeingang mit Bronzetür, Darstellung des ersten Sündenfalls von Karl Burgeff erreichen wir den kleinen Binnenhof zwischen St. Peter und ST. CÄCILIEN. Vor dem Zweiten Weltkrieg waren beide Kirchen durch einen Gang miteinander verbunden. Jetzt wird er durch eine Mauer mit einem romanischen Tor ersetzt. Bereits in der Merowingerzeit war anscheinend schon ein kleiner Kultbau auf dem Thermenplatz errichtet. Von dem ottonischen Kirchenbau aus der Zeit Bruno I. sind noch die Nordwand und Reste der fünfschiffigen Westkrypta erhalten. In der Stauferzeit, um 1170, entstand der heutige Bau, eine Pfeilerbasilika ohne Querschiff. Das Mittelschiff besaß ursprünglich eine flache Decke. Beim Wiederaufbau nach dem Zweiten Weltkrieg wurde darum auf die Rekonstruktion der Mittelschiffgewölbe verzichtet. Heute deckt es eine schwachprofilierte Kiefernholzdecke. Aus statischen Gründen mußte auch die Wiederherstellung des Dachreiters unterbleiben. Gegenüber der früheren Form wirkt das Dach heute ärmlich. Die Westfassade stammt von der Umgestaltung der Kirche 1848/49. Vom Nordeingang wurde ein Kalksteinrelief (vgl. Abb. 110) aus der Werkstatt von St. Pantaleon ins Innere des Schnütgen-Museums versetzt (Abguß an der alten Stelle). Ein Engel neigt sich über die Märtyrin Cäcilia. Zu ihr eilen ihr Bräutigam Valerianus und dessen Bruder Tiburtius. – An den Wänden des Chorgevierts befinden sich *Wandmalereien* aus dem letzten Drittel des 13. Jh. Die Darstellungen aus dem Leben Christi auf der Südwand sind erhalten, die aus der Legende der hl. Cäcilia auf der Nordwand gingen während des 2. Weltkriegs zur Hälfte verloren.

Die Kirche ist der ideale Raum für das SCHNÜTGEN-MUSEUM. Als ›Diaphanie von Raum und Licht‹ (Anton Legner) – u. a. durch die Freilegung der Krypta – wirkt das nach neueren didaktischen Erkenntnissen umgestaltete und im Juni 1977 abermals eröffnete Museum. Es sammelt vor allem Sakralkunst des Mittelalters, wobei das hauptsächliche Interesse dem Rheinland und den angrenzenden Landschaften gilt (Abb. 110, 111). An erster Stelle müssen die *Elfenbeinschnitzereien* genannt werden. Das karolingische Diptychon aus der Aachener Hofschule Karls d. Gr. um 800 gehört zu deren besten Arbeiten. Der sog. Kamm des hl. Heribert, der auf der Vorderseite die Kreuzigung, auf der Rückseite Akanthusstauden zeigt, ist ein Werk der jüngeren Metzer Schule, 2. Hälfte 9. Jh.; der Buchdeckel mit Christus, dessen Hände die palmtragenden Märtyrer Victor und Gereon segnen, unter ihnen die Thebäische Legion, ist eine Kölner Arbeit um 1000 (Abb. 106). Aus dem letzten Viertel des 10. Jh. stammt der Buchdeckel mit Christus und den Aposteln, ebenfalls eine Kölner Arbeit (Leihgabe des Kunstgewerbemuseums). Das Evangeliar aus St. Maria Lyskirchen (ursprünglich aus St. Georg) zeigt auf seinem Deckel in einem in vergoldetem Kupferblech gravierten Rahmen aus dem 15. Jh. das Elfenbeinrelief einer Kreuzigung, angefertigt vom Meister der Kreuzigungstafel der Äbtissin Theophanu in Essen (1039–56). Die Walroßzahntäfelchen mit der Geburt Christi, umgeben von der siebentürmigen Mauer Jerusalems, und mit den Frauen am Grabe Christi sind Hauptwerke der Kölner Elfenbeinschnitzerei. Ein karolingisches Evangeliar aus Nordfrankreich hat einen Deckel, Köln, um 1170, der zu den besten Arbeiten der romanischen kölnischen Schmiedkunst gehört.

Der *Kruzifixus* aus St. Georg steht in der Nachfolge des Gerokreuzes, wirkt aber abstrakter (Abb. 104). Das *Tympanon* von St. Pantaleon, Köln um 1160–70, zeigt zu seiten der Deesis (Christus, Maria und Johannes d. T.) Pantaleon als Patron und Bruno als Stifter der Kirche. Trotz ihrer Verstümmelung in der Franzosenzeit – sämtliche fünf Figuren sind ihrer Köpfe beraubt – ist es immer noch ein erhabenes Werk. Ihm nahe steht die *Siegburger Madonna* (Abb. 107), die halbfigurig auf einer Brüstung von Paradiesranken und vor einer mandorla-artigen Folie erscheint. Den Apfel weist sie als Zeichen der neuen Eva vor. Elfenbeinreliefs aus Byzanz mögen vorbildlich gewesen sein. Doch finden sich auch Parallelen in der Kölner Buchmalerei. Die sog. *Aachener Madonna*, Rhein-Maas-Gebiet, um 1220, besitzt geschmeidige Körperformen im Verein mit antikisierenden Gewandfalten und steht der Goldschmiedekunst in der Nachfolge des Nikolaus von Verdun, aber auch der nordfranzösischen Kathedralplastik nahe (Abb. 105). Ein wichtiges Werk der von Oberitalien beeinflußten Tiroler Plastik sind *Maria* und *Johannes* vom Sonnenburger Triumphkreuz, Pustertal, Anfang 13. Jh. Die *Kendenicher Madonna*, um 1290–1300, ist trotz ihres fragmentarischen Erhaltungszustands noch immer als ein Meisterwerk der hochgotisch-kölnischen, vom Westen und vom Oberrhein bestimmten Holzskulptur kenntlich. Der gleichen Zeit gehört auch die schöne *Ollersheimer Madonna* an. Die Muttergottes vom 1882 abgebrochenen Friesen-

89 St. Maria Lyskirchen. Sog. Schiffermadonna. Um 1420

90 Overstolzenhaus, Rheingasse. Um 1220–30

91 Bartmannkrug. Köln, 1. Viertel 16. Jh.

92 Tilman Riemenschneider, Maria mit dem Kinde. Würzburg, um 1500–1510

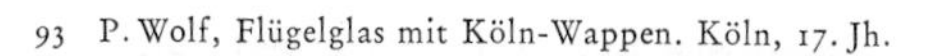

93 P. Wolf, Flügelglas mit Köln-Wappen. Köln, 17. Jh.

94 M. Lechter, Glasfenster aus dem Pallenberg-Saal. 1900

95 Blick auf den Kreuzgang. Rechts die ›Trauernde‹ von Gerhard Marcks

96 Die Krypta. 1065

97

98

99

97 Thronende Maria mit Kind. Um 1200

98 Grabmal der Stifterin Plektrudis.
Um 1180–90 (oben rechts)

99 Muttergottes aus Limburg bei Bad Dürkheim.
Um 1300

100 Gabelkruzifix. 1304

101 Pfingsten. Ausschnitt aus dem rechten Türflügel. 2. Viertel 11. Jh.

102 Verkündigung der Hirten. Ausschnitt aus dem linken Türflügel

103 Warnung Josephs durch den Engel und Flucht nach Ägypten. Ausschnitt aus dem linken Türflügel

104 Schnütgen-Museum. Kruzifixus aus St. Georg. Um 1067

105 Sog. Aachener Madonna.
Rhein-Maas, um 1220

106 Buchdeckel mit Elfenbeinrelief. Köln, um 1000

107 Siegburger Madonna. Niederrhein, um 1150–1160

108 Christus auf dem Palmesel. Köln, um 1500

109 Die Parlerbüste. Köln, um 1390 (1977 restauriert)

110 Schnütgen-Museum. Das südliche Seitenschiff mit dem Tympanon von St. Cäcilien

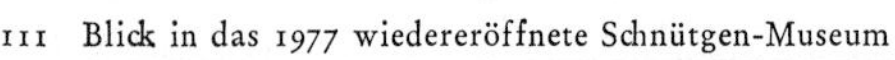
111 Blick in das 1977 wiedereröffnete Schnütgen-Museum

112 St. Peter. Kreuzigung des Petrus von Peter Paul Rubens (1577–1640)

113 Weihnachtsmarkt auf dem Neumarkt. Im Hintergrund St. Aposteln

114 Die Kölner Oper (1957), links vorne das Schauspielhaus. In der Mitte des Platzes die ›Sappho‹ von Bourdelle

115 Turm des Richmodishauses am Neumarkt mit den beiden Pferdeköpfen

116 St. Aposteln (11.–12. Jh.). Blick in das neugestaltete Langhaus zum Chor

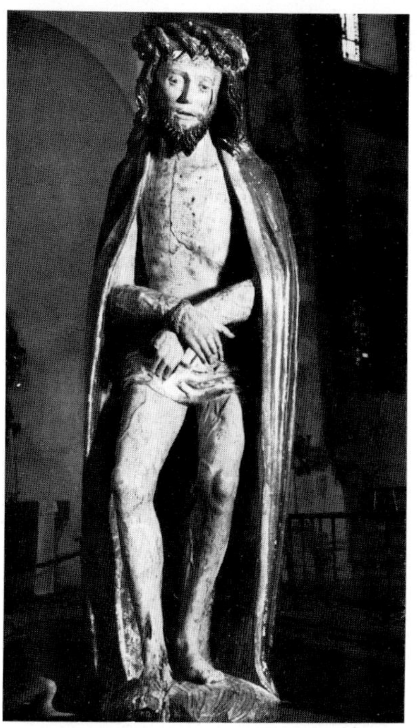

117 St. Aposteln. Schmerzensmann. Um 1450

118 St. Maria in der Kupfergasse. Makkabäeraltar, 1717 von J. F. v. Helmont geschaffen

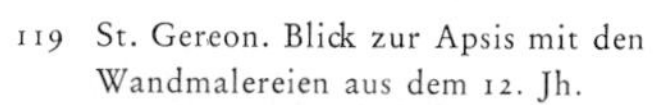

119 St. Gereon. Blick zur Apsis mit den Wandmalereien aus dem 12. Jh.

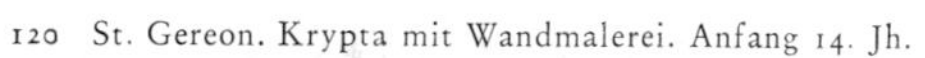

120 St. Gereon. Krypta mit Wandmalerei. Anfang 14. Jh.

121 St. Gereon

tor, Nußbaum (um 1370) zeigt in ihrer Körperlichkeit und ihrem Wirklichkeitssinn den gleichen Geist, der für den Parlerkreis charakteristisch ist, eine Nähe somit auch zu den Portalfiguren des Eingangs im Südturm des Doms. Die Nußbaumgruppe *Maria inmitten heiliger Jungfrauen*, die um 1430 am Mittelrhein entstanden ist, stellt eine Variante der Gottesmutter im Paradiesgärtlein dar. Die *Muttergottes in der Mantelfülle* (Utrecht, um 1470–80) gehört wie auch andere Beispiele spätgotischer Plastik in den Bereich des Intimen, Persönlichen, der privaten Andacht. Am Niederrhein, um 1520, entstand die kleine Eichenholzstatue der *Schaager Madonna*, die – noch in der spätgotischen Tradition stehend – schon ein renaissancehaftes Körpergefühl besitzt. Die Hängegruppe der *Hl. Anna Selbdritt* und der *Muttergottes auf der Mondsichel* aus der Werkstätte des ›Meisters von Osnabrück‹, um 1520, veranschaulicht den Glauben an die Unbefleckte Empfängnis.

Einige weitere Beispiele mögen die Vielseitigkeit der Schausammlung dokumentieren: *Antependium von St. Ursula*, Köln, um 1170, im oberen Register großenteils 14. Jh., im unteren ergänzt durch den Kölner Museumskonservator J. A. Ramboux; *Grubenschmelzkreuz* aus dem Umkreis des Eilbertus Coloniensis; *Sternbild der Jungfrau*, Relief aus der Abteikirche Brauweiler, zwischen 1065 und 1084, zu den Inkunabeln rheinischer Monumentalskulptur gehörend; *Geiger und Tänzer* von einem David-Zyklus, ein Werk des Samsonmeisters, um 1210; *Christkindwiege*, Köln, um 1350, ein Erstling dieser Gattung, die der privaten Andacht vornehmlich in Frauenklöstern galten; *Wassenberger Chorgestühl*, Niederrhein, um 1300, im Aufbau dem im Zweiten Weltkrieg verbrannten Chorgestühl von St. Gereon verwandt; *Christus am Astkreuz*, Köln, 2. Viertel 14. Jh.; *Bopparder Gebotefenster*, Mittelrhein, um 1440/46, ein gutes Beispiel der mittelrheinischen Glasmalerei des soeben überwundenen ›weichen Stils‹; Apostel *Philippus und Bartholomäus*, Alabasterstatuetten aus der Werkstatt des Rimini-Altares, um 1420; *Kalvarienberg*, Eichenholzrelief, Niederlande, um 1430–40, in seinem Ausdruck verwandt Bildern der Gebrüder van Eyck und ihres Umkreises, von denen aus literarischen Quellen bekannt ist, daß sie auch bildhauerisch tätig waren, wenn ihnen auch bisher keine bestimmten Werke zugesprochen werden können; *Wandbehang* mit den Heiligen Drei Königen, Erfurt, um 1470; *Kissenplatte*, Jungfrau mit dem Einhorn, Niederdeutschland, 3. Viertel 15. Jh.; *Christus auf dem Palmesel* aus der Pfarrkirche St. Kolumba, Köln, um 1500 (Abb. 108); *Passionsaltar* des Heinrich Douvermann (tätig um 1510–44), vielfiguriger Kastenschrein – Felsenbühne mit den Szenen der Kreuzabnahme, Grablegung und Auferstehung –, Figuren, die noch der Tradition der rheinischen Spätgotik verpflichtet sind, aber auch an die Renaissancestatuen des Arnt van Tricht erinnern; *Memento mori* in Form einer Tumba, Einlegearbeit aus Elfenbein und Ebenholz, Westschweiz, um 1520, in der Nachfolge französischer und burgundischer Grabmäler des 15. und beginnenden 16. Jh., aber auch Elemente der Totentänze verwendend (Leihgabe Slg. Ludwig); Großer *Meßornat der Kaiserin Maria Theresia*.

Wir verlassen das Museum durch die Straße Cäcilienkloster zur Cäcilienstraße, Richtung Neumarkt.

4. Vom Neumarkt zum Kaiser-Wilhelm-Ring

Auf dem Areal des Cäcilienstifts, südöstlich des Neumarkts, erbaute J. Peter Weyer 1843/47 das Bürgerhospital, das erste städtische Krankenhaus Kölns. Im Zweiten Weltkrieg wurde es weitgehend zerstört. Die Stadt verzichtete auf den Wiederaufbau und bestimmte das Gelände zum KULTURZENTRUM. Als erstes entstand 1964 das Gebäude der Volkshochschule. An seiner Front befindet sich ein riesiges Bronzerelief von Arnoldo Pomodoro *Hymne an das technische Zeitalter*, 1964/65. Das neue Gebäude des Kunstvereins wurde 1967 ebenso eröffnet wie die Kunsthalle. Diese wurde 1979 dem Mäzen der Klassischen Moderne zu Ehren in Josef-Haubrich-Kunsthalle umbenannt. Sie dient wechselnden Ausstellungen der sieben Städtischen Museen, sowie Ausstellungen in eigener Regie. An ihre Südwestecke grenzt das FORUM, ein Vortragsgebäude, auf der westlichen Seite steht das Gebäude der Zentralbücherei, eröffnet im September 1979. Alle diese Bauwerke sind nüchtern, aber zweckmäßig. Sie umschließen einen ruhigen Platz, den Josef-Haubrich-Hof. An der Ecke Cäcilienstraße/Neumarkt befindet sich das KUNSTHAUS LEMPERTZ, eines der großen deutschen Auktionshäuser. Wenige Schritte weiter, Cäcilienstraße 46, steht das BELGISCHE HAUS, eines der drei ausländischen Kulturinstitute in Neumarktnähe.

Der im 11. Jh. angelegte NEUMARKT diente seit dem Spätmittelalter als Viehmarkt. Gleichzeitig nützte ihn die Stadt seit dem 15. Jh. auch als Schützenhof. Die Schützenfeste waren weit über die Grenzen Kölns hinaus berühmt. Trotz des Lärms bei Festen und Märkten war der Neumarkt eine gute Adresse. Vor allem an der Nordseite gab es seit Jahrhunderten eine Reihe vornehmer Bauten. Zu den berühmtesten Häusern Kölns gehörte der am Anfang des 16.Jh. errichtete Hof des Nicasius Hackeney. 1727/29 wurde der Nesselroder Hof gebaut, der später als Militärkasino diente. Matthias Biercher errichtete sich ein schönes Wohnhaus, wie überhaupt gerade im Klassizismus der Neumarkt durch eine fast gleichmäßige Bebauung den Charakter vornehmer Wohnlichkeit erhielt. Allzuviel davon ging schon im späteren 19. Jh. wieder verloren, als sich große Geschäftshäuser immer mehr ausbreiteten. Der bereits von Oberbürgermeister Adenauer als verkehrstechnisch notwendig erkannte und gegen Ende der 30er Jahre verwirklichte Ost-West-Durchbruch minderte die Geschlossenheit des Platzes. Durch die Zerstörungen des Zweiten Weltkrieges wurde das Bild vollends entstellt. Nach dem Wiederaufbau wirkt der Neumarkt ziemlich nüchtern. Doch immer noch ist hier eine der volkstümlichsten Sagen Kölns präsent. Sie weiß zu berichten, daß die Pest des Jahres 1357 auch die Gattin des Mengis von Aducht, Richmodis, hinwegraffte. Sie wurde in der Familiengruft in der Apostelnkirche beigesetzt. Ihr Schmuck, besonders ihr Trauring, reizte die Totengräber zur nächtlichen Leichenfledderei. Aber Richmodis war nur scheintot. Als die Grabplatte abgehoben wurde und der kalte Luftzug sie be-

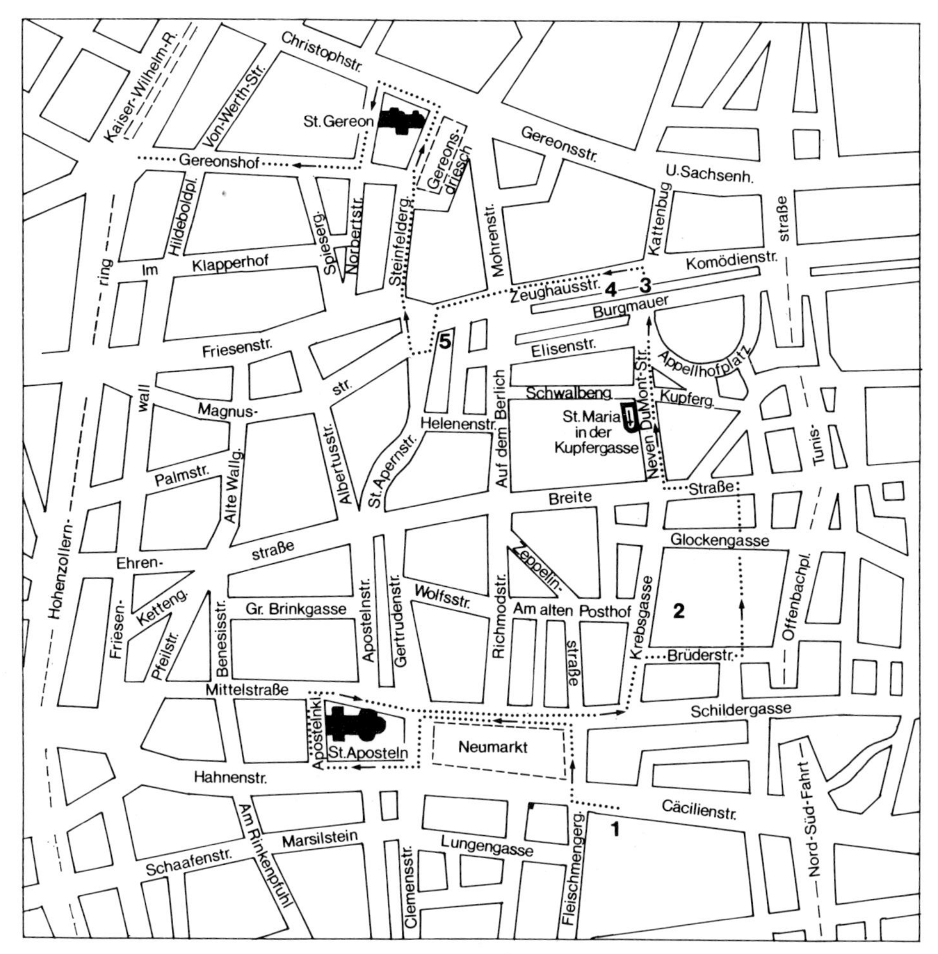

1 Kulturzentrum 2 Opern- und Schauspielhaus 3 Römerbrunnen 4 Zeughaus 5 Römerturm

rührte, erwachte sie zu neuem Leben. Die diebischen Totengräber glaubten, ein Gespenst vor sich zu sehen. Ihr aber gelang es, der Gruft zu entsteigen und zu ihrer Wohnung zurückzukehren. Als sie an die Türe klopfte und um Einlaß bat, schien ihrem Mann ihre Wiederkehr so unmöglich, daß er rief: »Es ist so viel wahr, daß Du mein Eheweib bist, als auch meine Rosse aus dem Stall hinauf auf den Söller rennen.« Kaum hatte er das gesagt, als er auch schon auf der schmalen Wendeltreppe das Klappern der Hufe seiner Pferde hörte, die zum Söller stürmten. Er aber eilte zur Tür, um seine Frau in die Arme zu schließen. Zum Andenken an das wunderbare Ereignis soll

Ein neues Lied von dem wahrhafften Geschicht, so sich vor vier hundert Jahren in Cöllen am Neumarck auf dem Kirchhoff zu Sanct Apostelen hat zugetragen / Da die Frau vom Todt aus dem Grabe stehet.

In eigenem Thon zu singen.

1.

Komm wer will hören ein neues Lied, all was auff dem Neumarck ist gescheht, von einer Frauen Richmuth genant, von 17. Geschlechter war sie bekant.

2.

Als sie starb man legt sie in die Lath, und trug sie nach Sanct Apostelen gerad, der Mann aus lauter Liebe sprach: laß meiner Frauen den Trau-Ring an.

3.

Des Nachts umbtrint die halbe Mit-Nacht, der Todten-Gräber zum Knechten sprach, wir wollen nach dem Kirchhoff gahn, und willen der Frauen den Ring außthun.

4.

Als er wohl auf den Kirchhoff kam, der Todten-gräber zum Knecht sprach, hebt auff den Stein legt den auff die Erd, der Ring ist wohl 10. Reichsthaler werth.

5.

So bald als er den Deckel auffthät, die Frau sich in der Lath auffricht, von Schröcken thäten sie lauffen gahn, und liessen der Frauen die Leucht da stahn.

6.

Sie nahm die Leucht in ihre Hand, sie gieng wohl nach dem Neumarck bald, und thät wohl kloppfen an die Thür, der Mann der fragte wer ist darfür.

7.

Ich sage dir Mann mache auff die Thür, dein ehrliche Haußfrau stehet darfür; bist du mein Haußfrau sprach er fürwahr, so muß das beste Pferd bey mir stahn.

8.

So bald als der Mann das Wort außsprach, das best' Pferd aus dem Stall außtratt, und lieff zu der Trappen hinauf, gieng bey den Herren in die Fenster stahn.

9.

Ach Magd, ach Magd macht auf die Thür, mein ehrliche Haußfrau ist darfür, man legt sie auf ein Küssen bald, bis das sie wider ihre Gesundheit erhalt.

10.

Darnach lebt sie noch sieben Jahr, nach sieben Jahr noch sieben Söhn gebahr, und hat gesponnen das Flessen Tuch, das hangt zu St. Apostelen vor das Fasten-Tuch, in 7. Jahr hat sie nit gelacht, darnach hat sie den Todt betracht.

Gedruckt zu Cölln im Jahr 1773.

Richmodis-Sage. Holzschnitt, gedruckt zu Köln 1773

er am Turm seines Hauses zwei Pferdeköpfe anbringen haben lassen. Die Erinnerung an diese Sage lebt im Namen Richmodstraße und Richmodishaus fort. Freilich stand das Aduchtsche Haus damals Neumarkt/Ecke Olivenstraße, in der Parallelstraße also. Die Sage wurde auf den Hackeneyschen Hof übertragen. Das Wappen der Hackeney zeigt ein nach rechts schreitendes weißes Pferd auf rotem Feld – vgl. das Triptychon mit dem *Tod Mariens* des Joos van Cleve im Wallraf-Richartz-Museum –, das war der Grund, warum er am Turm seines Hauses steinerne Pferdeköpfe anbringen ließ. In der Franzosenzeit kamen sie abhanden und wurden später durch hölzerne Nachbildungen ersetzt. Im Zweiten Weltkrieg verbrannten auch diese. Aber auf den Turm mit den Pferdeköpfen wollte man nicht verzichten. Heute schmücken ihn am neuen Richmodishaus, das mit dem alten nur den Namen gemeinsam hat, zwei weiße Pferdeköpfe, die Willy Müller 1958 geschnitzt hat (Abb. 115). Eine Gedächtnistafel am Richmodishaus weist darauf hin, daß hier 1838 der Komponist Max Bruch geboren wurde. Auf der gegenüberliegenden Seite des Neumarkts, Nr. 33, erinnert eine kleine Tafel an den berühmtesten Karnevalsliedersänger, Willi Ostermann, der hier seine letzten Lebensjahre bis zu seinem Tod 1936 verbrachte. Namen, Schicksale am Neumarkt! Im Haus Nr. 47 wurde 1591 der Jesuit und China-Missionar Johann Adam Schall von Bell geboren.

In der Nordwestecke des Neumarkts erhebt sich vor unseren Blicken die ausgewogenste Leistung der romanischen Architektur Kölns, die Dreikonchenanlage der Kirche St. Aposteln. Wir folgen zunächst der Westseite des Neumarkts und erreichen die Hahnenstraße. Ihre jetzige Breite erhielt sie bei der Anlage der Ost-West-Achse, ihr heutiges Aussehen erst nach dem Zweiten Weltkrieg. Die Gesamtkonzeption der modernen Geschäfts- und Wohnstraße stammt von Wilhelm Riphahn. Wir biegen rechter Hand zu einem Platz ein, dem APOSTELNKLOSTER. Hier stand seit 1860 bis zu seiner Zwangsschließung im Dritten Reich, 1939, das Apostelgymnasium, das zu seinen Schülern auch Dr. Konrad Adenauer zählte. Heute befindet sich an dieser Stelle das AMERIKAHAUS. Gleich daneben, Ecke Hahnenstraße, steht die BRÜCKE, das britische Kulturinstitut. Den wichtigsten Akzent gibt dem Platz jedoch die Westfront von ST. APOSTELN mit ihrem hohen Turm.

Vor den Römermauern, die später den Stiftsbezirk zum Neumarkt hin abgrenzten, mag schon ein Kirchlein in vorkarolingischer Zeit gestanden haben. Sicher bezeugt ist die karolingische Kirche, die anscheinend 872 geweiht worden ist. Als die Leiche Erzbischof Brunos I. († 965) von Reims nach Köln überführt wurde, bahrte man sie hier zuerst auf. Heribert, der Freund und Kanzler Otto III., gründete hier ein Kollegiatstift und begann mit dem Bau einer größeren Kirche, einer Pfeilerbasilika. Sein Nachfolger, Pilgrim, vollendete sie und weihte sie 1024/26 ein. 1036 fand er hier sein Grab. Sein Bau ist im Turmuntergeschoß und in Teilen des westlichen Quer- und Langhauses noch erhalten. 1192 suchte ein schwerer Brand die Kirche heim. Den Wiederaufbau ließ Propst Dietrich von Heimbach, der spätere Kölner Erzbischof, im Geist der neuen Baukonzeptionen vollziehen. In der nun gültigen Form ist St. Aposteln eine dreischiffig gewölbte Basilika mit einem über kleeblattförmigem Grundriß errichteten Chorbau. Als Baumeister wird Albero Laicus genannt. Der Umbau des Langhauses benutzt die Pfeilerarkarden des ottonischen Vorgängerbaus. Die Geschoßteilung der Mittelschiffwand über der Arkadenzone, ein Nischentriforium, und der Obergaden sowie die sechsteiligen Rippengewölbe sind Neuplanungen der Umbauzeit. Der Spätzeit der Romanik angehörend, lassen sie schon die Gotik vorahnen, greifen Einflüsse aus dem Westen, aus dem frühgotischen Frankreich auf. Das Nischentriforium wurzelt in heimischer Tradition. Das horizontale Blendbogenband – das wir schon in St. Andreas beobachten konnten, und dem wir in St. Kunibert wiederbegegnen – lockert die durch die Seitenschiffdächer bedingte geschlossene Wandzone zwischen Arkaden und Obergaden auf. Der Trikonchos des Ostbaus schließt sich im Inneren und Äußeren dem unmittelbar vorangehenden Vorbild von Groß St. Martin an. Doch übertrifft er sein Vorbild durch größere Ausgeglichenheit und Ruhe. Das Langhaus geht fließend in die DREIKONCHENANLAGE über. Die zweigeschossige Apsidengliederung im Inneren folgt Groß St. Martin, wie sie überhaupt seither für den Niederrhein charakteristisch geworden ist. Im Erdgeschoß runden sich Nischen mit vorgesetzten Bögen auf Säulen weich in die Mauern. Darüber führt ein Laufgang in Mauerstärke zwischen einer Bogenstellung und der Fensterwand. Diese Art der architektonischen Gestaltung wird als Zweischaligkeit bezeichnet. Den Mauern wird das Schwere genommen, sie werden ›verräumlicht‹. Die Voraussetzungen für diese Art der Bauweise sind wahrscheinlich in der romanischen Architektur der Normandie zu suchen. In der feingliedrigen, fast grazilen

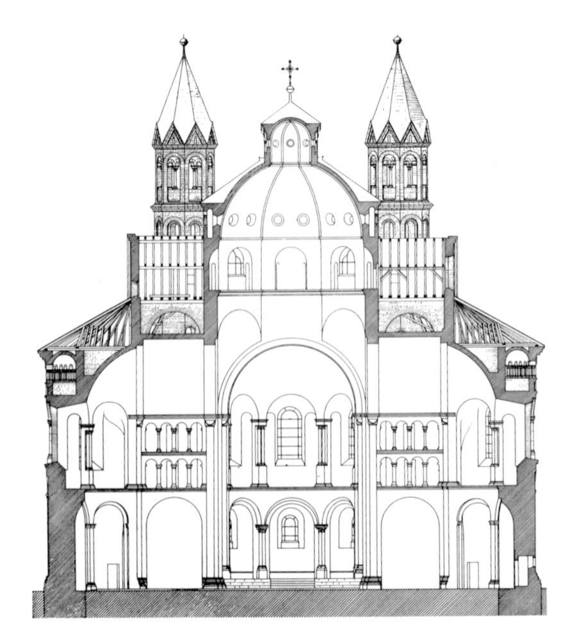

St. Aposteln. Aufriß (nach Krause 1907)

Neumarkt mit St. Aposteln. Aquarell. Um 1900. Köln. Stadtmuseum, Graph. Slg.

Formensprache erreicht die niederrheinische Architektur einen unverwechselbaren, ihr ganz eigenen Ausdruck, der einen Gegenpol zu der Wucht und Gedrungenheit sonstiger Bauten im übrigen Deutschland dieser Zeit bildet. Der Umbau von Lang- und Westquerhaus war bis 1230 abgeschlossen. Die Dreikonchenanlage erweist sich auch in ihrem Außenbau als abhängig von dem Vorbild Groß St. Martin. Sie wiederholt die Gliederung. Diese umzieht die Konchen und die rund vorbuchtenden Untergeschosse der Chorflankentürme. Sie bindet damit die einzelnen Bauteile zusammen. Trotzdem ist die Gesamtwirkung eine völlig andere. Auf einen beherrschenden Vierungsturm wurde verzichtet; denn es gab ja schon einen großen Turm im Westbau der Kirche.

Vertikale und Horizontale zu einer vollkommenen Harmonie zu bringen, war die Aufgabe, die in St. Aposteln genial gelöst worden ist. In vielteiliger Steigerung über gliedernde Rundbögen, Plattenfries, Zwerggalerie, von Nischen belebte Giebel wächst der Ostbau zur bekrönenden Mitte, zu einem achtseitigen Turm mit einer gemauerten Laterne auf, die sich an byzantinische Vorbilder anlehnt. Vom Neumarkt aus entsteht der Eindruck eines Zentralbaus. Wie der Ostbau in sich harmonisch ist, so ist auch das Verhältnis zwischen ihm und dem Westteil gut ausgewogen. St. Aposteln ist ein Gesamtwerk vollendeter Harmonie.

Noch während des Dreißigjährigen Krieges ließ das Stiftskapitel die Kirche barockisieren. Dabei wurde die Westkrypta zugeschüttet. Der Eingang war von jetzt an auf der Turmseite. Nach der Säkularisierung, 1802, wurde St. Aposteln Pfarrkirche. Aber sie verfiel in den folgenden Jahren so sehr, daß sie 1822 vorübergehend geschlossen werden mußte. Bei den mehrfachen Restaurierungen des späteren 19. Jh. ist vor allem der Westbau willkürlich verändert worden. 1895 wurde der Innenbau mit großflächigen Mosaiken ausgestattet, die freilich der architektonischen Wirkung eher abträglich waren. Im Zweiten Weltkrieg wurde St. Aposteln stark beschädigt. Der Wiederaufbau ist erst seit 1975 im wesentlichen abgeschlossen (Abb. 116). Die Westkrypta wurde 1957 von Willy Weyres wiederhergestellt. Bei dieser Gelegenheit hat man den Eingang auf die Nordseite zurückverlegt. Auf den Mosaikenschmuck, der weitgehend vernichtet war, wurde verzichtet. Erhalten blieb lediglich das Mosaikbild vom Guten Hirten über dem Gefallenendenkmal von 1927. In der Kuppel kommt allerdings ein farblicher Akzent zur Geltung. Manfred Ott hat sie 1975 als offenen, blauen Himmel ausgemalt. Aus dem Himmel steigt die ›Heilige Stadt Jerusalem‹ hernieder. Symbol für sie ist der Baldachin, der sich am Aachener Barbarossaleuchter orientiert, ohne ihn jedoch zu kopieren. Aus ihm löst sich im Strahlenkranz die Taube, Zeichen des Heiligen Geistes. Wie die Taube in die Arche Noahs den Ölzweig als Zeichen des Friedens brachte, so bringt die neue Taube Christus als den Frieden. Darum birgt sie den Tabernakel. Sie schwebt über dem einfachen Altar, der von Säulen der ersten Bauzeit getragen wird. Dies Gesamtwerk hat Sepp Hürten 1975 geschaffen.

Nur wenig ist von der alten Ausstattung erhalten geblieben. An erster Stelle müssen die Holzstatuetten der *Zwölf Apostel* genannt werden, die durch ihre Feingliedrigkeit bestechen, möglicherweise aus der Domwerkstatt (um 1320). Derzeit befinden sie sich in Restaurierung (Wiederaufstellung wahrscheinlich 1980). Um 1300 entstanden die Pfeilerfiguren hinter dem Altar, *Maria* und *Paulus*. Der *Schmerzensmann* (um 1450), wird Tilman von der Burch zugeschrieben (Abb. 117). Aus der gleichen Zeit stammt auch das *Bildnis des hl. Georg*. Aus der Barockisierung blieben die Holzplastiken Petrus und Paulus erhalten, die nunmehr an der Orgelbühne aufgestellt sind. Über ihr hängt das großformatige Bild des *Martyriums der hl. Katharina*, 1671 von Johann Wilhelm Pottgießer gemalt, einem der wenigen bedeutenden Maler, die im Köln des 17. Jh. lebten und wirkten. Die hl. Katharina war Patronin der mit dem Stift St. Aposteln verbundenen Pfarre. Der KIRCHENSCHATZ enthält einige Kostbarkeiten, darunter ein Altartuch um 1100, den Heribert-Kelch und das Stiftsiegel, beide um 1200. Im Herbst 1979 errichtet Paul Nagel ein Gitter zwischen Westquerhaus und Langhaus. Besonders hingewiesen sei auch noch auf die Figuren der Vierzehn Nothelfer.

1955 wurde der Südseite der Kirche eine Werktagskirche angegliedert, erbaut von J. Starck. Sie dient inzwischen als AULA. Geschmückt ist sie mit dem großen Fenster *Aussendung der Apostel* von Ludwig Gies. Die Türe zur Aula gestaltete Reinhold Ostlender. Im Gelände des Stiftsgebäudes, Innenhof der Kirche, befindet sich eine *Statue des hl. Raphael*, der den jungen Tobias geleitet, ein Werk von Sepp Hürten, 1972.

Wir kehren durch die Mittelstraße zum Neumarkt zurück, biegen in die Krebsgasse und von hier aus gleich rechts in die Brüderstraße ein. Diese führt uns zum OFFENBACHPLATZ, einer Neuschöpfung nach dem Zweiten Weltkrieg. Hier liegen OPERN- und SCHAUSPIELHAUS, beide nach Plänen von Wilhelm Riphahn erbaut (Abb. 114). Wie bei vielen Theaterbauten, die nach dem Zweiten Weltkrieg neu errichtet wurden, ohne daß man

Die Glockengasse zu Köln am Rhein. Um 1800

sich der Architektur vorgegebener oder wenigstens teilweise erhaltener Theaterbauten hätte anpassen können oder müssen, galt es auch in Köln, dem Bedürfnis nach Repräsentation und dem Willen zu neuen Architekturformen zu entsprechen. Beabsichtigt war ursprünglich die Errichtung eines Großen und Kleinen Hauses. Daraus erklärt sich die architektonische Bevorzugung des Opernhauses (1957 vollendet). Das Bühnenhaus wurde dabei durch Hochziehen der flügelartig ansteigenden Seiten in das Ganze des Bauwerks integriert. Im Inneren wurden die Ränge zu selbständigen, schubladenartig vorspringenden Lauben aufgelöst. Zur künstlerischen Ausstattung gehört das 1918/19 geschaffene Mosaik *Geburt des Menschen* des im Konzentrationslager umgekommenen Künstlers Otto Freundlich. Schon bald nach der Errichtung des Großen Hauses erwies es sich als unzweckmäßig, dort abwechselnd Oper und Schauspiel zu geben. Es wurde daher zum reinen Opernhaus. Das Schauspielhaus ist mit seinen mehr als 900 Plätzen nicht mehr als ›Kleines Haus‹ zu bezeichnen. 1962 eröffnet, ist es in seinem Aussehen wie in seiner technischen Einrichtung freilich wesentlich einfacher als das Opernhaus. Vor dem Schauspielhaus hat die Bronzestatue *Sappho* von Antoine Bourdelle Aufstellung gefunden. Ein plastischer Entwurf zur Großen Sappho entstand schon 1887, eine Wiederholung im größeren Maßstab 1924, der Guß erfolgte 1925. Die Daten des ersten Entwurfes und des Gusses sind am Sockel vermerkt.

An der Seite des Opernhauses zur Glockengasse befindet sich eine Gedenktafel zur Erinnerung an die Synagoge, die Ernst Friedrich Zwirner 1859/61 im maurischen Stil errichtet hat und die 1938 zerstört wurde. Die berühmteste Haus-Nummer der GLOCKENGASSE ist die von den Franzosen verliehene Nummer 4711, inzwischen zur Bezeichnung eines der bekanntesten Eau de Cologne verselbständigt. Dem wiederaufgebauten Firmenhaus Mülhens wurde die neugotische Fassade des alten Geschäftshauses vorgeblendet. Ein Blick durch das Ladenfenster auf den Gobelin erinnert den vorbeieilenden Besucher an die Hausbezeichnung durch die Franzosen.

Parallel zur Glockengasse verläuft die Breite Straße. Beim ›Pressehaus‹ biegen wir in die Neven DuMont-Straße* ein. Bis hierher stößt heute der westliche Teil des WDR-Verwaltungsgebäudes, das sogenannte VIERSCHEIBENHAUS vor. Ein architektonischer Akzent wurde durch die Wiederaufstellung des Eingangstors des abgerissenen Hauses Decker, Appellhofplatz 20, vor dem Vierscheibenhaus geschaffen.

Ecke Langgasse/Schwalbengasse finden wir die Kirche MARIA IN DER KUPFERGASSE. Während der Glaubenswirren des 16. Jh. in den Niederlanden flüchteten die Karmeliterinnen von Hertogenbosch nach Köln. 1630 gründeten sie eine erste Niederlassung, 1660 begannen sie einen neuen Klosterbau. Ihr kostbarster Besitz war das Gnadenbild einer *Schwarzen Muttergottes,* für das sie nach dem Vorbild des Hauses von Loreto eine Kapelle einrichteten (1673–75). Diese Kapelle wurde 1705–1715 von einer größeren einschiffigen Kirche umbaut. Im Gegensatz zu der äußeren Schlichtheit war das Innere von St. Maria in der Kupfergasse bis zur Zerstörung im Zweiten Weltkrieg in reichstem Barock ausgestattet. Die Gnadenkapelle hatte Johann Franz von Helmont mit einer geschnitzten Wandverkleidung geschmückt.

Noch immer findet der Eintretende die kleine, nunmehr allerdings sehr schlichte Gnadenkapelle mit dem Bild der Schwarzen Muttergottes. Der eigentliche Kirchenraum wirkt heute verhältnismäßig schlicht. Doch bieten aus anderen Kirchen übernommene barocke Elemente einen Ersatz für die verlorengegangene originale Barockausstattung. Am wertvollsten ist der *Makkabäeraltar,* den 1717 Johann Franz von Helmont schuf. Nach der Säkularisation hatte er seinen Platz im Südchor von St. Andreas gefunden, dort steht heute noch der Makkabäerschrein (vgl. S. 128). Nach schwerer Beschädigung ist der Makkabäeraltar 1966 in seiner alten Schönheit wiedererstanden (Abb. 118).

Beim Verlassen des stimmungsvollen Hofes vor der Kirche stoßen wir in der Langgasse Nr. 1 auf eine Bronzetür. Unter dem Motto ›Zirkus Langgasse‹ hat hier der Besitzer des Hauses, Lappe, seinem Ärger über die städtischen Behörden Luft gemacht. Als Beispiel Kölner Lebensart, die auch dem Verdruß humorvolle Seiten abgewinnen kann, verdient diese Türe durchaus Beachtung. Wir setzen unseren Weg zum APPELLHOFPLATZ fort, benannt nach dem 1819 gegründeten Rheinischen Appellhof, der obersten Rechtsinstanz der Rheinprovinz. Für ihn hatte J. P. Weyer ein halbkreisförmig angelegtes Gebäude entworfen. Der Weyer'sche Plan wurde 1823 realisiert. Leider mußte das Gebäude jedoch 1880 einem Neurenaissancebau in größerem Ausmaß weichen, der 1893 vollendet wurde. Der Reiz der klassizistischen Bauten des Gerichtes und seiner Umgebung ging dabei völlig verloren. Noch steht der RÖMERBRUNNEN. Franz Brantzky hat ihn 1915 entworfen. Er umschließt den Stumpf eines Turmes der römischen Stadtmauer. Im Zweiten Weltkrieg ist allerdings auch dieser Brunnen schwer beschädigt

* Auf Empfehlung des Kölner Oberbürgermeisters sowie der Fraktionsvorsitzenden von CDU, SPD und FDP im Kölner Stadtrat hat die dafür zuständige Bezirksvertretung 1 am 5. Oktober 1976 einstimmig beschlossen, die Langgasse aus Anlaß des 100jährigen Bestehens des ›Kölner Stadt-Anzeigers‹ am 14. November 1976 in ›Neven DuMont-Straße‹ umzubenennen. Hier wird das Hauptgebäude des Kölner Stadt-Anzeiger wiedererstehen.

worden. Karl Band hat ihn 1955 unter Verwendung der alten Reste neu gestaltet. Die kapitolinische Wölfin und die Reliefs stammen noch von der ursprünglichen Gestalt des Brunnens (Abb. 122/123).

Gleich rechter Hand liegt das ZEUGHAUS. Es ist ein nüchterner Zweckbau aus den Jahren 1596/1602. Akzente setzen nur der an der Westseite angegliederte zierende Treppenturm und vor allem das aus der Achse verschobene schmuckreiche PORTAL, auf das die Straße Kattenbug zuführt. Es bietet sich in der Schmuckfreude der Spätrenaissance als figurenreiche allegorische Komposition dar (Abb. 125). Den Mittelpunkt der Bekrönung bildet das helmgeschmückte Stadtwappen auf ovalem Rahmen, gestützt von Faunen in Ketten, Sinnbildern der gebändigten Natur, während oben auf ihm Genien mit den Attributen der Meß- und Baukunst thronen, Triumph der Technik über die Natur. Der Entwurf stammt von Peter Cronenborch. Bis zum Ende der reichsstädtischen Zeit diente das Gebäude als bürgerliches Zeughaus. Während des Zweiten Weltkriegs brannte es aus. 1958 war es wieder aufgebaut und dient seither als Domizil des KÖLNISCHEN STADTMUSEUMS. Dieses präsentiert aus den Beständen der Denkmäler zur rheinischen und kölnischen Geschichte vorzüglich die Entwicklung der Stadt Köln (Abb. 126). Wiewohl nicht der kunsthistorische, sondern der stadtgeschichtliche Aspekt für die Auswahl der Gegenstände der Schausammlung bestimmend sein mußte, findet auch der primär an künstlerischen Leistungen interessierte Besucher manches, was ihm des näheren Betrachtens wert sein dürfte. Erst die Besichtigung der *Stadtmodelle* und der Modelle einzelner Bauwerke verhilft ihm zur Erkenntnis der architekturgeschichtlichen Entwicklung. Die heute oft so isoliert stehenden markanten Bauwerke sieht er hier in ihrem historischen Kontext. Besonderes Interesse dürften für ihn sowohl das Modell des Alten Doms wie auch des Gotischen Doms in der Umbauung vor der Freilegung des 19. Jh. haben. Faszinierend ist auch die *Idealansicht des Kölner Doms,* gemalt von Carl Georg Hasenpflug, 1834/36. Es handelt sich dabei um eine Darstellung des Kölner Domes in vorweggenommener Vollendung unter Benutzung der 1814 und 1816 wiedergefundenen Teile des Originalfassadenplanes bzw. der von Georg Moller herausgegebenen Faksimiledrucke. Es nimmt daher in der Geschichte der Ikonographie der Kölner Dombilder eine wichtige Stelle ein.

Die Erinnerung an längst verschwundene Gebäude wie an das Leben und Treiben vergangener Generationen halten Gemälde, Aquarelle, Stiche fest. Besonders sei noch auf die PORZELLANE des 19. Jh. mit Kölnansichten hingewiesen, als in Deutz mehrere Porzellanfabriken bestanden. KÖLNER WOHNKULTUR wird in einzelnen Möbeln, so in einem Intarsienschrank des Melchior von Reidt, aber auch in den rekonstruierten Kölner Wohnzimmern präsent, an denen man die Entwicklung von der Renaissance bis zum Jugendstil studieren kann. Wie das Kunstgewerbemuseum so besitzt auch das Kölnische Stadtmuseum Erinnerungen an das von Geyr'sche Haus in Köln, nämlich ein Louis-Seize-Zimmer mit auf Leinwand gemalten Tapetenbildern von Bernhard Gottfried Manskirsch mit Landschaften und Veduten, dazu figürlicher Staffage. Unter den FAHNEN seien hervorgehoben ein auf 1723 datiertes Stadtbanner, eine ›Huldigungsfahne‹

Romanisches Stadtsiegel. 12. Jh. (links) und gotisches Stadtsiegel. 1269. Köln. Stadtmuseum

mit Stadtwappen und Stadtansicht, auf Seide gemalt, sodann eine Kölner Spottfahne mit raufenden Männern (16. Jh.), die die Verurteilten auf einem festgelegten Stück Weg mit sich führen mußten, schließlich die Fahne mit dem Bildnis des Reitergenerals Jan von Werth (bemalte Seide, 17. Jh.). Ein Blickfang sind die GLOBEN des venezianischen Minoritenpaters Marco Vincenzo Coronelli, 1681/83, ein Erd- und ein Himmelsglobus, die 1710 als Geschenk des Kurfürsten Johann Wilhelm von Jülich und Berg an die Stadt Köln kamen und von ihr dem Gymnasium Tricoronatum gestiftet wurden. Zu den kleinen Kostbarkeiten gehören das *Große romanische Siegel* aus dem 12. Jh. und das *Große gotische Siegel* von 1269.

Der Aufbau der Schausammlung ist so gegliedert: Im ERDGESCHOSS wird das mittelalterliche Stadtbild demonstriert, dazu Rat und Verwaltung, Stadt und Wirtschaft. Das ERSTE OBERGESCHOSS ist zweigegliedert in die Abteilungen Katholische Kirche, Evangelische Kirche, Judentum und sodann Wohnkultur. Das ZWEITE OBERGESCHOSS ist den Studiensammlungen vorbehalten, dem Rheinischen Bildarchiv mit mehr als 100 000 Aufnahmen rheinischer Werke, Graphischer Sammlung zur Geschichte und Kunst des Rheinlands, Münzkabinett, Sammlung Faßbender, die Objekte von Kulturepochen aller Zeiten systematisch zusammenzufassen sucht. – Ein Verbindungsgang führt von der Schausammlung im Erdgeschoß zur ALTEN WACHE, in der wechselnde Ausstellungen zu Teilaspekten der kölnischen und rheinischen Geschichte stattfinden. Der Entwurf zu dem Wachgebäude stammt von dem preußischen Ingenieurmajor Schuberth. Sie wurde als klassizistischer Bau im ›Florentiner Stil‹ 1840 erbaut. Ihr gegenüber befindet sich der einzige noch erhaltene Teil des zehn Jahre zuvor von Matthias Biercher errichteten klassizistischen Regierungsgebäudes. Das Hauptgebäude wurde 1951/52 völlig neu erbaut. Bemerkenswert ist das große Flachrelief des Wappens von Nordrhein-Westfalen an der Eingangshalle des Neubaus, ein Werk von Ludwig Gies.

Das Zeughaus basiert mit seiner Rückwand auf der römischen Stadtmauer. Sie verläuft hinter der Alten Wache zwischen Zeughausstraße und Burgmauer bis zur Einmündung der Straße ›Auf dem Berlich‹, das längste und zugleich am besten erhaltene Stück. Noch ein paar Schritte weiter stoßen wir an der Ecke Zeughausstraße/St. Apernstraße auf den RÖMERTURM (Abb. 124). Er ist der noch vollständigste Turm des römischen Kölns, zudem durch reichen Mosaikenschmuck ausgezeichnet. Auffällig ist, daß sich die mosaikartige Verblendung im unteren von der im oberen Teil des Turms unterscheidet. Der Unterteil reicht bis zur Höhe von 4,50 m über dem Boden, der Oberteil ist nochmals 1,25 m hoch. Die obere Zone ist anscheinend erst nach einer Zerstörung entstanden. Geometrische Ornamente herrschen vor: Rundbögen, Dreiecke, Bänder aus rhombenförmigen Steinen. Ein besonders reizvolles Mosaik ist ein Prostylos mit vier kleinen Säulen, Sockel, Kapitell, Architrav, offensichtlich dazu bestimmt, die Schmalseite eines Tempels anzudeuten. – Die St. Apernstraße folgt dem Verlauf der westlichen Römermauer. Wir brauchen nicht weit in sie hineinzugehen, um an der Ecke St. Apern-/Helenenstraße auf einen weiteren Römerturm zu stoßen, der zwar nicht so schön mit Mosaiken bedeckt ist wie der Turm an der Nordwestecke der Römermauer, dafür recht hübsch in einer kleinen Anlage steht. In der St. Apernstraße gibt es übrigens einige verlockende Antiquitätengeschäfte.

Wir kehren zum Römerturm zurück und biegen nun rechts in die Steinfeldergasse ein, die uns zum GEREONSDRIESCH führt, einem stimmungsvollen Platz. Seit 1901 befindet sich hier die von Vincenz Statz entworfene Immaculatasäule, die 1858 zunächst auf der Gereonstraße aufgestellt worden war. Sie erinnert an die Definition des Dogmas von der Unbefleckten Empfängnis Mariens durch Papst Pius IX. 1854.

Am Gereonsdriesch/Ecke Christophstraße steht ST. GEREON (Abb. 121). Sie galt neben dem Dom als die ranghöchste Kirche im Erzbistum. Ihrer kirchlichen Bedeutung entspricht ihr künstlerischer Rang. Sie ist die einzige erhaltene Kölner Kirche aus römischer Zeit, einzigartig durch die Verschmelzung des römischen mit dem romanischen Bau; denn die Grundlage für alle späteren Bauunternehmungen sollte ja der von einem Nischenkranz umgebene spätantike Ovalraum bilden, eine Märtyrergedenkkirche aus dem letzten Drittel des 4. Jh. Schon bei Gregor von Tours wird sie mit den Märtyrern der Thebäischen Legion in Verbindung gebracht. 612 wird sie erstmals ›Basilica S. Gereonis Martyris‹ genannt. Den Merowingern diente sie als Krönungs- und Huldigungskirche. Bischof Hildebert († 762) und Erzbischof Hildebald († 818) fanden hier ihr Grab. Urkundlich erstmals bezeugt ist 840 das Chorherrenstift, das bis 1802 bestehen sollte. Seit 1807 ist St. Gereon Pfarrkirche. Dem spätrömischen Zentralbau gliederte im Osten Erzbischof Anno einen Langchor an mit zwei Türmen und einer Krypta, Weihe 1067/69. Dieser Bau wurde ein Jahrhundert später unter Erzbischof Arnold von Wied erweitert und gründlich umgestaltet. Er erhielt eine neue Apsis zwischen Flankentürmen, Weihe zwischen 1151 und 56. Die westlich an die Krypta anschließende Heiligengruft wurde 1191 geweiht. Dank dieser Umgestaltung bietet der Chor nun einen eindrucksvollen Anblick, Rundbögen und Zwerggalerie gliedern die Apsis. Die Krypta

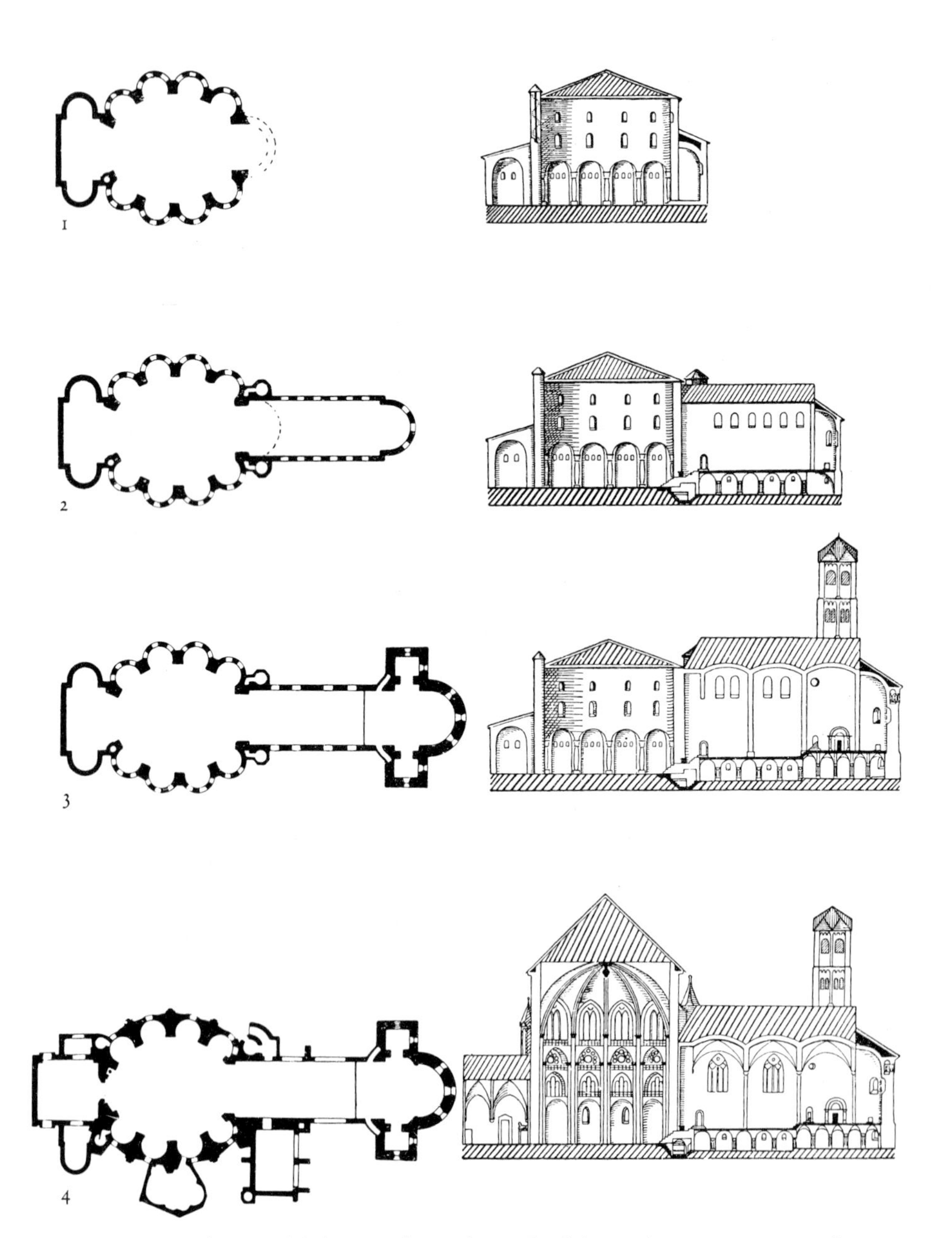

St. Gereon 1 Der konstantinische Bau des 4. Jh. 2 Hochchor, erbaut 1056–75, geweiht von Erzbischof Anno II. 3 Erweiterung unter Erzbischof Arnold von Wied 1151–56 4 Letzte Erweiterung und Umbau 1219–27

ist dreischiffig mit Kreuzgratgewölben und Würfelkapitellen, in ihrem westlichen Teil annonisch, in dem etwas höheren Teil der Hallenkrypta im Osten stammt sie aus dem 12. Jh. Dem Chor korrespondiert das Dekagon. In noch nicht einem Jahrzehnt, von 1219 bis 1227, wurde der spätrömische Bau zur viergeschossigen, rippengewölbten Zehneckanlage ausgebaut und mit der Kuppel geschlossen, der bedeutendsten zwischen der Hagia Sophia und dem Dom von Florenz. Die Beibehaltung der antiken Nischen im Erdgeschoß entsprach der Aktualität des Baugedankens. Über den Nischen folgt eine Empore, darüber Fächerfenster. Diese – wie auch die Fülle der dekorativen Formen – sind den künstlerischen Traditionen des Rheinlands verpflichtet. Eine schlanke Spitzbogenarkade faßt an jedem Wandabschnitt die drei Geschosse zusammen und betont dadurch erst recht die Steilheit des Raums. Das gleiche geschieht durch die ohne Unterbrechung vom Boden aufsteigenden Dienste, die die Rippen der Gewölbe aufnehmen. Kapitellzonen und geschoßtrennende Horizontalgesimse liegen nirgends auf einer Höhe. Daher die eigenartige Spannkraft des Raums! Die Gewölbedienste bilden ein Gerüst. Zwischen ihnen spannen sich gitterhaft die weitgehend von Öffnungen durchbrochenen Wände. Die Spätromanik hat hier eine letzte Reife gefunden, öffnet sich zugleich aber auch französischen, gotischen Ideen. Das Einzigartige von St. Gereon liegt darin, daß heimische Tradition und ›moderne‹ gotische Gestaltung zu einer Einheit verschmolzen werden.

Im Zweiten Weltkrieg hat die Kirche aufs schwerste gelitten. Das Innere brannte aus. Dabei gingen wertvollste Ausstattungsstücke, so das Chorgestühl, zugrunde. Die Nordwand des Dekagons wurde bis auf den Sockel aufgerissen. Der Wiederaufbau erwies sich als äußerst schwierig. Zwar ist der Chor seit 1949 wieder in Benutzung. Das Innere mit seinen gotischen Gewölben wirkt heute nach dem Verlust seiner Ausstattung sehr schlicht (Abb. 119). Die Krypta wurde 1956 wiederhergestellt. Nach langwierigen Sicherungsarbeiten konnten die Zerstörungen im Dekagon ausgeheilt werden. Seit 1975 ist das Dekagon im Rohbau wiederhergestellt. Bis zur Vollendung bedarf es allerdings noch einer großen Anstrengung. Ein Fenster in der Trennwand zum Chor vermittelt immerhin bereits einen ersten Eindruck von der Bedeutung des Inneren des Zehneckbaus. Infolge der Kriegskatastrophe haben die *Wandmalereien* in der Apsis schwer gelitten. Die Farben sind zu Schemen abgeblaßt. Thema dieser Wandmalereien aus dem 12. Jh. sind Christus, Märtyrer und Bischöfe. In den beiden Turmkapellen rechts und links vom Hochaltar befinden sich Fenster von Wilhelm Teuwen. Wendelin Beyschlag schuf 1608 das *Sakramentshaus* an der Nordseite mit den Reliefs Letztes Abendmahl und Gethsemane. 1960 konnte es restauriert werden. Auf der Treppe an der Südseite *Muttergottes mit Kind*, um 1400. Von den beiden *Wandteppichen* aus Aubusson, 1767, die über dem Chorgestühl hingen, blieb nur der auf der Nordseite erhalten. Er zeigt drei Szenen aus dem Leben des Patriarchen Joseph. Von links nach rechts: Der Becher im Getreidesack des Benjamin, Josephs Reise in die Heimat, sein Wiedersehen mit seinem Vater Jakob. Gegenüber an der Südwand hängt ein ikonographisch besonders interessantes Bild, die *Verherrlichung der Dreifaltigkeit* durch Heilige der Stadt Köln, um 1635, von Johann Hulsmann für den Sebastianusaltar gemalt. Der Stifter wollte an die Bewahrung Kölns vor den Schweden 1632 erinnern. Im unteren Teil des Bildes eine Stadtansicht von Köln, wahrscheinlich von Johann Toussyn gemalt, eine Überschaulandschaft in der Nachfolge des Joachim Patinir und des Pieter Brueghel d. Ä.

Den Eingang zur Krypta gibt das BRONZEPORTAL von Werner Schürmann frei, Christus krönt Gereon und Gregorius Maurus, in der Konfessio der Märtyrergruft stehen drei große Sarkophage. Die lateinische Inschrift kündet, daß hier die Leiber der thebäischen Märtyrer beigesetzt sind. Am letzten Joch des annonischen und den Wänden des jüngeren Teils der Krypta sind Wandmalereien erhalten. Im Bogenfeld der Konfessio ist eine Darstellung der *Kreuzigung* zu sehen (Anfang 14. Jh., Abb. 120).

In den jüngeren Teil der Krypta wurde im 19. Jh. aus dem Hochaltar ein kostbarer MOSAIKBODEN verlegt, der aus dem 11. Jh. stammt. Er zeigt fünf Szenen aus dem Leben Samsons, darunter den Sieg über den Löwen, und sieben Szenen aus dem Leben Davids. Der *Kreuzaltar* aus Kalkstein, um 1540, ist eines der wenigen Beispiele rheinischer Frührenaissance. Die *Fenster* sind Arbeiten des französischen Glasmalers Alfred Manessier. In der NIKOLAUSKAPELLE finden sich noch zwei bemerkenswerte Fresken, St. Helena und St. Nikolaus. Bei den Restaurierungsarbeiten wurde im Herbst 1970 ein großes Freskofragment, *Kopf eines Mannes* (Ft. 12), im Emporengeschoß über dem westlichen Eingang des Dekagons entdeckt (Leihgabe: Schnütgen-Museum). Schon Jahre zuvor war an anderer Stelle ein dem Stil nach dieser Malerei zugehöriges Stück, Teil eines stehenden Mannes, entdeckt worden. Das ikonographische Programm war anscheinend dieses: Auf den Schultern der stehenden Propheten sitzen die Apostel und machen somit die Einheit der Heiligen Schrift sichtbar. Altes und Neues Testament gehören zusammen. Das Neue fußt auf dem Alten. Die Kontinuität der Offenbarung wird dadurch betont. Das Fragment des herrlichen Kopfes wird auf den Anfang des 12. Jh. datiert. Einzigartig innerhalb der ottonischen und frühromanischen Kölner Malerei ist der ungebrochen byzantinische Stil. Die malerische Plastizität findet sich bei griechischen, aber auch bei römischen Künstlern des frühen 12. Jh. Wahrscheinlich kam der Künstler aus Italien. Nicht in der Wandmalerei, wohl aber in der Buchmalerei, in Kölner Handschriften aus der 1. Hälfte des 12. Jh., läßt sich der Einfluß dieses Stils nachweisen.

Vom Eingang Christophstraße wenden wir uns nach links zu dem kleinen Platz mit dem neugotischen Bau, der bis zum Ende der 60er Jahre dem Stadtarchiv diente, jetzt aber in den Komplex der Gebäude des GERLINGKONZERN integriert ist. Während wir die Straße Gereonshof in Richtung Kaiser-Wilhelm-Ring einschlagen, stellen wir fest, daß für Arno Breker der Klassizismus der 30er Jahre auch nach dem Ende des Zweiten Weltkriegs noch nicht diskreditiert war. Er war der künstlerische Berater bei der Gestaltung der Bauten für den Gerlingkonzern 1951/53. Er entwarf die Reliefs an den Gebäuden. Von ihm stammt der Puttenbrunnen. Das Ganze ist von einer kalten Pracht.

122 Römerbrunnen am Appellhofplatz

123 Detail vom Römerbrunnen

124 Römerturm. Ecke Zeughausstraße/St. Apernstraße

125 Portal des Zeughauses, heute Kölnisches Stadtmuseum

126 Zeughaus. Blick in den Ausstellungsraum des Kölnischen Stadtmuseums im Erdgeschoß

127 Blick vom Rudolfplatz auf Habsburger- und Hohenstaufenring

128 Kaiser-Wilhelm-Ring

129 Stadtmauer mit Gereonsmühlenturm am Hansaring

130 Die Weckschnapp

131 Eigelsteintorburg. Anfang 13. Jh.

132 Bottmühle, 1677/78

133 Wehrturm am Sachsenring

134 Severinstorburg. 12./13. Jh.

135 Ulrepforte. 13. Jh.

136 Relief nahe der Ulrepforte. Um 1360

137 Neu St. Alban. Paradiespfortentür v. Toni Zenz

138 St. Ursula. Detail des Bronzeportals der Westfront. 1960

139 Neu St. Alban. 1958. Architekt: Hans Schilling

140 St. Ursula als Schutzmantelheilige. 1465

141 Blick in das Langhaus mit Nonnenempore (links)

142 ›Goldene Kammer‹

143 St. Kunibert. Taufnische im südlichen Querhaus

144 St. Kunibert. Verkündigungsgruppe an den Vierungspfeilern. 1439

145 Ecke Cäcilienstraße/Nord-Süd-Fahrt. Im Hintergrund das Fernmeldezentrum

146 Ebertplatz mit Ringturmhaus

147 Renovierte Wohnhausfassaden (spätes 19. Jh.) in der Volksgartenstraße

149 Elendskirche. Blick in den Innenraum

◁ 148 Elendskirche. Westportal mit den Reliefemblemen des ›Triumphierenden Todes‹

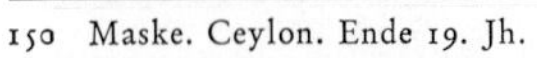

150 Maske. Ceylon. Ende 19. Jh.

151 Ringkämpfer. Zentral-Salomonen, Melanesien

152 Kultfigur (Nashornvogel). Iban, Sarawak, Borneo, Indonesien

153 Kopf einer Königinmutter. Benin, Nigeria. 18. Jh.?

154 Wächterfigur. Bakota, Gabun. 19. Jh.

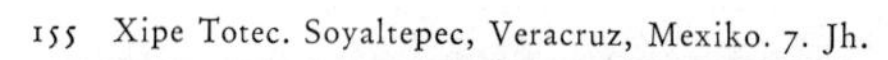

155 Xipe Totec. Soyaltepec, Veracruz, Mexiko. 7. Jh.

156 Kopf. Kambodscha, Angkor-Stil. 11.–12. Jh.

157 Haus Balchem, Severinstraße 15. 1676

158 St. Severin. Kreuzgang

159 St. Severin. Ausgrabungen, die die baugeschichtliche Entwicklung der Kirche deutlich machen

5. Vom Kaiser-Wilhelm-Ring zur Industrie- und Handelskammer

Zu den breiten Boulevards, die sich anstelle der einstigen mittelalterlichen Stadtmauer vom südlichen zum nördlichen Rheinufer ziehen und die sich an manchen Stellen parkartig erweitern, gehört der Kaiser-Wilhelm-Ring. Die großen Geschäftshäuser auf der Ostseite und mehr noch die Verwaltungsbauten der Versicherungskonzerne auf der Westseite tragen mit der Grünanlage des Mittelstreifens dazu bei, daß hier noch etwas von der ursprünglichen Schönheit und Vornehmheit zu spüren ist. Die Grünanlage wurde nach dem Zweiten Weltkrieg durch zwölf neue Brunnen, runde Becken mit Fontänen, geschmückt (Abb. 128). Zum Hohenzollernring schloß sie einst der Vater-Rhein-Brunnen Adolf von Hildebrands ab, der 1937 jedoch entfernt und 1942 durch Bomben zerstört wurde (vgl. das Modell im Stadthaus, S. 152). An seiner Stelle steht heute der GOTHAER BRUNNEN, eine Stiftung der Gothaer Versicherung anläßlich ihres 150jährigen Bestehens, 1971. Elisabeth Baumeister-Bühler läßt aus einer Basaltdüne vier bronzene Stämme aufsteigen, die in Flechtwerk, Meerespflanzen, Netzen, großlappigen Blättern zusammenwachsen. Delphine und andere Fische tummeln sich darin, Robben lugen aus den Höhlungen. Das Ganze wirkt phantasievoll, verspielt. Statt der monumentalen Einfachheit Hildebrands bildet somit der heiter, beschwingte Brunnen, der aber das Motiv des Flusses wieder aufgegriffen hat, den Auftakt zum Kaiser-Wilhelm-Ring, genauer zu seiner bezaubernden Grünanlage. Gleich gegenüber dem Brunnen mündet die Herwarthstraße in den Kaiser-Wilhelm-Ring. Sie führt uns zum Stadtpark. Doch bevor wir ihn erreichen, weitet sich die Straße platzartig, um die CHRISTUSKIRCHE zu umfassen. Zwar wurde auch dieser Bau schwer getroffen. Doch bietet sich der 77 m hohe neugotische Turm bereits vom Ring her als Blickfang dar. Das Schiff ist nach dem Krieg allerdings in sehr vereinfachter Form wiederaufgebaut worden. Auf die Wiederherstellung des Chores wurde ganz verzichtet. So ist die Kirche heute um ein gut Teil kleiner.

Wir gehen links an der Kirche vorbei und erreichen den Eingang zum Stadtpark. In der Nordwestecke des Parks, von Bäumen fast verdeckt, erhebt sich die Kirche NEU ST. ALBAN. Mitte der fünfziger Jahre wurde der in der Neustadt liegende Teil der Gereonspfarrei abgeteilt und zu einer eigenen Pfarre erhoben. Auf sie wurde der Titel der nach dem Zweiten Weltkrieg nicht wiederaufgebauten Kirche St. Alban übertragen. Ein Zeichen der Kontinuität war die Überführung der erhaltenen Ausstattungsstücke der alten in die neue Albanskirche, so die *Apostelstatuetten* an der Orgelempore und die *Pietà*, 1. Hälfte 15. Jh., die *Kreuzigungsgruppe* im Schiff, 16. und 17. Jh. und die *Barockkanzel*. Die neue Kirche ist 1958 aus Steinen der Ruine des alten Opernhauses am Ring erbaut worden. Die Wallfahrtskirche von Le Corbusier in Ronchamp war für den Architekten Hans Schilling inspirierend. Übernommen wurde der bergende Raum. Vor dem gleißenden Licht ist der Mensch hier abgeschirmt, er wird in einen völlig umschlossenen Backsteinraum hineingenommen. Zentralraumartig über fünfwinkligem Grundriß ist der Gemeinderaum angelegt mit einer geknickten, zum Chor

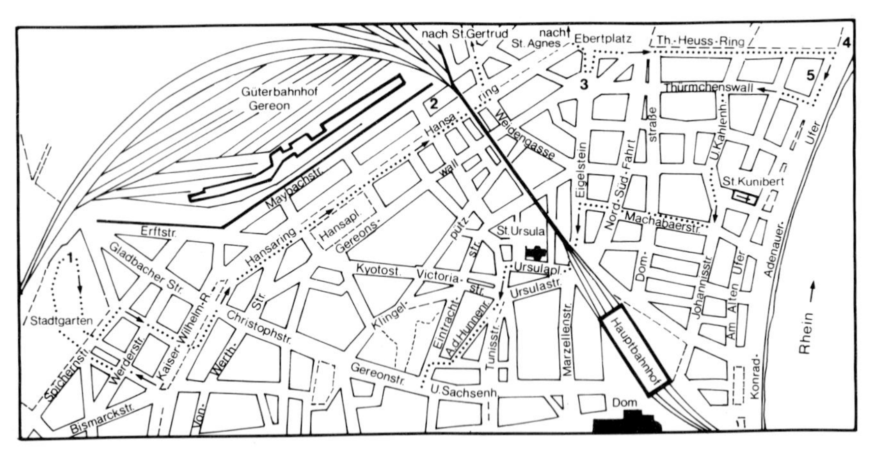

1 Neu St. Alban 2 Hansahaus 3 Eigelsteintorburg 4 Bastei 5 Weckschnapp

hin ansteigenden Decke (Abb. 139). Der eingezogene, parabolisch angelegte Chor wird turmartig hoch geführt. Die alten Kunstwerke fügen sich vorzüglich in den neuartigen Raum ein. Sie harmonieren aber auch mit der neuen künstlerischen Ausstattung, die ebenso künstlerisch qualitätvoll wie theologisch genau durchdacht ist. Die Kirche betritt man durch eine eiserne *Paradiespforte,* ein Werk von Toni Zenz. Auf der linken Pfortenseite das erste Menschenpaar, Adam und Eva (Abb. 137), auf der rechten Seite der zweite Adam, Christus am Kreuz, von Ecclesia liebend umschlungen. Über dem Altar schwebt ein prachtvolles Gemmenkreuz von Lioba Munz. Die Fenster gestaltete Franz Pauli im Westen mit Gerichtswaage, im Osten mit dem Lobgesang der drei Jünglinge im Feuerofen. Im Osten der Kirche befindet sich die SAKRAMENTSKAPELLE. Das dafür geschaffene Ziborium von Elmar Hillebrand zeigt das Heilswerk Christi in seinen alttestamentlichen Vorbildern und seiner neutestamentlichen Erfüllung. Der Türsturz in Muschelkalk ist ebenfalls ein Werk von Elmar Hillebrand. Er zeigt in der oberen Zone die Kreuzigung, in der unteren Zone eine Mahl- als Liebesgemeinschaft mit dem beherrschenden Motiv der Weintrauben. Vegetabile Motive herrschen auch in der Rahmung der Türe vor. Diese selbst ist in Bronze mit Gravierungen: Paradies und erstes Schuldigwerden der Menschen, Meßfeier und Christi Himmelfahrt. Die KRYPTA ist zur Taufkapelle bestimmt. Das Taufbecken ist von 1642, die modernen Fenster mit der ›Arche Noah‹ von Franz Pauli.

Vom Südwestende des Stadtparks biegen wir in die Göbenstraße ein und erreichen wieder den Kaiser-Wilhelm-Ring, dem wir nun in Richtung Hansaring folgen. Am Ende des Kaiser-Wilhelm-Rings, eingefaßt durch die Gladbacher und die Hermann-Becker-Straße, steht das Verwaltungsgebäude der Allianzversicherung, 1931/33 von Karl Wach und Rosskotten errichtet, ein gutes Beispiel der Neuen Sachlichkeit. Charakteristisch ist die dichte Reihung schmaler, hochrechteckiger Fenster. Vor dem Gebäude befindet sich ein größerer Springbrunnen. Von der Ecke der Gladbacher Straße aus hat man einen sehr guten Blick auf das Dekagon von St. Gereon.

Wir überqueren den Ring und folgen seiner Ostseite. Schon bald mündet die Von-Werth-Straße in ihn ein. Eugen Langen – mit Nikolaus Otto der Begründer der Deutzer Gasmotorenfabrik – hatte sich in dieser Straße ein prachtvolles Haus errichten lassen. An die Gründerzeit erinnert heute jedoch nur wenig. Gut restauriert ist das Haus Nr. 44. Ein Stück mittelalterlicher STADTMAUER ist nicht weit davon am Hansaring stehengeblieben (Abb. 129). Sie wird überragt von dem im 15. Jh. errichteten GEREONSMÜHLENTURM. Gleich hinter der Stadtmauer lag eine kleine Wallfahrtskirche und die zweite Gründung der Augustiner, das Kloster Herrenleichnam. An seine Stelle trat im 19. Jh. das preußische Kriminalgefängnis, der Klingelpütz. Inzwischen ist dort ein Park mit Weiher und Spielplätzen entstanden. An der Stelle der Hinrichtung steht ein Gedenkstein, gestaltet von Karl Burgeff, enthüllt am 1. September 1979 zum 40. Jahrestag des Kriegsbeginns. In der Anlage vor der Stadtmauer erinnert eine Gedenktafel an sieben Opfer der Gestapo, die an dieser Stelle beigesetzt wurden. Daneben die Bronzestatue einer Mutter, eine ins weltliche übersetzte Pietà, geschaffen von Mari Andriessen, 1958.

Am Hansaring zwischen Vogtei- und Ritterstraße befindet sich das HANSAGYMNASIUM. Es wurde um die Jahrhundertwende von dem Raschdorffschüler Friedrich Carl Heimann gebaut. An der neugotischen Fassade entwickelt ein Fries das zeittypische Programm des Bündnisses von Kunst, Wissenschaft, Verkehr, Industrie und Gewerbe, personalisiert durch die Statuen bedeutender Kölner Industrieller des 19. Jh., Friedrich Carl Heimann (1757–1835), Heinrich Merkens (1777–1854), Gottfried Ludolf Camphausen (1803–1890), Gustav v. Mevissen (1815–1899), alle vier an der Entwicklung des Verkehrs, der Rheindampfschiffahrt und der Eisenbahn maßgeblich beteiligt. Schräg gegenüber auf der westlichen Seite des Hansarings hat 1924/25 Jakob Koerfer ein 66 m hohes, 17stöckiges Hochhaus in Eisenbeton mit Klinkerverkleidung errichtet. Das Hansahaus war in den 20er Jahren das höchste Haus Europas. Pfeiler betonen seine Ecken. Der Verlust der großen schmückenden Keramikfiguren läßt heute die Fassade herber erscheinen.

Wir kreuzen den Ring und biegen in die Krefelder Straße ein. Hier, Nr. 45–57, steht auf an sich ungünstigem Grundriß, mit nur 60 m Länge, das Pfarrzentrum ST. GERTRUD. Für die glückliche Lösung, die Gottfried Böhm gefunden hat, erhielt er 1967 den Architekturpreis der Stadt Köln. Die Kirche baute er in den Jahren 1962/65 und stattete sie überwiegend selber aus. Der Bau ist innen wie außen durch herbe Betongußstrukturen bestimmt. Der Grundriß ist unregelmäßig, jedoch so, daß von jedem Platz aus der Altar gut gesehen werden kann. Im Untergeschoß des 40 m hohen Turms ist eine Marienkapelle mit barocker *Pietà* (Leihgabe aus St. Ursula) eingerichtet. Die Konchen der Kirche sind für die Taufkapelle und für das Sakramentshäuschen reserviert, das ähnlich wie in der Sakramentskapelle in Maria in den Trümmern als Kerzenbaum gestaltet ist. Die Fenster wollte Gottfried Böhm als Teil der Wand verstanden wissen. Deshalb wählte er gedämpfte Farben. Mit dem modernen Bau harmonieren alte Kunstwerke. Besondere Erwähnung verdienen die Holzplastik der *hl. Gertrud*, 15. Jh., und das *Kreuz* über dem Hochaltar, 16. Jh.

Wir kreuzen die Krefelder Straße und biegen in die Balthasarstraße ein, die uns zur Neusser Straße führt. Den Neusser Platz beherrscht die neugotische Kirche ST. AGNES, 1897/1902 von Carl Rüdell errichtet und nach dem Dom die größte Kirche Kölns. Nach Kriegsschäden ist sie seit 1958 wiederhergestellt. Die Raumwirkung hat durch die dunkel getönten Holzgewölbe von Willy Weyres gewonnen. An neugotischer Ausstattung ist die Kirche relativ arm. Bemerkenswert ist das moderne *Kreuz* im Altarraum mit einem riesigen Halbedelstein anstelle eines Kruzifixus. Gleich links neben dem Eingang befindet sich eine SAKRAMENTSKAPELLE, die Elmar Hillebrand ausgestattet hat. Das Allerheiligste ist von einer silbernen Sonne umschlossen und von den Evangelistensymbolen umschwebt.

Von der Agneskirche aus hat man einen vorzüglichen Blick auf die EIGELSTEINTORBURG. Auch hier bestätigt sich die Gekonntheit in der Ausnutzung der Radialstraßen bezogen auf die Ringstraßenkonzeption. St. Agnes ist ganz bewußt als korrespondierend zur Eigelsteintorburg errichtet worden. Diese stammt aus dem Anfang des 13. Jh. (Abb. 131). Sie wurde durch die beiden Halbtürme zu Seiten des Mittelteils mit dem Tor gegliedert. In einer Nische auf der linken Innenseite steht seit 1891 die Steinplastik des *Kölner Bauern,* 1885 von Christian Mohr ursprünglich für das Hahnentor geschaffen. Daß diese Symbolfigur als Zeichen der Reichstreue begriffen wird, verrät die Inschrift zu ihren Füßen »Halt fass do kölsche Boor, bliev beim Rich, et fall söß ov sor«. Daß Köln als Zeichen seiner Reichstreue den wehrhaften Kölner Bauern zeigt, hängt damit zusammen, daß es erst relativ spät, nämlich 1475, auch im formalrechtlichen Sinne zur Freien Reichsstadt wurde; denn nun war in dem Quarternionensystem der heraldisch geordneten Stände – vgl. den mit dem Quarternionensystem bemalten Glasbecher im Kölnischen Stadtmuseum – kein Platz mehr unter den Reichsstädten. Köln führt darum die Reichsbauerngruppe an. Zu dieser gehören außerdem die Städte Regensburg, Konstanz und Salzburg.

Die derzeitige Neugestaltung des EBERTPLATZES (Abb. 146) ist durch die Aufgabe bestimmt, einerseits einen reibungslosen Fluß des Verkehrs zu ermöglichen, andererseits auch dem Fußgänger wieder sein Recht zu geben. Wiewohl die vornehmen Bürgerhäuser heute weitgehend durch nüchtern wirkende Versicherungs- und andere Geschäftsbauten ersetzt sind, hat der THEODOR-HEUSS-RING seinen repräsentativen Charakter ziemlich bewahren können. Die Großzügigkeit der Konzeption kommt nicht zuletzt in der Grünanlage zum Ausdruck, die er umschließt. Zur neuen Dominante wurde das an der Ecke Riehler Straße/Theodor-Heuss-Ring stehende, Ende 1973 vollendete RINGTURMHAUS, ein Werk der ›Baukunst Architektur Gesellschaft‹. Schon 1964 hatte sie am Theodor-Heuss-Ring Nr. 7 das Galeriegebäude Baukunst errichtet. Es ist durch einen Trakt mit einem Jugendstilhaus verbunden, Nr. 9. Der ursprüngliche Auftraggeber, dessen Namenssymbol, der Hahn, noch am Hause zu sehen ist, hatte Joseph Maria Olbrich mit dem Bau 1905 betraut. Er geriet jedoch in finanzielle Schwierigkeiten. Das Haus wurde zwar weiter gebaut, aber nicht mehr nach den Intentionen des Architekten. Bei der Wiederherstellung nach dem Zweiten Weltkrieg wurde auf die ursprünglichen

Pläne Olbrichs zurückgegriffen, so daß der Jugendstilcharakter zumindest im Äußeren vorzüglich herauskommt.

Der Theodor-Heuss-Ring führt zum Rhein. Hier steht die BASTEI, 1924 von Wilhelm Riphahn als Restaurant mit vorkragendem Obergeschoß über dem runden Sockelstumpf eines Artilleriestandes von 1891 errichtet. Wir biegen nach rechts zum Konrad-Adenauer-Ufer ein. Nach wenigen Schritten erreichen wir Nr. 69, die WECKSCHNAPP, ein Türmchen, das der Rest einer Bastion ist, die um 1400 der Kunibertstorburg vorgelagert war (Abb. 130). Das Türmchen trägt seinen Namen zu Unrecht. Es hat ihn von einem einst in der Nähe befindlichen, nun jedoch verschwundenen Wachtturm übernommen, der weit in den Rhein hineinragte. Die Sage weiß zu berichten, daß er den zum Hungertod Verurteilten bestimmt war. An der Decke des Turmgefängnis hing ein Weck. Aber wehe, wenn der Hungernde ihn schnappen wollte. Er mußte bei diesem Versuch auf eine Falltür treten, die unter ihm nachgab und ihn in zahllose Messer stürzen ließ. Den Leichnam schwemmte der Rhein fort. An solch schreckliche Bedeutung mag die Weckschnapp freilich heute kaum noch einen Besucher erinnern, zumal ihr die Einbeziehung in ein modernes Wohnhaus einen wohnlichen Charakter verliehen hat.

Wir biegen nach rechts in die Straße ›Thürmchenswall‹ ein, deren Name ebenfalls auf den Komplex der Kunibertstorburg hinweist. Dann nach links in die Straße ›Unter Kahlenhausen‹. Sie führt zu dem Komplex der Staatlichen Musikhochschule, deren Neubau zwischen Dagobertstraße und ›Unter Krahnenbäumen‹ liegt. Die letztgenannte Straße galt noch bis vor wenigen Jahren als typisch für das kölsche Milieu. Der Fotograf Chargesheimer hat gemeinsam mit Heinrich Böll dieser Straße und ihrem Milieu ein Denkmal gesetzt. Der 1976 vollendete Neubau der STAATLICHEN MUSIKHOCHSCHULE wurde unter der Oberleitung des Staatshochbauamtes Köln errichtet. Der an ihr mitbeteiligte Architekt Peter Busmann ist auch an dem Projekt des Neubaues für das Wallraf-Richartz-Museum und Museum Ludwig entscheidend beteiligt. Die Musikhochschule ist ein unter Verwendung von Beton und Stahl vielgliedriger architektonisch höchst reizvoller Bau.

Die Fortsetzung der Straße ›Unter Kahlenhausen‹ heißt ›An der Linde‹. Wir folgen ihr bis zur Biegung in die Straße Kunibertskloster. Im 7. Jh. hat der Kölner Bischof Kunibert hier eine Klemens-Kapelle gegründet oder zumindest erneuert, in der er um 663 seine letzte Ruhestätte fand. Ihm zu Ehren wurde die Kapelle in ST. KUNIBERT umbenannt. 687 werden die Leiber der beiden angelsächsischen Missionare und Märtyrer, des schwarzen und des weißen Ewalds hier beigesetzt. Im 9. Jh. wird St. Kunibert zum ersten Mal als Stiftskirche erwähnt. Das Stift bestand bis 1802. Seither ist St. Kunibert Pfarrkirche. Im Gegensatz zu anderen Kölner Stifts- und Pfarrkirchen sind hier die Vorgängerbauten völlig verschwunden. Infolgedessen hat St. Kunibert einen für Köln ungewöhnlich einheitlichen Charakter. Sie ist zugleich der letzte romanische Kirchenbau im stadtkölnischen Bereich. Um 1215 wurde mit dem Neubau begonnen. Erzbischof Konrad von Hochstaden nahm 1247, ein Jahr vor der Grundsteinlegung des gotischen Doms, die Weihe vor. Der Aufriß der dreischiffigen Pfeilerbasilika mit sechsteiligen

Rippengewölben schließt sich eng an St. Aposteln an. Doch ist der Zug in die Höhe noch stärker betont. Der Raumeindruck ist heute dadurch beeinträchtigt, daß das während des Zweiten Weltkrieges zerstörte Westquerhaus noch nicht wiederhergestellt ist. Immerhin verraten uns seine noch erhaltenen Teile, daß es in vereinfachter Form auf Baugedanken zurückging, die in Lüttich, Maastricht und Xanten in den sogenannten Westchorhallen entwickelt waren. Bei der Chorgestaltung wurde auf die Dreikonchenanlage verzichtet. Die halbrunde Apsis schließt sich an ein nicht ausladendes Querhaus an. Ihre Gliederung ist jedoch Groß St. Martin und St. Aposteln verpflichtet. Die ›Zweischaligkeit‹ wird hier folgerichtig zu Ende gedacht, denn nun führt auch im Erdgeschoß ein Laufgang in Mauerstärke um die Apsis. Obwohl gleichzeitig mit St. Gereon erbaut, läßt St. Kunibert noch nichts von gotischen Elementen verspüren. Es fehlen die Straffheit, das vertikale Gliedergerüst, die Zusammenfassung der einzelnen Geschosse. Aber noch einmal wird die ganze Differenziertheit und Feingliedrigkeit spätstaufischer Wandgliederungen erreicht.

Von der Ausstattung müssen an erster Stelle die farbigen *Glasfenster* im Chor und Querhaus genannt werden. Um 1230 entstanden, bedeuten sie einen Höhepunkt der spätromanischen Glasmalerei Deutschlands. Nach gründlicher Restaurierung wurden sie ab 1962 nach und nach wieder eingesetzt. Oben in der Apsismitte ist die Wurzel Jesse zu sehen, links davon Szenen aus dem Leben des hl. Klemens, rechts aus dem Leben des hl. Kunibert, darunter, neben erneuerten Scheiben, die hl. Cordula. Auf der Nordseite des Querhauses die heiligen Jungfrauen Cäcilia und Katharina, auf der Südseite Johannes der Täufer. Durchweg kleinfigurig in ihrer Bildkomposition wirken die Fenster vor allem durch ihr sprudelnd reiches Pflanzenornament. Nach der Restaurierung haben die Farben wieder ihren satten Klang zurückgewonnen. Grün, blau, gelb, rot sind die bestimmenden Farben. – Im südlichen Querhaus befindet sich die TAUFNISCHE (Abb. 143). Sie wurde um 1270 mit der Darstellung der *Kreuzigungsgruppe* ausgemalt. Die eckig spitz herausstechenden Gewandzipfel sind für den Stil dieser Zeit charakteristisch. An den Vierungspfeilern findet sich ein weiteres großartiges Kunstwerk, die überlebensgroße *Verkündigungsgruppe* von 1439, in Stein gehauen, wahrscheinlich von dem Kölner Dombaumeister Konrad Kuyn (Abb. 144). 1955 wurde die Gruppe neu gefaßt. Vor der Gottesmutter kniet als kleine Figur der Stifter, Hermann von Arcken. Liebreizend sind die kleinen Engel an ihrer Konsole. Die Verkündigungsgruppe ist eines der frühesten Werke in Köln, die eine Vorstufe des Realismus darstellen. Trotz der Überlebensgröße besitzen die beiden Figuren eine außerordentliche seelische Feinheit. Aber alles nur Niedliche ist jetzt aufgegeben. An der Ostwand des südlichen Querhauses befindet sich ein Flügelaltar von Barthel Bruyn d. Ä. mit der *Auferstehung Christi* in der Mitte. Auch einige moderne Kunstwerke haben in St. Kunibert Aufnahme gefunden. Genannt seien die hölzernen Eingangstüren der Nordseite mit ihren kleinen Reliefs, ein Werk von Elmar Hillebrand, 1955, sowie ein Hängekreuz mit silbergetriebenem Korpus und figürlichem Email, aus dem gleichen Jahr, von Hanns Rheindorf.

Wir setzen unseren Weg auf der Straße ›An der Linde‹ fort und erreichen die Machabäerstraße. Diese hat ihren Namen von dem Benediktinerinnenkloster, das die Reliquien der makkabäischen Brüder hütete (vgl. Makkabäerschrein, S. 128; Makkabäeraltar, S. 202). Während dieses Kloster gänzlich verschwunden ist, gibt es noch heute in der gleichen Straße ein anderes Kloster und eine Schule, die der Ursulinen, Nr. 45/47. Die Ursulinen kamen 1639 nach Köln. 1673–76 errichteten sie das Kloster in der Machabäerstraße. Sie wurden gefördert durch den Kurfürsten und Herzog von Jülich und Berg, Johann Wilhelm († 1716). Er stellte ihnen den Architekten des Bensberger Schlosses, den Venezianer Matteo d'Alberti, zur Verfügung, der die KIRCHE DER URSULINEN von 1709–1712 unter Berücksichtigung von Plänen des Architekten Aloysius Bartoldi errichtete. Das Motiv der Verehrung der Eucharistie steht im Zentrum des Fassadenschmucks, wird aber auch auf dem Triumphbogen im Inneren der Kirche wiederholt. Der Außenbau bringt insofern eine neue Note, als die Fassade in die Straßenflucht vorgezogen ist. Sie ist streng, fast sachlich. Vier durchgehende Pilaster, die auch das Hauptgesims durchschneiden, tragen das Gebälk mit dem weitgespannten Giebel. Das Moment der Bewegung ist durch die Engelsfiguren gegeben, die sich anbetend der Eucharistie in der Fassadenmitte zuwenden. Im Zweiten Weltkrieg brannte die Ursulinenkirche aus. Nach der Wiederherstellung wirkt der Innenraum verarmt. Immerhin besitzt er wie früher ein kassettiertes Tonnengewölbe. Ein gewisser Ersatz für die barocke Ausstattung sind zwei flandrische Beichtstühle des 18. Jh., die 1965 beschafft wurden. Erhalten blieb der KIRCHENSCHATZ, zu dem vor allem prachtvolle Paramente gehören. Bis zum Ausgang des 18. Jh. befand sich offenbar eine eigene umfangreiche Werkstätte für Paramente im Kloster der Ursulinen.

Die Machabäerstraße wird heute von der Turiner Straße – so heißt in diesem Stück die Nord-Süd-Fahrt – durchschnitten. Wir folgen der Machabäerstraße jedoch bis an ihr Ende, dem EIGELSTEIN, der sich bis an die Schwelle unserer Zeit den Charakter kölschen Milieus wahren konnte. Er wird abgeschlossen durch die Eigelsteintorburg. Wir wenden uns nun nach links zur Marzellenstraße und biegen dann gleich wieder rechts ein, um den Ursulaplatz zu erreichen. Wie die Kirche St. Gereon wurde auch ST. URSULA inmitten eines ehemals römischen Friedhofs angelegt. An der Südseite der Kirche, unter dem ersten Fenster beim Eingang zum Hochaltar findet sich noch heute eine 50 cm hohe und 71 cm breite Kalksteinplatte, die Clematius-Inschrift aus der Zeit um 400. Sie teilt mit, daß Clematius aufgrund eines Gelübdes die Basilika zu Ehren der Märtyrerjungfrauen erneuert habe. Die Ausgrabungen, die nach dem Zweiten Weltkrieg stattfanden, haben die Richtigkeit dieser Angabe grundsätzlich bestätigt. Über einem älteren, vielleicht schon auf das 3. Jh. zurückgehenden Bau, ist um 400 die Basilika errichtet worden, die die Inschrift erwähnt. In merowingisch-karolingischer Zeit bestand hier bereits ein Kanonikerstift. Unter Erzbischof Hermann I. wurde es um 920 neu belegt und zwar mit Kanonissen aus Gerresheim. Der Name Ursula und die Entwicklung der Ursulalegende selbst gehen auf das Frühmittelalter zurück. Die ersten Zeugnisse einer Ursulaverehrung stammen aus dem 8. und 9. Jh. Die Ursulalegende wurde im Laufe der Zeiten immer mehr ausgeschmückt. Nach ihr ist Ursula die Tochter eines britischen Königs, die auf der Rückkehr von einer Romwallfahrt vor den Toren Kölns gemeinsam mit ihren Gefährtinnen den Märtyrertod aus der Hand der Hunnen erlitten hat, die zu dieser Zeit die Stadt belagerten. Von Köln aus verbreitete sich der Ursulakult weithin im ganzen Abendland. Der Verehrung gaben die 1106 entdeckten Märtyrergebeine starken Auftrieb. Sie war auch der Anlaß für den Bau der noch heute in wesentlichen Teilen erkennbaren romanischen Emporenbasilika, der ältesten am Niederrhein. Der romanische Charakter ist im Westbau gut bewahrt. Der Westturm allerdings ist gekrönt durch eine barocke Haube. An die breite Vorhalle des Westbaus schließt sich die dreischiffige romanische Emporenbasilika mit östlichem Querhaus an. Breit gespannte Arkaden mit stämmigen Pfeilern gliedern das Mittelschiff, darüber fast gleichgroße Bogenöffnungen der Emporen mit dreiteiliger Arkatur. Die Wand ist ungegliedert flächig. Ursprünglich war das Mittelschiff durch eine Flachdecke abgeschlossen. Sie wurde später durch ein Rippengewölbe ersetzt. Dieses ist im Zweiten Weltkrieg zerstört worden. An seine Stelle ist jetzt eine Segmentbogendecke getreten. Nach außen ist der Obergaden durch Lisenen und Rundbögen gegliedert. Wie bei anderen Nonnenklöstern auch, mußte in St. Ursula Raum für eine Nonnenempore sein. Wir finden sie im Westbau. Sie ist tief ins Langhaus hineingezogen (Abb. 141). In der 2. Hälfte des 13. Jh. wurde der romanische durch einen frühgotischen Chor ersetzt. Seine Weihe fand 1287 statt. Die Kölner Dombauhütte hat offensichtlich auch an der Gestaltung des Chores von St. Ursula mitgewirkt. Anfang des 14. Jh. wurde noch ein zweites südliches Seitenschiff hinzugefügt, das Ende des 15. Jh. umgebaut wurde. Die starken Zerstörungen des Zweiten Weltkrieges sind bis zur Mitte der 60er Jahre behoben worden.

Von der Ausstattung seien folgende Stücke besonders genannt: In der Vorhalle eine *Pietà* aus Stein im weichen Stil der Zeit um 1420; im südlichen Nebenchor *Kreuzigungsgruppe*, 1968 als Lebensbaum gestaltet, der Kruzifixus, 2. Hälfte 14. Jh., Madonna und Johannes (früher am Triumphbogen) um 1500; im nördlichen Querschiff *Grabmal der hl. Ursula*, gotischer Sarkophag, 1. Hälfte 15. Jh., durch eine Schieferplatte mit Darstellung der Heiligen abgedeckt, 1659 mit liegender Figur der hl. Ursula aus weißem Alabaster umgebaut im Auftrag des kaiserlichen Ratsherrn Johannes von Crane; Gemäldezyklus mit Darstellungen der Legende der Heiligen, 1456; im nördlichen Nebenchor *St. Ursula als Schutzmantelheilige*, Stein, 1465 (Abb. 140). Der *Hochaltar* im Hochchor stammt vom Ende des 13. Jh. Das BRONZEPORTAL in der Westfront gestaltete 1960 Theo Heiermann. Fünf Medaillons zeigen Szenen der Ursulalegende (Abb. 138). Die Reliquienbüsten, die wir auf den Emporen sehen, verweisen uns bereits auf eine dieser Kirche verbundene Besonderheit, die GOLDENE KAMMER (Abb. 142). Sie ist eine Stiftung des Johannes Crane und seiner Ehefrau Verena Hegemihler, 1643, und befindet sich an der Südseite der Kirche. Am Ende des Dreißigjährigen Kriegs entstanden, einer Zeit, die soviel Sterben sah, ist die Goldene Kammer geradezu Ausdruck der Todesseligkeit. Die untere Hälfte des Raumes enthält Nischen zur Aufstellung der 122 Reliquienbüsten. Die darüber liegenden Bogenfelder sind bis zum Gewölbe mit Knochen belegt, die zu Ornamenten, Symbolen, Fürbittgebeten miteinander verbunden wurden. Die Reliquienbehälter sind zu einem nicht geringen Teil hervorragende Kunstwerke. Vor allem unter den gotischen Büsten (seit dem 14. Jh.) befinden sich einige auch als Kunstwerke bestechende Kopfreliquiare, darunter eine Parlerbüste, die Büste mit dem ›Krüseler‹, um 1350, der ›Schöne Ritter‹. Unter den Goldschmiedewerken ist vor allem der *Schrein des hl. Aetherius* zu nennen (um 1170). – Am Ursulaplatz 17 ist das ÄBTISSINNENHAUS erhalten geblieben, in der Mitte des 13. Jh. von der Äbtissin Augusta, Gräfin von Manderscheid-Blankenheim errichtet, ein Barockbau mit Mansarddach.

Wir nehmen nun unseren Weg durch die Straße Ursulakloster und erreichen die Straße ›Auf dem Hunnenrücken‹. Versteckt zwischen den modernen Verwaltungsbauten liegt ein lauschiges Plätzchen, der Maria-Ablaß-Platz. ST. MARIA ABLASS war die Pfarrkirche im Stiftsbezirk von St. Ursula. Der ursprüngliche Name lautete Ecclesia S. Mariae Virginis in Vallo. Weil aber hier der Erzbischof auf der Stadtwallfahrt am Palmsonntag, von St. Ursula kommend und auf dem Weg nach St. Gereon, einen besonderen Ablaß verkündete, erhielt die Kirche den Namen, der ihr bis heute geblieben ist. Von der eigentlichen Kirche ist allerdings nur wenig erhalten. Wie bei vielen anderen Kölner Pfarrkirchen wurden auch bei St. Maria Ablaß die Pfarrechte auf die größere Stiftskirche übertragen. Von der dreischiffigen, im Kern wahrscheinlich noch romanischen, in der Erscheinung aber spätgotischen Kirche aus der Zeit um 1431–1467, ließ man 1804 nichts mehr stehen, außer einer Seitenkapelle am Nordschiff. Diese wurde nunmehr zu einer für sich stehenden Kapelle umgestaltet. Sie hat ihren Charakter als schlichter dreiachsiger Bau des späten Mittelalters bewahren können. 1855–69 wurde das Kirchlein gründlich renoviert und dabei das Barockportal von 1687 durch ein neugotisches ersetzt. 1929 wurde der Dachreiter frei erneuert.

Mit wenigen Schritten erreichen wir die Eintrachtstraße. Bis zur Zerstörung im Zweiten Weltkrieg stand hier das ERZBISCHÖFLICHE PALAIS – früher Palais des Bürgermeisters Heinrich Balthasar von Mülheim – mit Blickrichtung zur Gereonstraße, Ecke Eintrachtstraße. Beim Wiederaufbau sollte der palaisartige Charakter vemieden werden. Das erzbischöfliche Haus selbst liegt daher nun nicht mit seinem Eingang zur Gereonstraße, sondern zur bescheideneren Eintrachtstraße. Mit ihm sind verbunden das Priesterseminar mit einer eigenen Seminarkirche, das erzbischöfliche Offizialat, das erzbischöfliche Archiv und die Diözesan-Bibliothek, in der auch die Handschriften der Dombibliothek zu finden sind, soweit sie nicht in der Domschatzkammer und im Diözesan-Museum ausgestellt sind. Dieser Komplex verklinkerter Betonskelettbauten wurde 1956/58 von den Architekten Hans Schumacher und Willy Weyres errichtet. Am Ausgang der Eintrachtstraße befindet sich der kleine Börsenplatz mit einem Brunnen, den Heribert Caleen 1964 ausgeführt hat. Über einer Schale erhebt sich ein Obelisk aus sich verjüngenden Hohlkästen. Der Brunnen ist als Symbol des Kölner Wiederaufbaus gedacht. Der Platz wird dominiert von dem Gebäude der Industrie- und Handelskammer, einem Werk von Karl Hell, 1951.

6. Vom Waidmarkt zum Chlodwigplatz

An dem längs der südlichen Römermauer verlaufenden Feldbach – heute Duffesbach – saßen die Gerber und Färber. Die Namen Rothgerberbach, Blaubach und Waidmarkt erinnern daran. Das Kölner Blau – Farbe der Bauernkittel, des Gewandes des Köbes, d. h. des Kellners Kölscher Gaststätten, des kölschen Tünnes und auch des bergisch-westfälischen Kiepenkerls – wurde aus dem Waid, einer Färberpflanze, die im Jülicher Land angebaut wurde, hergestellt. Die Waidhändlerbruderschaft, deren Mitglieder am Waidmarkt den Blaufärbern das Waid verkauften, hatte als Patronatskirche St. Jakob in unmittelbarer Nähe der Stiftskirche St. Georg. St. Jakob wurde 1825 abgebrochen. An der westlichen Seite des Waidmarktes, Ecke Blaubach – im Mittelalter stand hier das Karmeliterkloster – erhebt sich heute der Komplex des POLIZEIPRÄSIDIUMS mit seinem schmal hochstrebenden Hochhaus, 1955 von Eugen Blanck errichtet. Fast zierlich wirken ihm gegenüber die Wohnhäuser der westlichen Seite des Waidmarktes. Vor ihnen steht der HERMANN-JOSEPH-BRUNNEN, ein Werk von Wilhelm Albermann, 1894, zur Erinnerung an die Legende, der zufolge die Muttergottesstatue in St. Maria im Kapitol den Apfel für sich und das Kind angenommen hat, den ihr Hermann-Joseph als Schulbub reichte. Schon in der Antike hatte am Waidmarkt vor dem Südtor der Römerstadt eine vorstädtische Siedlung mit dem Tempel einer Wegegottheit bestanden. In der Merowingerzeit wurde dieser durch ein Kirchlein zu Ehren des hl. Cäsarius ersetzt. An ihrer Stelle erhebt sich heute, den Waidmarkt nach Süden abschließend, die Kirche ST. GEORG, eine Stiftung Anno II., die einzige erhaltene frühromanische Säulenbasilika am Niederrhein. Der Kölner Erzbischof gründete 1059 das Chorherrnstift St. Georg. Der Bau der Kirche schritt schnell voran, und wahrscheinlich schon 1067 konnte Anno ihn weihen. Das annonische Bauwerk ist eine dreischiffige, ursprünglich flachgedeckte Säulenbasilika mit einer Vierung und mit Querarmen, die in dreiseitig gebrochenen Konchen schließen, sowie einem dreischiffigen in Apsiden endenden Chor. Die Säulen haben attische Basen und Würfelkapitelle. Am Kapitell einer Säule der Krypta befindet sich die Inschrift: »Herebrat me fecit« (Herebrat hat mich gemacht). Daß ein mittelalterlicher Steinmetz seinen Namen mitteilt, ist selten. Die Krypta unter dem Chor ist fünfschiffig. Anregungen aus Oberdeutschland, so aus Straßburg, sind in die annonische Konzeption der Säulenbasilika eingegangen. In der Dreiteilung des Chores und in der Nischengliederung im Innern der Querhausarme werden baukünstlerische Verbindungen zum Essener Münster, der Luciuskirche in Werden, auch zum limburgischen Susteren deutlich. Im Zuge der staufischen ›Modernisierung‹ Kölner Kirchen erhielten Langhaus und Chor um 1150 Kreuzgratgewölbe. Noch vor 1188 entstand der dem Pfarrgottesdienst bestimmte großartige Westchor. Von außen stellt er sich als gänzlich ungegliederter, wuchtiger Baublock dar. Ursprünglich sollte er einen über eine Zwerggalerie aufsteigenden Turm tragen. Aber dieser Plan wurde nie verwirklicht. Um 1700 erhielt er eine geschweifte Haube. Beim Wiederaufbau nach der schweren Zerstörung – noch im März 1945 – trat an ihre Stelle ein einfaches Walmdach.

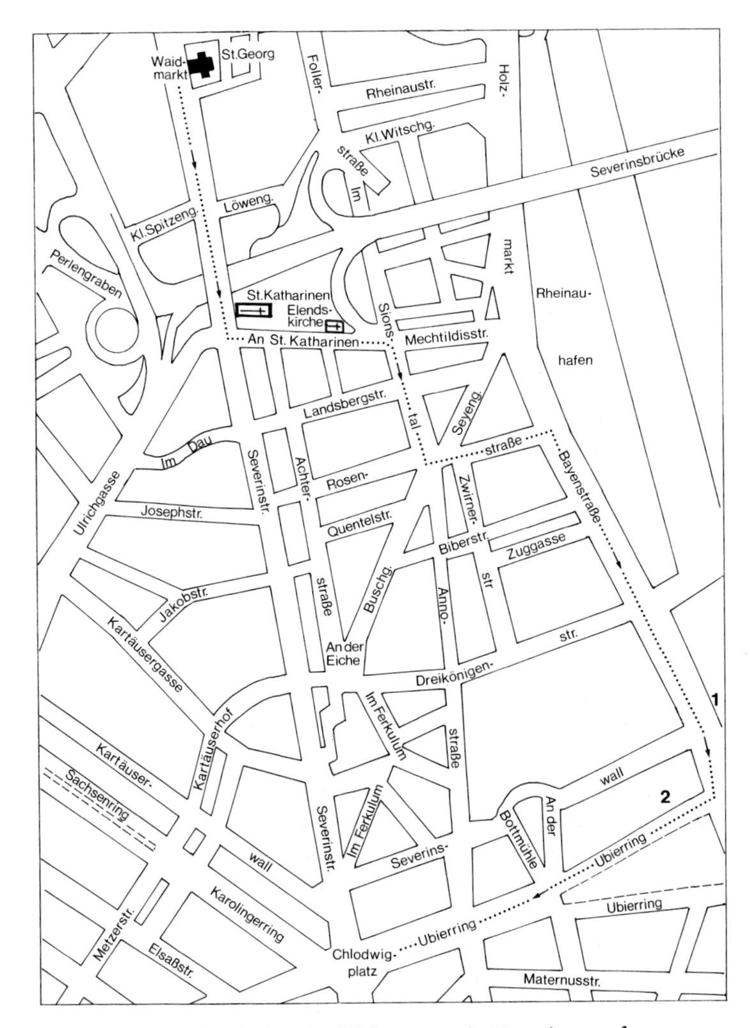

1 Bayenturm
2 Rautenstrauch-
Joest-Museum

Wir treten vom Waidmarkt aus durch die nördliche, 1551 in Renaissanceformen errichtete, Vorhalle in das INNERE der Kirche, um uns von dem Kontrast zum Außenbau überraschen zu lassen. Der weite, gedrungene von einer Hängekuppel überwölbte Innenraum des Westchors öffnet sich in einem mächtigen, gestuften Bogen zum Langhaus (Abb. 160). Die zweigeschossige Wandgliederung mit Nischen und Laufgängen greift Baugedanken von Groß St. Martin auf, paßt sie jedoch dem andersartigen Modell des Chorquadrates an. Vielleicht darf man die Gesamtheit des Chores als verkleinerte Wiederholung der maasländischen, sog. Westchorhallen, Beispiele in Lüttich und Maastricht, verstehen. 1802 wurde das Stift aufgehoben. Seither dient St. Georg ausschließlich als Pfarrkirche. Die schweren Zerstörungen durch den Bombenkrieg konnten bis 1964 behoben werden. Über dem neuen Pfarraltar hängt eine Nachbildung des annonischen Kreuzes (Original im Schnütgen-Museum, vgl. Abb. 104). Dahinter steht der *Beweinungsaltar,* ein Werk von B. Bruyn d. J., vor 1558. Im Westchor befindet sich ein *Gabelkruzifixus,* 1. Hälfte 14. Jh. In der erschütternden Darstellung des Leidens Christi ist es dem älteren Kreuz aus Maria im Kapitol verwandt. Der Taufstein wird 1240 datiert. Jan Thorn-Prikker schuf 1930 in kräftigen Farben leuchtende Fenster mit figürlichen und ornamentalen Darstellungen. Ihm wird auch der Kreuzweg im Kirchhof verdankt.

Am Eingang der Severinstraße, einem Seitenflügel des Friedrich-Wilhelm-Gymnasiums vorgelagert, steht das PORTAL eines preußischen Wachgebäudes, errichtet im klassizistischen Stil und zur gleichen Zeit wie das noch als Ganzes erhaltene Wachgebäude in der Zeughausstraße. Wenige Schritte davon entfernt, Severinstraße 222–228, befindet sich der 1971 vollendete Neubau des HISTORISCHEN ARCHIVS der Stadt Köln. Dem eingeschossigen Verwaltungsbau ist zur Straße hin der siebengeschossige Magazinbau vorgelagert, dessen Erdgeschoß als Ausstellungshalle genutzt wird. Großzügig angelegte Fenster in diesem Geschoß – während die übrigen Stockwerke zum Schutz der Akten und Urkunden fensterlos erscheinen – erlauben es dem Passanten bereits auf der Straße, einen Blick auf die Ausstellungsobjekte zu werfen. In ständig wechselnden Ausstellungen gibt das Archiv Einblick in seine Bestände. Aufgrund seiner älteren Sammlungen – rund 60 000 Pergamenturkunden, deren älteste die Jahresangabe 922 trägt – gilt das Historische Archiv der Stadt Köln als das erste unter den städtischen Archiven Deutschlands. Berühmt sind die Niederschriften über den Grundstücksverkehr in 81 Schreinskarten und 514 Schreinsbüchern. Das Archiv gibt Auskunft über die Geschichte der Kölner Stifte, der Universität, der Hanse. Außerdem enthält es aus neuerer Zeit wichtige Nachlässe, so die der Kunstsammler Ferdinand Franz Wallraf und Sulpiz Boisserée, des Malers Wilhelm Leibl. Schließlich besitzt es eine nicht unbedeutende Zahl von mittelalterlichen Handschriften, darunter ausgesprochene Cimelien, wie das Evangeliar aus St. Pantaleon, Kölner Handschrift aus der 2. Hälfte des 9. Jh. mit Miniaturen der vier Evangelisten; das Evangeliar aus St. Gereon, wohl bald nach 996 mit prächtigen Zierseiten und vielen Initialen, ein Meisterwerk der Kölner Buchmalerei im sog. malerischen Stil; das Evangeliar aus St. Pantaleon, Mitte 12. Jh., ein Werk Kölner Tradition mit byzantinisierenden Gewändern; Gottfried von Straßburgs ›Tristan und Isolde‹, eine Handschrift in mittelfränkischer Schrift, datiert 23. August 1323; ein Stundenbuch aus dem Anfang des 15. Jh., entstanden wahrscheinlich im Gebiet der Diözese Tournay, mit vielen bewegt ausgeführten Miniaturen, die von kunstvollem Blumenrankenwerk umgeben sind und einer Historienbibel, um 1427, in niederalemannisch-elsässischer Mundart, mit Bildern von Diebold Lauber aus Hagenau/Elsaß. Kulturgeschichtlich besonders interessant sind die beiden Autographe Albert d. Gr., sein Kommentar zum Matthäusevangelium und seine ›26 Bücher über die Tierwelt‹. Kulturgeschichtlich und kunstgeschichtlich zugleich wertvoll ist das Hansekopiar von 1484, das Abschriften der Privilegien enthält, die dem Hansekontor in Brügge, bzw. später in Gent und Antwerpen erteilt worden sind. Viele Textseiten sind mit Bordüren aus Tieren, Blumen, Fleuronné und geflochtenen Bändern geschmückt. Das Titelbild zeigt das Reichswappen, umrahmt vom Kaiser und den sieben Kurfürsten.

Kriegs- und Nachkriegszeit haben das Bild der Severinstraße im folgenden Abschnitt erheblich verändert. Die Straße hat sich zur Straßenbrücke verwandelt, die die breite Auffahrt zur 1958/59 erbauten Severinbrücke überspannt (vgl. Abb. 174). ST. JOHANN BAPTIST, einst die Patronatskirche der Zunft der Weber, steht nun nicht mehr inmitten der Straßenflucht als bescheidener, vom eiligen Passanten kaum bemerkter Bau, sondern erhebt sich hoch über der südlichen Auffahrtsrampe, ist heute bereits von weitem sichtbar. Die Tradition der Brückenheiligen konnte noch einmal aufgegriffen werden. Von Elmar Hillebrand aus Stein gehauen, steht vor der Kirche an der Rampe die monumentale STATUE DES BISCHOFS SEVERIN, nach dem das Viertel und auch die Brücke benannt sind. An der Nordseite der Kirche, in der Spielmannsgasse, befindet sich in einer spätgotischen Bildnische ein Kruzifixus aus der Zeit um 1470/80. St. Johann Baptist wurde vermutlich in der 1. Hälfte des 10. Jh. vom Severinstift als Eigenkirche gegründet. Sie erhielt aber schon bald Pfarrechte. An die Stelle eines einfacheren Kirchenbaus trat im 12.Jh. eine dreischiffige Emporenkirche (Weihe 1210). Mit dem Anwachsen der Zahl der Gemeindeangehörigen wurde sie zu klein. Daher wurde ihr 1346 ein zweites nördliches, 1538/39 ein zweites südliches Seitenschiff hinzugefügt. Gleichzeitig wurde auch das Langhaus verändert. Was Nicasius Hackeney für St. Maria im Kapitol bedeutete, das war Arnold von Siegen (1484–1569) für seine Pfarrkirche, ein kunstsinniger Mäzen. Der Vergleich mit Nicasius Hackeney bietet sich um so mehr an, als Arnold von Siegen sich gleich diesem ein Haus errichten ließ, das nicht minder geeignet als Quartier des Kaisers war. Tatsächlich war Kaiser Karl V. 1541 Gast dieses Hauses am Holzmarkt. Außer dem Um- und Erweiterungsbau von St. Johann Baptist sorgte Arnold von Siegen auch für die Ausschmückung der Kirche, so stiftete er Glasgemälde, des weiteren ein dreiflügeliges Altarbild von Barthel Bruyn (heute Germanisches Nationalmuseum, Nürnberg). Sein Sohn stiftete 1566 ein bronzenes Taufbecken. An Arnold von Siegen erinnert noch heute sein *Epitaph* mit der Auferstehung Christi. Ihm zu Ehren ist auf dem Platz südlich der Kirche ein BRUNNEN aufgestellt worden, der mit seinen ineinanderschwingenden Schiffen auf das Wappen des Kölner Tuchkaufmanns und Bürgermeisters anspielt. Auch der Barock hat St. Johann Baptist noch einmal bereichert. Im 17. Jh. erhielt der Turm einen neuen Aufsatz mit geschweifter Haube. Im Zweiten Weltkrieg wurde die Kirche fast völlig vernichtet. Übrig blieben allein die Nordwand des nördlichen Seitenschiffes und das Mittelschiff. Auch die Ausstattung ging z. T. verloren, so eine kostbare Barockkanzel, um 1720 von J. F. von Helmont geschaffen. Ein Wiederaufbau in der alten Form erschien wenig sinnvoll. Ein reiner Neubau aber hätte die ehrwürdige Tradition dieser Kirche in Vergessenheit geraten lassen. Die wenigen übriggebliebenen Architekturteile galt es darum zu erhalten und in den Neubau einzubeziehen. Diese Aufgabe hat Karl Band 1960/62 so gelöst, daß er das Mittelschiff in einen niedrigeren Backsteinbau mit Westturm einband. Was von der alten Ausstattung gerettet werden konnte – das Kreuzigungsfenster, um 1500, der Annenaltar, 1605, das Epitaph für A. v. Siegen, der Taufstein von 1566 –, wurde in der neuen Kirche wiederaufgestellt. Dazu kamen neue Kunstwerke. Hein Gernot gestaltete 1963 den Hochaltar. Noch bewahrt St. Johann Baptist seinen Kirchenschatz, darunter zwei schöne Ciborien.

Der Komplex der zugehörigen Pfarrgebäude liegt an der Straße ›An St. Katharinen‹. Diese Bezeichnung wie auch die Straßennamen Katharinenhof und Katharinengraben erinnern an das Hospital St. Katharina, das der Deutschordenskommende in der Severinstraße gehörte. Der Name nimmt auf das Katharinenkloster im Sinai Bezug. Das Hospital war für die Reisenden bestimmt, die, da sie in der Fremde waren, im Elend weilten. Für die Fremden, die im St. Katharinen-Hospital verstarben, legte der Deutsche Orden einen eigenen Friedhof – 1355 ›ellendiger kirchhooyve‹ genannt – auf dem Gelände des Katharinengrabens an. Wer in der Fremde starb, konnte nicht auf dem eigenen Pfarrfriedhof beigesetzt werden, hatte aber auch kein Anrecht zur Beisetzung auf einem der Kölner Pfarrfriedhöfe. Da bot sich der Katharinengraben als Ausweg an. Seit dem 16. Jh. wurden auf dem ELENDSFRIEDHOF auch Hingerichtete und Protestanten beerdigt (letztere bis zur Anlage des Geusenfriedhofs 1576). Um 1500 wurde auf diesem Friedhof eine Michaelskapelle errichtet. Jakob von Groote ließ sie 1678 unter dem Titel Gregoriuskirche erweitern und verband sie mit einer Familienstiftung. Die heutige ELENDSKIRCHE, Grootsche Familienkirche St. Gregorius ›Am Elend zu Köln‹, die die Vorgängerbauten ersetzte, eine Stiftung des Bürgermeisters Franz Gabriel von Groote und seines Bruders, wurde 1765–78 unter der Leitung des Steinmetzes Heinrich Nikolaus Krakamp nach einem Entwurf von Balthasar Späth als Backsteinbau im Zopfstil errichtet. Sie ist einschiffig, gewölbt, mit drei Achsen und eingezogenem Chor. Die Ecken sind gerundet, die Langwände außen und innen zwischen Pilastern flach ausgenischt, der Chor im flachen Rund geschlossen. Über dem Flachgiebel sitzt auf hohem Walmdach ein offener Dachreiter, geschweift an Sockel und Haube. Am eindrucksvollsten aber ist das WESTPORTAL mit den Reliefemblemen des Triumphierenden Todes (Abb. 148). Er erhebt sich aus einem Sarg, das Haupt mit der Tiara gekrönt. In seinen Händen hält er Papst- und Bischofsstab sowie die Schlüssel Petri. An den Sarg lehnt sich ein Putto mit nach unten geneigter Fackel. Links symbolisieren vier Bücher unter einer Urne die vier Evangelien, rechts ist ein Kardinalshut unter einem Leichentuch zu erkennen. Totenköpfe erscheinen auch in den Türgewänden und auf dem Mittelbalken des Portals. 1943 wurde die Elendskirche bis auf die Umfassungsmauern zerstört. Zehn Jahre später konnte das Dach in alter Form wieder aufgesetzt werden. Auch der INNENRAUM ist inzwischen unter Verwendung der ausgelagerten Plastiken wiederhergestellt worden (Abb. 149). Vom Elendsfriedhof blieben noch einige Kreuze stehen, eine Mahnung an die Toten, die in Köln heimatlos verstorben sind. An der Südmauer befinden sich zwei Gedenkplatten für den holländischen Dichter Joost van den Vondel und den Jesuitenmissionar Johann Adam Schall von Bell, die beide gegen Ende des 16. Jh. in Köln geboren wurden und hier ihre Kindheit verbrachten. Beide lebten und starben fern von Köln, waren aber ihrer Vaterstadt auch in der Ferne noch verbunden.

Der Bayenturm. Stich von Wenzel Hollar. Um 1635

Wir biegen nach rechts in die Straße ›Im Sionstal‹ ein. Hier stand das im 13. Jh. gestiftete Zisterzienserinnenkloster St. Maria Sion. Durch die Rosenstraße geht es dann zum Rhein, bzw. zum Rheinauhafen, dem wir bis zu seinem Ende folgen. Die mittelalterlichen Höfe, die an der Bayenstraße standen, sind längst verschwunden. Statt dessen geht unser Blick rechts zum Werksgelände der FIRMA STOLLWERCK. Die Schokoladenfabrik hat freilich unlängst ihren Betrieb an den Stadtrand nach Porz verlegt. Gegen den Plan, die zum Teil erst nach dem Zweiten Weltkrieg erbauten bzw. wiedererrichteten Fabrikgebäude abzureißen und durch neue Wohnhäuser zu ersetzen, wendet sich die Bürgerinitiative Südliche Altstadt. Sie schlägt vor, die Fabrikgebäude stehenzulassen und in Mietwohnungen aufzuteilen. Sie hat bereits ein Modell entwickelt, wie Fabrikräume in Wohneinheiten verwandelt werden und der Charakter des ganzen Severinsviertel mit seinem kölschen Milieu bewahrt werden könnte.

Der BAYENTURM, den wir jetzt erreichen, war die südöstliche Eckbastion der großen mittelalterlichen Stadtbefestigung. Zum Rheinlauf hin über Eck gestellt, erhebt er sich trotz seiner weitgehenden Zerstörung im Zweiten Weltkrieg, auch noch als Ruine imponierend, wuchtig als Denkmal städtischen Freiheitwillens gegen die Herrschaftsansprüche der Kölner Kurfürsten. Über dem älteren quadratischen Unterbau wurden die neueren achteckigen Obergeschosse errichtet. Ihr Zinnenkranz war mit dem Stadtwappen geschmückt. Um 1620, während des Dreißigjährigen Krieges, wurde das ›neue Bollwerk‹ mit dem Bayenturm noch weiter ausgebaut und verstärkt. Köln blieb damals uneinnehmbar.

Wenige Schritte weiter führen uns zum UBIERRING, dem Anfang der Ringstraße. Sie beginnt mit einer großzügigen Anlage. Hier ist auch noch ein Teil der ursprünglichen Bauten mit den Fassaden der Gründerzeit erhalten. Das wichtigste und interessanteste öffentliche Gebäude am Ubierring ist das RAUTENSTRAUCH-JOEST-MUSEUM, 1904–1906 nach den Plänen von Edwin Crones gebaut, das einzige der Kölner Museen, das zumindest in seiner Fassade das Aussehen der Vorkriegszeit bewahrt hat. Der Mittelteil der aus hellgelbem Sandstein errichteten Front springt zurück. Als Schlußsteine der Mittelfenster sind die Köpfe der Repräsentanten der außereuropäischen Kontinente ausgehauen: ein Neger, eine Japanerin und ein Indianer. Sie deuten die Bestimmung des Gebäudes an, Völkerkundemuseum zu sein. Das Giebelfeld des Mittelteils zeigt das Kölner Wappen. Auch dieses Museum kam freilich im Zweiten Weltkrieg nicht ungeschoren davon. – Noch im März 1945 wurde der Nordflügel zerstört. Wiederaufbau und Renovierung der erhaltenen Bauteile dauerten bis 1967. Außerdem sind nach dem Zweiten Weltkrieg die Kammerspiele der Städtischen Bühnen in das Museumsgebäude eingezogen. Dem Theaterbesucher wird die Möglichkeit geboten, vor Beginn der Vorstellungen die Schauräume des Untergeschosses zu besichtigen.

Aufgabe dieses Museums ist es, die exotische Kunst in ihren Zusammenhängen zu präsentieren. Gleichwohl seien hier einige der Kostbarkeiten, losgelöst aus ihrem Kontext, vorgestellt. Der Schwerpunkt der Kölner Sammlung liegt, nicht zuletzt durch das Forschungsinteresse Wilhelm Joests bedingt, auf Ozeanien und hier vor allem auf Melanesien. Die Vielfalt der melanesischen Kulturen rechtfertigt diese Bevorzugung. Doch sind darüber die anderen Kulturbereiche nicht vernachlässigt worden. Eine der größten Kostbarkeiten ist ein *Federmantel* aus dem Hawaii-Archipel, der nur vom hohen Adel getragen werden durfte, ein Meisterstück des polynesischen Kunsthandwerks. Er besteht aus einem engmaschigen Netzwerk, in das kleine Bündel winziger gelber und roter Federchen wie Dachziegel in übereinander greifenden Reihen sorgsam eingeknüpft sind. Faszinierend sind die Kultmasken, die Ahnenfiguren, die Schilder. Europäischen Einfluß, zwar nicht von Künstlern und Kunstpädagogen ausgehend, sondern als Reflex der Wünsche der einfachen Seeleute und Händler, verrät die Gruppe zweier *Ringkämpfer,* Statuetten aus den Zentral-Salomonen, Melanesien, bei der es dem Künstler gelungen ist, sogar den Kampfeseifer der beiden miteinander Kämpfenden einzufangen (Abb. 151). Auf dem *Keulenkopf* von den Marquesas-Inseln, Polynesien, erscheint das Tiki(Schlangenkopf)-Motiv gleich mehrfach und zwar so geordnet, daß die Köpfchen zusammen wieder ein Gesicht ergeben. Auf dem *Umschlagtuch* von der Insel Sumba, Indonesien, verkörpern geflügelte Wesen Ahnengeister. Der Nashornvogel ist vielen Völkern Indonesiens Symbol der höchsten Gottheit. Das Museum besitzt ein besonders schönes Exemplar der Kultfigur des *Nashornvogels* aus Iban, Borneo (Abb. 152). Schiffstücher aus Krui, Süd-Sumatra, Indonesien zeigen in starker Stilisierung Totenschiff und Lebensbaum. Aus Ceylon wurde dem Museum 1906 eine Sammlung von dreihundert *Masken* geschenkt, die zumeist der Beschwörung von Krankheitsdämonen gelten (Abb. 150). Edel ist der *Sandsteinkopf* anscheinend eines Fürsten im Angkor-

Stil, 11.–12. Jh., aus Kambodscha (Abb. 156). Zu den bedeutendsten Schöpfungen der kolonialindischen Kunst zählt der *Stupa von Burabudur,* Java, 1. Hälfte 9. Jh. Das Museum besitzt einen Steinkopf, der vermutlich einem der Dhyani-Buddhas dieser Stupa gehörte.

Den ästhetischen Reiz der Bildhauerkunst Schwarzafrikas entdeckten auch die Künstler des 20. Jahrhunderts. Zwar konnte eine nur ästhetische Betrachtungsweise diesen Kunstwerken nicht gerecht werden, aber sie regte doch zur weiteren Beschäftigung mit ihnen an. Neben Masken und Ahnenfiguren besitzt das Museum einen *Stab* mit angeschnitztem Kopf aus Baule, Elfenbeinküste, eine *weibliche Figur* ebenfalls aus Baule, die möglicherweise nur aus der Freude am Schönen geschaffen wurde, eine *Doppelschale* aus Yoruba, ein Schnitzwerk im Stile von Efon, bestimmt, den Gästen Kolanüsse anzubieten. Wie ein abstraktes Kunstwerk wirkt eine *Wächterfigur* aus Bakota, Gabun (Abb. 154). Eigenartig sind die Fetischfiguren aus den Kongoländern. Zu den ausdruckvollsten *Masken* gehört die dem Zauberpriester vorbehaltene aus Basonge, Kinshasa. Schließlich sei auch noch auf die figürlichen Tongefäße hingewiesen.

Aus Amerika sind Textilien zu nennen, aber auch bildhauerische Arbeiten, Verkörperungen von Dämonen, Masken, darunter die *Vogelmaske* aus West-Vancouver, Kanada. Ungewöhnlich nicht nur wegen der meisterhaften technischen Ausführung, sondern auch, weil Handlung und Bewegung hier ihren Ausdruck finden, ist die *Figurengruppe* aus Schiefer, die anscheinend den Bärenmuttermythos zum Gegenstande hat, Haida, Königin-Charlotte-Inseln, Kanada. Von den Tonfiguren seien genannt: *Xipe Totec* (unser Herr ist der Geschundene), ein sitzender Mann mit in Schlangenköpfen endender Kopfbinde; Soyaltepec, Veracruz, Mexiko, 7. Jh. (Abb. 155); *Der Gefangene,* Jaina, Campeche, Mexiko, klassische Maya-Kultur, 7./9. Jh., für eine Jaina-Plastik ungewöhnlich bewegt dargestellt; *Der Kazike,* Chibaha, Kolumbien, 1200/1600, mit charakteristischer kubischer Form von Kopf und Körper und wie angeklebten, wulstartigen Ärmchen und Beinchen; *Porträtgefäß* mit scharfgeschnittenen Zügen, klassische Moche-Kultur, Peru, 3./6. Jh. – Von den Textilien sei ein *Leichentuch* mit alternierendem Mäandermuster und menschlichen Figuren aus der vorkolumbischen Epoche Perus, Chancay, 13./15. Jh. genannt. Auch Goldschmiedearbeiten wie z. B. die *Mumienmaske* aus Chimu, Peru, 13./15. Jh., sind im Museum vertreten.

Wir setzen unsern Rundgang fort. Ubierring/Ecke ›An der Bottmühle‹ ist ein Haus in seinem ursprünglichen Stil sehr ansprechend renoviert. Hier residiert die Galerie F (Françoise Friedrich). Die BOTTMÜHLE ist ein Rest der mittelalterlichen Stadtbefestigung (Abb. 132). Auf dem runden, Bott genannten Turm, ließ die Stadt 1677/78 durch Arnold von Gülich eine Windmühle, die Bottmühle errichten. In den Aufstand des Nikolaus Gülich mitverstrickt, wurde er 1681 als Amtsmeister der Steinmetzenzunft entlassen, aber schon bald wieder in sein Amt aufgenommen. Am Ende des Ubierrings sind ebenfalls einige Häuser in popartigen Farben renoviert. Der Ubierring führt zum Chlodwigplatz.

7. Vom Chlodwigplatz zum Neumarkt

Durch die Verkehrsgestaltung der Nachkriegszeit ist dem Chlodwigplatz seine Ruhe und Geschlossenheit zurückgegeben worden. Beherrscht wird er durch das SEVERINSTOR (Abb. 134); ein viergeschossiges Turmtor, dessen Feldportal spitzbogig und dessen Stadtportal rundbogig ist. Die Durchfahrt im vorderen Teil ist mit einem halben Kreuzgratgewölbe, im rückwärtigen Teil mit einem Tonnengewölbe bedeckt. Das Untergeschoß mit eben diesem tonnengewölbten Abschnitt stammt noch aus dem Ende des 12. Jh., während der feldseitige Abschnitt und Aufbau um die Mitte des 13. Jh. entstanden ist. Der Turmaufbau ist an den feldseitigen Kanten abgeschrägt. Er erhielt zwei flankierende kleinere Seitentürme. In der 2. Hälfte des 16. Jh. wurde die Untergeschoßfeldfront mit Buckelquadern verblendet. Der Altan über der Toreinfahrt auf der Feldseite gehört der Spätrenaissance an.

In ihrem südlichen Teil hat sich die Severinsstraße noch ihren Charakter als Altstadtstraße mit kölschem Milieu bewahren können. Im Mittelalter standen hier eine Reihe Klöster und Kirchen. Längst sind sie verschwunden. Auch von den großen Bürgerhäusern ist nur eines geblieben, dessen Fassade freilich noch heute zu den eindrucksvollsten Beispielen Kölner Bürgerhäuser aus der Zeit des ausgehenden 17. Jh. gehört. Das HAUS BALCHEM, wie es heute genannt wird, heißt eigentlich ›Zum goldenen Bären‹, Severinstraße 15 (Abb. 157). In den Maueranker der Fassade mit dem stattlichen Giebel ist die Jahreszahl 1676 und die Aufschrift Soli Deo gloria (Gott allein die Ehre) angebracht. Die mächtige, dreimal gebrochene Linie der Schweifungen bildet einen Kontrast zu dem krönenden gebrochenen Giebelchen. Das Haus war so disponiert, daß dem Erdgeschoß ein Zwischengeschoß folgte, darüber ein bewohnbares Obergeschoß und vier Speichergeschosse. Hauptschmuck der Fassade ist der die Mitte betonende, über der breiten Haustür angebrachte Erker, der auf zwei Konsolen und dem zugleich als Schlußstein des Rundbogenportales dienenden Grinkopf ruht. Bauherr war der Bierbrauer Heinrich Deutz. Damals gab es auf der gegenüberliegenden Straßenseite nur den Garten des Severinstiftes, so daß die Fassade von weither sichtbar war. Bis auf die Umfassungsmauern zerstört, konnte das baugeschichtlich interessante Haus nach dem Zweiten Weltkrieg wiedererrichtet werden. Es dient heute dem Ausbildungsprogramm der Volkshochschule. Dem in Straße und Viertel noch spürbaren kölschen Milieu trägt das von Trude Herr gegründete und geleitete ›Theater im Vringsveedel‹ Rechnung.

ST. SEVERIN wirkt trotz seiner zahlreichen Umgestaltungen überraschend einheitlich; denn in den Ostteilen ist die Kirche durch den spätstaufischen, in den Westteilen durch den spätgotischen Ausbau bestimmt. Das eigentlich Faszinierende aber ist, daß hier die baugeschichtliche Entwicklung sichtbar gemacht wurde. Die seit Mitte der 20er Jahre unternommenen Ausgrabungen können unter der Kirche besichtigt werden (Abb. 159). Die antike Straße, der die heutige Severinstraße entspricht, kann der römischen Via Appia verglichen werden. Gleich dieser war sie von Grabanlagen gesäumt. Im 4. Jh. errichteten die Christen in diesem Gräberbezirk eine Friedhofskirche, einen einschif-

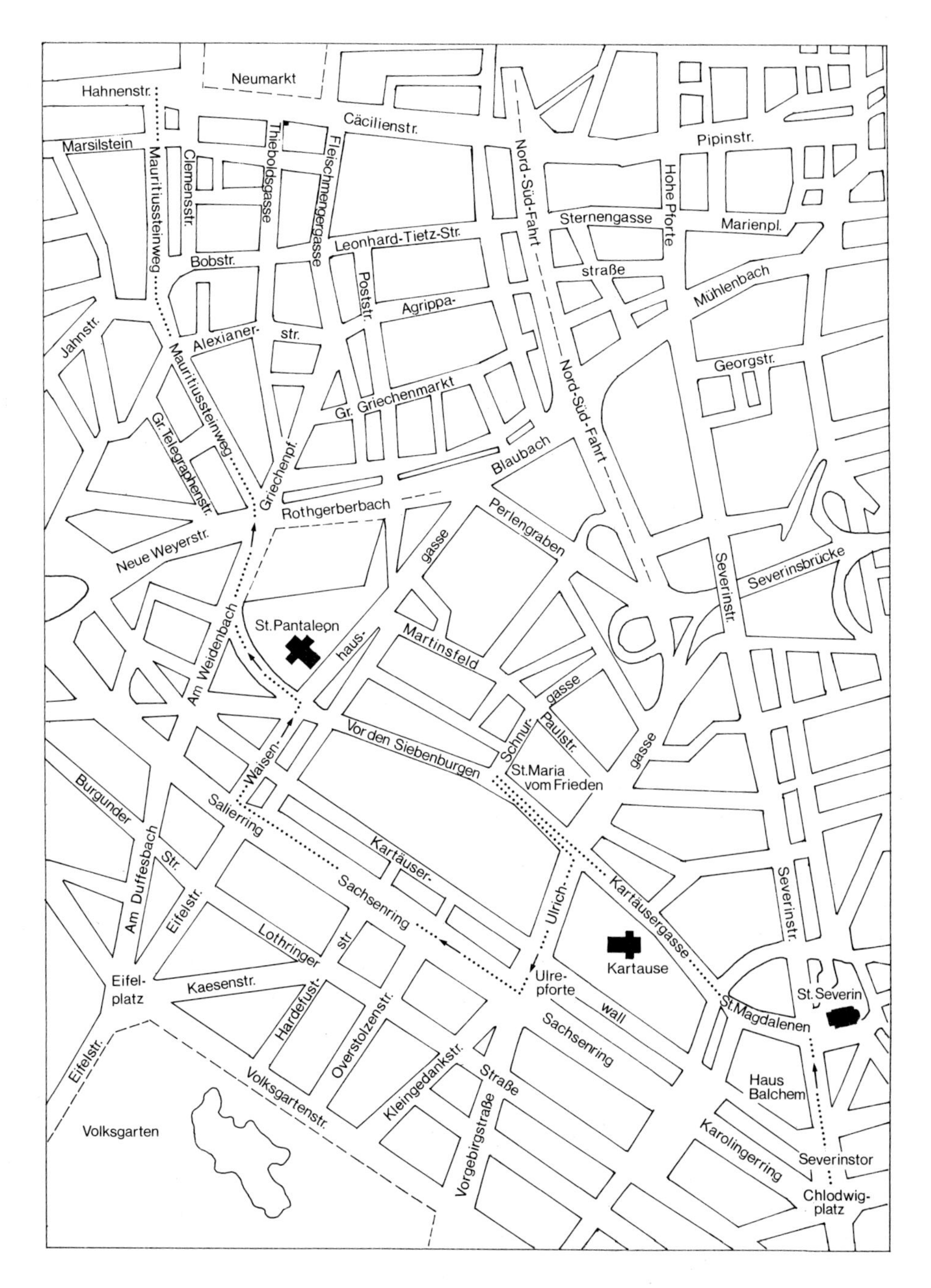
Neumarkt
Hahnenstr.
Cäcilienstr.
Marsilstein
Mauritiussteinweg
Clemensstr.
Thieboldsgasse
Fleischmengergasse
Nord-Süd-Fahrt
Hohe Pforte
Pipinstr.
Sternengasse
Marienpl.
Leonhard-Tietz-Str.
Bobstr.
straße
Mühlenbach
Poststr.
Agrippa-
Alexianer-
str.
Jahnstr.
Georgstr.
Gr. Griechenmarkt
Gr. Telegraphenstr.
Griechenpf.
Blaubach
Rothgerberbach
Perlengraben
Neue Weyerstr.
gasse
Severinsbrücke
Severinstr.
St. Pantaleon
haus-
Martinsfeld
Am Weidenbach
gasse
Paulstr.
Schnur-
Vor den Siebenburgen
Waisen-
St. Maria vom Frieden
gasse
Burgunder Str.
Salierring
Kartäuser-
Am Duffesbach
Eifelstr.
Sachsenring
Ulrich-
Kartäusergasse
Severinstr.
Lothringer str
Kartause
Eifel-platz
Kaesenstr.
Hardefust-
Overstolzenstr.
Ulre-pforte
wall
St. Severin
St. Magdalenen
Sachsenring
Eifelstr.
Kleingedankstr.
Straße
Haus Balchem
Volksgartenstr.
Vorgebirgstraße
Volksgarten
Karolingerring
Severinstor
Chlodwig-platz

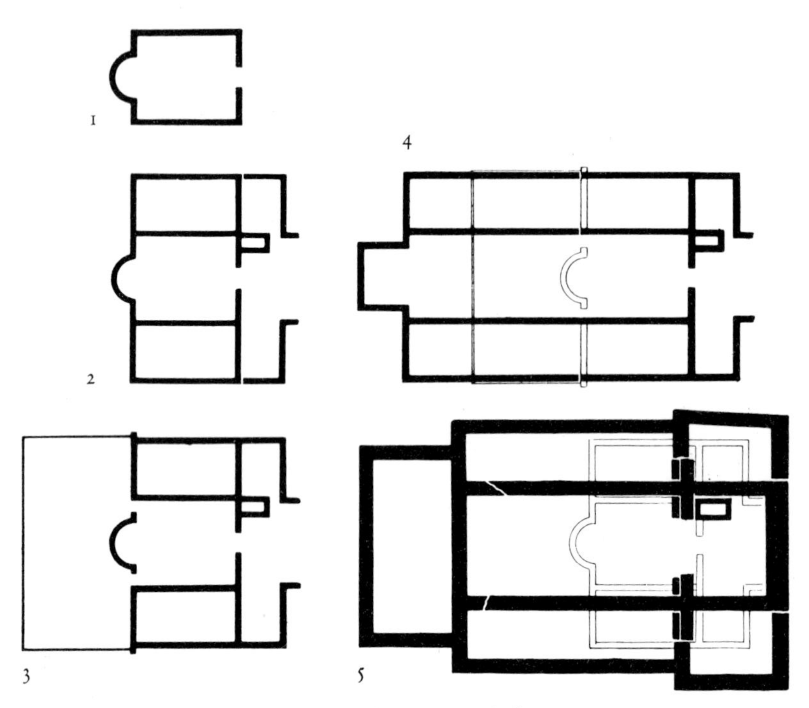

1 Grundriß von Bau I. Anfang 4. Jh. 2 Grundriß von Bau II. Um 400 3 Grundriß von Bau III. 6./7. Jh. 4 Grundriß von Bau IV. 2. Hälfte 8. Jh. 5 Grundriß von Bau V. 9. Jh.

figen Rechteckbau mit gewesteter Apsis. Dieser Kernbau ist für die gesamte baugeschichtliche Entwicklung von St. Severin maßgeblich geblieben. Er liegt unter dem heutigen Mittelschiff. Seine Länge beträgt im Lichten 11,60 m, seine Breite 7,60 m. Daß er von der West-Ostrichtung etwas, nämlich um genau 14° nach Norden abweicht, erklärt sich aus seiner Querlage zur Straße. Für die Datierung Ende des 4. Jh. spricht, daß sich im Mauerwerk Spolien aus heidnischen Bauten finden. In einer *zweiten* Bauperiode wurde der Apsissaal durch Angliederung zweier breiter Anräume und einer östlichen dreigeteilten Vorhalle vergrößert. Möglicherweise wurden dabei die älteren Seitenwände herausgebrochen und durch deckentragende Holzstützen ersetzt. Dieser zweite Bau könnte schon zum Gedächtnis des dritten Kölner Bischofs, des hl. Severin († 418) errichtet worden sein, der seine Grablege in der Nähe der Kirche gefunden hat. Er kann noch ins 5. Jh. datiert werden. Den römischen Bestattungen waren inzwischen fränkische gefolgt. Die *dritte* Bauperiode fügte einen westlichen Vorhof hinzu, dessen Wände die Apsis in einem weiten Rechteck von 11 × 18,90 m umgeben. Er dürfte dem 6./7. Jh. angehören. In der *vierten* Bauperiode (2. Hälfte 8. Jh.) wurde die gesamte Anlage auf Kosten der Apsis und des Atriums um mehr als das Doppelte vergrößert.

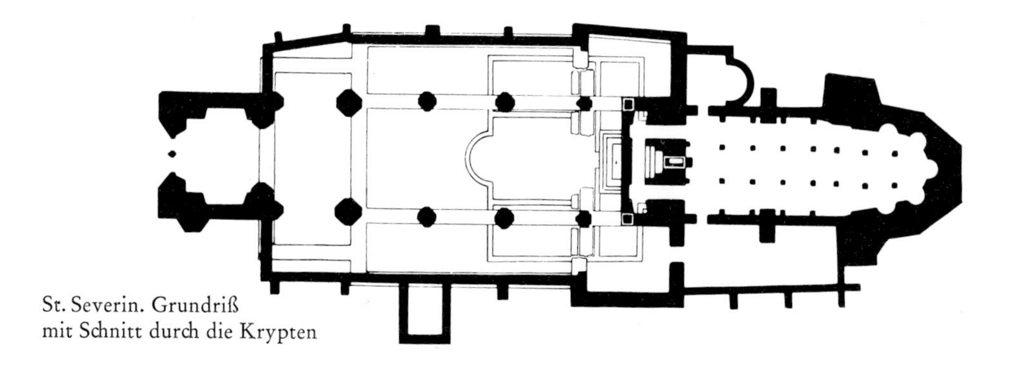

St. Severin. Grundriß
mit Schnitt durch die Krypten

Der Bau ist jetzt eine dreischiffige Basilika, deren Mittelschiff in einem eingezogenen rechteckigen Altarhaus endet. Die Gesamtlänge einschließlich des Narthex beträgt 33,30 m. Die Größe dieser Kirche läßt sich am ehesten erklären, wenn man sie mit einem Monasterium, einem Kloster in Verbindung bringt. Dieses ist in der frühen Karolingerzeit entstanden. Die *fünfte* Bauperiode hängt aufs engste mit der Übertragung der Gebeine des hl. Severin in die Kirche zusammen. Diese hat anscheinend den Anstoß zu dem Neubau gegeben. Mit ihm vollzieht sich eine Achsendrehung der Kirche. Seitdem befindet sich der Hauptchor mit dem Grab des Kirchenpatrons darunter im Osten. Diese Bauperiode fällt in die zweite Hälfte des 9. Jh. Vielleicht hat die Vollendung sogar erst im 10. Jh. stattgefunden. Das 10. Jh. bringt auch die Ausgestaltung der Konfessio mit dem Grab des hl. Severin und dem rechteckig geführten Stollenumgang. 1043 war der westliche Teil der HALLENKRYPTA mit Kreuzgratgewölben und quadratischen Pfeilern vollendet. Der Ostteil der Krypta mit Achteckpfeilern und Kreuzrippengewölben wurde vor 1237 fertiggestellt. Im Altarraum finden sich Decken- und Wandmalereien vom Ende des 13. Jh., im Gewölbe Darstellungen aus dem Leben Christi. Die anschließende Südkrypta ist erst um 1300 entstanden, 1411 erhielt sie ein neues Gewölbe. Hier finden sich Temperamalereien aus der Zeit um 1411 und 1420. Der Ostteil der Krypta wurde gleichzeitig mit dem neuen Chor gebaut.

Für die östliche Schauseite zum Rhein hin ist heute der fünfseitige Chorschluß (1237) mit zweigeschossigem, von einer Zwerggalerie gekröntem Aufbau zwischen schlanken Flankentürmen mit spätgotischen Aufbauten bezeichnend. In den Seitenwänden des Langchores wie in denen der Querflügel stecken aber noch Reste des 11. Jh. Trotzdem ist der Eindruck des Spätromanischen der bestimmende. Das Querhaus atmet noch vorromanischen Geist, ebenso die Nordkapelle mit den antikisierenden Bossenkapitellen. Das dreischiffige und zweigeschossige Langhaus erhielt um 1500 ein Netzgewölbe. Ihm vorgelagert ist der steil aufragende Westturm, 1393/1411. Im INNEREN der Kirche öffnet sich die Turmhalle in einem hohen Bogen zum Mittelschiff. Wie alle anderen Stiftskirchen wurde auch St. Severin 1802 aufgehoben, seit 1803 ist sie Pfarrkirche. Der Zweite Weltkrieg hat St. Severin nicht verschont. Zwar schienen die Schäden 1950 bereits im wesentlichen behoben. Doch zeigte sich auch hier, daß Spätschäden den Bau gefährdeten. Seit Beginn der 70er Jahre ist die Kirche einer erneuten gründlichen Restauration unterworfen. Zwar konnte das Langhaus bereits vor einiger Zeit wieder freigegeben werden. Doch wird noch am Westturm und am Langchor gearbeitet. Der Chor ist daher vom Langhaus im Sommer 1976 noch durch eine Schutzwand abgetrennt.

Von der AUSSTATTUNG seien genannt: eine Kalksteinplastik *Maria mit Kind* (um 1280/90) am Ende des Langhauses. An der Südseite des Langhauses wurde 1962 eine Marienkapelle mit einer fränkischen *Pietà* (Anfang 15. Jh.) eingerichtet. Diese Kapelle ist dem Gedächtnis der Toten geweiht. An ihrem Eingang hängt eine Tafel zur Erinnerung des im KZ Oranienburg 1939 umgekommenen Professors Benedikt Schmittmann. Im südlichen Querhaus befindet sich ein *Pestkreuz* aus dem 2. Viertel des 14. Jh., das in der Nachfolge des Gabelkreuzes von St. Maria im Kapitol steht. Anton Woensam schuf das Bild für den Pfarraltar *Maria als Himmelskönigin mit Jesus im verschlossenen Garten,* um 1530, heute in der Sakristei. Der Chor enthält ein *Fußbodenmosaik* aus dem 2. Viertel des 13. Jh. Das *Chorgestühl* stammt aus der Zeit um 1300 und besitzt ein sehr schönes Schnitzwerk. An den Wänden finden sich Tafelbilder mit Darstellungen aus dem *Leben des hl. Severin,* um 1500 vom Meister von St. Severin gemalt. Vom gleichen Meister gibt es in der SAKRISTEI eines seiner reifsten Werke, zwei Altarflügel mit Ganzfiguren der hl. Agatha, Cornelius, Stephanus und Helena. Außerdem enthält die Sakristei ein Gemälde des Meisters der hl. Veronika. Vor rotem sternbedeckten Himmel ist der gekreuzigte Christus zu sehen. Engel umschweben ihn, zu seinen Füßen stehen sechs Heilige. Der gleiche Meister hatte für eben denselben Raum sein Tafelgemälde mit dem Schweißtuch der hl. Veronika gemalt, das heute die Alte Pinakothek in München besitzt. Auch im KIRCHENSCHATZ befinden sich einige Kostbarkeiten, darunter ein *Kreuzreliquiar* aus der Mitte des 11. Jh. Trotz Kriegsbeschädigung konnten die an der Nordseite befindlichen Teile des spätgotischen KREUZGANGES wiederhergestellt werden (15. Jh., Abb. 158). Heute ist das Quadrum durch die Pfarrgebäude wieder umbaut, so daß etwas von der Atmosphäre des Stiftes St. Severin verblieben ist.

Wir biegen in die Straße ›An St. Magdalenen‹ ein. Der Straßenname allein erinnert an die Pfarrkirche St. Magdalenen, die der Stiftskirche St. Severin gegenüber lag. An St. Magdalenen setzt sich fort in der Kartäusergasse. 1334/35 wurde die Kölner KARTAUSE gegründet. Sie wurde der hl. Barbara geweiht. 1365 begann unter der Leitung Meister Konrads der Bau der einschiffigen, schmalen und langgestreckten Kirche mit sieben Jochen und einem Fünfachtelchorschluß. Dem Armutsideal des Ordens entspricht der Verzicht auf Türme. Ein Dachreiter mußte genügen. 1393 konnte die Kirche geweiht werden. An der Nordseite wurde ihr 1425 die Engelkapelle angebaut, die 1510/11 durch die Neue Sakristei – eine Stiftung der Kölner Bürger Nicasius Hackeney und Johannes Hardenrath – ersetzt wurde. An die Engelkapelle schließt sich die 1427 geweihte Marienkapelle an. Die Trennwand zwischen beiden Kapellen ist erst in der Jetztzeit herausgenommen worden. Gleichzeitig mit der Kirche entstanden an der Südseite neue Klostergebäude mit rund 25 um einen großen Kreuzhof geordneten Eremitagen. Nach einem Brand wurde das Kapitelhaus 1451–55 neu errichtet, der kleine Kreuzgang 1465 eingewölbt. Außerhalb der Klausur entstand 1741 ein weitläufiges Barockgebäude um zwei Binnenhöfe mit einem stattlichen Portal. Gleichzeitig bekam das Kircheninnere einen Sockel aus Delfter Kacheln. 1794 wurde das Kloster Militärlazarett, 1816 übernahm es der preußische Militärfiskus. Er richtete in der Kirche ein Magazin ein. Nach dem Ersten Weltkrieg wurde die Kartäuserkirche der evangelischen Gemeinde übertragen. Sie ließ die Kirche sorgfältig restaurieren. Der Zweite Weltkrieg freilich sollte alle Bemühungen um die Wiederherstellung zunichte machen. Fast alle Hauptschiffgewölbe stürzten ein, die Nordkapellen erlitten schwere Schäden, die mittelalterlichen Klostergebäude gingen bis auf Mauerreste unter. Auch die Barockbauten brannten aus. Diese sind inzwischen unter Wahrung der erhaltenswerten Bauteile wiederhergestellt und dienen heute als HAUS DER EVANGELISCHEN KIRCHE. Auch ein Teil der Klostergebäude konnte bis 1964 wiederhergestellt werden. Wenn auch die eigentlichen Eremitagen heute fehlen, so ist doch durch die Wiederherstellung der restlichen Klosterbauten im alten Stil viel von der ursprünglichen Atmosphäre eingefangen.

Die KIRCHE selbst konnte bis 1953 wiederhergestellt werden. Architektonisch reizvoll sind die beiden heute vereinigten Kapellen, die von außen wie ein Seitenschiff wirken. Im Westteil, der einstigen Marienkapelle, gibt es vorzügliche Skulpturen an Konsolen und Schlußsteinen der Kreuzgewölbe. Der östliche Teil besitzt ein kunstvoll verschlungenes, ausgemaltes Sterngewölbe. Im Spätmittelalter war die Kirche mit herrlichen Altären ausgestattet. Sie sind längst in Museumsbesitz übergegangen. Das Wallraf-Richartz-Museum besitzt aus der Kartäuserkirche den Thomas- und den Kreuzaltar. Von den Delfter Kacheln ist lediglich an der Südwand eine Kartusche mit dem Martyrium des hl. Paulus erhalten. *Christus in der Rast*, eine Statue aus Lünen in Westfalen, stammt aus der Zeit um 1520. Altarkreuz, Kerzenhalter und bronzene Taufe sind Werke von Gerhard Marcks. Die neuen farbigen *Fenster* schuf Carl Crodel. Auf dem Westfenster ist das Lob des Herrn unter Zugrundelegung des Psalms 150 dargestellt. An der Südwand wird die Geschichte der Kartäuser geschildert. Im Chor ist u. a. das Leben-Jesu-Fenster zu sehen. Diese neueren Werke werden durch Leihgaben des Wallraf-Richartz-Museums ergänzt.

Die Kartäusergasse führt uns auf die Ulrichgasse. Der Name ist etwas irreführend. Gemeint sind eigentlich die Ulner oder Töpfer, die wegen ihres feuergefährlichen Gewerbes in dieser wenig bewohnten Gegend angesiedelt waren. Das heutige Bild der Ulrichgasse ist durch die Einbeziehung in die Nord-Süd-Fahrt erheblich verändert worden. Dadurch ist heute das FRANZISKANERKLOSTER fast isoliert. Seine im Krieg zerstörte Kirche wurde 1953/54 von Emil Steffann wieder aufgebaut und zugleich erweitert. Ursprünglich handelte es sich dabei um eine neugotische Kirche. Die erhaltenen Teile dienen heute als Raum für den Konvent. Im rechten Winkel dazu wurde in Backstein der neue Laienraum errichtet. Seine herbe Schlichtheit entspricht franziskanischem Geist. Nach der Straße zu ist der Kirche eine Vorhalle vorgelagert. Der Hochaltar ist in den Winkel der beiden Bauten schräg hineingestellt. Der Tabernakel ist ein Bronzeguß nach einem Modell von Toni Zenz. In der Krypta befindet sich die Statue des *Schmerzenmannes,* ein Werk von Elmar Hillebrand. Um die Franziskanerkirche zu erreichen, überqueren wir die Ulrichgasse und wenden uns nach rechts. Nach der Besichtigung bleiben wir auf der gleichen Straßenseite, gehen aber etliche Schritte zurück, um rechter Hand die Straße ›Vor den Siebenburgen‹ zu erreichen. Hier befindet sich der Eingang zu der Karmeliterinnenkirche St. Maria in der Schnurgasse oder, wie sie nach dem Zweiten Weltkrieg heißt, ST. MARIA VOM FRIEDEN. 1637 folgten unbeschuhte Karmeliterinnen aus Brüssel dem Rat ihrer seit 1614 in Köln ansässigen Ordensbrüder und zogen in die Stadt. Kaiser Ferdinand III. erwirkte für sie beim Kölner Rat die Erlaubnis zur Gründung eines Konventes. 1643 wurde der Grundstein gelegt. 1649 übersiedelte der Konvent in den Klosterbau bei der Kirche. Infolge mangelnder Geldmittel konnte die Kirchenweihe erst 1692 erfolgen. 1802 mußten die Schwestern das Kloster verlassen. Kardinal Frings hat ihnen nach dem Zweiten Weltkrieg die alte Kirche erneut anvertraut, die nach schweren Kriegsschäden in ihrer früheren Gestalt wieder erstanden ist. Die 1906 niedergelegten Klostergebäude wurden durch neue ersetzt.

Bemerkenswert ist die WESTFASSADE der Kirche. Dreiachsig steht sie in der Breite des Mittelschiffs und ist in drei Geschossen aufgebaut. Von den drei Rundbögen des Erdgeschosses tritt der mittlere als Portal risalitartig hervor. Über Eck gestellte Pilaster flankieren ihn. Auf deren Konsolen stehen zwei große steinerne brennende Herzen. Im Fries über dem Portalbogen die Jahreszahl der Vollendung der Fassade, 1716. Darüber Maria als Friedenskönigin. Zu den Seiten der Gottesmutter sieht man die Statuen von Joachim und Anna. In den Nischen des zweiten Obergeschosses stehen die Standbilder von Josef und Theresa von Avila. Der Grundriß der Kirche zeigt die Form eines liegenden kurzarmigen Kreuzes mit rechteckigem, gerade schließendem geosteten Chor.

Wie Maria in der Kupfergasse besaß auch Maria in der Schnurgasse das Gnadenbild einer Schwarzen Muttergottes. Es war eine Stiftung der aus Frankreich exilierten Königin Maria von Medici. Dieses Gnadenbild ist im Zweiten Weltkrieg zugrunde gegangen. Es wurde durch ein ähnliches beim Wiederaufbau der Kirche ersetzt. Auch für den verlorenen barocken Hochaltar konnte Ersatz beschafft werden. An seine Stelle ist ein süddeutscher Barockaltar getreten, der 1972 aufgestellt wurde. So entspricht heute das Innere wieder weitgehend dem früheren Eindruck. Von 1933–1938 lebte Edith Stein, die große Konvertitin und Philosophin als Mitglied des Ordens im Kölner Karmeliterinnenkloster. Ein Gedenkstein in der Kirche erinnert an sie. Überdies besitzt das Archiv des Klosters das Originalmanuskript von ›Ewiges und endliches Sein‹ sowie eine Reihe Briefe der 1942 in Auschwitz Umgekommenen. – Wir wenden uns nun wieder der Ulrichgasse zu, die uns zur Ulrepforte führt.

Die ULREPFORTE wurde im 1. Drittel des 13. Jh. als Doppelturmtor mit Turmschalen errichtet (Abb. 135). Der Mittelbau war wohl viergeschossig, die Flankentürme dreigeschossig. Die Durchfahrt war kreuzgratgewölbt. Aber die Ulrichgasse war keine wirkliche Ausfallstraße, daher büßte das Tor seine eigentliche Bedeutung ein. Schließlich wurde es im 2. Drittel des 15. Jh. zur Windmühle umgebaut. Sein malerisches Aussehen und die Geschichte vom Überfall an der Ulrepforte trugen dazu bei, daß es vor dem Abbruch bewahrt blieb. Vincenz Statz hat es 1885/86 restauriert. Nach dem Zweiten Weltkrieg wurden die Zutaten des 19. Jh. beseitigt, um die Torreste mehr zur Geltung kommen zu lassen. Heute ist es Hauptquartier des Karnevalvereins der ›Kölsche Funke rut-wieß von 1823‹, der an die Tradition der einstigen Stadtsoldaten anknüpft, als Köln noch Freie Reichsstadt war. – Daß hier am Sachsenring ein Stück der Stadtmauer stehenblieb, wird dem DENKMAL verdankt, daß die Stadt 1360 an der Außenseite dieses Teils der Stadtmauer setzen ließ, das erste Profandenkmal Kölns. Den Sieg über die Parteigänger Erzbischofs Engelbert II. am 15. Oktober 1268 schrieben die Kölner der wirksamen Fürbitte ihrer Stadtpatrone zu. So ist es auch auf dem Denkmal dargestellt (Abb. 136). Das Denkmal ist mehrfach erneuert worden. Aber auch im neuen Stein blieb die alte Aussage vom Sieg der Stadt in ihrem Ringen um die Freiheit erhalten. Lediglich die wichtelmännerartigen Köpfe zwischen den Zinnen dürften auf einem Mißverständnis der Restauratoren beruhen. Ursprünglich waren wahrscheinlich Kopfreliquiare aus St. Ursula und St. Gereon dargestellt, Vergegenwärtigungen der Heiligen, die auf der Seite der Bürger standen.

Die Blauen Funken, die Funkenartillerie von 1870, fast fünfzig Jahre jünger als die Roten Funken, haben sich als Quartier den nächsten Mauernturm ausgebaut, rund 100 m nördlich der Ulrepforte (Abb. 133). Die Ulrichgasse gabelt sich nach Überschreiten des Rings in die Kleingedank- und in die Vorgebirgsstraße. In das so entstandene Dreieck hat man 1906/08 die in ihrer Fassade an englische Gotik gemahnende PAULSKIRCHE gestellt. Ihr Name erinnert an Kardinal Paulus Melchers († 1895), der während des Kulturkampfes 1874 im Gefängnis Klingelpütz saß. Gleich gegenüber befindet sich in der Kleingedankstraße das Theater DER KELLER. Während auf der östlichen Seite des Sachsenrings das eindrucksvolle Teilstück der großen Stadtmauer zu sehen ist, finden wir auf der westlichen Seite einige architektonisch bemerkenswerte Nachkriegsbauten, darunter Nr. 77, das FRANZÖSISCHE INSTITUT, 1952 von Wilhelm Riphahn errichtet.

Wir biegen nach rechts in die Waisenhausgasse ein, die uns nach ST. PANTALEON führt. Die Wiederherstellung nach dem Zweiten Weltkrieg schuf um die Kirche eine Ruhezone, gab ihr, wie Rudolf Schwarz es nannte: »ihre Kircheninsel, die wir mit einem großen Garten umlegten« (Abb. 161). Vor den römischen Stadtmauern lag auf dem Pantaleonshügel einst eine römische Villa. Ihre Grundmauern sind freigelegt worden und von der Krypta aus zugänglich. Die Verehrung des griechischen Arztes St. Pantaleon, der um 300 unter Diokletian in Nikomedien das Martyrium erlitten hat, ist in Köln seit der Mitte des 9. Jh. bezeugt. Eine ›Ecclesia S. Pantaleonis‹ wird erstmals 866 urkundlich erwähnt. Zugleich mit Reliquien des Heiligen empfing Bruno I. in St. Pantaleon 953 aus der Hand des Fuldaer Abts Hadamar das erzbischöfliche Pallium. Hier gründete Bruno ein Benediktinerkloster und besiedelte es mit Mönchen aus St. Maximin in Trier. Er leitete den Neubau der Kirche ein. Sie wurde seine Grablege. Heute befindet sich das *Grab Brunos* in der Krypta. Er ruht in einem römischen Sarkophag, für

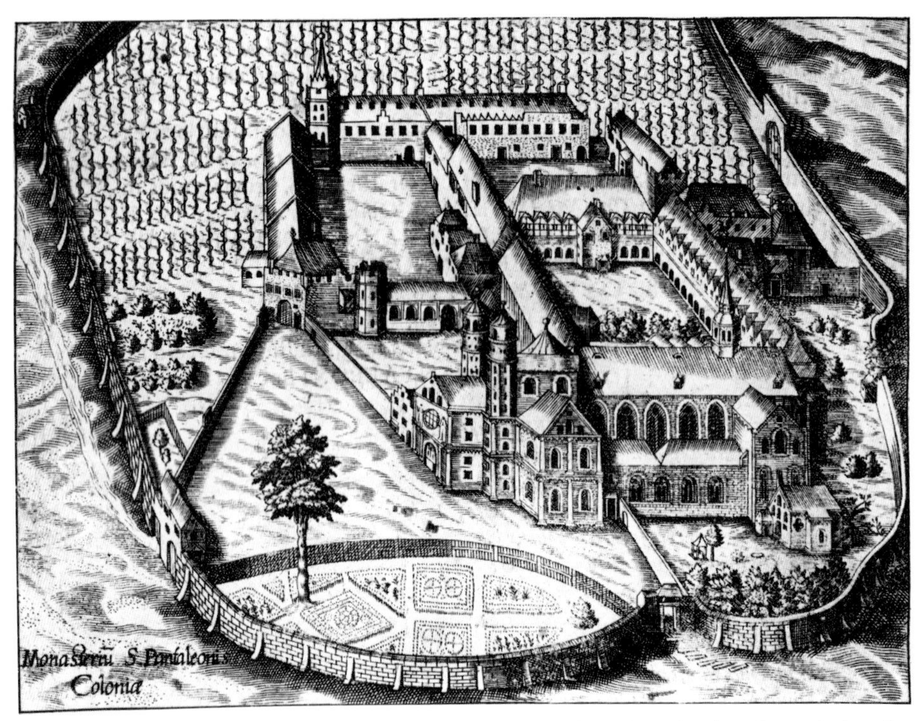

Kirche und Abtei St. Pantaleon. Kupferstich. 1638. Die im Klosterbereich erkennbaren Rebstöcke waren damals keine Seltenheit. Bis ins 19. Jh. wurde im Stadtgebiet Wein angebaut

den Sepp Hürten eine neue Grabplatte schuf. In ihrer Mitte ist eine kreisförmige Erhöhung, die die Insignien, den Namenszug und die Lebensdaten Brunos aufweist.

Der Neubau der Kirche wurde unter Kaiserin Theophanu vollendet. Auch sie fand hier ihre letzte Ruhestätte. Ihr Sarkophag, im südlichen Querhaus, ist eine völlige Neuschöpfung Sepp Hürtens. Er gestaltete ihn 1965 aus weißem Marmor von der Insel Naxos. Als Umschrift verwendete er einen Text aus der Königschronik des 13. Jh., der in deutscher Übersetzung lautet: »Die Kaiserin Theophanu, die Gattin eines Kaisers und Mutter eines Kaisers, die dieser Kirche des hl. Pantaleon besondere Gunst erwies und sie aus ihrem Besitz großzügig beschenkte, ließ sich an dieser Stelle bestatten.« Die Stirnseite zeigt in Anlehnung an ein Elfenbeinrelief des Cluny-Museums (Paris, 10. Jh.), Christus, der Theophanu und Kaiser Otto II. krönt. Neben dem Kaiserpaar sind die Hagia Sophia und das Westwerk von St. Pantaleon zu sehen, Symbol der im 10. Jh. noch geeinten Kirche in Ost und West. Der 980 geweihte Neubau von St. Pantaleon, der im Kern auch heute noch erhalten ist, war ursprünglich eine einschiffige Saalkirche mit niedrigen Querhausflügeln und einfachem rechteckigen Chor. Sein Vorbild waren antike Bauten wie die ebenfalls einschiffige Basilika in Trier. Wie die Aachener Königshalle, die auf Karl d. Gr. zurückgeht, verwandte auch die Kirche St. Pantaleon das Motiv zarter, flacher Blendbogen. Am Außenbau hatte die karolingische Architektur schon von ihnen Gebrauch gemacht. Ihre Anwendung auch im Innenraum ermöglichte aber erst die zukünftige plastische Durchgliederung der Wände. Zwar sind die Blendbogen z. T. durch die spätromanischen Arkadenbögen zerstört, aber die sichtbar gemachten Reste sind von außerordentlichem Reiz. In der Spätromanik, Mitte des 12. Jh., wurde das Langhaus durch zwei Seitenschiffe zur dreischiffigen Basilika erweitert, um 1215 das südliche romanische Querhaus hinzugefügt. Nach Plänen von Christoph Wamser wurde das Langhaus mit neuem Obergaden und dreiseitigem Chorabschluß gewölbt.

Dem Saalbau war bereits ein Westwerk vorgegliedert. Eine Stiftung Kaiserin Theophanus ermöglichte seine Ersetzung durch ein großzügigeres Westwerk ab 984. (Die Fundamente des älteren Westwerks wurden 1956 ermittelt.) Sein heutiger Außenbau ist das Ergebnis einer die barocken Veränderungen des 18. Jh. zurücknehmenden Restaurierung und Rekonstruktion von 1890/92. Dabei ist die Gesamtheit der herrlichen ottonischen Anlage wiedererstanden. Durch die sich um den quadratischen Mittelbau ordnenden zweigeschossigen Anbauten wirkt das Äußere kreuzförmig. Ein mächtiger Mittelturm krönt die Anlage. Er wird von zwei schlanken Treppentürmen flankiert mit Geschossen, die vom Viereck übers Achteck zum Zylinder aufsteigen. Das WESTWERK von St. Pantaleon, das letzte der großen ottonischen Westwerke, faßt wie eine Abbreviatur die Bedeutung der Gesamtkirche zusammen. Sie gibt ein Bild des Himmlischen Jerusalems – der Stadt schlechthin –, will den Menschen aus seiner Einsamkeit und Ungesichertheit befreien und ihm ein Leben in Kultur ermöglichen. Das Westwerk war mit Architekturplastik geschmückt. Im Kapitelsaal werden bedeutende Reste der Nischenfiguren bewahrt. Die Aufstellung von Nischenfiguren ist anscheinend durch ein antikes Vorbild, vielleicht durch ein spätantikes Stadttor Kölns, angeregt worden.

Vor dem Westwerk wurden die Grundmauern eines bisher nicht bekannten Zentralbaus entdeckt und durch Mosaikpflasterung kenntlich gemacht. Vermutlich ist dieses Dekagon niemals über die Fundamente hinausgekommen. Auch seine Bedeutung ist nicht mit Sicherheit auszumachen. Vielleicht war es als Taufkapelle geplant, vielleicht auch als Heiliges Grab.

Nach dem Zweiten Weltkrieg ist das Innere des Westwerks so freigelegt worden, wie es ursprünglich konzipiert war (Abb. 162). Seine doppelgeschossige Bogenarchitektur ist monumental. Wie große Torbögen öffnen sich die Arkaden breit und mit tiefer Laibung aus den Seitenräumen in den Mittelraum. Ein unter den Pfeilern der Emporen durchlaufendes Gesims in rotem Sandstein schließt sie zur Einheit zusammen. Die Bogensteine sowie die Pfeiler der Emporen sind durch den rotweißen Farbenwechsel ausgezeichnet (Ft. 19). In der oberen Region öffnen sich die Emporenflügel in Doppelarkaden zum mittleren Raum hin, während die Westseite über der Eingangsnische eine Dreierarkade mit stark gestelzten Bögen und enger zusammenrückenden Pfeilern aufweist. Das Spiel der Rundbögen nimmt noch einmal in großartiger Weise der riesige Rundbogen auf, der die Grenze zwischen Westwerk und Langhaus bildet. Die oberen und unteren Seitenräume sind mit ostwärts gerichteten Altarnischen ausgestattet. Im Westteil ist das Michaelsoratorium. Die beiden oberen Seiten des Westwerks sind den Erzengeln Gabriel und Raphael vorbehalten. Am besten läßt sich das Westwerk als kaiserliches Gotteshaus interpretieren, dem Aachener Vorbild einer Zentralkirche mit Ringempore nachgebildet.

Die Freilegung des Westwerks forderte zu einer Neuausstattung heraus. G. Kadow entwarf das *Deckenbild der Heiligen Stadt* unter Zugrundelegung der Johannesapokalypse in hellen Farben: Blattgold, lichtes Ocker und andere warme Erdfarben; ringsum die Stadt mit den zwölf Toren und zwölf Türmen, in der Mitte das Kreuz als Zeichen Christi. Der Decke korrespondiert das farbige *Fußbodenmosaik* von Elmar Hillebrand, das in Abwandlung des Motivs des Achtecks und des Sterns sowie durch leichtes Ansteigen zur Mitte hin nochmals den zentralen Grundriß des Raums betont. In den hölzernen Türflügeln, die das Westportal schließen, greift Theo Heiermann auf Stilformen der Renaissance zurück. In hellem Ahornholz heben sich die sechs Relieffelder vom dunklen Grund des Teakholzes ab. In den hochrechteckigen Feldern sind die Kirchenpatrone vereint; außer Pantaleon, Kosmas und Damian, ebenfalls Ärzte und Märtyrer, sowie Quirinus. In den kleinen Reliefs wird Brunos Wirken für St. Pantaleon geschildert. Das gemalte *Tympanon,* Maria mit dem Kind, Mitte 12. Jh., heute oberhalb des Westportals, bekrönte ursprünglich die Pforte, die vom nördlichen Querhaus in den Kreuzgang führte. Dem Bogen zwischen Westwerk und Langhaus korrespondiert der neue siebenarmige *Leuchter,* ein Werk von R. Bendgens. Die nördliche Kapelle des Westwerks enthält den *Taufstein* und ihm zugeordnet eine süddeutsche Statue *Johannes des Täufers,* um 1500, an der Wand das Fragment eines nachexpressionistischen *Chorteppichs* mit den vier Evangelisten als den vier apokalyptischen Wesen. Ein zweites Fragment eines Chorteppichs mit den vier großen Propheten hängt in der Apsis des nördlichen Querhauses. In der südlichen Kapelle des Westwerks hat eine mittelrheinische *Pietà,* 15. Jh., Aufstellung gefunden. Ihren Sockel und den Lichterkranz davor hat Paul Nagel gestaltet.

Zu Anfang des 16. Jh. ließ Abt Johannes Lüninck den LETTNER erbauen. Sein Wappentier, der Sperling, ist unter der Marienfigur zu sehen. An flandrische Werke erinnernd scheint sich der Stein in Maßwerk und Ornament auflösen zu wollen. Die malerisch wirkende Oberfläche ist von einer fast zerbrechlichen Zierlichkeit. Die Seiten wirken wie hochgeraffte Vorhänge. Der mittlere Bogen dagegen ist als flacher Korbbogen gestaltet. In vornehmer Ruhe stehen die Statuen der Heiligen vor dem Geflimmer des Ornaments. Doch gleichen sich die knittrigen Faltenbrüche ihrer Gewänder diesem an. In der mittleren Zone steht Maria, begleitet von Albinus und Pantaleon, dieser erkennbar an seinem Salbgefäß, etwas darunter Johannes und Quirinus. Die seitlichen Konsolenfiguren sind anscheinend Bruno und Theophanu. Trotz der vielen kleinteiligen Formen besitzt der Lettner als Ganzes eine großzügige Gestalt. Man darf in ihm einen letzten Nachklang gotischer Portalarchitektur sehen. Der Barock empfand es jedoch als störend, daß er den Blick in den Chorraum verstellte. Deshalb wurde er 1695 unter den Westwerkbogen versetzt. 1747/49 wurde die barocke Chorausstattung mit dem barocken Hochaltar geschaffen. Bei der Wiederherstellung der Kirche nach dem Zweiten Weltkrieg wurde der Lettner am ursprünglichen Ort aufgestellt. Dabei konnte aus statischen Gründen nicht auf eine massive Rückwand verzichtet werden. Sie würde als störend empfunden, wenn es Clemens Fischer nicht gelungen wäre, durch eine Wandmalerei, bestehend aus einem Netz farblich sorgsam abgestimmter Rechtecke, überzogen von Ranken mit Blättern und Blüten, den Eindruck der Massigkeit aufzuheben. Vor dem Lettner steht der *Kreuzaltar* aus portugiesischem Marmor von Elmar Hillebrand. Die Nische in seiner Mitte zeigt Ecclesia, die den Gekreuzigten umarmt. Über dem Kreuzaltar hängt ein *Gabelkreuz.* Den Lettner krönt Kölns ältestes und zugleich prächtigstes *Orgelgehäuse,* 1652 von Meister Balthasar unter Abt Ägidius Romanus geschaffen. Hinter dem Lettner wird der Chorraum erahnbar, der in seiner Vornehmheit wie Intimität zugleich geeignet ist zur Feier im kleineren Kreis. Das *Chorgestühl* aus dem 14. Jh. mit seinem Schnitzwerk voll Phantasie konnte wiederhergestellt werden. Die *Fenster* der Apsis sind ein Spätwerk der Kölner Glasmalerei, nach 1620, in der Mitte die Kreuzigung, links Albinus, Pantaleon, Quirinus, rechts Bruno, Benedikt, Engelbert, darunter Stifterwappen. Die Patrone der Kirche begegnen auch auf den Skulpturen des barocken *Hochaltars.*

Besonders hingewiesen sei noch auf die Ausstattung des südlichen Querhauses. Den Sarkophag der Kaiserin Theophanu haben wir schon genannt. Aus dem 15. Jh. stammt das *Doppelgrab der Grafen von Moers,* eine Arbeit aus der Werkstatt des Tilman von der Burch. Das Triptychon ist eine Arbeit aus der Werkstatt des älteren Barthel Bruyn. Die Rötelvorzeichnung ist der erhaltene Rest der Fresken, die aus der Scheitelnische der Krypta stammen. Sie zeugen von einem ausgesprochenen Sinn für Feierlichkeit der Gesten und von der Fähigkeit zu konzentrierter Komposition.

Wiederhergestellt werden konnte auch der KAPITELSAAL, der von der Kirche aus zugänglich ist. Er dient heute als Schatzkammer. Das Kostbarste in ihr sind die beiden Schreine, der *Maurinusschrein,* um 1170, mit charakteristischen Kölner Emails – besonderen Ruhm genießen die Grubenschmelzplatten mit dem Erzengel Michael und den Cherubim –, sowie der noch architektonischer gestaltete *Albinusschrein,* 1186, mit durchbrochenen Giebelkämmen in vergoldetem Bronzeguß, die Arbeiten des Nikolaus von Verdun verwandt sind. Nach Aufhebung der Abtei wurde St. Pantaleon zunächst katholische Pfarrkirche, diente später als evangelische Garnisonskirche und ist seit 1921 erneut katholische Pfarrkirche. So schwer die Zerstörungen durch den Zweiten Weltkrieg waren, so darf man in diesem Fall sagen, daß die Kirche in ihrer Nachkriegswiederherstellung gegenüber dem Vorkriegszustand erheblich gewonnen hat.

Durch die Straße Am Weidenbach erreichen wir den Mauritiussteinweg. Zwischen den rechtwinklig zur Straße gestellten neuen Häuserzeilen werden eindrucksvolle Reste der römischen Stadtmauer sichtbar. Von dem 1734 erbauten KLOSTER DER BENEDIKTI-

NERINNEN steht heute noch die dreiflügelige um einen Hof errichtete Anlage, immerhin wertvoll als eines der wenigen Beispiele erhaltener bzw. wiederhergestellter barocker Architektur in Köln. Nach dem Wiederaufbau dient es seit 1961 dem Kölner Männer-Gesangverein, der den Namen der im Krieg zerstörten Wolkenburg auf dieses Gebäude übertrug.

Anstelle einer älteren Eigenkirche der Abtei St. Pantaleon stiftete ein Kölner Bürger Hermann die MAURITIUSKIRCHE, die 1141 geweiht wurde. Sie war die älteste, einheitlich in allen Teilen gewölbte Basilika gebundener Ordnung in Köln. Trotz ihrer kunstgeschichtlichen Bedeutung, und wiewohl diese romanische Kirche auch als Bauwerk eindrucksvoll war, interessant auch als Verbindung von Kloster- und Pfarrkirche, wurde sie ein Opfer des Abreißfanatismus. Wegen angeblicher Baufälligkeit wurde sie 1859 gänzlich niedergelegt und durch einen Neubau von Vincenz Statz, 1860/64, ersetzt. Nach dem Plan der Trierer Liebfrauenkirche waren Chor- und Querschiffanlage konzipiert. Nur der Westturm und die Umfassungsmauern blieben im Inferno des Zweiten Weltkriegs erhalten. Fritz Schaller hat das Langhaus in ein Atrium mit seitlichen, überdeckten Gängen verwandelt. An die Stelle des früheren Querhauses trat die zentralraumartig gestaltete neue Kirche mit zum Chor hin sich verjüngenden Seiten. Das abschließende Chörlein wurde durch ein Faltdach mit Rautenfenstern gekrönt. An älteren Kunstwerken besitzt St. Mauritius unter anderm ein *Gabelkruzifix* aus der Zeit um 1415. Die *Cherubim* an den Flankierungstürmen sind ein Werk von Elmar Hillebrand.

Wir folgen dem Mauritiussteinweg und erreichen in wenigen Minuten den Neumarkt.

8. Vom Rudolfplatz nach Melaten

Der Rudolfplatz wird vom Hahnentor nach Osten hin abgeschlossen (Ft. 7). Ebenso wie das Eigelsteintor ist das HAHNENTOR ein Doppelturmtor mit Turmschalen zur Feldseite. Es ist dreigeschossig, jeweils über Stockgesimsen zurückspringend. Sein Feldportal ist spitzbogig und einheitlich mit Rundbogenfenstern versehen, das Stadtportal gestelzt rundbogig. Die Durchfahrt besitzt Kreuzgratgewölbe. Über dem Feldportal befinden sich drei spitzbogige Blendarkaden mit Scheitelwulst und Zwillingsöffnung. Aufgrund dieser architektonischen Besonderheit muß das Hahnentor in das 2. Viertel des 13. Jh. datiert werden. Durch die dreifache Zwillingsarkatur oberhalb der Durchfahrt ist die Feldseite des Hahnentors vor allen anderen Toren Kölns ausgezeichnet. Ebenso war in Aachen das Kölntor prächtiger als die übrigen Stadttore. Beide Tore bilden zusammen mit der sie verbindenden rund 70 km langen Straße eine Gesamtarchitektur, bezogen auf die Königskrönung, einem Vorrecht des Kölner Erzbischofs. Unmittelbar nach der Krönung in der Aachener Pfalzkapelle ritt der König nach Köln, um den Heiligen Drei Königen zu huldigen. Das Hahnentor war sein Empfangstor. Wegen dieser historischen Bedeutung blieb es vor dem Abbruch am Ende des 19. Jh. verschont.

Köln mit seinen wichtigsten Vororten (Wege 8 bis 10)

1 Rudolfplatz, Hahnentor 2 Roonstraße, Synagoge 3 Barbarossaplatz 4 Japanisches Institut und Museum für Ostasiatische Kunst 5 Universität 6 Geusenfriedhof 7 Christi Auferstehung 8 Lackmuseum 9 Krieler Dömchen 10 St. Heribert 11 Messe, Rheinpark

Joseph Stübben hat es 1885/88 erneuert. Daran erinnert das Wappenschild mit dem Reichsadler und dem ausdrücklichen Vermerk darunter: »Erneuert 1888« in der mittleren Arkade über dem Feldportal. Im Zweiten Weltkrieg erlitt es schwere Beschädigungen. Bei der Wiederherstellung blieb wie zuvor das Untergeschoß des nördlichen Flankierungsturms auf der Stadtseite halbkalottig offen. Die Obergeschosse wurden mit einem Stahlbetonfachwerk wiederhergestellt und der Verwendung als Ausstellungsräume angepaßt.

Von der großzügigen Gestaltung der Ringe und der Aachener Straße ist leider heute wenig mehr zu spüren. Vor allem muß der Verlust des Opernhauses am Habsburger Ring/Ecke Rudolfplatz auch vom architektonischen Standpunkt aus sehr bedauert werden. Ein wenig Theaterluft ist dem Beginn der Aachener Straße freilich verblieben. Noch immer behauptet sich das VOLKSTHEATER MILLOWITSCH. Ihm schräg gegenüber hat Milan Sladek in einer ehemaligen Druckereiwerkstatt sein THEATER KEFKA gegründet, das einzige stehende Pantominentheater in Westeuropa.

Beide Theater verbergen sich hinter normalen Hausfassaden, setzen also keine architektonischen Akzente. Bemerkenswerte Fassaden sind in dieser Gegend überhaupt selten geworden. Beachtung verdient eigentlich nur eine gründerzeitliche Fassade mit Musikermedaillons, Ecke Händel-/Richard-Wagner-Straße, eine letzte Erinnerung an das alte Opernhaus. Gleich auf der Ecke Rudolfplatz/Habsburgerring befindet sich die Zentrale der Kölner Stadtsparkasse. Den SPARKASSENBRUNNEN vor diesem Gebäude zum Rudolfplatz hin gestaltete Lambert Schmithausen. In dem Marmoraufbau stehen drei Bronzefiguren: Der Sparsame, Der Geizhals und Der Verschwender. – Der von der Stadtsparkasse eingerichtete CITYTREFF erfreut sich großer Beliebtheit. Man kann dort Zeitungen lesen, Kaffee trinken, Vorträge hören etc.

Wir folgen dem Habsburgerring, um in die Lindenstraße einzubiegen. Nummer 20 dieser Straße ist das GALERIEHAUS. Gegen Ende der 60er Jahre, z. Z. der Hochkonjunktur der Kunst der Gegenwart eingerichtet und für die Kölner Kunstszene nicht unwichtig, hat es derzeit unter der Krise des Kunsthandels, soweit sie die Kunst der Avantgarde betrifft, etwas an Bedeutung eingebüßt. Gleichwohl sind auch heute noch mehrere Galerien in diesem Gebäude vertreten. Wenig davon entfernt, Nr. 45, sind Kloster und KIRCHE DER DOMINIKANER, Heilig Kreuz genannt, um an die Tradition des mittelalterlichen Kölner Predigerkonvents anzuknüpfen. Aus der ehemaligen Dominikanerkirche konnte eine Kreuzreliquie übernommen werden, Symbol des Traditionszusammenhangs. Die neugotische Kirche wurde im Krieg bis auf die Umfassungsmauern zerstört. Hans Lohmeyer hat zwar die erhaltene Bausubstanz bewahrt, jedoch den Raum völlig neu gestaltet. Er ist karg und einfach, wie es einer Mendikantenordenskirche entspricht, zugleich aber, nicht zuletzt wegen des weiträumigen Chores, großzügig und licht.

Wir setzen unseren Weg zur Roonstraße in Richtung Rathenaupark fort. Ihm gegenüber liegt die einzige Kölner SYNAGOGE, die die Kristallnacht und die Zerstörungen des Zweiten Weltkrieges einigermaßen überstanden hat. Wilhelm Emil Schreiterer baute sie 1896/99 gemeinsam mit Bernhard Below im neuromanischen Stil. Die monu-

160 St. Georg. Blick in die Säulenbasilika zum Westchor

161 St. Pantaleon

162 St. Pantaleon. Blick in das Westwerk

163 Miroku-bosatsu. Japan, um 800

164 Chinesischer Porzellanteller mit Vier-Jahreszeiten-Blumendekor. Frühes 15. Jh. (rechts)

165 Lackkasten mit Perlmutteinlagen. Korea, um 1200

166 Farbholzschnitt mit dem Thema: Puppenspiel ›Ränke um eine Heirat‹. 1640

167 Querrolle ›Narzissen‹ aus der Ming-Zeit. Mitte 16. Jh.

168 Philosophikum der Neuen Universität

169 Japanisches Kulturinstitut. 1969 eröffnet

170 Das ›Krieler Dömchen‹ in Lindenthal. 9.–13. Jh.

171 Weidener Grabkammer. 1.–4. Jh.

172 Heribertschrein. Köln-Deutz, Neu St. Heribert. Um 1170

173 Alt St. Heribert

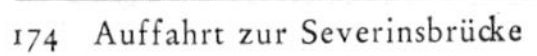

174 Auffahrt zur Severinsbrücke

175 Hochhaus der Deutschen Lufthansa

176 Tanzbrunnen im Rheinpark

177 Altenberger Dom. Tor und Westfassade

178 Schloß Augustusburg zu Brühl. Das Treppenhaus

179 Jagdschloß Falkenlust. Hauptfassade mit Hof und Eingangsgitter ▷

180 Schloß Burg an der Wupper

181 Knechtsteden. Blick auf die Westapsis mit Wandgemälde. 12. Jh.

183 Doppelkirche Schwarzrheindorf. Oberkirche: Christus als Weltenrichter. Um 1173

◁ 182 Doppelkirche St. Klemens zu Schwarzrheindorf. 1151

184 Die Stadtmauer von Zons

mental angelegte Vorhalle, der mächtige Frontgiebel mit dem reichen Maßwerkfenster gaben der Fassade ein malerisches Aussehen. Die Synagoge selbst war eine Zentralanlage mit hohem Kuppelbau. Bei der Wiederherstellung 1958/59 blieb der äußere Eindruck bewußt gewahrt. Doch sollte die Synagoge nunmehr auch ein Gemeindezentrum enthalten. Deshalb wurde in der Höhe des ersten Obergeschosses eine Decke eingezogen, so daß der eigentliche Synagogenraum zwar an Höhe verloren hat, ihm aber seine ursprüngliche Form einschließlich der Kuppel erhalten blieb. In dem neu gewonnenen Erdgeschoß unterhalb der Synagoge befindet sich ein großer Gemeindesaal. Diesem ist im Westflügel eine Halle vorgelagert, die als Museum der Geschichte der Juden in Köln, insbesondere während der Verfolgung durch das Dritte Reich, dient. Wesentliches Schmuckelement der wiederhergestellten Synagoge sind die großen Ornamentfenster.

Die Roonstraße führt zum Zülpicher Platz. Mit dem Chor nach Osten, also zum Ring hin, und dem Turm im Westen an der Radialstraße und daher schon vom Barbarossaplatz wahrnehmbar, wurde 1893–1900 nach Plänen von Friedrich von Schmidt die HERZ JESU KIRCHE gebaut, ein gutes Beispiel der Neugotik in Köln. Auch sie erlitt während des Zweiten Weltkrieges schwere Schäden. Willy Weyres und Wilhelm Hartmann haben bei der Wiederherstellung der Kirche 1953/57 den Chor in eine Halle mit schlanken Innenstützen verwandelt. Sie dient heute als Sakramentskapelle. Durch die Fenster hinter dem Hochaltar kann man auf sie blicken. Die erhaltenen Spitzbogen wurden neu durchrastert. In den Fenstern findet sich das Bild des Baumes als Symbol des Lebens. Das silbergetriebene Altarkreuz stammt von Hanns Rheindorf. Die Fenster in den Seitenkapellen sind ein Werk von Franz Pauli.

Die Roonstraße endet am BARBAROSSAPLATZ, der freilich durch seine Umbauung mit Hochhäusern viel von seiner früheren Geschlossenheit verloren hat, jetzt fast nur noch ein Verkehrskreisel ist. Wir folgen der Zülpicher Straße, die nach der Unterführung den Inneren Grüngürtel erreicht. Die Grünanlagen haben freilich schon zum Teil den UNIVERSITÄTSBAUTEN weichen müssen. Gleich rechter Hand sehen wir das vor einigen Jahren errichtete Mensagebäude. Linker Hand liegen die neuen Physikalischen Institute der Universität, ein wenig von der Straße zurückgesetzt. Wir benutzen den Fußgängersteig und erreichen die Universitätsstraße, Ecke Berrenrather Straße. Gleich linker Hand erhebt sich vor uns an der Ecke Universitätsstraße/Luxemburger Straße das UNICENTER, derzeit Europas größtes Wohnhaus mit Wohnungen für 3000 Menschen, im Erdgeschoß Restaurants, Läden, Kinos. In der Berrenrather Straße finden wir als erstes den Komplex der Papst Johannes-Burse, der Gebäude der KATHOLISCHEN HOCHSCHULGEMEINDE. 1969 entstand hier auch eine eigene Kirche für die Katholische Hochschulgemeinde. Die strenge architektonische Anlage zeigt die Form von drei Bäumen. Der mittlere, der Lebensbaum, der den Tabernakel birgt, ist in vier Stützen gespalten. Sein Geäst – außen Betonscheiben, innen frei hängende Betongewichte – bildet das Dach. Wandscheiben in Schwartenbeton sind als palisadenartige, schützende Begrenzung des durch die Äste beschriebenen Raums gedacht. Zwischen Wandscheiben und Dach ist farbiges Antikglas in tiefem Rot und Blau eingesetzt, so daß die Wände nirgends unmittelbar an das Dach heranreichen. Auch die Nordostwand ist aus Glas errichtet, damit der Blick in einen Innenhof möglich wird. Der Fußboden aus roten Ziegeln gibt dem Raum Wärme. In dieser Kirche, deren Formen vom organischen Leben bestimmt sind, steht kein steinerner, sondern ein hölzerner Altar. Den Plan der Kirche entwarf Josef Rikus.

Wir biegen nach rechts in die Straße Weyertal ein. Als Park zugänglich ist der Alte Evangelische Friedhof, genannt GEUSENFRIEDHOF, der 1576 außerhalb der Grenzen der Freien Reichsstadt Köln angelegt wurde und der reformierten sowie der lutherischen Gemeinde bis 1829 als Begräbnisstätte diente. Zwar sind die Inschriften zum Teil schon verwittert, viele lassen sich aber jetzt noch gut lesen. Die Grabdenkmäler reichen vom 16. bis zum 19. Jh. Viele zeichnen sich durch reichen Wappenschmuck aus. Wer etwas von der Geschichte der evangelischen Christen in Köln erfahren will, sollte es nicht versäumen, den Geusenfriedhof zu besuchen. Mit seinen alten Bäumen wirkt er zudem höchst malerisch.

Wir folgen der Kerpener Straße zurück zur Universitätsstraße. Linker Hand liegt die neue UNIVERSITÄTSBIBLIOTHEK. Wir biegen in die Universitätsstraße ein und erreichen nach wenigen hundert Schritt das Hauptgebäude der UNIVERSITÄT. Es wurde errichtet nach Plänen von Adolf Abel, 1929–35. Geplant war es als ein Bau, der sämtliche Institute und Hörsäle in einem Gebäude zusammenfassen sollte. Unter Zugrundelegung einer Studentenzahl von 5000, die für die zwanziger-, aber auch noch für die dreißiger Jahre gültig bleiben sollte, war diese Konzeption realistisch. Die Entwicklung der Studentenzahlen nach dem Zweiten Weltkrieg hat zu neuen Überlegungen genötigt. 1957/58 errichtete Wilhelm Riphahn nördlich des Hauptgebäudes einen achtgeschossigen klinkerverkleideten Blockbau für die Wirtschafts- und Sozialwissenschaftliche Fakultät, der durch einen eingeschossigen Trakt mit Seminar- und Vorlesungsräumen Anschluß an das Hauptportal findet. Durch Tieferlegung der Fahrstraße konnte ein Fußgängerbereich geschaffen werden, der geradezu Platzcharakter gewonnen hat. Er führt zum Hörsaalgebäude und Philosophikum (Abb. 168). In die Mitte dieses Platzes mit Rücken zum Hauptgebäude ist das *Bronzedenkmal des Albertus Magnus* von Gerhard Marcks gestellt. 1955 schuf der Bildhauer diese fast vier Meter hohe Figur. Dargestellt ist der an Hand seines Buches Lehrende, der dem eben gesprochenen Wort nachsinnt. In der Grünanlage neben dem Neubau der Wirtschafts- und Sozialwissenschaftlichen Fakultät steht eine weitere prachtvolle Plastik, der *Herakles* des Antoine Bourdelle, dargestellt als kraftvoll den Bogen Spannender.

Wir folgen der Universitätsstraße entlang der Anlage des Inneren Grüngürtels und erreichen nach wenigen hundert Metern das JAPANISCHE KULTURINSTITUT (Abb. 169). Es wurde nach einem Entwurf des Architekten Ôhashi aus Tokio durch die Japanische Botschaft errichtet und im September 1969 eröffnet. Ôhashi gehört zu den japanischen Architekten, die traditionelle mit modernen Formen verbinden. Das Obergeschoß springt über das Untergeschoß vor und wird von Stützen getragen. Das Japanische Kulturinstitut ist nicht nur das jüngste, sondern gleichzeitig auch das großzügigst angelegte der in Köln beheimateten ausländischen Kulturinstitute, versehen mit Konferenz- und Vortragsräumen, Bibliothek und nicht zuletzt dem Japanischen Zimmer, das dem deutschen Besucher die Atmosphäre Japans unmittelbar vermitteln will. Dem Japanischen Kulturinstitut direkt benachbart entstand der Neubau des MUSEUMS FÜR OSTASIATISCHE KUNST, Dezember 1977 eröffnet. Für den Entwurf des Gebäudes konnte der Corbusier-Schüler Kunio Mayekawa gewonnen werden. Er errichtete das Museum in mehreren, im wesentlichen eingeschossigen Blöcken, deren Außenverkleidung aus hochgebrannten Fliesen im warmen Braunton besteht. Wesentlich ist der Wechselbezug von außen und innen. Darum wurde auf die landschaftliche Gestaltung großer Wert gelegt. Den Japanischen Steingarten des Innenhofes, bestehend aus Felsen, Steinlaternen, Wasserbecken, schindelgedeckten Erdwällen und Kieswegen zwischen Rasenflächen, schuf der Gartenarchitekt Masayuki Nagare. Die Ausstellungsfläche ist bewußt nicht sehr groß gehalten. Dem Besucher soll an ausgesuchten Beispielen und in wechselnden Ausstellungen Einblick in das reiche und vielgestaltende Bild ostasiatischer Kunst gewährt werden.

Obwohl das Museum im wesentlichen auf einer einzigen Privatsammlung beruht, die durch mancherlei Neuerwerbungen ergänzt werden konnte, so ist doch z. B. die japanische Sektion seines Bestandes an buddhistischer Plastik die Bedeutendste in Europa. Ihr galt die besondere Liebe des Sammlerehepaares Adolf und Frieda Fischer.

Rund 80 Nummern umfaßt das Inventarverzeichnis der japanischen, 34 das der chinesischen Skulpturen. Zu den schönsten der älteren buddhistischen Skulpturen Japans gehört der *Miroku-bosatsu* (Maitreya), der zukünftige Buddha und Erlöser, ein sitzender Bodhisattva mit erhobenen Händen und untergeschlagenen, von seinem Gewand verhüllten Beinen (Abb. 163). Trotz starker Restaurierungen hat die Skulptur den Stil der Zeit um 800, vor allem in den eleganten Schals, in Hals- und Armschmuck. Qualitätvoll ist die kleine *Statue eines stehenden Shô-kannon,* 10. Jh.; ihr zur Seite gestellt sei der *Shô-kannon,* die Standfigur eines Bodhisattva der Gnade, der »auf das Schreien der Welt hört«, 2. Hälfte 11. Jh., ein gutes Beispiel für die Technik der Farbfassung in der Heianzeit. *Dainichi-nyorai,* der »Buddha, dessen Licht überall leuchtet«, die Sitzfigur eines Medidationsbuddhas, stammt aus der Zeit um 1100. Die Standfigur einer der *Shi-tennô,* 1. Hälfte 12. Jh., ist als Altarwächter mit Rüstung, Rock, Schurz, aufgebundenen Hosen bekleidet. Seine Rechte hält ein Schwert, die erhobene Linke wahrscheinlich früher eine Lanze. Er steht auf einem Dämon. Die *Porträtfigur des Priesters Eizon* (1201–1290), eines führenden Erneuerers der Ritsu-Sekte, der sich durch seine Mildtätigkeit auszeichnete, wirkt außerordentlich lebensecht. Sie ist allerdings nicht wie lange angenommen in der Kamakura-Periode (13./14. Jh.), sondern erst in der Edo-Zeit entstanden, wahrscheinlich 17. Jh. Von der chinesischen buddhistischen Plastik verdient besondere Aufmerksamkeit eine *Votivstele* aus weißem Marmor, 3. Viertel des 6. Jh., deren Schauseite in drei ikonographische Zonen eingeteilt ist. Die Mitte der Sockelzone nimmt ein von einer Erdgottheit getragener Weihrauchbrenner ein, flankiert von zwei Löwen im Profil. Auf dem Sockelpodest stehen im zentralen, mittleren

Teil sechs heilige Gestalten unterschiedlicher Größe ihrem ikonologischen Rang entsprechend. Den wichtigsten Platz unter ihnen nehmen zwei fast identische Bodhisattva mit spiegelsymmetrischer Handhaltung ein. In den Händen halten sie Wunschjuwelen. Die obere Zone wird durch zwei Sâla-Bäume gerahmt. Ganz oben im Gezweig erscheint der Stûpa des Lotus-Sûtra. Darunter schwebt Buddha Sakyamuni. Geflügelte Wesen sitzen seitlich in den Ästen der Bäume. Eine besondere Kostbarkeit ist auch die *Votivbronze* aus der T'angzeit 7./8. Jh. Aus gemeinsamer Wurzel gehen die Lotussitze der sechs Buddhas der Vergangenheit und des historischen Buddha hervor. Das Typische dieser Śapta Mânuśi-Buddha ist, daß die Buddhas in den symmetrisch nach beiden Seiten sich ausbreitenden Ästen des Baums in einem sorgfältig abgestuften Nebeneinander sitzen. Aus dem 3. Viertel des 6. Jh. stammen zwei *Reliefplatten* in Form von Torbauten, die zu einer steinernen Grabstätte gehörten, vielleicht Sockelplatten für einen Sarg waren. Ikonographisch sind sie bemerkenswert, weil es sich bei ihnen um Darstellungen von Zentralasiaten handelt, die in der chinesischen Steinplastik selten sind.

Neben der buddhistischen Skulptur muß aber auch die Malerei genannt werden, die ebenfalls mit guten Beispielen im Museum vertreten ist, z. B. *Bodhisattva Manjuśhri als Lautensänger* mit dem Prajnâpâramitâ-Sûtra, gekleidet in ein farbiges Flickengewand, neben ihm ein weißes Hündchen, China, um 1300; der *Lotus* in stark deckenden Farben auf Seide, China, 13. Jh. – Lotus, Symbol des Buddhismus, weil er sich über den Sümpfen zu makelloser Reinheit erhebt und damit das Wesen der Dinge andeutet, das aus der staubigen Welt in die reine Wesenslosigkeit des Nirwana aufsteigt –; die Tuschzeichnung, *Kopf des Daruma* (Bodhidarma), des Stifters der Zen-Sekte, ein Werk des Priesters Kôsen, datiert 1692. Kôsen (1633–1695) war chinesischer Zen-Mönch, kam aber 1661 nach Japan und wirkte in mehreren Klöstern. Für Daruma sind die weitaufgerissenen, weil lidlosen Augen – Zeichen seines Willens zur Wachheit – charakteristisch. Faszinierend ist die fast abstrakte Tuschzeichnung aus dem späten 18. Jh. der beiden zen-buddhistischen Mönche, *Kanzan mit Schriftrolle* und *Jittoku mit dem Besen*, als den gegensätzlichen Vertretern eines inneren Befreitseins. Chinesische Kalligraphie und Malerei stehen in der ostasiatischen Kunst in Wechselbeziehung. Ein gutes Beispiel dafür ist die Querrolle *Narzissen* aus der Ming-Zeit (Abb. 167). Der Literatenkünstler Wen Cheng-ming (1470–1559), das Haupt des Künstlerzirkels von Su-chou, verfaßte 1555 ein Fu-Gedicht über Narzissen. Es steht am Ende der Querrolle, die sechs Jahre später Wang Ku-hsiang (1501–68) gemalt hat, der ebenfalls in Su-chou lebte. Er mag die Narzissen gemalt haben, um sie Wen, mit dessen Söhnen er befreundet war, zu schenken. In der zweiten Hälfte des 17. Jh. war die Querrolle im Besitz des Sammlers Lian Ch'ing-piao, der wahrscheinlich Malerei und Gedicht in der heutigen Form montieren ließ. Später befand sie sich in der Sammlung des Manschu-Kaisers Ch'ienlung (Reg. 1736–96).

80 Zeilen umfaßt das Canto auf Narzissen, das die Narzissenrolle schmückt. Es verbindet Natur mit Gedankenlyrik, die die taoistische Weltanschauung reflektiert. Die Eingangsstrophe macht dies deutlich. Hier heißt es von der Narzisse:

»... Kein gewöhnlicher Künstler hat sie geschaffen,
sondern die geheimnisvolle Schöpferkraft der Natur.
Sie erhebt sich über den Schmutz der Welt
in jener leisen unsäglichen Güte, in der die Sprache dem Schweigen weicht ...«

Esoterische buddhistische Sekten Chinas vermittelten Japan die mehrteiligen, bemalten *Wandschirme*. Dem Sammlerehepaar Fischer gelang es, eine beachtliche Kollektion japanischer Wandschirme zusammenzutragen. Trotz empfindlicher Verluste, die diese Abteilung während des Zweiten Weltkriegs erlitt, bietet sie noch immer einen guten Überblick über die Weite der dekorativen japanischen Malerei. Tiere, Blumen, Landschaften, Feste, Spiele sind Motive, die auf den Wandschirmen begegnen. Von der im 18. Jh. unter chinesischem Einfluß stehenden Literatenmalerei besitzt die Kölner Sammlung in den von Yosa Buson (1716–83) 1780 gemalten vier Schiebetüren für einen Wandschrank, die eine *Ideallandschaft im Spätherbst* darstellen – Tusche, leichte Farben und Gold auf Seide –, eine ausgesprochene Rarität. Zu den ältesten chinesischen *Farbholzschnitten* gehören sieben Blätter aus einem Album von 21 Blättern des Min Ch'i-chi, mit Rufnamen Yü-wu (1580–1661), 1640. Auf einem der Blätter ist ein Puppenspiel ›Ränke um eine Heirat‹ (Abb. 166) dargestellt. Das Programm mit dem Titel des Stücks ist am rechten Pfosten des Puppentheaters angeschlagen.

Adolf und Frieda Fischer hatten zu Anfang unseres Jahrhunderts bereits Keramiken gesammelt, die heute zu den Standardwerken der ostasiatischen Keramik gehören. Wieder können nur einige Beispiele genannt werden. Neben den antiken und frühmittelalterlichen soll vor allem die Seladon-Ware erwähnt werden, die durch ihre Formschönheit besticht. Besonders bemerkenswert ist ein chinesischer *Porzellanteller* (p'an) mit ›Vier-Jahreszeiten-Blumendekor‹ in Unterglasurblaumalerei aus dem frühen 15. Jh. (Abb. 164). Päonie, Lotos, Chrysantheme und Gardenie sind umgeben von einem Wellenband an der Innenseite. Im Spiegel des Tellers ist ein gebundener Lotosstrauß mit Sagittaria. Doppelringe setzen die Muster voneinander ab.

In einem Museum für ostasiatische Kunst dürfen Lackarbeiten nicht fehlen. Aus Korea besitzt das Kölner Museum einen rechteckigen *Schwarzlackkasten* (um 1200) mit Einlagen aus perlmuttroten und gelben Korallen sowie geflochtenen oder gedrehten Bronzedrähten (Abb. 165). Auf dem Deckel ein Phönixpaar vom Typ des chinesischen fêng-huang, umgeben von Päonienzweigen, auf den Seitenwänden Päonien- und Chrysanthemenranken, an den Kanten geometrische Borten. Chrysanthemen und Herbstgräser sind der Schmuck auch eines *Schreibkastens* aus Japan, 18. Jh.

Gleich gegenüber dem Museum liegt das von Hans Koerfer errichtete ITALIENISCHE KULTURINSTITUT. Zwischen Danteweg und Klarenbachstraße führt eine reizvolle Grünanlage, die einen Kanal umgibt, geradewegs zur Pfarrkirche CHRISTI AUFERSTEHUNG. 1967–70 wurde sie von Gottfried Böhm in Beton und Ziegelstein errichtet. Breit und wuchtig wirkt sie einerseits wie eine Gottesburg, hat aber andererseits etwas zum Himmel Emporstrebendes. Beton bildet das Rahmenwerk und das krönende Dach. Die

Zwischenwände sind in Backstein errichtet. Das Innere ist für eine katholische Kirche recht arm an Ausstattung. Der wesentliche Schmuck sind die Glasfenster. Da der rote Ziegelstein dominierend ist, so ist Rot auch die beherrschende Farbe der Fenster. Die figürliche Darstellung tritt zugunsten des Ornaments zurück. Durch die Max-Bruckner-Straße erreichen wir den FRIEDHOF MELATEN, der in napoleonischer Zeit angelegt wurde. Die Inschrift über den Toren, in ihrer lapidaren Form den Ort der Kölner Grabstätten signalisierend, stammt von Ferdinand Franz Wallraf. An den Grabsteinen läßt sich die Geschichte der Kölner Familien seit dem 19. Jh. ablesen. So besitzt dieser Friedhof einen eigentümlichen Reiz.

9. Von Deutz nach Riehl

Acht Brücken verbinden das linksrheinische mit dem rechtsrheinischen Köln. Zwei von ihnen sind Eisenbahn- (Hohenzollern- und Südbrücke), die übrigen Straßenbrücken, davon wiederum sind zwei Autobahnbrücken (Rodenkirchener und Merkenicher). Das Anwachsen des Verkehrs läßt sich an der Entwicklung der Brücken gut ablesen. Die erste feste Rheinbrücke erhielt Köln 1859. An ihre Stelle trat die Hohenzollernbrücke. Bis zum Ersten Weltkrieg besaß Köln drei feste Brücken. 1927/28 wurde die Mülheimer gebaut, 1941 die Rodenkirchener Brücke vollendet. Nach der Kriegszerstörung erstanden die Brücken neu. Hinzu kamen 1959 die Severins-, 1966 die Zoobrücke und 1965 die Merkenicher Autobahnbrücke. Vielfältig sind die architektonischen Formen. Bogenaufbauten haben die Hohenzollern- und die Südbrücke. Die Deutzer Brücke war ursprünglich eine Hängebrücke. Die von Fritz Leonhardt und Gerd Lohmer 1947/48 wiedererrichtete Brücke verzichtet auf Oberbauten. Der Mittelteil der Balkenbrücke ist 184,5 m lang. Die Gesamtlänge beträgt 437 m. Als Balkenbrücke ohne Aufbauten wurde die Zoobrücke von Gerd Lohmer konzipiert. Ihre Länge beträgt jedoch das Dreifache: 1300 m. Ein asymmetrisch gestellter Dreieckpylon hält die Seile, an denen die Severinsbrücke aufgehängt ist (Abb. 174). Ihre Länge: 691 m. Die Mülheimer Brücke – bei ihrer Errichtung die größte Kabelbrücke der Welt und die erste, die in sich selbst verankert war – wurde nach der Kriegszerstörung 1951 durch eine neue ersetzt. Zwei 50 m hohe Pylonen halten sie. In einem Hängebogen überspannt sie den Rhein; Länge des Bogens 315 m, Gesamtlänge 708 m. Unterschiedlich nach Länge und Form stimmen die Brücken dennoch in ihrer ästhetischen Qualität überein. Fast will es scheinen, daß unser Jahrhundert sich seine überzeugendsten Denkmäler in Brücken und Straßen schafft.

Trotz der Brücken, die die beiden Ufer miteinander verbinden, trotz der Fluktuation der Bevölkerung von der rechten zur linken Seite und umgekehrt, ist nicht nur bewußtseinsmäßig das linksseitige Köln das eigentliche geblieben, sondern haben sich auch die rechtsrheinischen Stadtteile einen eigenen Charakter wahren können. So leicht lassen sich die Spuren der Geschichte nicht auslöschen! Unsere Wanderung gilt zwei

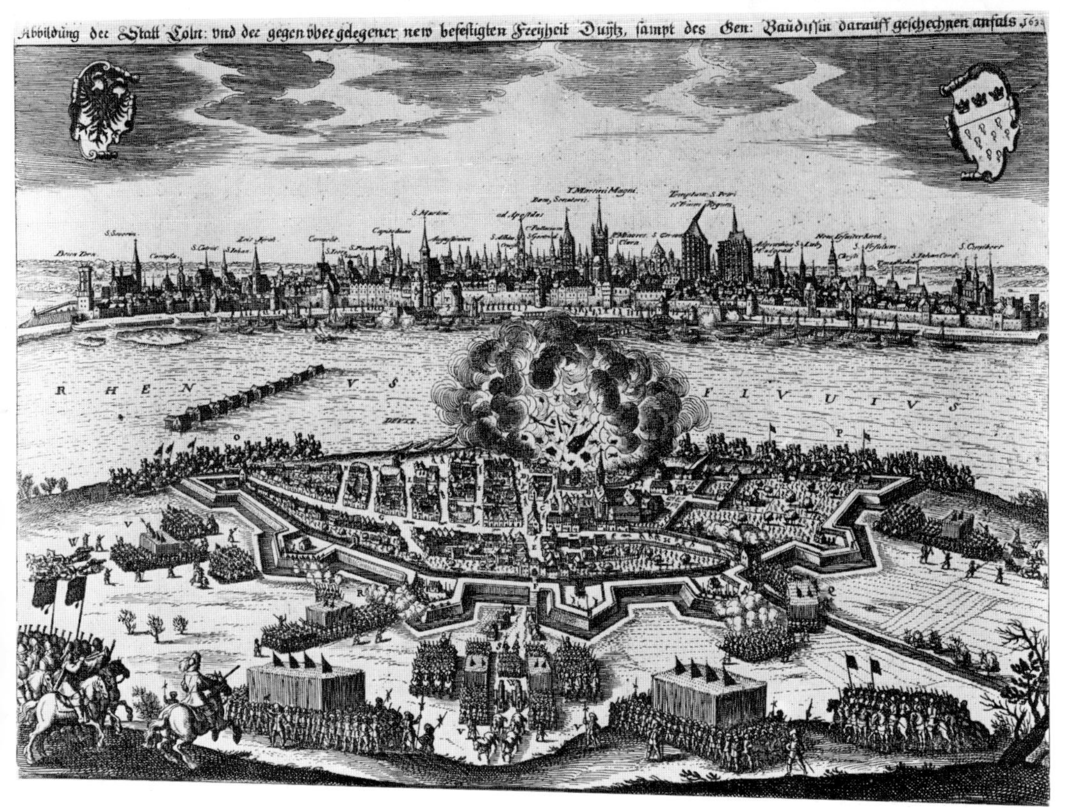

Explosion der Deutzer Pfarrkirche anläßlich der Belagerung durch die Schweden 1632

Stadtteilen, die bis zur Eingemeindung selbstständige Städte waren und zudem viele Jahrhunderte lang zwei verschiedenen Territorien angehörten. Unser erstes Ziel ist DEUTZ. Wir erreichen es vom Heumarkt aus über die Deutzer Brücke. Wenig nördlich von ihr verlief die konstantinische Brücke, die zum Castellum Divitia führte (vgl. S. 39). Das Römerkastell diente später den Franken als Königshof. Kaiser Otto III. stellte ihn für eine Marienkirche zur Verfügung, die dann nach seinem Tod sein Freund und Kanzler Heribert in Anlehnung an italienische Vorbilder aber auch an das Aachener Münster als Zentralbau errichtete und mit einem Benediktinerkloster verband. 1020 weihte Heribert die Kirche ein, die seine Grablege wurde. Bald nach seinem Tod wurde seine Stiftung nach ihm benannt. Dem Zentralbau wurde ein Chor mit Halbkreisschluß angegliedert, den Rupert von Deutz überwölben und mit Wandmalereien schmücken ließ. Aufgrund eines Siegelbildes aus dem 13. Jh. können wir uns eine gute Vorstellung von dem Äußeren der Kirche machen. (Die Fundamente wurden 1937 ausgegraben.) Die ausgezeichnete Lage der ABTEI genau gegenüber der Stadt Köln sollte ihr wiederholt zum Verhängnis werden. Schäden, die Abtei und Kirche während des

Kampfes der Stadt Köln mit dem Erzbischof 1260 nahmen, konnten bald behoben werden. Hingegen wurden Kirche und Kloster 1376 fast gänzlich zerstört, weil die Stadt Köln in ihrem Streit mit dem Erzbischof Friedrich von Saarwerden diesem den wichtigen Stützpunkt entziehen wollte. Die Stadt wurde mit dem Interdikt belegt. Als Sühne mußte sie Kirche und Kloster 1382/87 wiederaufbauen. Die gleiche Verpflichtung mußte sie 1394/1400 nach erneuter Beschädigung eingehen. Im Truchsessischen Krieg (vgl. S. 59) brannte die Kirche aus und wurde von der Stadt Köln bis auf die Fundamente zerstört, weil sie dem Gegner die Möglichkeit, eine Festung gegen sie zu errichten, entziehen wollte. Lange dauerte es, bis die Abtei wiedererstand. Erst gegen 1659 wurde die barocke Kirche gebaut und 1663 geweiht. Anstelle des Zentralbaus ist eine schlichte Pfeilerbasilika mit zwei Chorflankentürmen getreten. Nach der Aufhebung der Abtei 1803 wurde sie Pfarrkirche. Ab 1896 diente sie als Garnisonskirche und schließlich seit 1930 als Depot des Schnütgen-Museums. Dieses selbst fand bis zum Ende des Zweiten Weltkrieges sein Domizil in den Klostergebäuden, die wenige Jahrzehnte vor der Säkularisation, 1776, noch einmal neu errichtet worden waren. Im Zweiten Weltkrieg erlitten die Gebäude schwere Schäden. Die Barockausstattung der Kirche aus der Zeit um 1675 und 1772 ging größtenteils zugrunde. Zurück blieb nur der nackte Bau. Durch Aufsetzen neuer Dächer wurde er 1954 zunächst gesichert. Mit einer gründlichen Renovierung der Kirche Alt St. Heribert ist begonnen worden. Inzwischen sind die Gebäude der Abtei wiederhergestellt und dienen heute als Altenheim (Abb. 173).

Um die Abtei bildete sich eine Siedlung. Der Straßenname ›Deutzer Freiheit‹ – ebenso wie ›Mülheimer Freiheit‹ – weist darauf hin, daß sie sich wie eine Stadt entwickelte und mit besonderen Rechten ausgezeichnet war. Aber ihr fehlten zum Stadtsein die Mauern. Zwar hat es nicht an Versuchen zur Befestigung gefehlt, doch Köln empfand das als Bedrohung und hat die eben entstandenen Stadtmauern im 14. Jh. mehrfach geschleift. Aus dem kurkölnischen Amtsstädtchen wurde nach 1815 eine preußische Festung. An die Deutzer Kürassierkaserne – 1927/28 von Adolf Abel zum Rheinischen Museum umgebaut, das nach den Plänen Dr. Konrad Adenauers ein Museum für Geschichte und Kultur des Rheinlandes werden sollte – gemahnt heute nur ein Erinnerungsmal. 1888 hat man Deutz eingemeindet. Die Festungswerke wurden durch eine Ringstraße ersetzt (Justinianstraße, Gotenring). Noch in einer Hinsicht ist Deutz wichtig geworden. Nach ihrer Ausweisung aus Köln haben die Juden nicht zuletzt im kurkölnischen Deutz Zuflucht gefunden. Auf dem alten jüdischen Friedhof finden sich noch Grabsteine bis ins 17. Jh. – Deutz ist heute wesentlich durch Industrieanlagen geprägt. Die wichtigste von ihnen ist die Klöckner-Humboldt-Deutz AG.

Die rechtsrheinische Seite der Deutzer Brücke wird durch das neue Hochhaus der Deutschen Lufthansa AG bestimmt (Abb. 175). Die Brücke führt zur ›Deutzer Freiheit‹. Nach knapp hundert Schritt erreichen wir die neuromanische Pfarrkirche NEU ST. HERIBERT, 1882/86 errichtet und im Volksmund Deutzer Dom genannt. Nach starker Beschädigung im Zweiten Weltkrieg hat Rudolf Schwarz sie wiederhergestellt und

Kirche und Abtei St. Heribert in Deutz. Stich. Um 1825

ihrem Altarraum durch den *Heribertschrein* ein Zentrum gegeben (Abb. 172). – Er besteht aus einem Holzkasten mit Satteldach, bedeckt von vergoldetem Silber- und Kupferblech, teilweise auch mit Grubenschmelzen. Trotz Beschädigungen, die er im Laufe der Zeit erhielt, ist er immer noch das Hauptwerk der romanischen Goldschmiedekunst im Rhein-Maas-Gebiet, unmittelbar vor dem Auftreten des Nikolaus von Verdun. Von den Stirnwänden ist die eine als Marien-, die andere als Heribertseite gestaltet. Auf der Marienseite thront die Gottesmutter zwischen zwei Engeln. Auf der gegenüberliegenden Seite ist unter Christus als dem Pantokrator der hl. Heribert zu sehen, dem die Tugenden der Liebe und Demut huldigen. An den Längsseiten sind die Apostel, dazwischen in farbigem Grubenschmelz auf vergoldetem Grund auf jeder Seite je sieben Propheten mit Schriftbändern zu sehen. Die Ehrenplätze in der Nähe der Gottesmutter nehmen David und Moses ein. Die Rundscheiben auf dem Satteldach stellen das Leben des hl. Heribert dar (Ft. 18).

Rudolf Schwarz wollte den Schrein davor bewahrt wissen, nur als Kunstgegenstand betrachtet zu werden und hat ihn daher auf eine Art Tragaltar gestellt. Dem Mittelschiff der Kirche gab er anstelle der eingestürzten Gewölbe einen offenen mit Holz verschalten Dachstuhl. Die Wände ließ er weiß streichen, die Schmuckelemente, die Steinmetzarbeiten, z. B. an den Blendarkaden mit bunten Kalkfarben bemalen, um die

Architektur deutlich hervortreten zu lassen. Am Schnittpunkt von Querschiff und Langschiff errichtete er den Pfarraltar. Treppen führen zu ihm hinauf. Altar, Tragstein für den Schrein und Säulen, die den Tragstein erheben, bestehen aus tiefgrünem Turiner Marmor. Den Boden der alten Hauptapside ließ er erniedrigen und gab ihm eine kreisförmige Vertiefung. In deren Mitte stellte er den gotischen Taufstein. Die Sakramente der Taufe und der Eucharistie wurden so nahe zusammengerückt. – Auch die Kirche St. Heribert ist durch einige neuere Kunstwerke bereichert worden. Hervorzuheben sind die Ornamentfenster im Chor von Willy Weyres, der Kreuzweg von Theo Heiermann (1962) und vor allem das Portal und Tympanon, das Hein Gernot 1961 geschaffen hat. Im Tympanon ist Christus über den Cherubim thronend zu sehen. Das Portal zeigt Persönlichkeiten, die mit Deutz und seiner Abtei in enger Verbindung stehen, wie den hl. Heribert und den Abt Rupert von Deutz.

Wir kehren von der Kirche zurück bis zum Gebäude der Lufthansa, umschreiten die Baulichkeiten der alten Benediktinerabtei mit der Kirche Alt St. Heribert und folgen der Rheinpromenade zum MESSEGELÄNDE. Das Panorama, das Köln von dieser Seite bietet, läßt erst Einheit und Charakter der Stadt ganz erfahren (Ft. 2). Die Gründung der neuzeitlichen Kölner Messe 1924 ist Konrad Adenauer zu verdanken. Der Hauptteil der Messehallen bietet sich noch heute in der Gestalt dar, die ihm 1926/28 Adolf Abel unter Betonung der Horizontalen und Vertikalen verliehen hat. Akzente setzen die zurückgestuften und überhöhten Eingangstrakte sowie der dominierende Aussichtsturm. Der Messeturm (Ft. 7) ist durch ein Panoramarestaurant gekrönt, das einen besonders schönen Überblick gewährt. Im Nordwesten des Messegeländes ist der RHEINPARK angelegt mit einem schönen alten Baumbestand. 1957 und 1971 fand hier jeweils die Bundesgartenschau statt. Bei der letzteren wurde auch das gegenüberliegende linksrheinische Ufer, die Riehler Auen, mit einbezogen. Dank dieser beiden Veranstaltungen hat der Rheinpark noch an Schönheit gewonnen. Zwischen Rheinpark und dem Halbrund des Staatenhauses befindet sich der TANZBRUNNEN, 1950 von Josef Op Gen Oorth geschaffen (Ft. 9, Abb. 176). Reizvoll ist das Wechselspiel der Wasserfontäne und der sich drehenden Stahlspiralen. Die Heiterkeit der Harmonie von gestalteter Landschaft, Freiplastiken – *Ruhende* von Henry Moore, *Häusliche Sorge* von Rik Wouters, *Sommer* von Josef Jaekel und *Schauende* von Hermann Haller –, Springbrunnen, Tanzfläche und architektonischem Abschluß findet in den sommerlichen Freilichtaufführungen ihre Krönung.

Wir umschreiten das Hauptgebäude der Messe und erreichen den DEUTZER BAHNHOF. Auf seinem Vorplatz steht ein technisches Denkmal, das Modell des von Nikolaus August Otto erfundenen Verbrennungsmotors. Entwickelt hatte er ihn in der Maschinenfabrik, die er gemeinsam mit Eugen Langen in der Servasgasse, unweit vom Kölner Hauptbahnhof, betrieb. Aus ihr hat sich die eben erwähnte Weltfirma Klöckner-Humboldt-Deutz entwickelt, deren Hauptverwaltung sich an der Deutz-Mülheimer Straße befindet. Der an der Geschichte der Technik Interessierte wird nicht versäumen, das MOTOREN-MUSEUM, gleich vor dem Verwaltungsgebäude, zu besuchen. Um nach Mülheim zu gelangen, empfiehlt es sich, die Straßenbahnlinien 3 oder 4 zu benutzen, Abfahrt ab Justinianstraße oder nach Besuch des Motorenmuseums ab Messe- bzw. Sporthalle.

Im Norden, am Rheinbogen gelegen, geht MÜLHEIM auf eine Ansiedlung zurück, die schon in fränkischer Zeit bestand. Der Name Molenheym ist 1098 bezeugt. Für die Grafen und späteren Herzöge von Berg war Mülheim ein Eckpfeiler ihrer Herrschaft. Damit freilich wurden notwendigerweise Konflikte zu dem nahe gelegenen Köln heraufbeschworen, unter denen die Entwicklung des Ortes viele Jahrhunderte lang zu leiden hatte. So günstig seine geographische Lage war, so verhängnisvoll wirkte sich der Wettstreit mit der Reichsstadt für Mülheim aus. Mit Argusaugen wachte Köln darüber, daß Mülheim unbefestigt blieb und erhob Einspruch gegen jeden Versuch, eine Stadtmauer zu errichten. Erstmals befestigte Graf Adolf V. 1275 Mülheim mit Mauern. Elf Jahre später wurde er im Vergleich mit der Stadt Köln gezwungen, nicht nur die Mülheimer Festungswerke zu schleifen, sondern für alle Zukunft zu versprechen, an den beiden Rheinufern zwischen Rheindorf und Zündorf weder eine Festung noch ein Schloß zu errichten. Aufgrund dieses Vertrages konnte die Stadt Köln bis in die Neuzeit mit Erfolg gegen jeden Versuch der Befestigung Mülheims beim Kaiser bzw. dem Reichsgericht klagen und erreichen, daß die ihr günstigen Urteile auch durchgesetzt wurden. Zwar erhielt Mülheim 1322 von Graf Adolf VI. die städtische Freiheit und Verfassung. Aber infolge des Mangels einer Mauer blieb es eine verhältnismäßig kleine Siedlung. Noch gegen Ende des 16. Jh. hatte es nicht mehr als 72 Häuser und eine Kirche. Die Einwohnerzahl im Mittelalter dürfte 450 kaum überschritten haben. Pfarrlich gehörte Mülheim zu dem älteren Buchheim. Die Buchheimer Kirche bestand schon im 11. Jh., wurde allerdings im Truchsessischen Krieg 1583 zerstört, zehn Jahre später wieder hergestellt. Sie war ein dreischiffiger, einfacher und schmuckloser Bau. Sie besaß keinen Turm, sondern lediglich einen Dachreiter. 1795 ist sie abermals, diesmal von den Franzosen, zerstört worden. Erhalten geblieben ist der Chor des 12. Jh. mit Chorquadrat und feingegliederter Apsis. Diese dem HL. MAURITIUS geweihte Kirche ist die heutige Kapelle auf dem alten Friedhof. Um 1900 erhielt Buchheim eine neue Pfarrkirche St. Mauritius. Bemerkenswert ist jedoch nicht sie, sondern die HERLER KÜNSTLERKAPELLE am Buchheimer Ring. Sie stammt aus dem Ende des 17. Jh. 1952 wurde sie zur Künstlerkapelle des Erzbistums Köln ausersehen. Sie besitzt u. a. ein doppelseitiges Altarkreuz aus Bronze von Josef Höntgesberg. Den Altar gestaltete Elmar Hillebrand.

Die Unterdrückung der Protestanten in Köln gab den gemeinsam die Herzogtümer Kleve, Berg und Jülich regierenden Johann Sigismund, Kurfürst von Brandenburg, und Wolfgang Wilhelm, Pfalzgraf von Pfalz-Neuburg, den Gedanken ein, die Freiheit Mülheim großzügig zu erweitern und für alle christlichen Konfessionen zu öffnen. Dem Jülicher Festungsbaumeister, Johannes Pasqualini, übertrugen sie die Ausarbeitung eines Planes für die Mülheimer Neustadt und Festung. Nach dem Vorbild Jülichs wurde sie als rechtwinkliges Straßennetz mit drei neuen Märkten und vier Stadttoren konzipiert. Steuerprivilegien und ein Toleranzedikt zugunsten der Lutheraner und Reformierten sollten attraktiv wirken. Der Plan der Stadt wurde zu Propagandazwecken publiziert und 1612 verbreitet. Abermals vereitelte Köln diese Absichten. Es erreichte ein entsprechendes Urteil seitens des Kaisers. Dieser beauftragte den Statthalter der Niederlande und den General der katholischen Liga Spinola mit der Exekution. Spinola bediente sich dabei der Hilfe Kölns. Bereitwillig kamen die Kölner Bauhandwerker, um das Bauwerk in kürzester Zeit zu zerstören. Die Stadt Köln ließ überdies ein Spottbild drucken mit dem Plan Neu-Mülheims und Bauleuten, die eifrig beim Abbruch sind. Wenige Jahrzehnte später, 1641, setzte Köln abermals die Zerstörung der Stadtbefestigung, die wegen des Dreißigjährigen Krieges errichtet worden war, durch. Erst im 18. Jh. kam der eigentliche Aufschwung von Mülheim, als die Stadt die aus Köln vertriebenen Protestanten aufnahm, unter ihnen Industrielle, die die wirtschaftliche Entwicklung förderten. Sie zierten Mülheim durch eine Reihe schöner barocker Häuser. 1815 wurde die Stadt preußisch. Das 19. Jh. brachte die Entwicklung zur prosperierenden Industriestadt mit einer rasch ansteigenden Bevölkerungszahl. 1914 wurde Mülheim eingemeindet. War dieser aus wirtschaftlichen Gründen notwendige Schritt bereits eine Gefährdung des Eigencharakters Mülheims, so wurde dieser durch die weitgehende Zerstörung der Stadt während des Zweiten Weltkrieges noch weit mehr infrage gestellt.

Das heutige Zentrum Mülheims ist der WIENER PLATZ (hier verlassen wir die Straßenbahn) mit der 1963 dort von Marcel Felten errichteten Stadthalle. Nach Überquerung der Straßenbahngeleise gehen wir durch die Buchheimer Straße zur Regentenstraße. Hier errichtete 1857/64 Ernst Friedrich Zwirner, der Kölner Dombaumeister, die LIEBFRAUENKIRCHE, mit dreischiffigem Langhaus, mächtigem Querschiff, Chor und zwei Nebenchören. Während des Zweiten Weltkriegs erlitt sie schwere Beschädigungen. Rudolf Schwarz stellte die neugotische Kirche wieder her unter Wahrung der erhaltenen Bausubstanz, aber bei gleichzeitiger völliger Veränderung des Chorraumes, den er zu einer hellen Halle konzipierte. Auf Einziehung eines Gewölbes wurde grundsätzlich verzichtet, statt dessen der Kirche ein offener Dachstuhl aufgesetzt. Die Wände der Chorhalle sind von schmalen Säulen aus Stahlbeton getragen. Die Ecken werden durch fast zwanzig Meter hohe Fenster aufgehellt. Zwei schmale Freistützen stehen rechts und links des Altares und tragen das Gespinst der goldschimmernden Stahlrohrbinder und die schrägen weißen Flächen der Decken.

In der Buchheimer Straße Nr. 29 befindet sich das Bertholdische Haus von 1770, genannt der BÄRENHOF. Im Mansarddach zeigt der dreiseitige Giebel das Bertholdische Wappen. Es ist eines der ganz wenigen Beispiele erhaltener Barockhäuser in Mülheim. Wertvolle ältere Häuser findet man auch auf der Mülheimer Freiheit (auf die die Buchheimer Straße zuläuft), Nr. 31 und 33 sowie Nr. 78. Vor Erreichen der Mülheimer Freiheit stoßen wir auf die Wallstraße, die die östliche Grenze des mittelalterlichen Mülheims ist. Die evangelische FRIEDENSKIRCHE dort ersetzt die alte lutherische, die 1784 bei dem furchtbaren Eisgang, dem fast das gesamte alte Mülheim zum Opfer fiel, zerstört wurde. Die neue Kirche wurde außerhalb des Überschwemmungsgebietes von Baumeister Hellwig 1784/86 als Zentralbau in klassizistischem Stil errichtet.

Von der Mülheimer Freiheit biegen wir in die Kirchstraße ein, die uns zur KLEMENSKIRCHE bringt. Dieser ursprünglich frühromanische Bau wurde 1414 von Herzog Adolf VII. erneuert. Für die wachsende Gemeinde erwies sich die Kirche als zu klein. Bis dahin einschiffig, wurde sie 1692 in eine dreischiffige Halle mit Turm hinter dem Chor erweitert. Auch sie ist im Zweiten Weltkrieg stark beschädigt worden, konnte jedoch 1960 wieder hergestellt werden. Von der Ausstattung ist das *Bronzeportal* mit Darstellungen aus dem Leben des hl. Klemens hervorzuheben. Man nennt es das Irische Portal, da der Bildhauer Werner Schürmann, in Dublin lebend, sich von irischen Vorbildern hat anregen lassen. Es wird nur einmal im Jahr – zur Mülheimer Gottestracht – geöffnet (vgl. S. 335). Sehr malerisch steht auf der Mauer vor der Kirche die Plastik des hl. Nepomuk mit Blick auf die Mülheimer Brücke.

Reizvoll ist ein Spaziergang auf der MÜLHEIMER RHEINPROMENADE. Gleich unterhalb der Klemenskirche ist eine Anlegestelle des Rodenkirchen-Mülheimer Rundverkehrs, der auch für Überfahrten zum Zoo und zum Dom benutzt werden kann. Während der Sommerzeit verkehrt er halbstündlich (bei schlechtem Wetter oder im Winter mit der Straßenbahn ab Wiener Platz, 11 oder 16, bis Zoo). Die Überfahrt mit dem ›Müllemer Bötche‹ dauert bis zum Zoo zwanzig Minuten. Von der Anlegestelle Zoo kommen wir zum Stadtteil Riehl. Im Mittelalter war er eine Herrlichkeit mit mehreren Höfen. 1230 wird ein Nonnenkloster, 1474 ein Siechenhaus erwähnt. Heute ist Riehl großenteils ein Villenvorort. Dominierend ist der KÖLNER ZOO, der vor wenigen Jahren durch ein Terrarium bereichert worden ist. Gleich daneben sind Flora und Botanischer Garten.

Haben wir genügend Zeit, sollten wir den Zoologischen Garten durchwandern. Wir verlassen ihn an dem Tor, zu dem auch die Stammheimer Straße führt, nämlich am Riehler Gürtel. Diese Straße bringt uns zum Beginn des modernen Kirchenbaus in Köln, nach ST. ENGELBERT, von Dominikus Böhm 1931 als Zentralbau auf dem Grundriß des Kreises errichtet. Die plastische Wirkung auch des Außenbaus wird durch die große, zusammenfassende, klar geformte Haut aus Klinkern erreicht, die die Innenkonstruktion, den Betonbau aus acht parabolischen Hallen umschließt, die zur Zeltmitte vorstoßen. Der Bau macht das Wort wahr: »Siehe, das Zelt Gottes unter den Menschen!« Durch die Lichtwirkung entsteht im Innern eine zur Meditation einladende Stimmung. Nach dem Zeugnis seines Sohnes Gottfried trug jedoch Dominikus Böhm anfänglich aus städtebaulichen Gründen Bedenken gegen einen Zentralbau an dieser Stelle. Als er sich dem Wunsch des Bauherrn fügte, hatte er die Hoffnung, die Kirche weiter von der Straße abrücken zu können. Auch das sollte sich als nicht möglich erweisen. So konnte die Umgebung weniger stark an das Gebäude gebunden werden, als es der Architekt beabsichtigt hatte. Die monumentale Treppenanlage ist der Rest der von Böhm angestrebten Achse, die auf die Kirche zuführen sollte. Die seitliche Stellung des Campanile fängt die fast tangierende Straßenflucht des Riehler Gürtels auf und leitet zur Treppe über. Im INNERN wird die plastische Gliederung durch den Lichteinfall in den Konchen noch betont. 1955 wurde die Kirche durch Symbolfenster von Anton Wendeling, 1960 durch kupferbeschlagene Portale von Leonhard Karl geschmückt.

Die Einbettung in Gemeinderäume, ebenso wie die Einsetzung technischer Mittel der Zeit für einen sakralen, von der Liturgie her bestimmten Raum wurden für viele spätere Kirchenbauten vorbildlich. – Mit dem Omnibus kommen wir rasch zum Ebertplatz und von dort ins Stadtinnere. Straßenbahnverbindung auch vom Zoo aus. Am schönsten ist jedoch die Fortsetzung der Fahrt mit dem ›Müllemer Bötche‹ bis zur Hohenzollernbrücke.

10. Sehenswertes aus anderen Vororten

Schon die achte und neunte Wanderung haben uns über die Altstadt hinaus in die angrenzenden Stadtteile und Vororte geführt. Dabei konnten wir erkennen, daß sich um den Kern der alten Stadt weitere Siedlungskreise legen, die eine überraschende Fülle an Sehenswertem enthalten. Die folgenden Streifzüge wollen diese Erkenntnis noch vertiefen. Je weiter wir uns allerdings vom Stadtkern entfernen, desto größer werden die Distanzen. Statt eines Rundgangs oder einer Rundfahrt in die Außenbezirke empfiehlt es sich eher, aus den vorgeschlagenen Beispielen das eine oder andere herauszugreifen. Wir stellen sie darum in alphabetischer Reihenfolge der Vororte vor.

Bickendorf ist aus einem fast verschwundenen Dorf erwachsen. Ein Teil der neueren Siedlungshäuser stammt von Wilhelm Riphahn. Bemerkenswert sind die dreigeschossigen Wohnblocks am Rosenhof, die den Durchbruch eines neuen Baustils um 1925 anzeigen. An der Kreuzung Rochusstraße/Venloer Straße steht eine zur Zeit der Pest von 1666 errichtete, 1727 und später leicht veränderte Rochuskapelle. Nicht weit davon führt die Vitalisstraße vorbei an Siedlungen und Fabriken zur Vogelsanger Straße. Ecke Vitalis-/Vogelsanger Straße befindet sich im Gebäude der Herbolwerke, die heute der BASF-Farben und Faser AG gehören, das HERBIG-HAARHAUS LACKMUSEUM. Es verdankt sein Entstehen der Initiative von Erich Zschocke, der vor mehr als vierzig Jahren mit dem Sammeln begann. Seit 1959 ist das Lackmuseum der Öffentlichkeit zugänglich. Mit seinen über 600 Objekten stellt es eine ansehnliche, aber doch noch überschaubare Kollektion dar. Es ist ein ausgesprochenes Spezialmuseum. Der leitende Gesichtspunkt ist der des Werkstoffs und seiner Anwendbarkeit. Der Lack bedarf des Trägers, des bereits gestalteten Objekts, das ihn trägt und so erst ›begreifbar‹ macht. Transparenz, Farbigkeit, Glanz sind die drei Eigenschaften, die eine Lackarbeit kennzeichnen müssen. Mit dem Museum für Ostasiatische Kunst berührt das Museum sich in seinem Interesse für ostasiatische Lackarbeiten. Es unterscheidet sich von ihm in der Breite seines Sammelgebietes; denn es berücksichtigt genauso wie die Ostasiatica die Chinoiserien, belegt an guten Beispielen die Rezeptionsgeschichte des Lacks, die Wechselwirkungen von Ost und West, die Einflüsse, die von den chinesischen Lackarbeiten auf Europa ausgingen.

Einige wenige Beispiele mögen die Vielfalt der Kollektion belegen. Eine kleine *chinesische Vase* in geschnittenem Rotlack aus dem 15. Jh. gehört zu den ausgesprochenen Seltenheiten – ein Gegenbeispiel dazu aus dem Palastmuseum in Peking befindet sich heute in Taiwan. Eine reizvolle Variante der Lackschnitzerei entstand im 17. Jh., die Koromandel-Lacktechnik. Das Museum besitzt einen großen zwölfteiligen *Koromandel-Paravent* aus dem 17. Jh. Aus dem gleichen Jahrhundert stammt auch ein *Schreibgerät* mit Perlmutteinlagen in Schwarzlack, eine fünfpassige *Dose*, mit feingearbeiteten Bildern, die auf die ›geistigen‹ Freuden verweisen, die Liebe zur Literatur und zu gutem Gespräch, zur Malerei und Musik, zum Schachspiel oder der Freude an der Natur. Aus Japan sind die *Inros* zu nennen, kleine, mehrteilige, flache Büchsen zur Aufnahme von Stempelfarben, aber auch von Medizin, die die Männer während der Tokugawa-Zeit (1603–1867) trugen. Ein *Schreibtisch* aus dem 18. Jh. zeigt, daß auf einem Möbel mittels der Goldstreu-Technik ein ganzes Gemälde mit Kiefern und blühenden Pflaumenbäumen geschaffen werden kann. Die Bäume stehen an einem felsigen Flußufer über rotgoldenem, dicht gestreutem Lackgrund. Köstlich sind die Beispiele an *Vernis-Martin-Bijouterien,* die das Museum besitzt. Die Gebrüder Martin aus Paris haben im 18. Jh. einen starken Einfluß auf die europäische höfische Lackkunst ausgeübt, so daß die Bezeichnung ›vernismartin‹ zum Gattungsbegriff für alle Lackarbeiten dieser Zeit wurde. Ihr eigentlicher Wert liegt in den feinen Lackierungen und den köstlichen Dekors, in denen die spielerische Anmut des Rokokos zur beschwingten Feierlichkeit erhoben wird. Auch das Biedermeier ist in der Sammlung vertreten, wahrlich eine vielseitige Kollektion.

Ferdinand Braun, der Besitzer eines Ziegelfeldes, gründete in der Mitte des 19. Jh. den Vorort **Braunsfeld.** Anstelle einer im Krieg völlig zerstörten Kirche errichteten in der Braunstraße 1954 Rudolf Schwarz und Joseph Bernard die katholische Pfarrkirche ST. JOSEPH als rechteckigen, lichten Saal. Die Decke ist als Stahlbetonfaltwerk konzipiert, das kontinuierlich über den Raum hinwegführt. Rhythmisch geleitet sie zum Chor hin. Rhombenartig sind die Lichtöffnungen gestaltet. Die seitliche großflächige Verglasung läßt den Chor zu einem einzigen Lichtraum werden. Die Füllwände zwischen den Betonstützen, nach außen in ihrem Charakter als Ziegelmauern belassen, sind innen auf den Längsseiten hellblau gehalten und betonen dadurch noch einmal die Helligkeit des Raumes. Den Boden ließ der Architekt mit weißen Kunststeinen belegen, den Altar aus grünem Dolomit hauen. Seine Pfeiler zeigen Ornamente aus Ähren und Trauben. Um einen kleinen Innenhof gruppieren sich die Anbauten der Taufkapelle und der Werktagskirche. Ohne Füllwände freistehend wurde der Glockenturm errichtet.

Das rechtsrheinische, südlich von Mülheim, nördlich von Kalk liegende **Buchforst** – so heißt es seit 1932 – ist wichtig wegen der WOHNSIEDLUNG, die Wilhelm Riphahn gemeinsam mit C. M. Gord in den Jahren 1926/31 errichtete. Sie hieß ursprünglich Kalkerfeld. Nach dem Ersten Weltkrieg teilte Köln mit vielen anderen Großstädten das Problem der Wohnungsnot. Wenn sein Name unter den Städten, die sich um vorbildliche Lösungen mühten, einen guten Klang besitzt, dann verdankt das Köln nicht zuletzt den Siedlungen, die Wilhelm Riphahn in Bickendorf, Mauenheim, Riehl und in Weidenpesch (Grüner Hof) erstellte. Das eindrucksvollste Beispiel seiner Wohnsiedlungen aber ist die Baugruppe Kalkerfeld, errichtet als ›Weiße Stadt‹. Hier entwarf der Architekt drei Wohnmöglichkeiten: Flügelanlagen um einen Hof, in die Tiefe gestaffelte Wohnblöcke an der Straße, daneben Kleinhäuser. Alle Bauten sind möglichst der Sonne zugekehrt. In die Gesamtplanung wurde auch die St. Petrus-Canisius-Pfarrkirche (1930/31), Cusanusstraße, einbezogen. Ist Wilhelm Riphahn auch sonst nicht als Kirchenbaumeister hervorgetreten, so bedeutet doch St. Canisius für die Entwicklung der Architektur der modernen Kirchen kaum weniger als die von Dominikus Böhm errichtete Kirche St. Engelbert in Riehl.

Ehrenfeld ist Kölns größter und industriereichster Vorort. Die Anregung zu seiner Gründung stammt von dem Kölner Schriftsteller, Verleger und Buchdrucker Franz Kreuter (1810–77) – er gab u. a. ›Kölns Legenden, Sagen und Geschichten‹ heraus. Der Name bezieht sich auf das gegen Ende des 19. Jh. abgerissene Kölner Ehrentor, dem die Siedlung, die anfänglich, 1846, 218 Einwohner zählte, vorgelagert war. Ihre Entwicklung verlief so stürmisch, daß Ehrenfeld zur Stadt mit eigenem Wappen aufstieg. 1885 betrug die Einwohnerzahl 12 000. Drei Jahre später wurde Ehrenfeld Köln eingemeindet. Die neuzeitliche Siedlung konnte an eine vielhundertjährige Tradition anknüpfen, die der Kirche ST. MECHTERN. Der Name bedeutet: ›Kirche zu Ehren der Märtyrer‹. Wetteifert sie doch mit St. Gereon um die Ehre, über der Stätte errichtet zu sein, an der der römische Soldatenheilige mit seinen Gefährten zum Zeugnis seines Christusglaubens sein Leben hingab. Römische und fränkische Mauerreste, die 1934 entdeckt wurden, scheinen ein Indiz dafür zu sein, daß hier schon früh eine Kapelle stand. Erwähnt wird allerdings erst um 1000 eine Kapelle mit dem Titel ›ad martyres‹. 1180–1276 befand sich hier ein Augustinerchorherrnstift, später ein Zisterzienserinnenkloster. 1582 wurde St. Mechtern Pfarrkirche. Von all diesen Bauten ist nichts mehr geblieben. Auch die fünfte Kirche, eine neubyzantinische Kuppelbasilika, ist im Zweiten Weltkrieg bis auf einen Stumpf des Turmes zugrundegegangen. Die jetzige Kirche ist ein Neubau von Rudolf Schwarz, 1953/54. Beengt durch die Nachbarschaft architektonisch reizloser Miethäuser fügt sie sich streng, fast schmucklos, in Stahlbetonriegeln und Backsteinen errichtet, in die Häuserzeilen ein, überrascht aber durch ihr Inneres, eine helle, dreischiffige Halle. Der Besucher betritt zuerst die Nebenkirche mit den Beichtstühlen. Hier soll er sich einstimmen auf die Höhe, Weite und Lichte des eigentlichen Kirchenraums, der in den Ausmaßen des alten Gürzenich erbaut wurde. St. Mechtern soll dem Frieden und der Versöhnung dienen. Die europäischen Nationen werden von Heiligen repräsentiert, deren Skulpturen den Altar umstehen: Nikolaus von Flüe, Elisabeth, Olaf, Thomas Morus, Jeanne d'Arc, Johannes von Gott. Sie geben die christliche Antwort auf das Böse, das sich die Völker gegenseitig antun. In der großräumigen Krypta stellt das von Ludwig Gies 1956 geschaffene Fenster mit dem

Gleichnis vom sterbenden und wiedererstehenden Samenkorn den Sieg über den Tod dar. Den Turmstumpf hat Peter Hecker 1956 mit Wand- und Deckenmalereien ausgezeichnet.

Von einer Provinzialsynode in Köln ging 1423 die Anregung zum Fest der Schmerzen Mariä aus. Im gleichen Jahr entstand die spätmittelalterliche Pietà, die zum *Kalker Gnadenbild* wurde. Ihm zur Ehre baute man 1666 nach Erlöschen einer Pest die erste Kapelle, die 1704 ein barocker Neubau ablöste. Für den aufstrebenden Industrievorort **Kalk,** der 1881 Stadtrechte erhielt, 1910 aber eingemeindet wurde, hat man neben der Gnadenkapelle an der Kalker Hauptstraße die Kirche ST. MARIEN errichtet. Im Zweiten Weltkrieg wurde die Gnadenkapelle zerstört, die Pfarrkirche schwer beschädigt. Rudolf Schwarz baute Gnadenkapelle und Marienkirche wieder auf. Kapelle und Kirche setzte er miteineinder in Beziehung, so daß mitten im Großstadtgetriebe eine Kircheninsel entstand. In der Marienkirche erhielt der Architekt die noch stehende Bausubstanz. Stahlstützen tragen das neue Dach. Am Dachfuß brachte er ein Fensterband an, so daß das Dach über einer Lichtzone zu schweben scheint. Da auf eine Wiedereinwölbung verzichtet wurde und man statt dessen in den offenen Dachstuhl blickt, wirkt der Innenraum viel höher. Von der Ausstattung müssen die figürlichen *Farbfenster* genannt werden, die Georg Meistermann 1965/66 schuf. Im Schiff sind sie auf Maria, im Chor auf die Eucharistie bezogen.

In **Lindenthal** hat sich das KRIELER DÖMCHEN (Abb. 170) den Charakter einer romanischen Landkirche bewahrt und steht damit in reizvollem Kontrast zu den Villen und Mietwohnungen der Umgebung. Um das dem hl. Stephanus geweihte Kirchlein schmiegt sich ein kleiner Friedhof mit Grabsteinen aus dem Barock. Einst gehörte St. Stephanus zu einem Hofgut im Besitz des Stiftes St. Gereon. Die Kölner Legende verlegt die erste Begegnung zwischen Karl d. Gr. und seinem späteren Kanzler Hildebald in dieses Kirchlein. Gelegentlich einer Jagd in den Wäldern ringsumher habe der Frankenherrscher das Läuten des Glöckleins dieses Gotteshauses gehört. Er sei seiner Einladung gefolgt und tief ergriffen gewesen von der Würde, mit der der Priester Hildebald die Messe las. Den Gulden, den er ihm spenden wollte, wies der Priester zurück. Statt des Geldes erbat er sich die Haut des ersten erlegten Wildes als Überzug für seine Bücher. Die Einfachheit und Würde Hildebalds beeindruckten Karl so sehr, daß er ihn den Kölnern, die sich über die Wahl eines neuen Bischofs nicht einigen konnten, zum Oberhirten gab.

Die erhaltene Kirche ist freilich jünger. Die Substanz des Saalbaus mit dem Chorjoch gehört der Zeit um 900 an. Die Mauerung ist auffallend unregelmäßig. Sie verwendet auch römische Ziegelsteine. Die Fenster des Langhauses wurden nachträglich geändert. Ursprünglich besaß es auf jeder Seite nur zwei große Öffnungen. Später wurden sie verkleinert und um das Mittelfenster vermehrt. Die Konsolenreihe unter ihnen auf der Südseite stammt von einer damals an dieser Stelle stehenden Gerichtshalle. Turm und

Apsis wurden im 11. Jh. errichtet, das nördliche Seitenschiff im 13. Jh., die Sakristei wohl erst im 18. Jh. angefügt. Der halbrunde Chorschluß ist durch Lisenen gegliedert. Auf einen Bogenfries wurde dabei verzichtet. Große durchgehende Blenden, die seitlich den Haupteingang rahmen, sind das Gliederungsprinzip des Turms. Die Proportionen des Baus sind ausgezeichnet. Dieser Eindruck des Äußeren wiederholt sich im Inneren. Der bescheidene, aber nicht enge Raum besitzt durch seine einfachen, kräftigen Formen einen hohen Reiz. Zwei rundbogige Arkaden auf niedrigem Mittelpfeiler verbinden die beiden Schiffe. Der Turm öffnet sich in einem Doppelbogen nach Osten. Die Wölbung des Chors gehört einer Erneuerung der Kirche in der Spätromanik an. In der gleichen Zeit wurde auch der Triumphbogen neu aufgeführt und die kleinen Rundfenster im Hinblick auf das erhöhte Apsidendach höher gelegt. Das Kirchlein besitzt einen frühromanischen Taufstein. Die Plastik der *Hl. Anna-Selbdritt* ist eine Kölner Arbeit des 16. Jh., eine *Hl. Katharina* stammt aus dem 18. Jh. Im Chor wurden nach dem Zweiten Weltkrieg neue Glasfenster eingesetzt.

Lindenthal besitzt außer ST. ELISABETH, Hohenlind, Werthmannstraße 8, mit einem in strahlenden Farben ausgemalten Chor von Peter Hecker eine zweite höchst bemerkenswerte Krankenhauskirche. ST. JOHANNES DER TÄUFER wurde 1965 als katholische Kirche der Universitätskliniken in der Josef-Stelzmann-Straße vollendet. Gottfried Böhm wollte mit ihr die Situation des Menschen zum Ausdruck bringen, der vom Irdischen umgeben ist, Krankheiten ausgesetzt und vom Leiden geprüft, aber dennoch auch Anteil am Überirdischen hat, der auf Hoffnung hin lebt. Der erdhaft rohe Beton des Fußbodens und der unteren Wandzone deutet die Verhaftung an das Irdische an, das strahlende Weiß der oberen Randzone und der Decke weist auf das Vollkommene und Göttliche hin. Beide Bereiche sind durch ein lückenloses Fensterband (Länge 120 m) getrennt. Dieses Lichtband aber ist eine Darstellung des Kreuzweges Jesu Christi, getreu dem Bibelwort: »Wer mir folgen will, der nehme sein Kreuz auf sich.« Nur geduldigem Schauen erschließt sich der Bildinhalt des Kreuzwegs. Die Beichtstühle wirken turmartig; sie sind als Schuldtürme gedacht und wollen gleichzeitig eine Brücke ins Übernatürliche sein. Der weiße Altarblock deutet die Gegenwart des Göttlichen in der Welt an.

Damit sind die modernen Kirchen in Lindenthal noch keineswegs aufgezählt. Wir können nicht alle nennen, dürfen aber feststellen, daß sich die Entwicklung des Kirchenbaus seit den 30er Jahren bis zur Gegenwart an den Beispielen dieses Stadtteiles besonders gut ablesen läßt.

Marienburg, ein Villenvorort im Süden der Stadt, ist zum Rhein hin gelegen. Am Rande des Südparks, Ecke Goethestraße/Leyboldstraße, hat Dominikus Böhm 1953/54 die Kirche ST. MARIA KÖNIGIN erbaut. Schützend ist ihr der Baumbestand eines Gartens vorgelagert. Die Kirche ist in Schwemmsteinmauerwerk mit Ziegelverblendung errichtet und besitzt ein Holzdach. Der Innenraum überrascht durch seine Großzügigkeit und Helle. Zu diesem Eindruck trägt wesentlich die Südseite bei, die ganz in eine Glaswand aufgelöst ist. Böhm wollte sie als den Hermelinmantel der Himmelskönigin gedeutet wissen. In den grauen Grundton hat er die Farben von Blattwerk und Baummotiven eingewirkt sowie die Symbole der Lauretanischen Litanei. Der Grundriß der Kirche ist quadratisch, die Decke in der Mitte durchbrochen und noch einmal erhöht, so daß der Eindruck eines Zeltdaches entsteht. Er wird noch verstärkt durch die vier roten Säulen, die wie Zeltstäbe wirken. In einer Marienkirche darf das Bild der Gottesmutter nicht fehlen. Eine Plastik aus dem 15. Jh. stellt uns Maria mit dem Kind vor Augen. Hanns Rheindorf schuf den Tabernakel und den Deckel des Taufbeckens. Auf der Südseite der Kirche führt ein Gang zu der etwas tiefer liegenden Taufkapelle, deren Wände ganz in Glas aufgelöst sind. Im Erdgeschoß des Glockenturms, der 1960 zugefügt wurde, befindet sich die Totengedächtniskapelle.

Am Südwestrand von Marienburg entstand 1951 die ALLERHEILIGENKIRCHE. Der Architekt, Rudolf Schwarz, lehnte sich in etwa an romanische Vorbilder an. 1960 wurde in sie der Zyklus *Große Passion,* elf Tafelgemälde, übertragen, die der Schweizer Willy Fries von 1935 bis 1945 geschaffen hat. Leiden und Sterben Christi sind in die Zeit des Dritten Reichs gestellt. Zwar tragen die folternden Soldaten keine SS-Helme, sondern die des Schweizer Militärs. Aber Judas Iskariot, der Verräter im Garten Gethsemane, hat eine Hitler-Schmachtlocke. Zum Spott wird Jesus eine 'Melone' aufgesetzt. Während er vor den Hohenpriester geführt wird, zündet sich ein Straßenpassant gleichgültig seine Pfeife an. Neben den harten und in engen Rahmen gespannten Verspottungs- und Kerkerszenen gibt es heiter wirkende, farbenfreudige Bilder. Fries arbeitete bewußt mit starken Kontrasten. Trotz aller Betonung des Schmerzes und des Leides gibt er die Hoffnung auf die Endvollendung nicht auf.

Im äußersten Südosten Kölns – in dem 1975 eingemeindeten Ortsteil **Wahn** – befindet sich eine ehemalige WASSERBURG, die im 18. Jh. schloßartig umgestaltet worden ist. Sie ist noch heute im Besitz der Familie Elz-Rübenach. 1955 haben hier die THEATERSAMMLUNGEN des Instituts für Theaterwissenschaft der Universität zu Köln ihr Refugium gefunden. Das Gebäude am Sachsenring, in dem das von dem Kölner Theaterwissenschaftler Carl Niessen begründete Theatermuseum domiziliert war, wurde 1942 bei einem Luftangriff zerstört. Doch konnten im wesentlichen sowohl die Bestände der institutseigenen Sammlung wie der Privatsammlung Niessen gerettet werden. Die beiden Sammlungen sind so miteinander verzahnt, daß der Erwerb der Sammlung Niessen durch die Universität Köln 1959 nicht nur sinnvoll, sondern lebensnotwendig für den Fortbestand auch der institutseigenen Bestände war. Daß sich das Provisorium der Unterbringung in Schloß Wahn als sehr dauerhaft erwies, muß beklagt werden. Sind doch die Sammlungen so umfangreich, daß das Schloß Wahn mit all seinen Räumen heute allein Studienzwecken zur Verfügung steht. Seit 1979 steht fest, daß das Theatermuseum im ehem. Brügelmannhaus im Martinsviertel seinen Platz finden wird. Ihm soll ein Forschungsinstitut der Universität mit Vortrags- und Bibliotheksräumen angegliedert werden.

Trotz der Vielfalt der Sammelinteressen von Carl Niessen darf man von gewissen Schwerpunkten sprechen, die das eigentliche Charakteristikum der Sammlungen ausmachen. Zur Geschichte des Bühnenbildes bieten sie eine vorzügliche Dokumentation. Die Sammlung der THEATERGRAPHIK ist nach Quantität und Qualität bestechend. Die Inszenierungen von den ersten Konzeptionen bis zur endgültigen Realisierung zu dokumentieren, ist Ziel der Kölner Sammlungen. Carl Niessen hat 1931 eine große Ausstellung zum Problemtheater der Gegenwart veranstaltet. Dadurch kam er in engen Kontakt mit einer Reihe bedeutender zeitgenössischer Künstler, die auch Bühnenbilder geschaffen haben, wie z. B. Willi Baumeister oder Oskar Schlemmer. Zu den größten Kostbarkeiten der graphischen Sammlung dürfte die umfangreiche Mappe mit farbigen Bühnenbildentwürfen von Wassily Kandinsky gehören. Hervorragend sind auch die Bühnenbildentwürfe von Teo Otto, die bis in die 60er Jahre reichen. Von älteren Arbeiten seien besonders hervorgehoben die Bände mit Figurinen zu den Wagner-Opern von Joseph Flüggen, die Randnotizen von Cosima Wagner aufweisen. Diese Prachtbände waren ein Geschenk an König Ludwig II. von Bayern. Die Theatersammlungen besitzen außerdem die originalen Ölbilder der Gebr. Brückner für die Bayreuther Inszenierungen der Wagner-Opern sowie Skizzen von Paul von Joukovsky zur Uraufführung des Parsifal in Bayreuth, 1882.

Zu den Schätzen der AUTOGRAPHENSAMMLUNG gehört der umfangreiche Nachlaß von Karl Valentin. Für den Kölner ist von besonderem Interesse, daß unter den Autographen der Theatermacher sich auch solche von Max Martersteig befinden, der in den Jahren vor dem Ersten Weltkrieg dem Kölner Theater das Gepräge gab. Neben den Bühnenbildern – aus dem 18. Jh. seien wenigstens noch die Skizzenbücher des Gasparo Galiari genannt – müssen auch die Bühnenmodelle erwähnt werden; u. a. besitzen die Kölner Sammlungen das Modell einer Drehbühne für eine Aufführung von Faust I. Teil von Alfred Roller für eine Inszenierung von Max Reinhardt für das Deutsche Theater in Berlin. Wichtig sind auch die Gemälde, die Szenen aus dem Theaterleben zeigen. Die Kölner Sammlungen besitzen einige köstliche Bilder mit Markttheaterszenen, so z. B. von Pieter Bruegel und David Teniers. Zu den Graphiken schließlich gehören auch die Schauspielerporträts u. a. von Oskar Kokoschka und die Szenen-Reportagen, die in den 20er Jahren z. B. für den Kölner Stadt-Anzeiger gezeichnet wurden.

Ein weiteres Sammlungsgebiet waren die THEATERMASKEN. Aus dem Bereich des japanischen Nô, dem streng stilisierten Tanz- und Singspiel der Samurai, bietet die Kölner Sammlung 38 Beispiele verschiedener Maskentypen, wie Dämonen, Teufel, Geister, Tiere, Pilger, Frauen, Greise. Auch von den komischen Masken des Nô Kyogen, der lustigen Nach- und Zwischenspiele, sowie von dem naiv-sinnlichen Bugako sind charakteristische Exemplare vorhanden. Seltenheitswert besitzen sowohl die sechs stilisierten altindischen Schattenspielfiguren, wie auch die Figurensätze, Dekorationen und Requisiten des chinesischen Schattentheaters, die in einer Vollständigkeit in den Kölner Sammlungen vorhanden sind, wie sie kaum in einem anderen europäischen Museum zu finden sind. Fast überflüssig zu erwähnen, daß auch das deutsche volkstümliche Puppentheater mit guten Beispielen in den Kölner Sammlungen vertreten ist, darunter auch die ersten Figuren des Kölner Hänneschen. Bibliothek und Dia-Sammlung sind das unentbehrliche Rüstzeug zur Auswertung der theatergeschichtlichen Studiensammlung.

Im Westen von **Weiden** – seit 1975 eingemeindet – befindet sich an der Aachener Straße, Nr. 328, eine sehr gut erhaltene römische Grabkammer, einst das Eigentum einer wohlhabenden Familie, die sie erbaute und vom 1. bis zum 4. Jh. mit ihren verstorbenen Angehörigen belegte. Der Landwirt und Fuhrmann Ferdinand Sieger aus Weiden entdeckte sie bei Ausschachtungsarbeiten auf seinem Grundstück, 1843. Die WEIDENER GRABKAMMER (Abb. 171) war ein Columbarium, d. h. sie diente zur Aufnahme von Asche-Urnen. Dafür waren die 29 kleinen Nischen in den Wänden bestimmt. Ihre Überdeckung bildet ein Tonnengewölbe. Die Maße des Grundrisses – in Rechteckform – betragen 4,44 zu 2,55 m. Die Höhe bis zum Gewölbeschluß erreicht 4 m. Die aus Tuffstein errichteten Mauern waren zum Teil mit Marmor, zum Teil mit Stuck verkleidet. Drei große Nischen – je eine an den beiden Seiten und an der Rückwand –, die als Klinen (Speisesofas) gedacht sind, finden ebenso wie die beiden Sessel aus Kalkstein ihre Erklärung in der Vorstellung, die Toten hielten Mahlzeit. Auf den Sesseln und Speisesofas pflegten die Büsten der Toten zu stehen. In Weiden haben sich drei Büsten erhalten, die in den großen Nischen gefunden wurden. Ein stadtrömischer Künstler hat anscheinend um 190 die Büste des Mannes in der Nische rechts vom Eingang und die der Frau in der Nische links geschaffen. Mann und Frau sind mittleren Alters, der Mann unbekleidet, die Frau bekleidet. Die Pupillen beider Marmorbüsten sind durch flache Bohrung angedeutet. Mann und Frau haben einen ernsten Zug um den Mund. Ihre Gesichter wirken herb. Im Gegensatz zu ihnen ist die jüngere Frau der dritten Büste – Nische gegenüber dem Eingang – mit einem lächelnden Mund dargestellt, der jedoch ihrem Gesicht etwas eigentümlich Leeres gibt.

Den Blickfang bildet heute der *Jahreszeitensarkophag*, ebenfalls eine stadtrömische Arbeit. Ursprünglich hat er nicht in der Grabkammer, sondern in einem oberirdischen Bau gestanden, wurde aber noch in der Antike an seinen jetzigen Platz versetzt. Zu datieren ist er wohl zwischen 250 und 260. Der Marmorsarkophag ist wannenartig gestaltet. Die Mitte der Vorderseite wird von einem von Viktorien gehaltenen Medaillon mit dem Bildnis eines Ehepaares beherrscht. Ihre Gesichter sind in einem flachen, ja verwaschenen Relief wiedergegeben. Derartige Sarkophage wurden serienweise gearbeitet. Porträtähnlichkeit war darum nicht gefordert. Der weitere Reliefschmuck zeigt Knaben mit Früchten und Tieren, die die vier Jahreszeiten repräsentieren. Den Frühling stellt der Knabe auf der rechten Schmalseite dar. Er trägt einen Blumenkorb und zieht aus einem vor ihm stehenden Korb eine Schnur aufgereihter Früchte, anscheinend getrocknete Feigen. Auch der Knabe auf der Vorderseite des Sarkophags links des Medaillons, der den Sommer repräsentiert, trägt einen Blumenkorb. Der Herbst wird durch einen Knaben mit Fruchtkorb und Hirtenstab auf der linken Schmalseite dargestellt. Einen Fruchtkorb hält auch der Knabe auf der Vorderseite rechts vom Medaillon. Außerdem hebt er mit seiner Rechten Geflügel hoch. Er repräsentiert den Winter. Blumen, Früchte, Vögel deuten reiche Ernte an. Mit dem Jahreszeitensarkophag sprachen die Römer die Hoffnung aus, daß den Menschen im Jenseits nach einem segensreichen Wirken im Diesseits reicher Lohn zuteil wird.

Das Weidener Grab ist eine notwendige Abrundung unserer Eindrücke vom Totenkult im römischen Rheinland, die wir beim Besuch des Römisch-Germanischen Museums gewinnen können. Wenn auch die Totenbeigaben, die Kleinfunde, die 1843 in diesem Grabmal entdeckt wurden, darunter die Statuette einer Frau aus Chalcedon, einem blaßblauen, etwas durchschimmerndem Halbedelstein, nach Berlin abgewandert und dort während des Zweiten Weltkriegs verloren gegangen sind, so besteht dennoch das Urteil von Johannes Klinkenberg zu Recht: »Die Weidener Grabkammer ist an Vortrefflichkeit der Erhaltung und Vollständigkeit der Ausstattung diesseits der Alpen ohne Parallele und findet auch jenseits der Alpen kaum ihresgleichen.« Sie ist jedoch nicht die einzige erschlossene römische Grabkammer in Kölns Umgebung. Im Äußeren Grüngürtel in der Nähe des Südfriedhofs wurde 1928 eine Grabkammer, ein einfacher Bau von etwa 3,80 zu 3 m Größe, entdeckt. Sein Gewölbe ist nicht mehr erhalten. Eine andere Grabkammer wurde 1899 bei der Anlage eines Stationsgebäudes der Köln-Bonner-Eisenbahn, Vorgebirgsbahn, in Efferen gefunden. Diese Grabkammer hat einen fast quadratischen Grundriß von 3,72 zu 3,70 m. Die Höhe der Wände bis zum Gewölbeansatz beträgt 1,47 m.

Ausflüge in die Umgebung

Altenberg

Inmitten des waldreichen Tales der Dhünn liegt der ALTENBERGER DOM (Abb. 177). Von Köln ist er in einer kurzen Fahrt (21 km) zu erreichen, Omnibuslinie Wupper Sieg, Abfahrt Omnibusbahnhof (mit Privatwagen über Bergisch-Gladbach, Odenthal). Der volkstümliche Name Altenberger Dom ist nicht ganz korrekt; denn es handelt sich um eine ehemalige Zisterzienserabteikirche. Das Kloster wurde 1133 von Graf Adolf I. von Berg gegründet und zwar neben seinem Stammschloß. Im gleichen Jahr begann er am Zusammenfluß von Wupper und Eschbach auf der Kuppe eines Höhenzuges mit dem Bau einer Burg, ›Auf dem Neuen Berge‹ genannt. Der Bezirk der bisherigen Burg einschließlich des Klosters erhielt von da an den Namen Altenberg. 1135 wurde mit dem Bau einer romanischen Kirche begonnen. Von ihr sind jedoch nur die Fundamente übriggeblieben. Die Grafen und späteren Herzöge von Berg erwählten sie sich als Grablege. 1222 beschädigte ein Erdbeben Abtei und Kirche. Erzbischof Engelbert I. von Köln nahm als Graf von Berg an den Geschicken der Abtei aufs lebhafteste Anteil. Sein Herz wird in einem Reliquiar des Altenberger Doms in der östlichen Chorkapelle aufbewahrt. 1255 legte Konrad von Hochstaden, Erzbischof von Köln, den Grundstein zu der neuen gotischen Kirche. In ihren älteren Teilen ist sie nach den Plänen des Zisterziensers Meister Walter († 1270), in ihren jüngeren Teilen unter Meister Reynold († 1398) vollendet worden. Errichtet wurde sie als dreischiffige Basilika mit Chorumgang und einem Kranz von sieben Chorkapellen nach dem Vorbild nordfranzösischer Zisterzienserkirchen. Die endgültige Weihe fand am 23. Juni 1379 statt. Trotz der relativ langen Bauzeit wirkt die Kirche sehr einheitlich und gilt als eine der schönsten gotischen Kirchen Deutschlands. Freilich entspricht dem zisterziensischen, asketischen Ideal der Verzicht auf flankierende Türme ebenso wie die Zurückhaltung im Ornament. Der Eindruck der Herbheit hat sich seit der Säkularisation noch verstärkt, als die Kirche ihrer Ausstattung weitgehend beraubt wurde. Zugrunde gegangen ist auch der größte Teil der Abteigebäude. Selbst die Kirche war in den ersten Jahrzehnten des 19. Jh. vom Abbruch bedroht. Nicht zuletzt der Initiative des späteren preußischen Königs Friedrich Wilhelm IV. ist ihre Rettung zu verdanken. Für die Weitererhaltung und Neuausstattung sorgt vor allem der Altenberger Dom-Verein. Da an der Wieder-

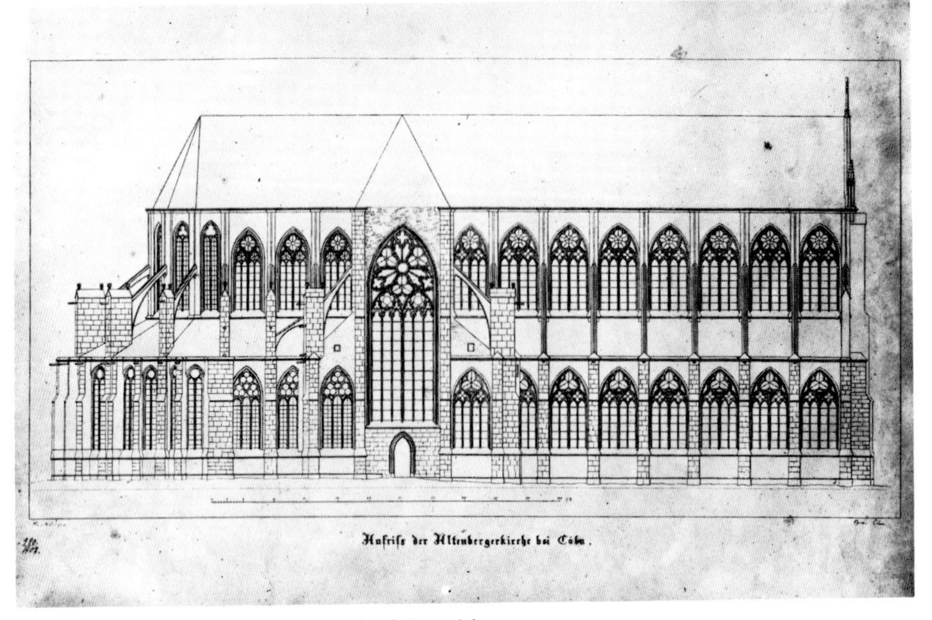

Aufriß des Altenberger Doms. 1832 (nach Hundshagen)

herstellung sowohl evangelische als katholische Christen beteiligt waren und sind, dient der Altenberger Dom seit der Mitte des 19. Jh. beiden Konfessionen.

Der Zauber dieser Kirche liegt nicht zuletzt in ihrem Einklang mit der sie umgebenden Natur und den Wäldern des Dhünntales. Dieser Eindruck wird im Inneren durch das Aufgreifen der vielfältigen Formen der Laubblätter auf den Kapitellen der Säulen im Chor noch verstärkt. Die Fenster im Chor und im Langhaus bezaubern durch die Vielfalt der Formen von Laubblättern, die als Ornament in ihnen verwendet wurden. Die Farben sind auf Grau- und leichte Grüntöne abgestimmt. Von den übrigen Fenstern unterscheidet sich das Westfenster durch seine figürlichen Darstellungen und die reichliche Verwendung von Gold. Es repräsentiert die goldene Stadt, das Himmlische Jerusalem, die Stadt Gottes und der Heiligen. Auch vom architektonischen Gesichtspunkt sind das große Westfenster und das mächtige Nordfenster ungemein anziehend; denn sie lösen die ganze Wand in eine Fläche des Glases und des Lichtes auf.

Der Raum wird durch seine Maßverhältnisse bestimmt, Innenhöhe 28 m, zur Breite 20 m, zur Länge 78 m. Runde Säulen tragen die Arkaden, über denen sich der Triforiumbezirk befindet. Darüber erhebt sich der Obergaden. Die Vertikale ist betont. Von der alten Ausstattung blieb eine VERKÜNDIGUNGSGRUPPE (2. Hälfte 14. Jh.) erhalten, die ursprünglich zu beiden Seiten des Westportals stand. Wegen der Gefahr der Verwitterung wurde sie durch Kopien ersetzt. Die Originale finden sich jetzt im Chor. Beide Gestalten sind unerhört zart und innig. Mit fast höfischer Anmut neigt sich der Engel Maria zu. Auch das SAKRAMENTSHÄUSCHEN aus Sandstein, das Meister Walter von Schlebusch 1490 vollendete, ist glücklicherweise erhalten geblieben. Sein Fuß ist der

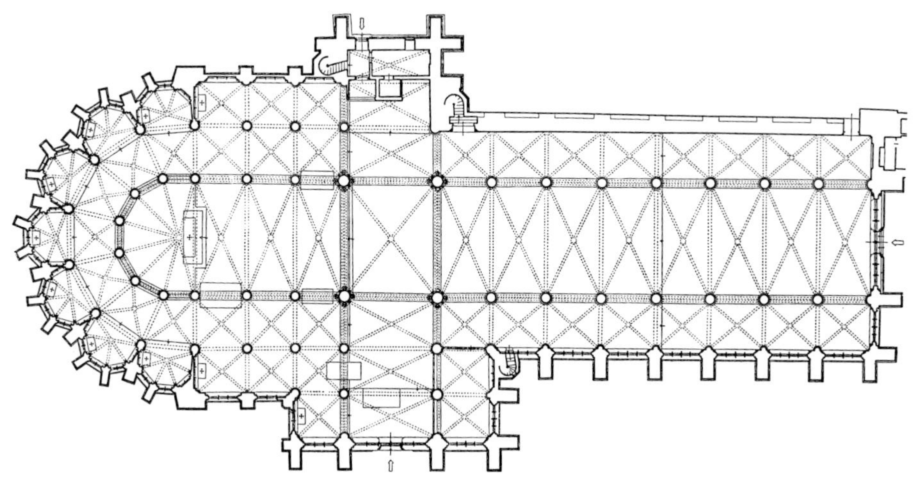

Grundriß des Altenberger Doms

Tabernakel. Darüber erhebt sich eine Helmzier, die sich in Gestalt zweier Baldachine übereinander nach oben verjüngt und darüber die Spitze bildet. Das Sakramentshäuschen ist reichlich profiliert und mit den Zierformen des späten Mittelalters wie Fischblasen, Wimperge und Krabben ausgezeichnet. Es wirkt wie eine große Monstranz. Zurückerworben werden konnte 1913 die *Madonna von Altenberg*. Von einer Mandorla und dem Rosenkranz umgeben schwebt sie in dem großen Bogen der Choröffnung des Altenberger Doms. Abt Bölgen hat sie 1530 schnitzen lassen. Von der Barockausstattung blieb das Abschlußgitter aus dem Jahre 1644 erhalten.

Kunstgeschichtlich wie kulturgeschichtlich gleich bedeutsam sind die *Gräber* des Herrschergeschlechtes der Grafen und Herzöge von Berg. Der Stifter war Adolf I. Er starb 1152 in Altenberg als einfacher Mönch. Er fand sein Grab zunächst in der Markuskapelle. Erst später wurden seine Überreste in den Dom überführt. Sie liegen unter einer einfachen Schieferplatte. Im 14. und 15. Jh. werden die Gräber immer prachtvoller. Besonders schön ist das Grab Gerhards II. und seiner Gemahlin Margarete. Auf einer Tumba ruhen die beiden Verstorbenen. Der Graf stützt seine Füße auf zwei Löwen, Wappentier der Familie, aber zugleich auch Symbole der Tapferkeit. Seine Gemahlin stützt sich auf zwei Hunde, Symbole der Häuslichkeit und Treue. Die Zeugnisse der Geschichte fügen sich mit der Harmonie des Raumes zu einer glücklichen Einheit.

Bensberg

Bensberg (Endstation der Straßenbahnlinie 1) läßt sich auf einer Autofahrt leicht mit dem Ausflug nach Altenberg verbinden. Der bedeutendste der Pfälzer Wittelsbacher, Kurfürst Johann Wilhelm, hat dort als Herzog von Berg und Jülich, 1703–10, von Matteo d'Alberti das NEUE SCHLOSS errichten lassen, eine staffelförmig sich verengende

Anlage nach dem Schema von Versailles. In den Einzelformen zeigt sich jedoch deutlich der nordische Barock. Als Material diente Backstein mit Werksteingliederungen. Leider wurde die einmal so prächtige Inneneinrichtung im Zeitalter der Französischen Revolution, 1793–95, vernichtet, nur einige gute Stuckdekorationen sind erhalten geblieben. So ist es eigentlich das Äußere des Schlosses, was den Reiz ausmacht. Nicht zuletzt fasziniert es durch seine hervorragende Lage. Wer Bensberg besucht, sollte auch nicht vergessen, sich das RATHAUS anzuschauen, das Gottfried Böhm unter Verwendung einer alten Burganlage in phantasievollen Formen aus Beton errichtet hat.

Brauweiler

Am Rande des Braunkohleabbaus, des Ville-Waldes, 13 km westlich von Köln, liegt Brauweiler (erreichbar mit dem Bus ab Busbahnhof). Schon 1052 ist Brunivilare urkundlich bezeugt. Stifterin des Benediktinerklosters Brauweiler wurde die Tochter Otto II. und der Theophanu Mathilde († 1025), die mit dem Pfalzgrafen Ezzo verheiratet war. 1024 verwirklichte sie ihren lang gehegten Plan. Der Bau der KLOSTERKIRCHE wurde durch die älteste Tochter Ezzos, Richezza, Königin von Polen, sehr gefördert. Nach dem Tode ihres Gemahls kehrte sie nach Deutschland zurück. Auf sie geht die allerdings später umgestaltete KRYPTA (1051 geweiht) und das Untergeschoß der Westtürme zurück. Es war geschmückt mit heute im Lapidarium aufbewahrten Reliefs der zwölf Tierkreiszeichen und der zwölf Apostel. Der Tod Richezzas, 1073, war für die Baupläne Brauweilers ein harter Schlag. Erzbischof Anno II. ließ ihren Leichnam entgegen ihrem Wunsch, nicht nach Brauweiler, sondern nach St. Maria ad Gradus in Köln überführen, um sich den Anspruch auf ihr Erbe zu sichern. Brauweiler büßte damit wesentliche finanzielle Mittel für den Weiterbau ein. Die Weihe vom 30. Oktober 1061 bezieht sich nur auf Hochaltar, Kreuzaltar und zwei Seitenaltäre. Das Langhaus hingegen war noch nicht gebaut oder zumindest nicht vollendet. 1135 bis um 1149 wurde der Westbau hochgeführt. In der Straffung und Steilheit der Blenden, in der plastischen Gliederung des Glockengeschosses, mit einer Höhe von 37 m der Seitentürme zum Dachgesims übertrifft er die Vorgängerbauten wie etwa Hochelten bei weitem. Die spätgotische Galerie stammt von 1515. Der jetzige achteckige Hauptturmhelm wurde 1629 aufgesetzt. Das reiche Turmwestportal mit seinen Säulen und seinem Baldachin könnte auf einen Bildhauer aus der Lombardei hinweisen. Eigentümlich ist das rechteckige flache TÜRSTURZRELIEF, in dem zwei Höllentiere ein Halbkreisband mit Rankenfüllung anspringen. In ihm befinden sich zwei verschlungene, sich in den Schwanz beißende Schlangen. Sind sie Sinnbilder der Ewigkeit?

Vom Westbau her ist das LANGHAUS gebaut worden, und zwar zunächst seine Seitenschiffe. Um 1141 waren sie vollendet. Anstelle der ursprünglichen Kreuzgratgewölbe traten die heutigen Gewölbe mit unterlegten, birnstäbigen Kreuzrippen. Unmittelbar danach wurde das Mittelschiff gebaut. Auch es besaß zunächst ein Kreuzgratgewölbe, das Abt Johannes von Wied 1514 durch das heutige spätgotische Gewölbe – mit Rankenmalerei verziert – ersetzen ließ. 1174 bis 1200 wurde der Kreuzgang erneuert und der

Abteikirche und Kloster Brauweiler. Aquarell von Chr. Hohe. Um 1855–63

Ostflügel des Klosters gebaut. Besonders bemerkenswert sind die Gewölbemalereien des KAPITELSAALES. 1958/59 sind sie freigelegt und gesichert worden. Sie stammen aus der gleichen kölnischen Werkstatt wie die Malereien der Schwarzrheindorfer Unterkirche von 1151. Alt- und neutestamentliche Heilige sind dargestellt, um den Sieg des Glaubens zu feiern. Gegen Ende des 12. Jh. wird über dem alten Grundriß das QUERHAUS mit Hängekuppel und Vierungsturm errichtet und dann mit dem Neubau des Chores begonnen. Aber nur die Innenräume sollten fertiggestellt werden. 1205 verwüstete die Stadt Köln in Erwartung der Belagerung durch König Philipp von Schwaben das Vorgelände im Umkreis von zwei Meilen und verbrannte dabei auch alle Klosterhöfe. Wenig später, noch vor 1250, erfolgte eine zweite Brandstiftung. Die Vollendung des Außenbaus des Chores unterblieb bis zum 19. Jh. Erst Heinrich Wiethase hat gelegentlich der Gesamtrestaurierung der Kirche 1866–76 die Chorflankentürme über die Zwerggalerie nach dem Vorbilde Knechtstedens hochgeführt und den Vierungsturm in Anlehnung an das Vorbild Maria Laach errichtet.

Im Innenbau folgte Brauweiler den Formen der spätromanischen Kirchen Kölns. So erinnert der steile Laufgang an Groß St. Martin. Im Chorjoch wie im Langhaus werden Blendtriforien verwendet. Gegenüber den Vorbildern aber steigerte Brauweiler die Dienste, Lisenenbögen und Bauzier zu einer bis dahin ungewöhnlichen Häufung. Von den Kreuzgratgewölben der längsrechteckigen Querschiffjoche steigt der Raum zur hohen Vierungshängekuppel, um über das querrechteckige Kreuzgratgewölbe nach der Apsishalbkugel abzusinken. Die Bauzier ist außerordentlich schön. Im 1. Viertel des 13. Jh. wurde die gesamte Kirche ausgemalt und dabei die Architekturstruktur farbig betont. An den Innenseiten der westlichen Vierungs- und Langhauspfeiler sind die – allerdings stark restaurierten – überlebensgroßen Heiligenfiguren erhalten geblieben.

Gegen Ende des Mittelalters wurde die Kirche neu ausgestattet. Neben dem bereits erwähnten Langhausgewölbe ist das große *Sitzbild des hl. Nikolaus* von 1491 und der *Antoniusaltar* von 1552 zu nennen. Gerade letzterer gibt einen guten Eindruck von der Brauweiler Renaissance. Aus der Zeit der Barockisierung stammen die Kanzel und die *Sakristei* mit der stuckierten Balkendecke, eine Mischung von Knorpel- und Ohrmuschelstil mit Früchte- und Pflanzenzier. 1702 vollendete der Laienbruder Leonard Meurers das zweireihige *Chorgestühl*. Seine Trennwände schmückte er mit Tierköpfen. Aus der Zeit des letzten Abtes Anselm Aldenhoven (1778–1794) stammt der ABTEIHOF. Im Innenhof zeigt der Bogensegmentgiebel das Monogramm AA und die Jahreszahl 1780. Am Hofgiebel ist die Gottesmutter mit der Mondsichel zu sehen und die Jahreszahl 1781. Im Innern blieb der RITTERSAAL mit weißen Zopfstuckaturen erhalten. Die Abteikirche wurde 1806 zur Hauptpfarrkirche ernannt. Die Klostergebäude blieben erhalten, weil sie 1809 zur Bettleranstalt des Roerdepartements erklärt wurden. Ähnlichen Zwecken dienten sie auch in preußischer Zeit. Seit 1969 ist Brauweiler Landeskrankenhaus. Doch trotz dieser veränderten Sinngebung bleibt es ein wichtiges Zeugnis benediktinischen Geistes und benediktinischer Kunst im Rheinland.

Brühl

In der Ville, 12 km südlich von Köln (erreichbar mit Bundesbahn oder Vorgebirgsbahn) liegt – auf dem halben Weg nach Bonn – Brühl mit den SCHLÖSSERN AUGUSTUSBURG und FALKENLUST. Spätestens seit der Zeit Philipp von Heinsbergs (1167–91) besaßen die Kölner Erzbischöfe in Brühl ein Tafelgut. Erst Siegfried von Westerburg (1274–97) begann 1284 mit der Errichtung einer Wasserburg, die von den späteren Erzbischöfen zur Trutzfeste gegen Köln ausgebaut wurde. Im Schatten der Landesfestung stieg die Stadt Brühl auf. Die mittelalterliche Wasserburg wurde über fast quadratischem Grundriß um einen offenen Innenhof aufgebaut. Alle Bauteile waren verputzt; das Mauerwerk bestand zum Teil aus Basaltsäulen mit ausgleichenden Tuffsteinschichten, zum Teil aus Feldbrandziegeln mit Basaltzwischenlagen. Im pfälzischen Erbfolgekrieg wurde am 21. April 1689 die Brühler Burg durch französische Belagerungstruppen gesprengt. Bereits Kurfürst Josef Clemens trug sich mit dem Gedanken des Wiederaufbaus. Aber erst sein Nachfolger Clemens August (1723–1761), Erzbischof von Köln, setzte diesen Plan in die Tat um. Er betraute Johann Konrad Schlaun. Dieser behielt die wasserumwehrte Burganlage zunächst bei. Der Hauptzugang lag auf der Ostseite. Die Westseite mit Blickrichtung auf die Stadt sollte durch zwei Türme akzentuiert werden. Auf der Südseite sollte ein Wildpark entstehen. Schlauns Werk ist in den östlichen Giebelseiten des Nord- und Südflügels erhalten geblieben. Sie gehören zu den wichtigsten Schöpfungen deutscher Barockbaukunst überhaupt. 1728 übernahm Schlaun andere Aufgaben; denn Clemens August hatte am Hofe seines Bruders Karl Albrecht in München 1728 François Cuvilliés (1695–1768) kennengelernt, der mit einigen Strichen Schlauns Brühler Plan änderte und den Kurfürsten für die neue Konzeption gewann. Auch in Cuvilliés Plan bleibt das erhaltene Mauerwerk der Wasserburg bewahrt, doch wird es wesentlich anders akzentuiert. Das Wallgrabensystem wird beseitigt, Südflügel und Wildpark durch die Südterrasse miteinander verbunden. Die Umgestaltung des Parkes nach französischem Muster übernahm Dominique Girard. Der südliche Bautrakt sollte in Zukunft die eigentlichen kurfürstlichen Appartements aufnehmen. Die Mittelrisalite auf der West- und Ostseite gestaltete Cuvilliés ebenfalls, und zwar im Sinne des französischen Frührokoko.

Wichtiger noch als das Dekor im Äußeren ist die Ausschmückung im Inneren, ebenfalls nach Plänen von Cuvilliés. Clemens August, der nicht nur Kurfürst von Köln, sondern auch Deutschordensmeister war, dürfte durch die Mergentheimer Hofkammer, die für die Planung des dortigen Schloßneubaus Balthasar Neumann herangezogen hatte, auf diesen aufmerksam geworden sein. Der Würzburger Hofarchitekt der Schönborns entwarf für den Kölner Kurfürsten ein neues TREPPENHAUS (Abb. 178). Durch das klare Ordnungsprinzip, das er entwickelte, wurde es nicht nur Dokument fürstlicher Repräsentation des 18. Jh., sondern zugleich eines der schönsten Treppenhäuser des deutschen Rokoko. Die Einfahrt in der Mitte des Haupttraktes wurde zu einer stützenlosen Halle von drei Bauachsen in der gesamten Bautiefe unter flacher Decke. Gekuppelte jonisierende Säulen auf den Langseiten vor ebensolchen Wandpilastern, einfache zwischen den Toren, gliedern die Wände. In der Mitte der Südseite befindet sich eine Wandnische, in der heute ein wasserspeiender Chinese über vertieftem Brunnenbecken steht. Die Treppe steigt nach Norden empor. Aus der Untergeschoßmitte führen in flachen Steigungen die Stufen zum Podest dicht vor der Nordwand. Räumlich losgelöst steigen nun die Treppenläufe weiter zu den oberen Korridoren. Das gesamte Treppenhaus hat die festliche Höhe von rund 20 m. Hinzu kommt die Lichtfülle aus sechs Fensterachsen mit je vier Fenstern und Fenstertüren. Der Eindruck des Hohen und Lichten wird noch dadurch verstärkt, daß Neumann in Dachgeschoßhöhe eine umlaufende Galerie anbrachte und über ihr eine Decke, die durch ihre Bemalung den Anschein einer Kuppel hat. Als Maler stand ihm Carlo Carlone (1686–1775) zur Verfügung. Das bis 1750 vollendete *Deckengemälde* Carlones hat die Huldigung der Künste vor Clemens August, den ein Obelisk mit seinem Monogramm repräsentiert, zum Gegenstand. Wundervoll aufeinander abgestimmt sind die verschiedenen Farben des Stuckmarmors. Heinrich Sandtener fertigte die Treppenhaus-Laterne und das Abschlußgitter an. Clemens August sollte die Vollendung des Treppenhauses nicht mehr erleben. Sein Nachfolger, Max Friedrich von Königsegg-Rothenfels, unter dem der Bau der Augustusburg zuende geführt wurde, ließ auf dem Mittelbalkon der Nordwand in einer der ursprünglichen Wandgliederung nachträglich vorgelegten Säulenarchitektur die vergoldete Büste des Wittelsbachers auf einem mit den Emblemen der geistlichen und weltlichen Macht geschmückten Sockel anbringen.

Der Verherrlichung des Hauses Wittelsbach ist das Deckengemälde Carlo Carlones von 1752 im GARDENSAAL, dem größten Saal des Schlosses gewidmet. Seinen Vater, Max Emanuel, ließ er als Türkensieger feiern, seinem älteren Bruder Karl Albrecht läßt er Kaisertum und Christentum huldigen. Flucht in den Traum! Die Wirklichkeit war weniger glanzvoll. Karl Albrecht, verheiratet mit Maria Amalia, der jüngeren Tochter Kaiser Joseph I. († 1711), erhob nach dem Tod von dessen Bruder Kaiser Karl VI. († 1740) Anspruch auf Tirol, Oberösterreich und die Krone Böhmens. Clemens August, begünstigt von der antihabsburgischen Stimmung der Fürsten, wußte die Wahl seines Bruders zum Kaiser durchzusetzen und krönte ihn als Karl VII. am 12. Februar 1742 im Frankfurter Dom. Der Eroberung Oberösterreichs und Böhmens wie dem Glanz der Frankfurter Tage folgte sehr schnell der Rückschlag. Als Karl VII. 1745 starb, hatte er nicht nur alle seine Eroberungen preisgeben müssen, sondern die Truppen Maria Theresias standen tief in Bayern. Die Kaiserkrone ging an Franz Stephan von Lothringen, den Gemahl und Mitregenten der Habsburgerin. Im Brühler Triumphbild wird dem kurzen Augenblick des Glanzes Karls VII. Ewigkeit verliehen.

Flüchtig war der Triumph, kurz nur die Jahre, die Augustusburg nach der Vollendung, 1770, den Kölner Kurfürsten als Residenz diente. 1794 besetzten die französischen Revolutionstruppen das Brühler Schloß. Vier Jahre später war das gesamte Mobiliar verschleudert. Nach dem Zwischenspiel der napoleonischen Ära fiel Augustusburg an Preußen. Aber erst nach dem Ersten Weltkrieg setzte ein intensiveres Bemühen um die Restaurierung des Schlosses ein. Der Zweite Weltkrieg brachte erneut Zerstörung. Glücklicherweise blieb das Treppenhaus verschont. Bald nach dem Krieg begann der systematische Wiederaufbau, der im wesentlichen 1961 abgeschlossen war.

Als Hofkirche ist mit dem Schloß die alte FRANZISKANERKIRCHE verbunden, deren Hochaltar 1745 Balthasar Neumann entworfen und Johann Wolfgang von der Auwera ausgeführt hat. Persönliche Frömmigkeit und öffentlicher Herrschaftsanspruch gehen in diesem Baldachinaltar ein recht bezeichnendes Bündnis ein.

Zum Komplex von Schloß und Park gehörten Pavillons. Verschwunden sind das ›Chinesische Haus‹ und das ›Schneckenhaus‹, auch Hyazinthenburg genannt. Erhalten aber blieb das JAGDSCHLOSS FALKENLUST (Abb. 179). Wie die Augustusburg wurde es 1794 von den französischen Revolutionstruppen besetzt. Durch Vermittlung von Sulpiz Boisserée erwarb es 1807 der deutsche Diplomat in französischen Diensten Karl Friedrich Reinhard. 1832–1960 gehörte es der Familie Giesler. Seither ist es Eigentum des Landes Nordrhein-Westfalen, das es prachtvoll restaurieren ließ. Vom Park des kurfürstlichen Residenzschlosses führt eine gerade Allee auf das Jagdschlößchen zu.

Die Jagd mit Falken war ein Privileg des Adels, und Clemens August war nicht nur ein leidenschaftlicher Falkner. Wie der Hohenstaufe Friedrich II. scheint auch er davon überzeugt gewesen zu sein, daß ein Staatsamt nur der verwalten könne, der es in der Falknerei, die Ausdauer und Scharfsinn erfordert, zur Meisterschaft gebracht hat. – Den Plan des Schlößchens entwarf François Cuvilliés, den Grundstein legte Clemens August am 16. Juli 1729. Bereits 1731 stand der gesamte Rohbau. Die Ausstattung war im Frühjahr 1733 vollendet; denn schon in den ersten Maitagen konnte der Kurfürst im Schlößchen ein Diner geben. Unter Berücksichtigung des Wunsches seines Bauherrn, ein mit hohem künstlerischen Raffinement gestaltetes Refugium zu haben, folgt Cuvilliés dem Bautypus der ›maison de plaissance‹. Erd- und Obergeschoß entsprechen sich weitgehend in Raumanordnung und Wohnfunktion. Das Obergeschoß diente dem Kurfürsten als Privatquartier. Im Untergeschoß konnte ein Gast untergebracht werden. Das Gebäude hat ein flaches Walmdach mit umgitterten Belvedere und Laterne als zentralem Dachakzent. Die Fassade nach der ›cour du château‹ und die beiden Seitenfassaden sind fünf-, die Fassade nach der ›avant cour‹ wegen des vortretenden Risalits siebenachsig. Zwei polygonale in der Mitte konkav geschwungene und durch Aufsatzvasen in ihrer architektonischen Dominanz noch betonte Pilastervorbauten fassen die Mittelachse der cour du château ein. Das Schlößchen ist von eingeschossigen Nebengebäuden unter gewalmten Dächern – einst den Wohnungen der Falkoniers und Unterkünften des kurfürstlichen Gefolges – umgeben.

Nach den Regeln der französischen Architekturtheorie galt es als vornehm, wenn die Bildmotive im Äußeren wie Inneren eines Landhauses ganz auf dessen Zweck abgestimmt sind. Diesem Ideal trägt Falkenlust Rechnung. Falke und Reiher kehren als Motive in seiner Bauplastik immer wieder. Auch in den Bildern sind häufig Jagdmotive zu finden. Das LACKKABINETT ist eines der schönsten seiner Art in Deutschland. In die weißgraue Holzvertäfelung sind – eingefaßt von vergoldeten Schnitzrahmen – ›indianische‹ Lackmalereien europäischer Provenienz eingelassen: farbige, überwiegend in Gold gemalte Chinoiserien und farbige Blumendekors auf schwarzem Grund. Über dem Kamin aus rotem Marmor befindet sich ein Spiegel und darüber aus der Hand des Joseph Vivien ein privates und zugleich künstlerisch höchst wertvolles *Porträt* des Schloßherrn. Clemens August ist mit einem kostbaren blauseidenen Morgenmantel bekleidet. Auf dem Kopf trägt er eine rote Mütze. Graziös hält seine Rechte eine Kakaotasse. – Ein weiteres Prunkstück ist das SPIEGELKABINETT. Um die Raumgrenzen aufzulösen sind in die blaugefaßte Boiserie allseitig Spiegel eingelassen, von reichem vergoldeten Schnitzwerk eingefaßt. Auf dem Marmorkamin und den Konsolen des Schnitzwerks stehen Porzellangefäße chinesischer Herkunft. Einzigartig ist die Wanddekoration im Treppenhaus von Falkenlust mit weißblauen Fliesen bis unter die Decke. Ihr Grundmotiv ist das bayerische Rautenwappen, immer wieder durchbrochen von Bildszenen, die die Jagdgesellschaft, aber auch Reiher und Falken zum Gegenstand haben. Das Bild von Clemens August wäre unvollständig, erwähnten wir nicht, daß er sich im Park in der Nähe des Schlößchens eine Kapelle nach Art einer Eremitengrotte erbauen ließ, die er 1740 der hl. Maria Aegyptiaca weihte, die sich nach zügellosem Leben in die Einsamkeit zurückgezogen hatte. So hatte auch der Kurfürst den Wunsch, sich vom Hoftreiben zurückziehen zu können. Diese Kapelle wird derzeit restauriert.

Burg an der Wupper

Wer geschichtlich interessiert ist, wird es nicht versäumen wollen, nach Altenberg und der Grablege der Grafen von Berg auch die Neue Burg kennenzulernen, die Adolf I. um 1133 gründete und Engelbert I., Erzbischof von Köln und Graf von Berg, zur weiträumigen Hofburg umbaute. Von Altenberg erreicht man über Burscheid die Autobahn nach Wuppertal. Burg an der Wupper (Abb. 180) ist von Köln etwas mehr als 30 km entfernt. Das heutige Schloß Burg ist freilich im wesentlichen ein Werk des späten 19. Jh. Nach Verlegung der Hofhaltung der Grafen und späteren Herzöge von Berg 1380 nach Düsseldorf, diente ihnen die Neue Burg nur noch als gelegentlicher Aufenthaltsort. Gegen Ende des Dreißigjährigen Kriegs wurde sie weitgehend zerstört und danach nur teilweise wiederaufgebaut. Weitere Demolierungen erfolgten noch Mitte des vorigen Jahrhunderts. Erst 1890 begann der Wiederaufbau, der 1914 im wesentlichen abgeschlossen war. Dabei ging es jedoch nicht um eine Wiederherstellung des ursprünglichen Zustands, sondern um eine Neuschöpfung im Sinne einer verspäteten Romantik. Rittersaal, Ahnensaal und Kemenate sind mit Wandmalereien geschmückt. Am qualitätvollsten und auch lebendigsten sind die *Wandmalereien* der Kemenate von Peter Janssen, 1905–07, der seit 1877 Lehrer an der Düsseldorfer Akademie und seit 1895 deren Direktor war. Daß er ein bedeutender Vertreter der monumentalen Historienmalerei war, beweisen auch seine Wandgemälde in der Kemenate. Schloß Burg enthält auch das BERGISCHE MUSEUM, das in ausgewählten Beispielen die künstlerische und kulturelle Entwicklung des bergischen Landes zeigt und bei den Kunstwerken auch die Nachbargebiete berücksichtigt. Eines der kostbarsten Stücke ist der gewirkte Wandteppich *Wildgarten mit Lebensbrunnen,* flämisch, wohl Tournai, 1. Drittel des 16. Jh.

Knechtsteden

Umgeben von Obstgärten und Wäldern liegt 30 km nördlich von Köln, auf dem Weg über Dormagen, die Kirche des ehem. Prämonstratenserstiftes Knechtsteden. Der Dekan des Kölner Doms, Hugo von Sponheim, übertrug den Prämonstratensern seinen Fronhof Knechtsteden. Zunächst wurde eine Magdalenenkapelle gebaut, bald jedoch eine größere Kirche notwendig. Um Kirche und Kloster machten sich im 12. Jh. vor allem drei Männer verdient, Propst Christian, zuvor Schatzmeister in St. Andreas, Köln, Albertus Aquensis, Dekan des Kölner Doms, und der Goldschmied Albert. Propst Christian († 1151) ließ vor 1138 Chor, Sanktuarium und Querhaus der Kirche bauen. Anscheinend hat er noch flache Decken einziehen lassen. Zwar sagen die schriftlichen Zeugnisse, er habe den Ostbau wölben lassen. Doch wirken die Kuppeln der Querarme wie spätere Zutaten. Albertus Aquensis († um 1162) – sein unversehrtes Grab wurde 1962 in der Mitte des Chorquadrats aufgefunden – ließ das Langhaus bauen. Vermutlich wurde zunächst der Westchor mit den beiden westlichen Jochen errichtet. Im Fresko der Westapsis sehen wir Albertus Aquensis in der Haltung der Proskynesis zu Füßen Christi. Der Goldschmied Albert erbaute aus eigenen Mitteln gemeinsam mit seinen Gesellen die Klostergebäude an der Nordseite der Kirche.

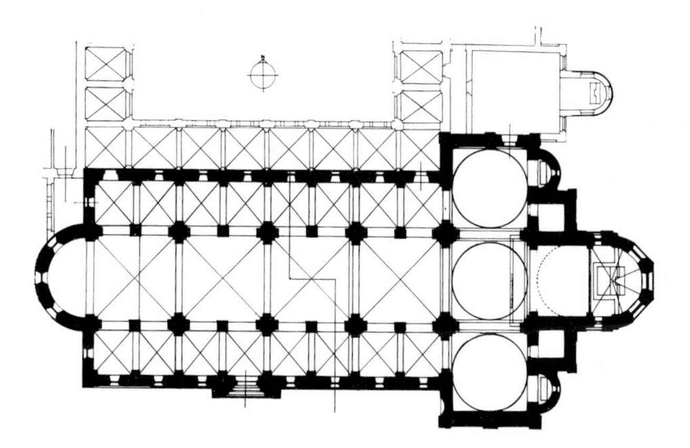

Grundriß der Klosterkirche Knechtsteden

Die Knechtstedener Kirche ist eine doppelchörige Gewölbebasilika mit östlichem Querhaus, vier Mittelschiff- und je acht Seitenschiffjochen. Die quadratische Vierung, betont durch vier im Grundriß kreuzförmige Pfeiler mit Halbsäulenvorlagen, gibt nach dem gebundenen System das Maß an für das Altarhaus vor der Ostapsis, die beiden Querschiffräume und die Joche des Langhauses. Ringförmig gemauerte Zwickelkuppeln, die wie Hängekuppeln konstruiert sind, überwölben Altarhaus, Vierung und Querarme. In der Neusser Fehde, 1474–77, plünderten Soldaten Karls des Kühnen das Kloster und fügten der Ostapsis der Kirche schwere Schäden zu. Abt Ludger stellte sie 1477 in einfachen gotischen Formen, die wie eine Notlösung wirken, wieder her. Um 1631 erhielt die Kirche neue Dächer. Dabei wurden die Wände des Hochschiffs und die Querhausgiebel erhöht. Zwischen 1678 und 1698 entstand die heutige Sakristei. 1802 wurde das Stift aufgehoben. Ein Brand verwüstete 1869 Kirche und Kloster. Seit 1878 wurde die Kirche von Heinrich Wiethase erneuert.

Hervorzuheben ist die Bauplastik der Kirche, die den schöpferischen Reichtum der niederrheinischen Steinmetzen des 12. Jh. in Kapitellen, Konsolen und Basen widerspiegelt. Neben einfachen Würfelkapitellen gibt es solche mit profilierten Schildflächen, mit Pflanzen, Blüten, Tierdarstellungen. Im nördlichen Querschiff wird eine Gewölbekonsole zum menschlichen Gesicht. Aus dem Rankenwerk eines Kapitells am südöstlichen Vierungspfeiler schaut ein Antlitz.

Der künstlerisch bedeutsamste Schmuck der Kirche aber ist das *Wandgemälde* des 12. Jh. in der Westapsis (Abb. 181). Auf blauem Sternengrund erscheint der segnende Christus mit dem Buch des Lebens in der Linken. Er thront auf dem Sphärenbogen und stützt seine Füße auf den Bogen des Erdkreises. Die vier Evangelistensymbole umschließen die Mandorla Christi. Petrus, durch die Inschrift als Fürst der Apostel, und Paulus als der Lehrer der Völker bezeichnet, nahen sich von rechts und links der Mittelgruppe und halten Christus ihre Bücher entgegen. So läßt sich das Bild als die

Übergabe des neuen Gesetzes durch Christus deuten. In der Fensterzone ist ein Fries der elf übrigen Apostel zu sehen. Ornamentbänder halten und ordnen die Malerei, binden sie zugleich in die Architektur der Kirche ein. Die Formenstrenge der Malerei verrät byzantinischen Einfluß, der in der 2. Hälfte des 12. Jh. besonders wirksam war. Aus dem 3. Viertel des 14. Jh. stammt das Knechtstedener *Gnadenbild* der Muttergottes mit dem toten Sohn auf dem Schoß.

Schwarzrheindorf

Nördlich von Bonn-Beuel, dem Rhein zu, liegt die Doppelkirche ST. KLEMENS von Schwarzrheindorf (Abb. 182). Auf seinem seit dem späten 11. Jh. im Besitz der Grafen von Wied befindlichen Hofgut ließ der Dompropst und spätere Kölner Erzbischof Arnold von Wied († 1156) die laut Inschrift in der Apsis der Unterkirche 1151 geweihte Klemenskirche über kreuzförmigem Grundriß als Zentralbau errichten. Die Unterkirche war für das Gefolge bestimmt, die Oberkirche für den Domherrn und seine Familie. Eine große achteckige Öffnung in der Vierung der Unterkirche, bzw. im Fußboden des Mittelraumes der Oberkirche verbindet beide Räume. Der Typus der doppelgeschossigen, aber räumlich verbundenen Kapelle, begegnet in salischer und staufischer Zeit sowohl bei Kaiserpfalz- bzw. Burgkapellen als auch bei bischöflichen Pfalzkapellen. Arnold von Wied war seit 1138 Kanzler König Konrads III. Die Kirche auf seinem Hofgut konnte dem kaiserlichen Gast dienen, der vom Obergeschoß durch die Öffnung der Vierung auf den Altar der Unterkirche schauen konnte. Doch liegt noch ein anderer Gedanke nahe, nämlich der, daß die Kirche von vornherein als Grablege des Stifters konzipiert war. Tatsächlich hat er hier sein Grab gefunden.

In Schwarzrheindorf ordneten sich um einen quadratischen Mittelraum im Untergeschoß vier Konchen, deren östliche zur halbkreisförmigen Apsis geweitet und mit einem Vorjoch versehen sich gegenüber den segmentförmigen Abschlüssen der Querarme deutlich hervorhebt. Die Querarme des Obergeschosses schließen gerade. Der westliche Kreuzarm wurde bald nach der Vollendung des Baus wieder abgebrochen und durch ein zweigeschossiges Langhaus ersetzt. Die außerordentlich starken Mauern der Unterkirche – bedingt durch die außen die Oberkirche umziehende Zwerggalerie – lockern halbrunde Nischen auf. Der Architekt griff dabei auf ein altes rheinisches Gliedermotiv zurück, das in der staufisch rheinischen Baukunst erneut vielfach Anwendung fand. Der Umbau wurde durch die Umwandlung der Hofkirche in eine Klosterkirche bedingt. In Erfüllung eines Wunsches ihres Bruders gründete seine Schwester Hedwig, Äbtissin von Essen und Gerresheim, vor 1173 in Schwarzrheindorf ein Benediktinerinnenkloster. Die Äbtissin stand sowohl den Nonnen als auch den Priestern vor. Die Stifter Arnold von Wied und seine Schwester Hedwig sind zu Füßen Christi als Weltenrichter (Abb. 183) im DECKENFRESKO der Oberkirche dargestellt. Aus dem ursprünglichen Benediktinerinnenkonvent wurde im Spätmittelalter ein Kanonissenstift.

Infolge der Säkularisation verlor die Doppelkirche ihre gesamte Ausstattung mit einer wesentlichen Ausnahme. Unter dem Verputz blieb die ursprüngliche Ausmalung, die in der Unterkirche schon zur Zeit der Weihe um 1151 vollendet war, nahezu vollständig erhalten; in der Oberkirche ist die etwas jüngere Ausmalung, um 1173 entstanden, noch in der Ostapsis und deren Vorjoch zu sehen. Als erster machte im 19. Jh. Andreas Simons auf die *Fresken* der Unterkirche aufmerksam. Systematisch aufgedeckt wurden sie 1854 von Christian Hohe. Ihre Entschlüsselung und damit korrekte Restaurierung war jedoch erst möglich, als es dem Pfarrer Pfeiffer von Vilich 1863 gelang, die Gewölbebilder auf einen Ezechielzyklus zurückzuführen. Wilhelm Neuss hat in unserem Jahrhundert einen entscheidenden weiteren Schritt getan, indem er als die eigentliche Quelle für die Fresken von Schwarzrheindorf den Ezechielkommentar des Rupert von Deutz nachgewiesen hat. Der Benediktinertheologe sah in den Visionen und symbolischen Handlungen des Buches Ezechiel Christus vorausgedeutet. Die vier lebenden Wesen der Berufungsvision interpretierte er wie folgt: Mensch = Menschwerdung, Stier = Kreuzesopfer, Löwe = Auferstehung, Adler = Himmelfahrt. Dementsprechend sind in den Fresken der Unterkirche von Schwarzrheindorf der Ezechiel- und ein Christuszyklus aufeinander bezogen. Dabei kommt dem östlichen Vierungsbild die Funktion der Schlüsselszene zu. Sein Thema ist die Herrlichkeit des Herrn, die den Tempel erfüllt, also ein Epiphaniebild. Der Erscheinung Gottes im Tempel entspricht die Epiphanie seines Sohnes, die sich durch die Menschwerdung ereignet hat, sowie die Epiphanie, die sich ereignen wird, wenn der Herr zum Gericht erscheint. Nun sieht Rupert von Deutz im Buche Ezechiel nicht nur Christus vorgedeutet, sondern die Geschichte der Kirche bis zum Ende der Zeiten vorherverkündet. Gerade dieser geschichtstheologische Aspekt hat seinen Ezechielkommentar für die Fresken von Schwarzrheindorf zum Vorbild werden lassen. In den Gerichtszenen des Propheten über das Volk Israel sehen Theologen wie der Stifter Arnold von Wied und der Benediktiner Rupert von Deutz die eigene Zeit gerichtet. Nicht zuletzt die Erfahrung des Scheiterns des Zweiten Kreuzzuges (1147–49) bot zu solchen Deutungen Anlaß. Die Krise von Reich und Kirche ist Gegenstand der Geschichtstheologie Ottos von Freising (um 1112–1158). 1143–46 verfaßte er das Chronicon, seine Geschichte von den beiden Reichen. Im Investiturstreit ist für ihn die Tragödie des Sacrum Imperium sichtbar geworden. Hoffnung schöpft er nur aus den neuen Orden der Zisterzienser und Prämonstratenser, die das neue Zeitalter des Gottesreiches heraufführen sollen. Otto von Freising, der Halbbruder Konrads III., hat in der Oberkirche von Schwarzrheindorf den Altar Maria und Johannes geweiht. Die großen Königsbilder in den Nischen der Apsiden der Unterkirche lassen sich als die Repräsentanten der Weltreiche interpretieren, die dem römischen und letzten Reich vorangegangen sind. Mit dem Ende des römischen Reiches wird diese Welt ebenfalls zu Ende gehen. Otto von Freising erwartet das nahe Weltgericht. Seine Interpretation fügt sich gut zu der Geschichtstheologie des Rupert von Deutz. Neben dieser ist sie daher in den Wandbildern von Schwarzrheindorf wirksam geworden. Das Wort vom Gericht ist aber nicht das letzte. Ein neues Jerusalem, ein neuer Tempel werden verheißen. Gericht wie Verheißung sind beide in die Zyklen von Schwarzrheindorf eingegangen. Wie eine Vorahnung auf das kommende, das neue

Jerusalem, lassen sich die Bilder um die Vierung lesen. Die Szenen sind von monumentaler Kraft. In der Berufungsvision sehen wir die Wolke und das Rad Gottes die Bildmitte beherrschen, während sich der Prophet an den Bildrand zurückzieht, meditierend und in der Meditation den Sinn seiner Vision erfassend. Der Zyklus findet jedoch in der Unterkirche keinen rechten Abschluß. Als das abschließende Bild erscheint vielmehr das der Apsis der Oberkirche mit dem thronenden Christus. Es faßt somit die Bildserie von Ober- und Unterkirche zusammen. Der Zyklus der Oberkirche nimmt ansonsten auf das Ordenswesen Bezug. In zwei Gewölbefeldern führt Christus die Seligen an, in zwei anderen Maria und die Kirche. Dabei ist Maria selbst Repräsentantin der Kirche. Auch hier ist der Einfluß des Rupert von Deutz spürbar, der das Hohe Lied als Zwiegespräch zwischen Christus und Maria deutet. So sind auch von der Thematik her die Fresken von Schwarzrheindorf ein Hauptwerk der rheinischen Wandmalerei.

Zons

Am linken Rheinufer, 30 km nördlich von Köln, in der Nähe von Dormagen, liegt das Städtchen Zons. Anfang des 11. Jh. wird es erstmals verläßlich erwähnt. In seiner Südostecke errichtete der Kölner Erzbischof im 13. Jh. die Burg Friedestrom. Erhalten blieben Teile der Hauptburg mit dem Torturm, dem Außenturm sowie der Juddeturm der Vorburg. Heute befindet sich hier das KREISMUSEUM. 1372 wurde der Neusser Zoll nach Zons verlegt. Die Zollstadt Zons befestigte Friedrich von Saarwerden. Als Rechteckanlage mit Rheinzoll-, Krötschen- und Mühlenturm sowie vorkragendem Wachthäuschen ist die STADTMAUER (Abb. 184), die Zons im Rechteck umschließt, das beste Beispiel ihrer Art am Niederrhein. Der Bauherr der Mauer, Friedrich von Saarwerden, hat sich sowohl am Rhein als am Schloßtor ein Denkmal setzen lassen. Das Rheintor ist ein sechsgeschossiger Zollturm. Stadtseitig befindet sich an diesem Turm ein Relief, das Friedrich von Saarwerden vor dem rechts vor ihm stehenden Petrus kniend zeigt, der ihm den Zoll zu Zons überreicht. Die Inschrift darunter hält das Erbauungsjahr 1388 fest. Das Schloßtor ist als Doppeltoranlage erhalten. Das Vortor ist ein Turmtor. In der Backsteinstirnmauer des Obergeschosses befindet sich eine Dreipaßblende. Ursprünglich war sie mit einem Marienstandbild ausgestattet. Links Wappenschild des Erzbischofs, rechts Wappen des Erzstiftes. Die Kölner Kurfürsten haben sich an Zons als Zollstätte nicht allzu lange erfreuen können; denn von 1463 bis zum Ende des Kurstaates 1794 war Zons an das Kölner Domkapitel verpfändet.

Bekannte Persönlichkeiten, Künstler, Sammler und Gelehrte

Welche Impulse von Köln auszugehen vermögen, wie anziehend die Stadt auf Menschen verschiedenster Begabung und Interessen ist, das vermag unschwer ein Überblick über große Kölner Persönlichkeiten zu dokumentieren. Nicht alle, denen Köln zum Schicksal geworden ist und die selber die Geschicke der Stadt mitbestimmt, ihr Gesicht mitgeformt haben, sind hier geboren. Aber die Wahlkölner standen und stehen oft den geborenen Kölnern an Liebe zu dieser Stadt keineswegs nach. Ohne ihr Mitdenken und Mitwirken wäre die Stadt in mancher Hinsicht ärmer. Aus der Vielzahl bedeutender Kölner kann hier nur eine kleine Auswahl vorgestellt werden. Dem Charakter dieses Buches entsprechend sind es vorwiegend Künstler, ihre Auftraggeber, ihre Sammler. Doch sollen auch einige andere genannt werden, deren Leben und Wirken für Köln bedeutsam wurde.

Konrad Adenauer, * 6. 1. 1876 Köln † 19. 4. 1967 Rhöndorf, besuchte das Apostelgymnasium, studierte an den Universitäten Freiburg i. Br., München und Bonn Rechtswissenschaft, 1897 Referendar, 1901 Assessor, 1906 zum Beigeordneten, 1917 zum Oberbürgermeister von Köln gewählt. Er stellte sich hinter Ekkerts Plan, die Handelshochschule in eine Universität umzuwandeln (s. S. 313). Die Wiederbegründung der Universität kam trotz großer Widerstände 1919 zustande. Seinen Wunsch, Köln zur Messestadt zu machen, konnte Adenauer 1924 verwirklichen. Höhepunkte der von ihm initiierten Ausstellungstätigkeit waren die ›Jahrtausendausstellung‹ 1925 und die ›Pressa‹ 1928. Er setzte die Anlage des Grüngürtels durch, überzeugt davon, daß auch der Großstädter zu seiner Regeneration der Natur bedarf. Durch Heranziehung neuer Industrien und den Bau des Niehler Hafens suchte er die wirtschaftliche Entwicklung Kölns zu fördern. Auch dem sozialen Wohnungsbau galt sein Interesse. Dazu gehört die Gründung der Riehler Heimstätten. Daß die Stadt, wenn sie nicht verkümmern soll, das Umland integrieren, sich zur Stadtlandschaft wandeln muß, war seine Überzeugung. Darum setzte er sich für eine großzügige Eingemeindungspolitik ein. Obwohl Inflation und Wirtschaftskrise die Verwirklichung seiner Pläne erschwerten und teilweise sogar verhinderten, hat er das Gesicht Kölns als einer weltoffenen Großstadt zu prägen vermocht. Dem Dritten Reich war er ein unbequemer Mann. 1933 wurde er als Oberbürgermeister abgesetzt, 1935 sogar zeitweilig aus dem Regierungsbezirk Köln ausgewiesen. Rhöndorf wurde sein Domizil. Mit Kriegsende traten neue Aufgaben an Konrad Adenauer heran. Noch einmal übernahm er das Amt des Kölner Oberbürgermeisters. Neben der Dringlichkeit der Bewältigung der Tagesnöte erkannte er von Anfang an die Notwendigkeit einer großzügigen Planung für die Zukunft der Stadt. Einen Wiederaufbau aus der Sicht der bestehenden Not hielt er für verderblich. Seine Absicht war es, die Kölner Innenstadt mit ihrem unverwechselbaren historischen Gesicht wiederherzustellen und sie zugleich als Wohnviertel zu erhalten. Er suchte den Lebensmut der Kölner wieder zu beleben. Sein Wirken für Köln machte die britische Besatzungsmacht zunichte. Am 6. Oktober 1945 entließ der Brigadier John Barraclough Adenauer aus seinem Oberbürgermeisteramt. Was zunächst als endgültige Verabschiedung aus dem aktiven Leben erschien, sollte sich bald als der Beginn einer neuen politischen Laufbahn erweisen, der ihn zum Vorsitzenden der CDU, 1946 in der Britischen Zone, 1950 der Gesamtpartei aufsteigen ließ. Als Präsident des Parlamentarischen Rats 1948/49 war er an der Schaffung des Grundgesetzes und der Errichtung der Bundesrepublik Deutschland, deren Kanzler er von 1949 bis 1963 war, maßgeblich beteiligt. Wiewohl es nunmehr die deutsche und die Weltpolitik war, der er sich widmete und der seine Sorgen galten, wußte er sich zeitlebens Köln verbunden. So war es ein wirkliches Bekenntnis, als er in seiner Dankesrede anläßlich der Verleihung des Kölner Ehrenbürgerrechts am 4. Januar 1951 erklärte: »Was ich dieser Stadt gegeben habe, das hat mir dieser Boden und diese Stadt hundertfach wiedergegeben. Denn was ich bin – im Guten wie im Schlechten – das ist gewachsen auf diesem Boden und geformt worden von dieser Umgebung und in dieser Atmosphäre.«

Albertus Magnus, * um 1200 Lauingen † 15. 11. 1280 Köln, stammte aus ritterbürtigem Geschlecht, studierte an der Universität Padua und wurde dort von dem Generalmeister Jordan von Sachsen 1223 für den jungen Dominikanerorden gewonnen. Sehr schnell erkannte der Orden seine Lehrbefähigung. Als Lesemeister wirkte er in den Klöstern Hildesheim, Freiburg i. Br., Regensburg und Straßburg. 1243/44 wurde er an die Universität Paris geschickt, wo er 1247 zum Magister S. Theologiae promovierte. Ein Jahr später vertraute ihm das Generalkapitel seines Ordens die Leitung des neuzugründenden Generalstudiums in Köln an. Unter seinen Schülern in Köln waren Thomas von Aquin und Ulrich Engelberti von Straßburg. 1254/57 war er Provinzial der deutschen Ordensprovinz. 1257 kehrte er nach Köln zurück, um seine Vorlesungen am Generalstudium wiederaufzunehmen. Als Friedensvermittler in den Auseinandersetzungen zwischen dem Erzbischof Konrad von Hochstaden und der Stadt Köln wirkte er maßgeblich am ›Großen Schied‹ mit, durch den die Kompetenzen des Erzbischofs als Stadtherr und des Rates festgelegt wurden. 1260 wurde er Bischof von Regensburg, legte dieses Amt aber schon zwei Jahre später wieder nieder. Nach weiterer Predigt- und Lehrtätigkeit, u. a. in Würzburg und Straßburg, kehrte er 1270 endgültig nach Köln zurück. Erneut wirkte er als Friedensvermittler zwischen der Stadt und dem Erzbischof. In der Erkenntnis, daß zwischen Glaube und Vernunft kein grundsätzlicher Widerspruch bestehen kann, machte er sich die Philosophie des Aristoteles zu eigen, war daneben auch an neuplatonischem Gedankengut interessiert. Auf sein theologisches System beriefen sich im 15. Jh. Kölner Weltgeistliche, die sich Albertisten nannten. Albert war aber nicht nur ein spekulativer Kopf sondern auch ein genauer Beobachter der Natur. Davon zeugen seine Schriften, in denen er immer wieder auch persönliche Erfahrungen mitteilt. Als Bischof standen ihm Einkünfte zu. Diese verwendete er zur Ausstattung der Kölner Dominikanerkirche. Er ließ ihren Chor bauen. Von ihm gestiftete Glasfenster befinden sich heute im Kölner Dom. Nach der Säkularisation wurden seine Gebeine aus der Dominikanerkirche nach St. Andreas übertragen. Sie ruhen heute in einem antiken Sarkophag in der Krypta dieser Kirche.

Anno II., * um 1010 † 4. 12. 1075, stammte aus ritterbürtigem schwäbischen Geschlecht, erhielt seine Ausbildung an der Bamberger Domschule, zu deren Lehrer und Leiter er aufsteigen sollte. Kaiser Heinrich III. zog ihn als Kaplan an seinen Hof. 1054 war Anno Propst von Goslar. Gegen den Willen der Kölner ernannte ihn der Kaiser zwei Jahre später zu ihrem Erzbischof. Anno dehnte die Herrschaft des Kölner Erzstuhls auf das Saalfeld mit Coburg und den Orlagau aus. Durch den Staatsstreich von Kaiserswerth im April 1062 bemächtigte er sich des jungen Heinrich IV. – Heinrich III. war 1056 verstorben – und verdrängte die Kaiserinwitwe Agnes aus der Regentschaft. In das Reichsregiment mußte er sich allerdings bald schon mit Adalbert von Bremen teilen. Nach und nach entfremdete er sich dem jungen König und verlor dadurch seinen Einfluß. In dem Schisma, das 1061 entstand, als gegen Alexander II. auf Betreiben des römischen Adels und der lombardischen Reichsbischöfe Cadalus von Parma als Gegenpapst aufgestellt wurde – er nannte sich Honorius II. –, ergriff Anno die Partei des ersteren und trat für die Rechtmäßigkeit seiner Wahl auf den Synoden von Augsburg 1062 und Mantua 1066 ein. Seinem Votum folgte das Reichsepiskopat. Seine schroffe, von Willkür nicht freie Herrschaft über die Stadt Köln löste den Aufstand der Kaufmannschaft 1074 aus. Anno mußte fliehen – der Fluchtstollen wurde nach dem Zweiten Weltkrieg aufgedeckt –, konnte aber schnell wieder zurückkehren und die Stadt seinem Willen unterwerfen. Wegen seiner Askese und seinen Kirchen- und Klostergründungen wurde er schon bald nach seinem Tod als Heiliger verehrt. Die Heiligsprechung erfolgte 1183. Allerdings verstummten auch nach seinem Tod die kritischen Stimmen keineswegs. Sein Grab fand er in seiner Lieblingsstiftung, dem Benediktinerkloster Siegburg.

Sulpiz Boisserée, * 3. 8. 1783 Köln † 2. 5. 1854 Bonn. Die Familie kam aus dem Lütticher Land. Ein reicher kinderloser Onkel, Nicolas de Tongre, hatte die Übersiedlung nach Köln und Beteiligung des Vaters an seinen Handelsgeschäften veranlaßt. Das Geburtshaus stand am Blaubach. Als vorletztes, zehntes Kind geboren, fühlte sich Sulpiz besonders seinem jüngsten Bruder Melchior verbunden, mit dem er die Liebe zur mittelalterlichen rheinischen Kunst und die Sammelleidenschaft teilte. Mit 15 Jahren kam Sulpiz als Lehrling in ein Hamburger Kaufhaus. Doch wandte sich sein Interesse bald ausschließlich der Literatur, der Philosophie und Kunstwissenschaft zu. Nach Köln zurückgekehrt, bestärkte ihn sein Freund

Johann Baptist Bertram 1802 in dem Entschluß, dem Kaufmannsberuf zu entsagen und sich ausschließlich den Studien zu widmen. Gemeinsam mit seinem Bruder Melchior und seinem Freund Bertram reiste Sulpiz nach Paris. Dort gerieten sie in den Bann von Friedrich Schlegel, dem sie die Augen für die Schönheit der gotischen Architektur öffneten. Schlegel folgte ihrer Einladung, sie im Mai 1804 bei ihrer Rückkehr nach Köln zu begleiten, um dort die mittelalterliche Kunst genauer kennenzulernen und gleichzeitig Vorlesungen zur Geschichte der Literatur zu halten. Im gleichen Jahr begannen die Brüder zugleich mit Bertram systematisch, mittelalterliche Gemälde zu kaufen. Sie waren davon überzeugt, daß Sammeln nur dann sinnvoll sei, wenn es durch ein klares Ziel bestimmt ist. Ihre Sammlung sollte dem besseren Verständnis der kunstgeschichtlichen Entwicklung der rheinischen und niederländischen Malerei, insbesondere der Kölner Malerschule dienen. Sammeln und literarische Aktivität sollten sich ergänzen. Zur Propagierung der Sammlung gehörte auch ihre Bekanntmachung mittels der Wiedergabe durch Lithographien. Nach dem Weggang Schlegels nach Wien 1808 zog es auch die Brüder Boisserée aus Köln fort. 1810 übersiedelten sie mit ihrer Sammlung nach Heidelberg als dem Sitz der deutschen Romantik. Im Falle einer Wiedererrichtung der Universität wollten sie, wie Sulpiz am 1. Februar 1814 an Oberst von Rühle schrieb, die Sammlung nach Köln zurückführen und der Lehre dienstbar machen. Doch weder diese Hoffnung noch der Plan, die Sammlung nach Berlin zu überführen, für den sich Karl Friedrich Schinkel einsetzte, sollten sich erfüllen. 1827 erwarb König Ludwig I. von Bayern die Sammlung Boisserée. Dank der Vermittlung von Karl Friedrich Reinhard, mit dem Sulpiz befreundet war und für den er das Jagdschlößchen Falkenlust erworben hatte, kam ein persönlicher Kontakt mit Goethe zustande. In Goethes Anerkennung der Leistung der mittelalterlichen Kölner Maler sah Sulpiz einen propagandistischen Gewinn für seine Bestrebungen. Seit seiner Jugend war Sulpiz für den Kölner Dom begeistert und suchte seine Wiederherstellung und die Weiterführung des Dombaus zu fördern. Er fand u. a. Unterstützung bei Schinkel. Aufgrund eingehender Messungen verfaßte Sulpiz eine ›Geschichte und Beschreibung des Doms von Köln‹, Stuttgart 1823–32, 2. Aufl. 1842, die grundlegend für den Weiterbau werden sollte. Tagebücher und Briefe, hrsg. von Mathilde Boisserée, wurden 1862 in Stuttgart veröffentlicht.

Heinrich Böll, * 21. 12. 1917 Köln war nach Buchhandelslehre und Arbeitsdienst 1939–45 Infanterist. Nach der Rückkehr aus der Kriegsgefangenschaft Ende 1945 Studium der Germanistik in Köln. Hier lebt er als freier Schriftsteller. In Bölls Erzählungen und Romanen ist immer wieder Köln präsent. Liebenswert ist seine die Kindheit beschwörende Skizze ›Raderberg, Raderthal‹ im ›Atlas deutscher Schriftsteller‹. Gemeinsam mit dem Photographen Chargesheimer hat er dem inzwischen untergegangenen Milieu der Straße ›Unter Krahnenbäumen‹ ein Denkmal gesetzt. Das Unicenter ist einer der Schauplätze des Films ›Die verlorene Ehre der Katharina Blum‹.

Bruno I., * 925 † 11. 10. 965 Reims. Jüngster Sohn Heinrichs I., wurde von seinem Bruder Otto I. um 939 an dessen Hof berufen, förderte das Studium der ›Artes liberales‹, bildete die Hofgeistlichkeit aus und war um 940 Kanzler, ab 951 Erzkanzler. Er erhielt mehrere Abteien, darunter Lorsch, die er im Geist der Gorzer Reform erneuerte. Seit 953 Erzbischof von Köln und Herzog von Lothringen verkörperte er den Typus des Reichsbischofs im Sacrum Imperium der Ottonen. Er war eine wichtige Stütze der Politik seines Bruders. 961 war er gemeinsam mit dem Mainzer Erzbischof Wilhelm Reichsverweser. Der Streit seines Neffen, des Königs Lothar, mit den Söhnen des Hugo von Franzien rief ihn nach Frankreich. In Reims erkrankte und starb er. Im Auftrag seines Nachfolgers, des Erzbischofs Folkmar, verfaßte Ruotger, ein Mönch aus St. Pantaleon, die ›Vita Brunonis‹. Sie ist eine Apologie des in Bruno verkörperten Bündnisses von priesterlicher Frömmigkeit, Eifer für die Gorzer Reform, Bildungsstreben und Wirken für die Reichspolitik. Ruotger rühmt Bruno als den Gründer der Abtei St. Pantaleon, als Stifter von Kirchen und Klöstern wegen des Erwerbs kostbarer Reliquien für Köln. – Das Grab Brunos befindet sich in der Krypta von St. Pantaleon.

Joseph DuMont, * 21. 7. 1811 † 3. 3. 1861. Sohn des früh verstorbenen Marcus DuMont und seiner Frau Katharina, einer geborenen Schauberg, übernahm 1831 die Leitung des Verlags, der Druckerei und zunächst auch die der Buchhandlung M. DuMont Schauberg. Er war, unter der Vormundschaft der Mutter, einziger Redakteur der seinerzeit von den Erben Schauberg übernommenen ›Kölnische Zeitung‹, setzte aber Anfang der 40er Jahre auch die Einstellung eines neben ihm arbeitenden Redakteurs durch. Er war nicht, wie sein Vater, Typus des Gelehrten, sondern ein Mann der Praxis. Er war liberal und ein überzeugter Katholik. Es gelang ihm gegen den Widerstand der preußischen Regierung, seinem Blatt zunächst eine Monopolstellung in Köln selbst zu verschaffen und nach der Episode der ›Rheinische Zeitung‹ und ihrer kurzen Wiederherstellung als ›Neue Rheinische Zeitung‹ die ›Kölnische Zeitung‹ zum führenden Blatt des rheinischen Liberalismus zu machen. Das Revolutionsjahr 1848 hat die Auflage des Blattes, die beim Tod Marcus DuMonts etwa 3000 betrug, wenigstens zeitweise fast verzehnfacht. Auch wenn sie zu Beginn der preußischen Reaktion um 1850 wieder zurückging, als Joseph DuMont selbst mehrfach vor Gericht gestellt und seine Zeitung mit gänzlicher Unterdrückung bedroht wurde, so hat er sich doch gegen allen Widerstand von rechts und links behauptet. Er stellte einen Chefredakteur seiner Wahl ein und beschäftigte auch von der ›Rheinische Zeitung‹ entlassene Redakteure. Joseph DuMont trat als Verleger in die Reihe der erfolgreichen – meist von auswärts zugewanderten – Kölner Unternehmer ein. Bis zu seinem Tod 1861 legte er die Grundlage für die spätere Weltgeltung der ›Kölnische Zeitung‹.

Christian Eckert, * 16. 3. 1874 Mainz † 27. 6. 1952 Köln, studierte Rechts- und Staatswissenschaften an den Universitäten München, Berlin und Gießen, 1901 Privatdozent in Berlin wurde er noch im gleichen Jahr als hauptamtlicher Dozent an die Handelshochschule Köln berufen. 1902 wurde er zum Professor ernannt, 1904 zum Studiendirektor der Handelshochschule und seit 1912 auch der neugegründeten Hochschule für kommunale und soziale Verwaltung. Zwei Jahre später übernahm er außerdem die Leitung des Museums für Handel und Industrie in Köln. Vielseitig interessiert – so verfaßte er 1906 eine Monographie über den Maler Peter Cornelius –, sah er sein Ideal in der Universitas litterarum et scientium. Daher strebte er die Wiederbegründung der Kölner Universität an. Seit 1910 trat er immer wieder für dieses Ziel ein. In Adenauer fand er den Mann, der seinen Plan energisch unterstützte. 1919 wurde die Universität wiederbegründet, Eckert ihr erster Rektor und ab 1920 der Geschäftsführende Vorsitzende ihres Kuratoriums. Ende September 1933 entließ ihn die nationalsozialistische Regierung aus sämtlichen Ämtern. Erst 1945 kehrte er an die Kölner Universität zurück. Zur gleichen Zeit setzte er sich für die Wiederbegründung der Universität Mainz ein, an der er als Gastprofessor wirkte. 1946/49 war er außerdem Oberbürgermeister von Worms. Dorthin hatte er nach Zerstörung seines Hauses in Köln durch einen Luftangriff seinen Wohnsitz verlegt. 1950 kehrte er in die Wahlheimat Köln zurück.

Johann Maria Farina, * 1685 Santa Maria Maggioris † 25. 9. 1766 Köln, trat 1714 in das von seinem Bruder Johann Baptist Farina in Köln betriebene Geschäft ein, in dem verschiedene Essenzen feilgeboten wurden. 1723 fand dieses Geschäft seinen definitiven Standort in dem zunächst nur gemieteten Haus ›Zum Morion‹ oder ›Zum großen Cousin‹, in der Straße Obenmarspforten. Das Farina-Haus hatte in der Franzosenzeit die Nummer 2051. Allmählich bürgerte sich die Bezeichnung »gegenüber dem Jülichsplatz« ein. Die Spezialisierung auf Kölnisch Wasser setzte sich ebenfalls erst nach einiger Zeit durch. Johann Maria Farina übernahm das Rezept von seinem Verwandten Johann Paul Feminis. Um 1730 lernte Farina bei Feminis die Herstellung des speziellen Kölnischen Wassers. Es blieb lange nur ein Produkt neben anderen, die die Firma verkaufte. Gegen Ende seines Lebens durfte Farina den Aufstieg seines Unternehmens erleben. Selber Junggeselle, vermachte er sein Unternehmen seinem gleichnamigen Neffen. Seither sind die Namen Farina und Köln aufs engste verknüpft. Das Konkurrenzunternehmen Mülhens stellt ebenfalls Kölnisch Wasser unter der Hausnummer 4711 her.

Joseph Feinhals, * 31. 12. 1867 Köln † 1. 5. 1947 Schloß Randegg/Hegau, Inhaber des 1861 von seinem Vater gegründeten Zigarren-Importhauses. Joseph Feinhals war Bibliophile, Kunstsammler und Förderer zeitgenössischer Kunst. Als Mitbegründer und zweiter Präsident des ›Sonderbundes westdeutscher Künstler und Kunstfreunde‹ war er vor allem an der vierten, der berühmtesten der Ausstellungen, der Sonderbundausstellung 1912 in Köln beteiligt. Er war Mitglied des Kuratoriums der Kölner Werkschulen und des Kuratoriums der Staatlichen Hochschule für Musik. Unter dem Pseudonym Collofino verfaßte er ›Die Geschichten des Collofino‹, 1918, ›Das Geheimnis der Marchesa‹, 1918, gemeinsam mit Volpone (das ist Georg Karl Maria Fuchs, Rechtsanwalt und Kölner Mundartdichter) ›Schulerinnerungen, ein lustiges Pennälerbrevier‹, 1925, ›Non olet oder die heiteren Tischgespräche des Collofino über den orbis cacatus‹, 1939. Er war Herausgeber von ›Der Tabak in Kunst und Kultur‹, 1911, ›Tabakanekdoten, ein historisches Braunbuch‹, 1914, ›Vom Tabak. Ein Spaziergang durch das Raucherparadies‹, 1936. Sein Haus auf der Marienburg ließ er sich von Joseph Maria Olbrich bauen. Bilder zeitgenössischer Künstler und eine reiche Bibliothek zeichneten es aus. In seinem Geschäftshaus in der Hohen Straße hatte er das Kölner Pfeifenmuseum eingerichtet, das der Kölner Mundartdichter Johannes Theodor Kuhlemann (Pseudonym Ithaka) leitete.

Josef Kardinal Frings, * 6. 2. 1887 Neuss † 17. 12. 1978 Köln, studierte an den Universitäten Innsbruck, Bonn und Freiburg i. Br., 1910 Priesterweihe, Kaplan in Zollstock, 1913 Studium in Rom, Päpstliches Bibelinstitut, Dr. theol., 1915 Pfarrektor in Fühlingen, 1924 Pfarrer in Braunsfeld, 1937 Regens des Priesterseminars in Bensberg, 1942 Erzbischof von Köln, 1946 Kardinal. Als Vorsitzender der Bischofskonferenz, 1945–65, war er der Sprecher des deutschen Episkopats. Ein Höhepunkt seiner Tätigkeit war sein Wirken auf dem Zweiten Vatikanischen Konzil, vor allem seine Interventionen zu Glaubensfragen fanden weite Beachtung. Dem Wiederaufbau Kölns gab er einen mächtigen Impuls durch das Dombaufest 1948. Der moderne Kirchenbau fand in ihm einen entschiedenen Förderer. Unter seinem bischöflichen Wahlspruch ›Für die Menschen bestellt‹ veröffentlichte er auch seine Erinnerungen, Köln 1973, die sich auf die Zeit als Kölner Erzbischof konzentrieren. 1969 trat er von seinen Ämtern zurück.

Josef Haubrich, * 15. 6. 1889 Köln † 4. 9. 1961 Köln, studierte Rechtswissenschaften an den Universitäten München, Berlin und Bonn, dazu Handelswissenschaften an der Kölner Handelshochschule, 1910 Referendar, anschließend Promotion in Rostock, 1905 Assessor in Berlin, anschließend Anwaltstätigkeit in Köln. Schon während seiner Studienjahre entwickelte er ein lebendiges Interesse an der Kunst der Zeit. Es wurde durch Künstlerfreundschaften vertieft, so mit den Malern Peter Abelen, Michael Brunthaler, Heinrich May und dem Bildhauer T. C. Pilartz. Um 1919/20 wendet sich sein Interesse vor allem den Expressionisten zu. Mit dem Kölner Kunsthändler Karl Nierendorf, der in der Gürzenichstraße seine Galerie hatte, schloß er Freundschaft. Seine Kennerschaft auf dem Gebiet der modernen Kunst, befähigte ihn, auch in Fälschungsstreitigkeiten einzugreifen. Der Kreis der Künstlerfreunde wuchs. Unter dem Einfluß von Haubrich wandte sich der Kölnische Kunstverein dem deutschen Expressionismus zu. 1924 veranlaßte er die erste große Chagall-Ausstellung des Kölnischen Kunstvereins. Unter dem Pseudonym Dr. Ludwig Josef schrieb er Kunstbetrachtungen für die ›Rheinische Zeitung‹. Als im Dritten Reich der Expressionismus als ›entartet‹ galt, nahm er sich dieser Kunstrichtung unbeirrt weiter an. 1946 ermöglichte er durch seine großzügige Schenkung den Wiederaufbau der modernen Abteilung des Wallraf-Richartz-

Museums. Bis zu seinem Lebensende galt seine Sorge dem Ausbau dieser Abteilung durch geschickte Neuerwerbungen.

Heinrich Hoerle, * 1. 9. 1895 Köln † 3. 7. 1936 Köln, unternahm in seinen Jugendjahren Wanderungen durch Holland und Belgien, fand zeitweilig Anschluß an Artistengruppen im Zirkus, besuchte, allerdings nur sporadisch, die Kölner Kunstgewerbeschule, war 1912 an der Gründung des Gereonsklub von Künstlern und Kunstfreunden beteiligt, 1913/14 Mitglied der Gruppe der Lunisten (weitere Mitglieder waren Peter Abelen, Max Ernst, Otto Freundlich, Karl Nierendorf, Karl Otten, Alfred Salmony), 1915/18 Soldat, arbeitete er an der ›Aktion‹ von Franz Pfemfert mit. Für kurze Zeit beteiligte er sich am Dadaismus von Max Ernst, trennte sich jedoch schnell wieder von ihm. 1920 veröffentlichte er die ›Krüppelmappe‹. Diese Art der Sozialanklage erschien ihm in den späteren Jahren als zu gefühlsbetont. Er findet zu einer konstruktivistischen Malweise. Seine Zeichnungen und Malereien versteht er als ›Warntafeln‹. Er wird einer der Hauptvertreter der ›Gruppe progressiver Künstler‹, 1924–33, die ihren Treffpunkt in der Bücherstube am Wallraf-Richartz-Museum und im Café Monopol am Wallraf-Platz hat. Ausstellungen dieser Gruppe finden im ›Neuen Buchladen‹ in der Passage, Kaiserin-Augusta-Halle statt. 1929 wird die Zeitschrift ›a–z‹ gegründet, deren Herausgeber er ist. Mit dem Architekten Wilhelm Riphahn befreundet, entwirft er ein großes Wandbild für dessen Kirche in Buchforst, 1930/31, das jedoch nicht zur Ausführung kommt. Eines seiner bedeutendsten Werke ist das Bild *Zeitgenossen,* 1931, das mit leiser Ironie die Arrivierten, den Liedersänger Willi Ostermann und den Oberbürgermeister Konrad Adenauer, den Nichtarrivierten, nämlich seiner Frau, einem Boxer und ihm gegenüberstellt. Nach 1933 sowohl wegen seiner sozialistischen Gesinnung als auch seines künstlerischen Stils wegen von den Machthabern des Dritten Reiches verfemt, wendet er sich dem Malen religiöser Symbole zu. An Kehlkopftuberkulose allzu früh verschieden, ist er auf dem Mülheimer Friedhof begraben.

Everhard IV. Jabach, * 1618 Köln † 1695 Paris, strebte wie sein Vater rasch über Köln hinaus. 1636 erhielt er einen Reisepaß für die niederländischen Provinzen, vermutlich um in den dortigen Niederlassungen der Firma Jabach nach dem Rechten zu sehen. Aus der Geschäftswurde zugleich eine Studienreise, die ihn im Winter 1636/37 nach London führte. Anscheinend trat er dort in nähere Beziehungen zu Thomas Howard, Earl of Arundel, den großen englischen Kunstsammler. Kurz vor seiner Reise war er in Köln in die Gesellschaft der Münzerhausgenossen aufgenommen worden. Dann siedelte er nach Paris über, wo er bereits 1642 Mazarins Bankier und Berater wurde. Trotz seiner Naturalisierung in Paris, 1647, gab er sein Bürgerrecht in Köln nie auf. Eine Kölnerin, die Kaufmannstochter Anna Maria de Groote, nahm er sich zur Frau. Zu den Tauffeiern seiner Kinder und seines Patenkindes kam er eigens nach Köln. Von Hause aus war durch die Sammlung erlesener Kunstwerke, mit denen bereits sein Vater den Jabacher Hof ausgestattet hatte, sein Sinn für künstlerische Qualität geschärft. Zahlreiche große Künstler gewann er als Freunde. Schon bei seinem ersten Londoner Aufenthalt porträtierte ihn der englische Hofmaler Anton van Dyck. Beim öffentlichen Verkauf der Gemäldesammlung Karls I. von England gelangen ihm gegen heftigste Konkurrenz der Königin Christine von Schweden, des Erzherzogs Leopold von Habsburg, des spanischen Königs, von anderen Kunsthändlern und Sammlern ganz zu schweigen, glanzvolle Erwerbungen. Immer wieder tauschte er mit anderen Sammlern und erstand Einzelstücke oder ganze Sammlungen. So nach 1654 die Sammlung der Handzeichnungen Arundel. Mit günstigen Verkäufen an Ludwig XIV. durfte er auf königliche Gunstbeweise rechnen. 1664 wurde er einer der Direktoren der Ostindischen Compagnie in Paris. 1667 eröffnete er in Corbeille eine Büffelfellgerberei, die das Produktions- und Verkaufsmonopol für Heereslieferungen in Leder hatte. 1671 wurde er Direktor der Königlichen Teppichmanufaktur in Aubusson, der sein Freund Charles Lebrun als künstlerischer Leiter vorstand. Bei seinem Tod besaß er fast 700 Gemälde und als bildwürdig gerahmte Zeichnungen, dazu mehr als 4000 Zeichnungen in Mappen, sowie zahlreiche Bronze- und Marmorbildwerke und allerlei silbernes und goldenes Gerät. Das Nachlaßinventar von 1696 ist erhalten und z. T. veröffentlicht. Seine Vorliebe galt dabei der Landschaftsmalerei. Im Streit der zeitgenössischen Kunsttheorie nahm er für den Kolorismus und gegen die Poussinisten Stellung, die sich auf die strenge zeichnerische Klassik der römischen Kunst beriefen. Das hinderte ihn aber nicht, mit Poussin und Lebrun befreundet zu sein. Neben seinem Interesse für Werke anerkannter Meister besaß er auch einen guten Blick für die erst 'kommenden' Maler.

Konrad von Hochstaden, * um 1198 † 1261 Köln, stammte aus rheinischem Geschlecht, war Kanoniker und Propst am Dom und am Stift Maria ad Gradus. 1238 zum Erzbischof gewählt, war er zunächst Anhänger Kaiser Friedrichs II., jedoch schon 1239 das Haupt der Gegenpartei. Er betrieb nachdrücklich Absetzung und Bannung des Kaisers und war maßgeblich an der Erhebung der Gegenkönige Heinrich Raspe, 1246, und Wilhelm von Holland, 1247, beteiligt. Zehn Jahre später erhob er Richard von Cornwallis und krönte ihn in Aachen. Seine Territorialpolitik führte zu heftigen Fehden mit dem Grafen von Jülich, Limburg, Brabant und Sayn. Auch mit der Stadt Köln hatte er schwere Konflikte zu bestehen, da diese sich gegen seine Herrschaftsansprüche zur Wehr setzte. Unbestreitbar ist jedoch, daß Konrad von Hochstaden Köln liebte und die Stadt zu fördern suchte. Er gewährte ihr u. a. das Stapelrecht. 1248 legte er den Grundstein zum Bau des gotischen Doms. Bald nach seinem Tod wurde das Grabmal geschaffen, das ihn als idealen Fürsten zeigt. Es steht in der Johanneskapelle des Kölner Domchors (s. Abb. 13).

Wilhelm Leibl, * 23. 10. 1844 Köln † 4. 12. 1900 Würzburg, war zuerst Schlosserlehrling, dann Schüler des deutschösterreichischen Malers Arthur Freiherr von Ramberg und des Historienmalers

Karl von Piloty in München, fand jedoch selbständig den Weg zu einem rein malerischen Realismus. Sein Porträt der Frau Gedon, das auf der Münchener Ausstellung 1861 gezeigt wurde, beeindruckte Gustave Courbet so sehr, daß er die Bekanntschaft Leibls suchte, die sich bald zur Freundschaft festigte. 1869/70 weilte Leibl in Paris. Nach München zurückgekehrt, schlossen sich ihm Wilhelm Trübner, Karl Schuch, Karl Haider und andere Landschaftsmaler an. Seit 1873 lebte Leibl, enger verbunden nur mit seinem Freund, dem Maler Johannes Sperl, auf dem Lande in Oberbayern. Doch nicht die Landschaft, sondern die Menschen sind der Gegenstand seiner Bilder. Mit einzigartiger Detailtreue sucht er sie wiederzugeben. Im letzten Jahrzehnt seines Schaffens näherte er sich in den Bildern bäuerlicher Menschen, die er meist im Atelier, später aber auch in ländlichen Küchen malte, dem Impressionismus. Doch wahrte er auch dann noch die geschlossene Körperlichkeit seiner Gestalten. Zu den Kölner Porträts gehören das seines Vaters, des Domkapellmeisters Karl Leibl und des Möbelfabrikanten Johann Heinrich Pallenberg (s. Abb. 49).

Stefan Lochner, * um 1410, wahrscheinlich Meersburg † 1451 Köln. Über die Anfänge Lochners ist nichts bekannt. Seit etwa 1430 arbeitet er in Köln. 1442 kauft er das Haus Roggendorp, später zwei Häuser in der Pfarrei St. Alban. In das Bürgerbuch wurde er im Juni 1447 aufgenommen und Weihnachten des gleichen Jahres zum Ratsherrn gewählt. Sorgenfrei war sein Leben nicht; er war gezwungen, Schulden zu machen. Gleichwohl wird er 1450 zum zweiten Mal zum Ratsherrn gewählt. Im Laufe seiner zweiten Amtszeit muß er gestorben sein; in der Ratsliste ist sein Name durchgestrichen und mit einem Totenkreuz gekennzeichnet. Er ist offenbar ein Opfer der Pest geworden; denn er wurde auf dem Pestfriedhof vor seinem Hause beigesetzt. Innerhalb der Kölner Malerschule führt er die Tradition in einem persönlich geprägten Stil weiter. Er beherrschte alle Formate, von der Miniatur bis zu dem Riesenformat des Kölner Dombildes. Malerische Kostbarkeit und theologische Tiefe verbinden sich in seinen Bildern, besonders in der *Maria im Rosenhag* (s. Ft. 15).

Johann Jakob Merlo, * 25. 10. 1810 Köln † 27. 10. 1890 Köln, verband Sammelleidenschaft mit Forschergeist. Seine Sammlung gehörte zu den vielseitigsten in Köln und war vor allem reich an Niederländern. Wichtiger noch ist sein Verdienst um die planmäßige Erforschung der rheinischen Kunstgeschichte und der Kulturdenkmäler des Rheinlandes. Er organisierte die Kunstausstellung 1840. Mit leiser Wehmut sah er die Abwanderung von Kunstsammlungen und das Erlahmen des Sammlereifers nach der Mitte des Jahrhunderts. Seine Studien zur heimischen Malerei veröffentlichte er unter dem Titel ›Nachrichten von dem Leben und den Werken Kölnischer Künstler‹, 1850/52, Neuauflage 1895. Dazu kamen zahlreiche Abhandlungen, vor allem kunsthistorischen Inhaltes in Zeitungen und Zeitschriften. Das 1877 erschienene Buch des Versailler Museumskonservators L. Clément de Ris ›Les Amateurs d'Autrefois‹, das u. a. auch Everhard IV. Jabach gedenkt, ermutigte ihn, eine Geschichte der Kölner Sammler vorzubereiten. Aus Urkunden, Inschriften, Versteigerungskatalogen trug er die Materialien zu einer umfangreichen Notizensammlung zusammen. Otto H. Förster bemerkt in seiner Geschichte der ›Kölner Kunstsammler‹, Berlin 1931, »daß so manche Quellen, alte Versteigerungskataloge und dergl. überhaupt wenigstens in einem Exemplare noch vorhanden sind ... ist ... zu einem großen Teile Merlos alleiniger Verdienst.«

Willi Ostermann, * 1. 10. 1876 Mülheim † 6. 8. 1936 Köln, war Buchdrucker und Metteur. Mit seinen Karnevalsliedern errang er eine Popularität, die bis heute anhält. Ihm zu Ehren wurde der Ostermann-Brunnen in der Nähe des Heumarkts auf dem Ostermann-Plätzchen aufgestellt (s. Abb. 81).

Johann Anton Ramboux, * 5. 10. 1790 Trier † 2. 10. 1866 Köln, war Schüler von Jacques Louis David in Paris. Nach einem Italienaufenthalt wandte er sich vom Klassizismus ab und der Romantik zu. Er schloß sich den Nazarenern an. Der italienischen Malerei bewahrte er zeitlebens seine besondere Liebe. Auf Empfehlung von August Reichensperger wurde er 1843 Konservator der Wallrafschen Sammlung in Köln, die er bis zu seinem Tod betreute. Seine besondere Liebe galt in Köln der Antike. Er restaurierte das Philosophenmosaik, ergänzte das Antependium von St. Ursula, entwarf Teppiche und Wandbehänge für die Chorschranken des Kölner Doms, stattete die Weißhauskapelle in Klettenberg mit Glasgemälden und Malereien aus.

August Reichensperger, * 22. 3. 1808 Koblenz † 16. 7. 1895 Köln. Im Geiste der Aufklärung erzogen, wurde die Verhaftung des Erzbischofs Clemens August von Droste Vischering durch Preußen wegen seiner unnachgiebigen Haltung im Mischehenstreit für Reichensperger zum Anlaß seiner Bekehrung. Er verteidigte publizistisch den Kölner Erzbischof. 1841/44 sowie seit 1849 war er Appellationsgerichtsrat in Köln. Entschieden trat er für den Weiterbau des Kölner Doms ein. 1841/47 war er Sekretär des Zentral-Dombau-Vereins. Er begründete und redigierte viele Jahre lang das Kölner Domblatt, wie er überhaupt in zahlreichen Artikeln in Zeitungen und Zeitschriften zu politischen und künstlerischen Fragen Stellung nahm. Er war es, der Eduard von Steinle für die Zwickelmalereien im Kölner Domchor empfohlen hat. Ihm verdankt Ramboux seine Berufung als Konservator an das Wallrafianum (Sulpiz Boisserée hielt deswegen mit seinem Unmut, wie aus einem Schreiben an Dombaumeister Zwirner hervorgeht, nicht zurück). Auf der Frankfurter Nationalversammlung war Reichensperger Vizepräsident des ›Katholischen Klubs‹. Hier wie später im Erfurter Unionsparlament bekämpfte er die kleindeutsch-preußische Lösung. Als Mitglied des preußischen Abgeordnetenhauses war er gemeinsam mit seinem Bruder Peter Führer der ›Katholischen Fraktion‹ (seit 1859 Zentrum) und trat für Parität und Konstitution ein. Als Mitbegründer des Zentrums gehörte er 1871/85 dem Reichstag an.

Johann Heinrich Richartz, * 15. 11. 1795 Köln † 22. 4. 1861 Köln, übernahm um

1816 das Geschäft seines Vaters, der Mitglied der Weißgerberzunft war, aber schon den Handel mit Häuten betrieben hatte. Wiederholte Reisen nach Antwerpen, dem kontinentalen Umschlagplatz für Wildhäute, überzeugten ihn, daß es vorteilhaft war, eine direkte Verbindung nach Lateinamerika zu haben. Gegen Ende der 30er Jahre sandte er seinen Neffen Hubert Bachem als ständigen, direkten Einkäufer nach Buenos Aires. Ohne ein näheres Verhältnis zur Kunst zu haben, fühlte er sich doch innerlich verpflichtet, seinen Reichtum, den er durch seine Geschäftstüchtigkeit erworben hatte, zugunsten seiner Vaterstadt und ihrer kulturellen Bestrebungen einzusetzen. Dank seiner großzügigen Stiftung von 100 000 Talern konnte der seit Jahren gehegte Plan eines eigenen Museumsbaus für die Wallrafschen Sammlungen verwirklicht werden. Die Eröffnung des auf dem Gelände des Minoritenklosters errichteten Museumsbaus sollte Richartz allerdings nicht mehr erleben. In seinem Testament stiftete er den Grundstock für die Errichtung eines neuzeitlichen Ansprüchen genügenden Krankenhauses, der Lindenburg in Lindenthal. Außerdem setzte er eine Summe für den Ausbau der Minoritenkirche aus, eine weitere für den Dom. (Denkmal von Wilhelm Albermann vor dem Wallraf-Richartz-Museum.)

Carl Rüdell, * 13. 9. 1855 Trier † 26. 5. 1939 Köln, war schon als Kind ein begabter Zeichner, wurde Lehrling des Trierer Dombaumeisters Wirtz, siedelte 1872 nach Köln über und fand eine Anstellung beim Kirchenarchitekten Augustin Lange. Nach dessen Tod, 1884, machte er sich selbständig und baute allein oder in Gemeinschaft mit Richard Odenthal rund 80 Kirchen im Rheinland. Der Gymnasiallehrer und Zentrumspolitiker Peter Joseph Roeckerath betraute ihn mit dem Bau der Agneskirche. 1902 vollendet, war sie weit teurer als ursprünglich geplant. Rüdell geriet in finanzielle Schwierigkeiten, gab seine Firma auf und widmete sich fortan nur noch der Malerei. Seine Aquarelle sind ein wertvolles Dokument für die Atmosphäre Kölns in den ersten Jahrzehnten unseres Jahrhunderts.

Rupert von Deutz, * 1075/80 † 4. 3. 1129/30 Deutz. In jungen Jahren in der Abtei St. Laurentius in Lüttich, weilte er seit 1116 in Siegburg. Erzbischof Friedrich I. holte ihn als Abt nach Deutz. Er verfaßte Kommentare zur Heiligen Schrift, geschichtstheologische Arbeiten, Abhandlungen zu Tagesfragen, Erklärungen zur Benediktusregel, Gedichte. Den ursprünglich flachgedeckten Chor seiner Kirche (s. S. 279) ließ er überwölben und ausschmücken. Daß die damals entstandenen Wandgemälde zugrundegegangen sind, ist um so schmerzlicher, als Rupert eingehende Äußerungen über die Ausschmückung seines Gotteshauses hinterlassen hat. Sein Ezechielkommentar hat den Ezechielzyklus der Unterkirche von Schwarzrheindorf inspiriert (s. S. 307). Auch das Bildprogramm der Fenster im Obergaden des Kölner Doms dürfte auf Rupert von Deutz zurückgegriffen haben.

Alexander Schnütgen, * 22. 2. 1843 Steele an der Ruhr † 24. 11. 1918 Listernohl i. W., studierte an den Universitäten München und Bonn. 1866 zum Priester geweiht, wurde er als Vikar an den Kölner Dom berufen. Seit 1887 war er Domkapitular. Er begründete 1888 die ›Zeitschrift für christliche Kunst‹. Bald nach seiner Priesterweihe begann er Kunstwerke zu sammeln. Vom Finderglück begünstigt und mit Spürsinn begabt, gelang es ihm, eine große Sammlung kirchlicher Kunst vor allem des Rheinlands und Westfalens zusammenzutragen. Schon zu Lebzeiten rankten sich Legenden und Anekdoten um den volkstümlichen Mann, von dem Paul Clemen erklärte: »Ihm beim Essen zuzusehen schuf staunende Freude, mit ihm zu trinken war genußreich, aber gefährlich«, von dem er aber auch zu berichten weiß, daß er vielen ein Ratgeber in seelischen wie in bürgerlichen Nöten war. Daß Erzbischof Clemens Fischer, dem er seine Sammlung anbot, die damit verbundenen Pflichten nicht tragen zu können glaubte, traf ihn tief. 1906 übertrug er daher seine Sammlung geschlossen dem Kunstgewerbemuseum. 1910 wurde der von ihm geforderte eigene Bau dafür eröffnet. Die 1919, ein Jahr nach seinem Tod, veröffentlichten ›Kölner Erinnerungen‹ spiegeln seine Begabung zur anekdotenreichen Erzählung.

Franz Wilhelm Seiwert, * 9. 3. 1894 Köln † 3. 7. 1933 Köln, erlitt 1901 eine unheilbare Röntgenverbrennung infolge einer Falschbehandlung im Krankenhaus. Leiderfahrung und Leidüberwindung wird zum wesentlichen Thema seiner Kunst. Er besucht die Kölner Kunstgewerbeschule, schließt 1916 Freundschaft mit Carl und Käthe Jatho. Die religiös bestimmte frühe Phase seiner Kunst wird von einer Hinwendung zum Sozialismus abgelöst. Mit Hoerle ist er einer der wichtigsten Vertreter der Gruppe der Progressiven, steuert Beiträge zu der von Franz Pfemfert herausgegebenen Zeitschrift ›Aktion‹ bei, redigiert die Zeitschrift ›a–z‹. Wichtig wird für ihn die Freundschaft mit Hans Schmitt-Rost, aber auch mit dem Direktor des Kölner Kunstgewerbemuseums, Karl With, der ihn bei der farboptischen Umproportionierung wie bei der typographischen Gestaltung des Katalogs heranzieht. Wie Hoerle geht es auch Seiwert darum, unpathetische, sachliche Bilder zu schaffen. Das Wallraf-Richartz-Museum besitzt von ihm die Bilder *Stadt und Land* und *Die Arbeiter*. – Gedenkausstellung im Kölnischen Kunstverein, 1978.

Vincenz Statz, * 9. 4. 1819 Köln † 21. 8. 1898 Köln, arbeitete zunächst als Lehrling in der väterlichen Schreinerei, dann beim Baumeister Ferdinand Luthmer, 1841 trat er in die von Zwirner begründete Steinmetzhütte am Dom ein und war 1845/54 zweiter Domwerkmeister. Auch nach seinem Ausscheiden aus der Dombauhütte blieb er bis zu Zwirners Tod mit dem Dombau in Fühlung. In seiner schon in den 40er Jahren stets wachsenden Bautätigkeit war er ein konsequenter Vertreter der Neugotik. 1861 wurde er zum ›Privatbaumeister‹ ernannt und dadurch den geprüften Architekten gleichgestellt, 1863 wurde er zum Diözesanbaumeister, 1866 zum königlichen Baurat ernannt. Eduard von Steinle und August Reichensperger, aber auch dem Gesellenvater Adolf Kolping war er freundschaftlich verbunden. Mittellosen Jungen aus dem Waisenhaus ermöglichte er eine Lehrzeit in seiner Werkstatt. Lange Zeit war er Armenpfleger seines Bezirkes, außerdem im Borromäusverein und in der Fürsorge seiner Pfarrei tätig. An insgesamt 210 Bauten kann seine Tätigkeit nachgewiesen werden. Überwiegend sind es Kirchen, darunter St. Mauritius in Köln, der Dom von Linz in Österreich. Er stellte die alte Kapelle in Melaten wieder her und setzte die Maria-Ablaß-Kapelle instand. Er schuf die Mariensäule bei St. Gereon. Aber er wäre kein rechter Kölner gewesen, wenn er nicht auch Fastnachtsblätter gezeichnet hätte. Mit Freunden pflegte er nur Kölsch zu reden.

Ferdinand Franz Wallraf, * 20. 7. 1748 Köln † 18. 3. 1824 Köln, besuchte das Gymnasium Montanum, dann als Student die Philosophische Fakultät der Kölner Universität bis zur Erlangung des Magister artium. Zum Weiterstudium reichten die Mittel nicht. Die Freundschaft zu Professor Georg Menn und seiner Gattin Dorothea, geb. Schauberg, gab ihm die Möglichkeit zur weiteren wissenschaftlichen Ausbildung, eröffnete aber auch den Zugang zu Kunst, Literatur und Musik. 1772 erhielt er die Priesterweihe, 1780 das Lizentiat in der Medizin, 1784 den Lehrstuhl für Botanik an der medizinischen Fakultät. 1786 verfaßte er eine Denkschrift über die Reform der Universität. Im gleichen Jahr wurde er Professor für Botanik, Naturgeschichte und Ästhetik und 1793 Rektor der Universität – der letzte gewählte Rektor vor ihrer Schließung durch die Franzosen. Unter dem Eindruck der Verschleuderung von Kunstwerken im Zuge der Säkularisation wurde Wallraf zum eifrigen Sammler mittelalterlicher Kunst. Doch galt sein Sammelinteresse auch anderen Kunstrichtungen. 1804 überließ ihm die französische Regierung auf Lebenszeit die ehemalige Dompropstei als Wohnung. Im Frühjahr 1814 verfaßte er die Denkschrift über die Köln durch die Franzosen entstandenen Verluste. Seine Hoffnungen auf die Wiedererrichtung der Universität durch Preußen erfüllten sich nicht. 1818 vermachte er testamentarisch seine Sammlungen der Stadt Köln.

Ernst Friedrich Zwirner, * 28. 2. 1802 Jakobswalde/Oberschlesien † 22. 9. 1861 Köln, besuchte die Bauschule in Breslau und die Bauakademie in Berlin, wurde Schüler Schinkels, leitete 1829 den von seinem Lehrer entworfenen Rathausbau in Kolberg, bestand 1830 das Examen als Landbaumeister, nahm 1833 den Auftrag der Staatlichen Bauverwaltung Berlin zur Restaurierung des Kölner Doms an. Wie Schinkel war er überzeugt, daß eine wirkliche Sicherung des Vorhandenen nur möglich sei, wenn der Dombau vollendet würde. Er plädierte jedoch nicht für einen vereinfachenden Weiterbau, sondern für die Fortführung »nach dem ursprünglichen Plan«. Darin bestärkte ihn Sulpiz Boisserée. Der Westteil des Doms ist wesentlich ein Werk Zwirners. Außerdem baute und renovierte er eine Reihe weiterer Kirchen und Schlösser, darunter die Apollinariskirche in Remagen und Schloß Arenfels bei Hönningen am Rhein.

Nachwort

Die Einladung des Verlages, in seiner Reihe Kunst-Reiseführer ein Köln-Buch zu schreiben, habe ich, in Köln geboren und in Köln verliebt, gerne angenommen. Die Schönheiten dieser Stadt vorzustellen lockte mich um so mehr, als ich aus mancher Begegnung und Beobachtung erfahren mußte, daß sie nicht nur dem flüchtigen Besucher, sondern oft auch dem schon lange hier Wohnenden noch unbekannt oder verborgen sind. Das Auge für sie zu öffnen, war Absicht dieses Buches. Der für einen Kunst-Reiseführer vorgesehene Umfang stellte mich freilich vor eine Grundentscheidung. Entweder konnte Vollständigkeit angestrebt werden. Das hätte jedoch eine sehr knappe Darstellung des einzelnen, ja fast ein Aneinanderreihen von Kunstwerk an Kunstwerk bedeutet. Oder es gab die andere Möglichkeit, eine Auswahl unter den Sehenswürdigkeiten zu treffen und diese dann eingehender darzustellen. Ich habe mich für das letztere entschieden, wiewohl mir der Verzicht auf manche Kostbarkeit, manches Kunstwerk schwer geworden ist. Die Auswahlbibliographie bietet jedoch dem Leser genügend Hinweise, ihn interessierende Fragen weiter zu verfolgen. Immerhin hat die Entscheidung zugunsten einer Auswahl unter den Bauwerken es ermöglicht, die Bestände der Kunstsammlungen und Museen etwas ausführlicher zu beschreiben als dies in einem reinen Stadtführer möglich gewesen wäre. Dem Sehen-Lehren müßte das Entdecken-Lernen entsprechen. Der Kunst-Reiseführer hätte sein Ziel erreicht, wenn er den Leser zu Entdeckungsfahrten ermutigte.

Zum Zustandekommen dieses Buches haben viele beigetragen. Der Autor fühlt sich zur Danksagung verpflichtet, den Museen und Bibliotheken, die Bildvorlagen zur Verfügung stellten und mit ihrem Rat behilflich waren. Wesentliche Unterstützung hat das Buch durch die Mithilfe des Rheinischen Bildarchivs und des Verkehrsamtes der Stadt Köln erfahren. Bildvorlagen aus einem Wettbewerb stellte außerdem die Kölner Bank von 1867 zur Verfügung. Großzügig war das Entgegenkommen der Stadtbücherei. Besonderer Dank gilt dem Domkustos, Pater Dr. Walter Schulten. Dankbare Erwähnung verdient nicht zuletzt Frau Inge Bodesohn, Lektorin des DuMont Buchverlags. Ihre geduldige und verständnisvolle Mitarbeit war mir eine wertvolle Hilfe.

W. E.

Köln-Bücher

Eine Auswahl zum Weiterlesen

Seit 1951 unterrichtet Hans Blum jährlich in der von ihm für den Kölnischen Geschichtsverein redigierten ›Kölnischen Bibliographie‹ über alle Neuerscheinungen, die Köln betreffen. Wer sich eingehender mit Coloniensia beschäftigen will, kann auf dieses Repertorium nicht verzichten. An dieser Stelle jedoch können nur einige Anregungen zum Weiterlesen gegeben werden.
Zur Geschichte Kölns allgemein bleibt grundlegend, weil aus den Quellen erarbeitet, wenn auch in Einzelheiten überholt und nur bis zum 17. Jh. reichend:

LEONARD ENNEN, Geschichte der Stadt Köln, Bd. 1–5, Köln 1863–1880.

Eine handliche Gesamtdarstellung bietet:

ARNOLD STELZMANN, Illustrierte Geschichte der Stadt Köln, Köln 1958, 5., verbesserte Aufl., hrsg. von Robert Frohn, Köln 1971.

Die noch heute unentbehrliche Quellensammlung sind die von

LEONARD ENNEN und GOTTFRIED ECKERTZ hrsg. Quellen zur Geschichte der Stadt Köln, Bd. 1–6, Köln 1860–79, Neudruck: Aalen 1970.

Ein sehr praktisches Arbeitsmittel sind die von

ROBERT FROHN und ARNOLD GÜTTSCHES hrsg. Ausgewählten Quellen zur Kölner Stadtgeschichte, 6 Hefte, Köln 1958–61, auch in einem Band zusammengefaßt.

Zur Kirchengeschichte Kölns ist eine mehrbändige neue Gesamtdarstellung begonnen worden:

EDUARD HEGEL (Hrsg.), Geschichte des Erzbistums Köln, 1. Bd. Das Bistum Köln von Anfängen bis zum Ende des 12. Jh., Köln 1963. 2. Aufl. 1972. Neubearbeitet von Friedrich Wilhelm Oediger. 4. Bd. Das Erzbistum Köln zwischen Barock und Aufklärung. Vom Pfälzischen Krieg bis zum Ende der französischen Zeit (1688–1814). Bearb. von Eduard Hegel. Köln 1979.

Eine Reihe auch Kölner Biographien finden sich in: Rheinische Lebensbilder (Gesellschaft für Rheinische Geschichtskunde). Bisher erschienen 7 Bände seit 1971.

Eine gute Einführung in Kölns Wirtschaftsgeschichte, die zugleich viele kulturgeschichtlich wichtige Informationen enthält, bietet ein zweibändiges Werk, im Auftrag des Rheinisch-Westfälischen Wirtschaftsarchivs zu Köln hrsg. von

HERMANN KELLENBENZ unter Mitarbeit von KLARA VAN EYLL, Zwei Jahrtausende Kölner Wirtschaft, Köln 1975.

Ein unentbehrliches Repertorium sind die Inventarbände, hrsg. von

PAUL CLEMEN, Die Kunstdenkmäler der Stadt Köln, als Teil der Serie: Die Kunstdenkmäler der Rheinprovinz, ab 1906. Kriegszerstörungen, aber auch neue Forschungsergebnisse haben inzwischen freilich das Bild in vielen Fällen verändert. Trotzdem kann man auf diese Inventarbände nicht verzichten. Sie sind eine unentbehrliche Hilfe bei allen Rekonstruktionsversuchen.

Über die einzelnen profanen und sakralen Bauwerke unterrichten verläßlich unter Angabe weiterführender Literatur die vom Rheinischen Verein für Denkmalpflege und Landschaftsschutz herausgegebenen ›Rheinischen Kunststätten‹, jedes Jahr mehrere Hefte (Druck und Verlag: Gesellschaft für Buchdruck AG, Neuss).

Gesamtwürdigungen der Kölner Kunst:

OTTO H. FÖRSTER und TONI FELDENKIRCHEN, Köln, alte, heilige und schöne Dinge, Düsseldorf 1955.
HANS VOGTS, Köln im Spiegel seiner Kunst (Kölnische Geschichte in Einzeldarstellungen, Bd. 1), Köln 1950.
FRITZ WITTE, ›Der goldene Schrein‹, ein Buch über Köln, Köln 1928.

Kataloge:

Neben den Katalogen, die eine Einführung in die Schausammlungen bieten, veröffentlichen Kölns Museen wissenschaftliche Kataloge. Doch wenden sich die Museen keineswegs nur an die Fachleute und bereits vorinformierten Kunstfreunde, sie denken auch an die Kinder und Jugendlichen. Für Kinder brachte als erstes das Wallraf-Richartz-Museum heraus:

Mein Museumsbuch – Kinderkatalog.

Einen neuartigen Weg, der großen Anklang gefunden hat, beschreitet das Römisch-Germanische Museum. Statt der üblichen Kataloge gibt es die Römer-Illustrierte heraus. Bisher erschienen zwei Ausgaben, 1974 und 1975. Einzelthemen werden in kleineren Heften abgehandelt, die innerhalb der Schriftenreihe des Römisch-Germanischen Museums veröffentlicht werden, Hrsg.: Stadt Köln, Historische Museen. Im Sommer 1976 liegen fünf Hefte vor.

Inzwischen erschien, hrsg. von den Historischen Museen der Stadt Köln, das Kölner Geschichtsjournal 1. 76. ›Das Hänneschen läßt die Puppen tanzen‹.

Die großen Ausstellungen, die Köln regelmäßig veranstaltet, haben nicht zuletzt ihre Bedeutung darin, daß sie das Bild der Forschung über die kunstgeschichtliche Entwicklung der Stadt nachdrücklich beeinflussen und differenzieren. Das dokumentiert sich in den Katalogen. Aus der Vielzahl der Ausstellungen und Ausstellungskataloge seien hier in ihrer zeitlichen Reihenfolge (seit der Nachkriegszeit) diejenigen genannt, die Auskunft über geschichtliche Aspekte der Kunst in Köln geben:

Köln. 1900 Jahre Stadt. Stadtgeschichtliche Ausstellung, 26. 5.–22. 8. 1950, Staatenhaus der Messe, Köln-Deutz.

Die neue Kirche, Rheinisches Museum, 17. 8.–30. 9. 1956, Köln-Deutz.

Der Kölner Dom, Ausstellung Historisches Museum, 11. 8.–31. 12. 1956.

Der Meister des Bartholomäus-Altares – Der Meister des Aachener Altares – Kölner Maler der Spätgotik, Ausstellung im Wallraf-Richartz-Museum zu Köln, 25. 3.–28. 5. 1961.

Europäische Kunst 1912. Zum 50. Jahrestag der Ausstellung des ›Sonderbundes westdeutscher Kunstfreunde und Künstler‹ in Köln, Wallraf-Richartz-Museum, Köln, 12. 9.–9. 12. 1962.

Monumenta Judaica. 2000 Jahre Geschichte und Kultur der Juden am Rhein, eine Ausstellung im Kölnischen Stadtmuseum, 15. 10. 1963–15. 2. 1964.

Der Meister des Dreikönigenschreins. Ausstellung im Erzbischöflichen Diözesan-Museum in Köln, 11. 7.–23. 8. 1964.

Römer am Rhein. Ausstellung des Römisch-Germanischen Museums Köln, Kunsthalle Köln, 15. 4.–20. 6. 1967.

Herbst des Mittelalters. Spätgotik in Köln und am Niederrhein, Kunsthalle Köln, 30. 6.–27. 9. 1970.

Rhein und Maas. Kunst und Kultur 800–1400. Eine Ausstellung des Schnütgen-Museums der Stadt Köln und der belgischen Ministerien für französische und niederländische Kultur vom 14. 5.–23. 7. 1972 in der Kunsthalle Köln.

Rhein und Maas. Kunst und Kultur 800–1400, Bd. 2, Berichte, Beiträge und Forschungen zum Themenkreis der Ausstellung und des Katalogs, Schnütgen-Museum, Köln 1973.

Vor Stefan Lochner. Die Kölner Maler von 1300 bis 1430, Wallraf-Richartz-Museum, Köln 29. 3.–7. 7. 1974.

Vom Dadamax bis zum Grüngürtel. Köln in den zwanziger Jahren, Kölnischer Kunstverein, 15. 3.–11. 5. 1975.

Monumenta Annonis. Köln und Siegburg. Weltbild und Kunst im hohen Mittelalter. Eine Ausstellung des Schnütgen-Museums der Stadt Köln in der Cäcilienkirche vom 30. 4.–27. 7. 1975.

Ferdinand Franz Wallraf, Ausstellung des Historischen Archivs der Stadt Köln, 5. 12. 1974–31. 1. 1975.

Die Parler und der schöne Stil 1350–1400. Europäische Kunst unter den Luxemburgern. Köln 1978.
Cologne intime. Köln 1979.

Von Jahrbüchern seien genannt:

Wallraf-Richartz-Jahrbuch.
Kölner Domblatt. Jahrbuch d. Zentral-Dombauvereins.

Über Ausstellungen, Neuerwerbungen etc. orientiert das im 18. Jahrgang monatlich erscheinende Bulletin Museen der Stadt Köln. (Unter der neuen Redaktion hat sich der Titel geändert).

Weitere Köln-Bücher in alphabetischer Reihenfolge:

GÜNTHER BINDING und BARBARA LÖHR, Kleine Kölner Baugeschichte, Köln 1976.

PETER BLOCH, Die Türflügel von St. Maria im Kapitol, Mönchengladbach 1959.

–, Skulpturen des 19. Jh. im Rheinland, Düsseldorf 1975.

PETER BLOCH und HERMANN SCHNITZLER, Die Ottonische Kölner Malerschule, Bd. 1, Düsseldorf 1967, Bd. 2, 1968.

GEORG BOENISCH, Der unbekannte Dom, Köln 1976.

–, Tatort Köln, Köln 1977.

FRANZ BRILL, Das Kölnische Stadtmuseum (Kulturgeschichtliche Museen in Deutschland, Bd. 5), Hamburg 1965.

HUGO BORGER, Das Römisch-Germanische Museum Köln. Aufnahmen von Helga Schmidt-Glassner, München 1978.

HARALD BROCKMANN, Die Spätzeit der Kölner Malerschule (Forschungen zur Kunstgeschichte Westeuropas, Bd. 6), Bonn 1924.

CHARGESHEIMER (eigentlich Karl-Heinz Hargesheimer), Cologne intime, Text: Hans Schmitt-Rost, Köln 1957, 2. Aufl. 1959.

–, Unter Krahnenbäumen, Text: Heinrich Böll, Köln 1958.

Der Kölner Dom, Festschrift zur Siebenhundertjahrfeier 1248–1948, hrsg. vom Zentral-Dombauverein, Köln 1948.

OTTO DOPPELFELD, ›Über die wunderbare Größe Kölns‹. Werden und Wachsen der rheinischen Metropole (Schriften zur Kölner Topographie, Bd. 1, Köln o. J.

–, Römisches und fränkisches Glas in Köln (Schriftenreihe der Archäologischen Gesellschaft Köln, Nr. 13), Köln 1966.

OTTO DOPPELFELD und RENATE PIRLING, Fränkische Fürsten im Rheinland, Die Gräber aus dem Kölner Dom, Krefeld-Gellep und Morken (Schriften des Rheinischen Landesmuseums Bonn, Bd. 2), Düsseldorf 1966.

LEONHARD ENNEN, Bilder vom alten Köln. Stadtansichten des 15. bis 18. Jahrhunderts und Beschreibung der Zustände vom Mittelalter bis nach der Franzosenzeit. Herausgegeben und eingeleitet von Willy Leson, Köln 1977.

TONI FELDENKIRCHEN, Moderne Kunst in Köln, Köln 1962.

OTTO H. FÖRSTER, Kölner Kunstsammler vom Mittelalter bis zum Ende des bürgerlichen Zeitalters, Berlin 1931.

–, Stefan Lochner. Ein Maler zu Köln, Frankfurt a. M. 1938.

–, Das Wallraf-Richartz-Museum, Bd. 1, Köln 1961.

Festschrift Förster - Mouseion, Studien aus Kunst und Geschichte, hrsg. von Heinz Ladendorf und Horst Vey, Köln 1960.

PETER FUCHS (Hrsg.), Josef Haubrich, Sammler und Stifter, Kunst des XX. Jahrhunderts in Köln, Köln o. J.

–, Köln – damals, gestern, heute, Köln 1965, 4. Aufl. 1975.

–, Köln am Rhein, so wie es war. Ein Bildband aus der Vergangenheit, Köln 1967.

–, Köln – Wesen, Werden, Wirken, Köln 1968.

–, Das Rathaus zu Köln. Berichte und Bilder vom Haus der Bürger in Vergangenheit und Gegenwart, Köln 1973.

–, Das Rathaus zu Köln (Kölner Taschenbuch), Köln 1973.

–, Kölnbild, Köln 1977.

JÖRG GAMER, Matteo Alberti. Oberbaudirektor des Kurfürsten Johann Wilhelm von der Pfalz. Herzogs zu Jülich und Berg etc. (Die Kunstdenkmäler des Rheinlandes) Beiheft 18, Düsseldorf 1978.

GOSWIN PETER GATH, Kölner Sagen, Legenden und Geschichten. Köln 1959, 5. Aufl. 1976.

FRITZ GOLDKUHLE, Mittelalterliche Wandmalerei in St. Maria Lyskirchen (Bonner Beiträge zur Kunstwissenschaft, Bd. 3), Düsseldorf 1954.

B. GRAVELOTT (Eigentlich Albert Vogt) ›De kölsche Feschers Famillich‹. (Dausend Johr en Kölle durch dä Brell belort. Vun de Ubier bis öm 950 eröm), Köln 1973.

–, De Feschers em hellige Kölle. (De zwette dausend Johr durch dä Brell belort un zesammepintiseet vun 1000 eröm bis 1300), Köln 1977.

JOHANN JAKOB HÄSSLIN, Wanderungen durch das alte Köln, Mit 26 Federzeichnungen von Walter Wegener, Köln 1955.

–, Köln – Stern im Westen, München 1953.

–, Der Gürzenich zu Köln. Dokumente aus fünf Jahrhunderten, München 1955.

–, Kunstliebendes Köln. Dokumente und Berichte aus hundertfünfzig Jahren, München 1957.

–, Köln, Die Stadt und ihre Bürger, München 1964.

HERIBERT A. HILGERS (Hrsg.) Kölsche Klassiker. Ein Lese- und Vortragsbuch, Köln 1978.

HEINZ GÜNTER HORN, Mysteriensymbolik auf dem Kölner Dionyssosmosaik (Beihefte der Bonner Jahrbücher, Bd. 37), Bonn 1972.

MAX IMDAHL, Das Gerokreuz im Kölner Dom (Werkmonographien zur bildenden Kunst), Stuttgart 1964.

HORST KELLER (Hrsg.), Kunst, Kultur Köln, Köln 1979.

WILLY KEY, Kölner Leben – ernst und heiter. Zeichnungen und Karikaturen. Mit einer Einführung hrsg. von Josef Thur, Köln 1979.

F. J. KIEFER, Die Sagen des Rheinlandes, Köln 1845. Reprint in ›Die bibliophilen Taschenbücher‹, Nr. 40, 1978.

HILTRUD KIER, Die Kölner Neustadt. Planung, Entstehung, Nutzung (Beiträge zu den Bau- und Kunstdenkmälern im Rheinland, Bd. 23) Düsseldorf 1978.

HERIBERT KLAR (Hrsg.), Kölsche Schrieve, Neue Kölner Mundartdichtungen, Köln 1977.

JOSEPH KLERSCH, Volkstum und Volksleben in Köln, hrsg. von Alexander Bungartz, Köln 1979.

HERMANN KOCHS (Hrsg.), Köln. Stadt des Handels und der Träume. Ein Lese- und Bilderbuch aus unvergänglicher Vergangenheit, Köln 1973.

JOHANN KOELHOFF, Die Cronica van der Hilliger Stat Coellen. Faksimile-Neudruck, Köln 1972.

Köln – in alten Graphiken. Köln 1971, 3. Aufl. 1977.

Kölner Biographien, hrsg. vom Nachrichtenamt der Stadt Köln. Erscheinen seit 1969.

Kölsche Deechter un Gedeechte. Ein Lied- und Vortragsbuch in Kölner Mundart (Beiträge zur kölnischen Geschichte, Sprache, Eigenart.) Hrsg. vom Heimatverein Alt-Köln e.V. Bd. 53, Köln 1971.

HEINZ KROH, Skizzen aus dem Kölner Milieu. Mit einer Einführung hrsg. von Hella Rafflenbeul-Kroh, Köln 1978.

HUBERT KRUPPA, Ein Kölner Vorort mit großer Geschichte: Deutz, Köln 1978.

HANS ERICH KUBACH und ALBERT VERBEEK, Romanische Kirchen an Rhein und Maas, Neuss 1971.

HEINZ LADENDORF, Gerhard Marcks – Albertus Magnus, 1955 (Werkmonographien zur bildenden Kunst), Stuttgart 1962.

WILLY LESON, Das neue Köln. Bilanz eines Stadtbildes zwischen gestern und morgen. Photos: Karl Heinz Thurz, Köln 1974.

–, (Hrsg.) So lebten sie im alten Köln. Texte und Bilder von Zeitgenossen, Köln 1974.

–, Stadtführer Köln. Sehenswertes und Wissenswertes in Texten, Bildern und Stadtplänen. Photos: Karl Heinz Thurz, Köln 1976.

–, (Hrsg.) Kölsch von A bis Z. Ein Handwörterbuch für Eingeborene, Zugezogene und Durchreisende. Köln 1974, 2. Aufl. 1975.

–, Wenzel Hollar in Köln 1632–1636. Mit Johann Jacob Merlos biographischen Notizen und Bilderläuterungen, Köln 1979.

–, (Hrsg.) Feste und Feiern im alten Köln. Texte und Bilder von Zeitgenossen, Köln 1977.

HANS und HILDEGARD LIMMER, Es war einmal in Köln. Die schönsten Sagen und Legenden, erzählt von Ohm Paul für Jupp und Lieschen und deren Freunde. Für junge Leser aufgeschrieben 1975.

–, Geh mit durch Köln. Geschichten vom alten und neuen Köln, unterwegs erzählt und erlebt von Ohm Paul, Jupp und Lieschen, Köln 1966, 7. Aufl. 1978.
–, Geh mit durch Köln mit deiner Kamera. Bilder der Stadt Köln aus einem Fotoalbum für Ohm Paul von Jupp und Lieschen. Fotos von Karl Heinz Thurz, Köln 1976.
–, Kreuz und quer durch Köln. Heitere Sachkunde für Kölner Kinder, erlebt von Peter, Ursula und vielen anderen, Köln 1968, 4. Aufl. 1977.
–, Gute Fahrt ins Land um Köln. Geschichten von berühmten Städten rund um Köln. Unterwegs erzählt und erlebt vom Ohm Paul, Jupp und Lieschen. Für junge Leser aufgeschrieben mit vielen Bildern, Fahrt-, Wander- und Besuchsvorschlägen versehen, Köln 1969, 3. Aufl. 1976.
HANS LISKA, Köln am Rhein – du wunderbare Stadt. 80 farbige Zeichnungen, Bergisch Gladbach 1973.
UDO MAINZER, Stadttore im Rheinland (Rheinischer Verein für Denkmalpflege und Landschaftsschutz, Jahrbuch 1875), Neuss 1976.
–, Köln in den historischen Ansichten, Wuppertal 1977.
WERNER MAYER-BARKHAUSEN. Das große Jahrhundert kölnischer Kirchenbaukunst 1150 bis 1250, Köln 1952.
WILHELM NYSSEN, Heiliges Köln. Wallfahrten zu den Heiltümern der Frühzeit, Köln 1975.
BENNO REIFENBERG, Auguste Renoir – Das Ehepaar Sisley (Werkmonographien zur bildenden Kunst), Stuttgart 1959.
HERBERT RODE, Kunstführer-Köln. Führer zum alten und neuen Köln, Köln 1958, 5. Aufl. 1975.
–, Köln (Deutsche Lande – deutsche Kunst), München/Berlin 1968.
–, Der Kölner Dom (Glasmalereien in Deutschlands größter Kathedrale), Augsburg 1968.
–, Die mittelalterlichen Glasmalereien des Kölner Domes (Corpus vitrearum medii aevi – Deutschland, Bd. 41), Berlin 1974.
KLAUS SCHLEGEL, Köln und seine preußischen Soldaten. Die Geschichte der Kölner Garnison von 1814-1914, Köln 1979.
HANS-MARTIN SCHMIDT, Der Meister des Marienlebens und sein Kreis. Studien zur spätgotischen Malerei in Köln. Beiträge zu den Bau- und Kunstdenkmälern im Rheinland, Bd. 22, Düsseldorf 1978.
HANS SCHMITT-ROST, Kölsch, wie es nicht im Wörterbuch steht, Frankfurt 1958.
HERMANN SCHNITZLER, Rheinische Schatzkammer, Düsseldorf 1957.
–, Rheinische Schatzkammer. Die Romanik, Düssldorf 1959.
JOHANNA SCHOPENHAUER, Ausflug nach Köln im Jahr 1828, hrsg. und eingeleitet von Willy Leson, Köln 1975.
HEINRICH SCHRÖDER, Colonia deleta. Federzeichnungen aus der zerstörten Stadt, Köln o. J.
RUDOLF SCHWARZ, Kirchenbau. Welt vor der Schwelle, Heidelberg 1960.
MAX LEO SCHWERING, Zur Geschichte der kölnischen Fastnacht, Köln 1967.
–, (Hrsg.), Kölsche Parodien, Köln 1968.
ANTON SCHWIND, Bayern und Rheinländer im Spiegel des Pressehumors von München und Köln, München 1958.
FRANZ W. SEIWERT, Schriften (hrsg. von Uli Bohnen/Dirk Backes), Der Schritt der einmal getan wurde, wird nicht zurückgenommen, Berlin 1978.
–, 1894–1933. Leben und Werk. Text und Werkverzeichnis Uli Bohnen, Köln 1978.
HELMUT SIGNON, Das ist nur in Köln zu sehen. Fotos: Theo Felten, Köln 1964.
–, Brücken in Köln am Rhein, Köln 1966.
–, Die Römer in Köln, Frankfurt 1972.
–, Wie war zu Köln es doch vordem ... Geschichte u. Geschichten aus 2 Jahrtausenden, Frankfurt 1972.
–, Alle Straßen führen durch Köln, Köln 1975.
–, Kölner Spaziergänge, Köln 1976.
HERBERT SINZ, Von der Römerzeit bis heute. 2000 Jahre Kölner Handwerk, Köln 1975.
WILHELM STAFFEL, Willi Ostermann, Köln 1976.
ROBERT STEIMEL (Hrsg.), Kölner Köpfe, Köln 1958.
–, Mit Köln versippt, Köln o. J.
ARNOLD STELZMANN, Illustrierte Geschichte der Stadt Köln. Mit Bildtexten von Paul Dahm, Köln 1958, 8. Aufl. 1978.
ANTON STERZL, Der Untergang Roms an Rhein und Mosel. Krise, Katastrophe und Kompromiß im zeitgenössischen Denken, Köln 1978.
HORST-JOHANNES TÜMMERS, Die Altarbilder des älteren Bartholomäus Bruyn, Köln 1964.
ALBERT VERBEEK, Kölner Kirchen, Die kirchliche Baukunst in Köln von den Anfängen bis zur Gegenwart, Köln 1959.
MONIKA VERHÜLSDONK und URSULA STUMPF, E löstich Johr met Kolvenbachs Pänz. Ein Lesebuch für Kölner Kinder, die Kölsch lernen wollen. Zeichnungen von Roswit Balke, Köln 1976.
MONIKA VERHÜLSDONK und CHRISTEL DILLBOHNER. Bildwörterbuch für kölsche Pänz. Zeichnungen von Christoph Eschweiler. Köln 1979.
WALTER VITT, Auf der Suche nach der Biographie des Kölner Dadaisten Johannes Theodor Baargeld, Starnberg, 1977.
HANS VOGTS, Köln. Ansichten aus alter Zeit, Honnef 1956.
–, Das Kölner Wohnhaus bis zur Mitte des 19. Jh. (Rheinischer Verein für Denkmalpflege und Heimatschutz, Jahrbuch 1964–65. Neubearb. der grundlegenden Monographie von 1914), Neuss 1966.

H. v. WEDDEKOP, Das Buch von Köln, Düsseldorf/Bonn (Was nicht im Baedaker steht, Bd. 5), München 1928.

WALTER WEGENER, Erinnerungen an das alte Köln. Zeichnungen Walter Wegener, Texte Rudolf Spiegel, Köln 1979.

HERMANN v. WEINSBERG, hrsg. von Johann Jakob Hässlin, München 1961.

HANS WENTZEL, Bildnisse der Brücke-Maler voneinander (Werkmonographien der bildenden Kunst), Stuttgart 1961.

HILDEGARD WESTHOFF-KRUMMACHER, Barthel Bruyn der Ältere als Bildnismaler (Kunstwissenschaftliche Studien, Bd. 35), o. O. (Berlin 1965).

URSULA WEIRAUCH, Der Engelbertschrein von 1663 im Kölner Domschatz und das Werk des Jeremias Geisselbrunn (Die Kunstdenkmäler der Rheinprovinz. Beiheft 21) Düsseldorf 1973.

UWE WESTFEHLING, Köln um die Jahrhundertwende. In Bildern von Jakob und Wilhelm Scheiner, Köln 1979.

ERNST WEYDEN, Köln am Rhein vor 50 Jahren, neu hrsg. unter dem Titel: Köln am Rhein vor 150 Jahren, und mit einem Nachwort versehen von Max Leo Schwering, Köln 1962; unter dem Titel: Köln am Rhein um 1810, hrsg. und eingeleitet von Willy Leson, Köln 1976.

WILLY WEYRES, Neue Kirchen im Erzbistum Köln 1945–1956, Düsseldorf 1957.

Festschrift Willy Weyres – Vom Bauen, Bilden und Bewahren, hrsg. von Joseph Hoster und Albrecht Mann, Köln 1963.

HERMANN WIEGER (Hrsg.), Handbuch von Köln 1925, Reprint Frankfurt 1979.

ADAM WIENAND, Die Heiligen Drei Könige, Heilsgeschichtlich, kunsthistorisch. Das religiöse Brauchtum, Köln 1974.

ARNOLD WOLFF, Der Kölner Dom (Große Bauten Europas, Bd. 6) Stuttgart 1974.

GERTA WOLFF, Das Römisch-Germanische Museum und das rheinische Köln, Köln 1979.

MANFRED WUNDSAM, Stefan Lochner – Madonna im Rosenhag (Werkmonographie zur bildenden Kunst), Stuttgart 1965.

HANS LUDWIG ZANKL, Eine Stadt spiegelt Weltgeschichte, Köln in zwei Jahrtausenden, Osnabrück 1972.

Kölnführer des Verkehrsamtes:

Phonocologne (Stadtplan, 11 Standorte, Informationen mittels Kassettenrecorder), Leihgebühr DM 52,–. Bei Rückgabe des Gerätes werden DM 50,– wiedererstattet.
Photocologne (Prospekt, Stadtplan mit 25 Standorten und entsprechenden Motiven im Kleinbild), als Hilfe für den photographierenden Touristen gedacht.
›Phonocologne‹ und ›Photocologne‹ gibt es in Deutsch, Englisch, Französisch, Niederländisch und Japanisch.

Praktische Reisehinweise

Anreise und Unterkunft

Alle Angaben Stand September 1979 und ohne Gewähr

Köln ist ein bequem zu erreichendes Reiseziel. Wer mit der Eisenbahn in Köln angekommen ist und aus dem Hauptbahnhof tritt, steht mitten in der Stadt und direkt vor dem Dom. Aus allen Richtungen führen Autobahnen und Schnellstraßen bis ins Stadtinnere. Auch der Flughafen Köln/Bonn (ca. 20 km) ist über eine Autobahn rasch zu erreichen.

Als Stadt, die auf ihre Gastlichkeit hält, bietet Köln Unterkunftsmöglichkeiten jeder Art und aller Preisstufen, vom Luxushotel bis zu gutbürgerlichen Pensionen. Jugendherbergen befinden sich am Konrad-Adenauer-Ufer, Tel. 73 27 20 und in Köln-Deutz, Siegesstraße 21, Tel. 81 47 11; Campingplätze in Köln-Dünnwald (Tel. 60 33 15) und Köln-Rodenkirchen (Tel. 39 24 21).

Bitte berücksichtigen Sie bei Ihrer Reiseplanung, daß während der großen Messen wie Anuga, Photokina, Spoga u. a. sämtliche Hotels meist Wochen vorher ausgebucht sind. Hotel- und Privatzimmervermittlung: Verkehrsamt der Stadt Köln, Tel. 2 21 33 45.

Kölner Kulturleben

Museen

Die Öffnungszeiten sind nach dem Stand vom September 1979 angegeben.

Wallraf-Richartz-Museum und **Museum Ludwig,** Alte und moderne Kunst; Graphische Sammlung – An der Rechtschule, Tel. 2 21 23 70; Kunst- und Museumsbibliothek – Kattenbug 18–24, Tel. 2 21 23 88.
Geöffnet: täglich 10–17 Uhr, dienstags und donnerstags 10–20 Uhr.

Schnütgen-Museum in der Cäcilienkirche. Kirchliche Kunst vom frühen Mittelalter bis zum Barock – Cäcilienstraße 29, Tel. 2 21 23 10.
Geöffnet: täglich (außer montags) 10–17 Uhr, mittwochs 10–20 Uhr.

Römisch-Germanisches Museum, Europäische Vorgeschichte; das römische Köln – das fränkische Köln; Römische Glassammlung – Goldsammlung von Diergardt; Münzkabinett – Roncalliplatz 4, Tel. 2 21 44 38 / 45 90.
Geöffnet: täglich 10–20 Uhr.

Zum Römisch-Germanischen Museum gehören das

Prätorium unter dem Rathaus (Spanischer Bau).
Geöffnet: täglich (außer montags) 10–17 Uhr und das

Ubiermonument, An der Malzmühle 1, Wiedereröffnung für Herbst 1979 vorgesehen. Die **Mikwe** (Judenbad), Rathausplatz, ist geöffnet sonntags von 10–13 Uhr. Sonst auf Anfrage beim Römisch-Germanischen Museum.

Kölnisches Stadtmuseum, Stadt – Wirtschaft – Kultur. Dazu Archivabteilungen: Kölner und Rheinische Graphik; Münzkabinett; Rheinisches Bildarchiv; Sammlung Faßbender. – Zeughausstraße 1–3, Tel. 2 21 23 52.
Geöffnet: täglich (außer montags) 10–17 Uhr, donnerstags 10–20 Uhr.
Rheinisches Bildarchiv – Unter Sachsenhausen 34, Tel. 2 21 23 54, Geschäftsstunden: Montag bis Donnerstag 10–17 Uhr.
Zum Kölnischen Stadtmuseum gehört die **Telegraphenstation Flittard,** Tel. 66 23 88. Besuch nach Vereinbarung möglich.

Kunstgewerbemuseum, Kunsthandwerk vom Mittelalter bis heute; Direktion und Depot – Eigelsteintorburg, Tel. 2 21 38 60. Sonderausstellungen, Overstolzenhaus – Rheingasse 8, Tel. 2 21 23 33 (Textilsammlung Tel. 2 21 23 91).
Geöffnet: täglich (außer montags) 10–17 Uhr (Abendführungen für Gruppen nach Vereinbarung möglich).

Rautenstrauch-Joest-Museum, Kultur und Kunst außereuropäischer Völker – Ubierring 45, Tel. 31 10 65 / 66.
Geöffnet: täglich (außer montags) 10–17 Uhr, mittwochs 10–20 Uhr. Für Besucher der Kammerspiele auch eine Stunde vor Beginn der Theatervorstellung.

Museum für Ostasiatische Kunst, Kunst aus Japan, China und Korea – Universitätsstraße 100, am Aachener Weiher, Tel. 40 50 38.
Geöffnet: täglich 10–17 Uhr, freitags 10–20 Uhr.

Josef-Haubrich-Kunsthalle, Wechselnde Ausstellungen alter und neuer Kunst und Kultur – Josef-Haubrich-Hof 1, am Neumarkt. Tel. 2 21 23 35.
Geöffnet: täglich 10–17 Uhr, dienstags und freitags 10–22 Uhr.

Kölnischer Kunstverein
Josef-Haubrich-Hof 1, Tel. 2 21 37 40.
Geöffnet: täglich (außer montags) 10–17 Uhr, freitags 10–20 Uhr.

Erzbischöfliches Diözesan-Museum, Kirchliche Kunst und Kunstgewerbe – Roncalliplatz 2 (Verwaltung: Marzellenstraße 32), Tel. 24 45 46.
Geöffnet: dienstags – samstags 10–17 Uhr, sonntags 10–13 Uhr, montags geschlossen.

Herbig-Haarhaus Lackmuseum, Sammlung künstlerischer Lackarbeiten aus Europa und Ostasien,
5000 Köln 30 (Bickendorf), Vitalisstraße 198, Tel. 5 88 13 19.
Geöffnet: montags – freitags 9–16 Uhr (Voranmeldung erbeten).

Theatermuseum, Theatergeschichtliche Sammlungen des Instituts für Theaterwissenschaft der Universität Köln,
Schloß Wahn, 5000 Köln 90, Tel. (0 22 03) 6 41 85 (Vorwahl von Köln: 8 20).
Öffnungszeiten: 9–17 Uhr nach vorheriger Vereinbarung.

KHD Motoren-Museum (Klöckner-Humboldt-Deutz-AG), Deutz-Mülheimer Straße 111, Tel. 8 22 29 18.
Geöffnet: montags-freitags 9–16 Uhr.

Besteck-Museum Bodo Glaub, Wechselnde Besteckausstellungen – Burgmauer 68, Tel. 13 41 36.
Geöffnet: montags–freitags 15–18 Uhr, samstags 11–14 Uhr.

Museum des Geologischen Instituts der Universität Köln, Klima der Vorzeit – Zülpicher Straße 49, Eingang Stauderstraße, Tel. 4 70 22 62.
Geöffnet: mittwochs 10–18 Uhr. Sonst nach Vereinbarung.

Museum des Mineralogisch-Petrographischen Instituts der Universität Köln, Mineralien des Siegerlandes und der Umgebung Kölns – Zülpicher Straße 49, Tel. 4 70 22 38.
Geöffnet: mittwochs 14–20 Uhr.

Zollmuseum, Zollgeschichte und Zollkriminalistische Sammlung – Neuköllner Str., Tel. 2 06 01.
Öffnung nach Vereinbarung.

Öffnungszeiten sonstiger Sehenswürdigkeiten musealen Charakters

Schatzkammer des Doms, sonn- und feiertags 12.30–17 Uhr, werktags 9–17 Uhr, Sommer bis 18 Uhr.

St. Ursula, Goldene Kammer, in der Regel dienstags – samstags 10–12 Uhr und 15–17 Uhr (Voranmeldung beim Küster Peter Faßbender, Ursulagartenstraße 16a, Tel. 13 28 23 oder im Pfarramt).

St. Severin, Spätrömische, fränkische und karolingische Kirchengrundrisse, Führungen durch den Küster montags und freitags 16.30 Uhr (Voranmeldung ratsam).

Weidener Grabkammer, Weiden, Aachener Straße 328.
Besuch nach Vereinbarung im Römisch-Germanischen Museum.

Wegen der immer mehr zunehmenden Kirchendiebstähle sind viele Kirchen außerhalb der Gottesdienste ganz oder teilweise geschlossen. Anfragen, falls man eine bestimmte Kirche sehen will, sind zu empfehlen.

Beispiel: Die Abteikirche Brauweiler ist nur noch donnerstags 8–12 Uhr, samstags und sonntags nachmittags geöffnet.

Galerien

Im Vergleich mit anderen deutschen Städten ist Köln reich an Galerien. Außer dem Galeriehaus in der Lindenstraße (s. S. 275) finden Sie eine Reihe weiterer Galerien, die vornehmlich die Kunst des 20. Jh. bis zur jüngsten Gegenwart präsentieren. Ein monatlich erscheinendes Faltblatt gibt Auskunft über die wechselnden Ausstellungen.

Theater, Film, Konzerte

Bühnen der Stadt Köln

Oper der Stadt Köln, Offenbachplatz, Tel. Bestellung 21 25 81.

Schauspiel Köln, Tel. Bestellung 21 26 51. Kammerspiele, im Rautenstrauch-Joest-Museum, Ubierring, Tel. Bestellung siehe Schauspielhaus.

Theater am Dom, in der Kölner Ladenstadt, Breite Straße, Tel. 21 77 17.

Theater Cordial, Burgunderstraße 26, Tel. 24 24 20.

Theater Kefka (Pantomime), Aachener Straße 24, Tel. 51 36 24.

Theater Der Keller, Kleingedankstraße 6, Tel. 31 80 59.

Kölner Kinderbühne, Hohe Pforte 23, Tel. 24 92 42.

Die Machtwächter (Polit-Kabarett), Gertrudenstraße 24, Tel. 24 21 01.

Volkstheater Millowitsch, Aachener Straße 8, Tel. 21 28 75.

Theater im Vringsveedel, Severinstraße 81, Tel. 31 31 10.

Puppenspiele der Stadt Köln, Eisenmarkt, Tel. 21 20 95.

Boulevard-Theater ›Senftöpfchen‹, Pipinstraße 2, Tel. 23 79 80.

Kölsches Theater bieten außer dem Millowitsch-Theater und dem Theater im Vringsveedel:

Altermarktspielkreis der Volkshochschule (siehe deren Programm).

Cäcilia Wolkenburg des Kölner Männergesangsverein, Divertissementchen als Gastspiel der Karnevalszeit im Opernhaus.

Kumede, Theater des Heimatvereins Alt-Köln (5000 Köln, Weißenburgstraße 14).

Filmhistorisch wichtige Filme zeigt regelmäßig die **Cinemathek,** Vorführungen im Vortragssaal des Wallraf-Richartz-Museums.

Konzerte

Köln hat ein großes Konzertprogramm. Als Beispiele seien genannt: WDR, Kölner-Rundfunk-Sinfonie-Orchester; Meisterkonzerte der Westdeutschen Konzertdirektion; Gürzenichkonzerte der Stadt Köln; Kammerkonzerte der Stadt Köln, Philharmonischer Chor Köln, Bach-Verein Köln.

Universität und sonstige Hochschulen

Köln hat ein reiches Angebot an Hochschulen. Wir nennen als Beispiele:
Universität zu Köln, 5000 Köln 41, Albertus-Magnus-Platz.
Staatliche Hochschule für Musik, Dagobertstraße.
Pädagogische Hochschule Rheinland, 5000 Köln 41, Gronewaldstraße 2.
Fachhochschule Köln, Zentralverwaltung, Claudiusstraße 1.
Sporthochschule, 5000 Köln 41, Carl-Diem-Weg.
Volkshochschule Köln, Josef-Haubrich-Hof 1.

Archive und Bibliotheken

(Auswahl)
Historisches Archiv der Stadt Köln, Severinstraße 222–228.
Rheinisch-Westfälisches Wirtschaftsarchiv, Unter Sachsenhausen 10.
Rheinisches Bildarchiv, siehe Kölnisches Stadtmuseum.

Universitäts- und Stadtbibliothek, Universitätsstraße.
Zentralbibliothek Direktion und Lesesaal, Josef-Haubrich-Hof 1.
Arthothek der Stadtbücherei, Am Hof 50, Haus Saaleck.
Musikbücherei, Jokardenhaus, Johannisstraße.
Germania Judaica, Kölner Bibliothek zur Geschichte des deutschen Judentums, Hochhaus, Hansaring 97.

Kölner Kalendarium

Köln und **Karneval** werden oft in einem Atemzug genannt. Eine Identifikation wäre freilich grundfalsch. Nicht jeder Kölner ist ein Karnevalsjeck. Aber unbestreitbar nimmt er im Leben der Stadt einen wichtigen Platz ein und hat ein unverwechselbares Gepräge. Exportierbar ist er im Grunde nicht. Was Fernsehsendungen vermitteln können, läßt kaum die Atmosphäre der Sitzungen, die Stimmung auf der Straße bei den Umzügen ahnen. Karneval muß man in der Gesellschaft von Kölnern erleben, will man seine Bedeutung begreifen. Er kommt dem Bedürfnis des Kölners nach Selbstdarstellung entgegen. Heiß begehrt sind Karten zu den Spielen des Altermarkt-Spielkreises der Volkshochschule. Nicht minder beliebt sind die DIVERTISSEMENTCHEN der Cäcilia Wolkenburg, die als Gastspiele in der Karnevalszeit im Kölner Opernhaus gegeben werden. Jedes Jahr gibt es ein neues Stück. Alle Rollen, auch die weiblichen, werden von Männern, Mitgliedern des Kölner Männergesangsvereins, verkörpert. Den komischen Höhepunkt in den Divertissementchen bilden die Auftritte des Wolkenschieberballetts. Ein weiterer Witz des Spiels liegt in der ebenso geschickten wie verblüffenden Mischung der Musik aus Karnevalsmelodien und Zitaten ernster Musik.

Fastnachtsbälle gibt es auch anderswo. Viel charakteristischer als die Bälle ist jedoch der SITZUNGSKARNEVAL, veranstaltet von den Karnevalsgesellschaften und Vereinen.

An Weiberfastnacht beginnt der STRASSENKARNEVAL. Bereits um 10 Uhr morgens wird durch die Karnevalsgesellschaft der ›Altstädter‹ der Straßenkarneval mit einer Sitzung auf dem Alter Markt eröffnet, an der die Spitzen der Stadt, vor allem aber das Kölner ›Dreigestirn‹ teilnehmen – Köln hat kein Prinzenpaar, sondern das Dreigestirn, bestehend aus Prinz Karneval, dem kölschen Bauer (Symbol der Wehrhaftigkeit der Stadt) und der kölschen Jungfrau (Symbol der Stadt, von einem Mann verkörpert). Gegen 11 Uhr wird der Straßenkarneval auch in den Vororten durch die dort beheimateten Karnevalsgesellschaften eröffnet. Mittags – um 14 Uhr – findet der Weiberfastnachtszug von JAN UND GRIET statt in Erinnerung an das Lied vom Reitergeneral Jan von Werth und dem Mädchen, das ihn einst verschmäht hatte, als er noch ein einfacher Bauernknecht war. Der Umzug beginnt am Severinstor mit Tanz und Spiel. Er endet vor dem Jan van Werth-Denkmal auf dem Alter Markt. Am Abend gibt es eine Reihe Kostümbälle.

Am Samstag richten die Roten Funken den FUNKEN-BIWAK aus. Bisher wurde er auf dem Neumarkt veranstaltet. Seit dem Bau der Stadtbücherei beim Josef-Haubrich-Hof ist den Schaustellern ein bisher zur Aufstellung von Karussells und Buden geeigneter Platz verloren gegangen. Die Stadtverwaltung scheint geneigt, ihnen den Neumarkt als Ersatz zuzugestehen und den Roten Funken als Ersatz den Offenbachplatz anzubieten.

Am KARNEVALSSONNTAG findet mittags (ab 14 Uhr) der Umzug der ›Schull- un Veedelszög‹ statt. Eine ansehnliche Zahl der Kölner Schulen beteiligt sich daran. Dazu kommen die verschiedensten Vereine und Stammtische, die sich als Fuß- oder Wagengruppen formieren. Die besten – nach Originalität der Idee und Qualität der Ausführung – Fuß- und Wagengruppen werden dadurch ausgezeichnet, daß sie auch am Rosenmontagszug teilnehmen dürfen.

Sind die Gruppen der Schull- un Veedelszög vom spontanen Witz bestimmt, so steht der ROSENMONTAGSZUG, den die großen Karnevalsgesellschaften ausrichten, jeweils unter einem genauen Programm. Das Motto wird jeweils am Ende des Karnevals für die nächste Saison bekanntgegeben. Das Thema eines jeden Wagens ist Monate voraus festgelegt. Zu Persiflagen auf Politiker und Politik, zu nostalgischen Erinnerungen an kölsche Originale, kommt die Pracht der roten und der blauen Funken, der Ehren- und der Prinzengarde, des Kölner Dreigestirns! In Vororten wie Ehrenfeld, Sülz-Klettenberg, Mülheim erfreuen sich die Dienstagszüge großer Beliebtheit.

Dem Karneval wohnt das Wissen um die Vergänglichkeit inne. Dem Flitter folgt die Auskehr. Gleich nach den Umzügen treten die Kehrmaschinen in Aktion. Der Kölner Karneval ist katholisch (im Gegensatz zur Basler Fastnacht, die erst mit dem Aschermittwoch beginnt). Zum Ausklang des Karnevals gehört das Fischessen der Karnevalsgesellschaften, das am Aschermittwoch oder in den unmittelbar darauffolgenden Tagen stattfindet.

Vom französischen Vorbild inspiriert initiierte Stadtdechant Robert Grosche nach dem Zweiten Weltkrieg den ASCHERMITTWOCH DER KÜNSTLER. Wiewohl inzwischen auch in anderen Städten ein Aschermittwoch der Künstler stattfindet, hat er in Köln seine überregionale Bedeutung zu halten vermocht. Sein Grundthema ist die Frage nach dem Verhältnis von Kunst und Kirche in der Gegenwart. Der Aschermittwoch der Künstler wird eingeleitet durch eine Messe für die Künstler und Kunstfreunde, die seit einer Reihe von Jahren in St. Pantaleon stattfindet. Mittags ist im Stapelhäuschen das Fischessen für die Künstler. Am Nachmittag gibt es gewöhnlich einen Vortrag zum Thema Kunst und Kirche und anschließend den Künstlerempfang durch den Kölner Kardinal. Bis vor wenigen Jahren klang der Aschermittwoch der Künstler mit einer Aufführung im Schauspielhaus aus. Das schwindende Angebot an eigentlich christlichen Gegenwartsstücken hat jedoch dazu geführt, daß in den letzten Jahren auch andere Programme angeboten wurden.

Gewöhnlich im März, jedoch alternierend mit Düsseldorf findet in Köln die **Westdeutsche Kunstmesse** statt. Auf ihr werden Kunst- und Kunstgewerbe – europäische und außereuropäische Kunst – bis zum Beginn unseres Jahrhunderts angeboten. Da hier Firmen von Weltruf vertreten sind, erfreut sich die Kunstmesse eines regen Publikumsinteresses.

Der alljährliche **Blumenmarkt im Mai,** der bis vor kurzem dem Gereonsdriesch seine besondere Note gab, ist in jüngster Zeit auf den Alter Markt verlegt worden. Dieser wird von Jahr zu Jahr beliebter als Kulisse besonderer Veranstaltungen wie z. B. auch des **Trödelmarktes.** Eine Entwicklung, die von der Stadt Köln entschieden gefördert, z. T. sogar initiiert wird.

Für Mülheim ist das **Fronleichnamsfest** noch heute der wichtigste Tag im Jahr. An diesem Tag feiert auch die Sebastianusschützenbruderschaft ihr Schützenfest. Sie richtet darum auch die MÜLHEIMER GOTTESTRACHT aus, die als Schiffsprozession stattfindet. Nach der Messe in der Liebfrauenkirche zieht die Prozession zum Kohlplatz und geht von da aus an Bord. Das Prozessionsschiff und seine Begleitschiffe fahren bis zur ehemaligen Kölner

Stadtgrenze. Unmittelbar nach der Rückkehr beginnt der Festrummel mit Schützenschießen und Kirmes.

Vom 1. Mai bis zum 15. September lädt der **Tanzbrunnen** im Rheinpark ein. Die Stichworte heißen: Stars – Hits – Show. Veranstaltungen sind mittwochs, samstags und sonn- und feiertags. Die Programme kann man beim Verkehrsamt der Stadt Köln, Unter Fettenhennen 19, erhalten. Außerdem enthalten die Kölner Tageszeitungen Hinweise.

Vom 1. Mai bis Anfang Oktober finden auf dem Roncalliplatz auf der Südseite des Domes vor dem Römisch-Germanischen Museum ebenfalls am Wochenende öffentliche Veranstaltungen statt. Sie stehen unter dem Stichwort: **Musik und Spiele am Dom.** Neben auswärtigen Gruppen ist das vor allem für die städtischen und privaten Theater Kölns eine gute Gelegenheit, sich mit interessanten Produktionen vorzustellen und dadurch neues Publikum zu gewinnen.

Die Spielzeit der Städtischen Bühnen klingt seit einigen Jahren jeweils mit einer Woche des modernen Tanzes aus. Außer dem **Kölner Tanz-Forum,** das sich auf Formen des modernen Tanzes spezialisiert hat, werden auch die Ballette benachbarter Theater und Gastspiele von weither eingeladen. Außerdem findet in Köln eine **Sommerakademie des Tanzes** statt.

Gegen Ende der 60er Jahre schlossen sich einige Kölner Galerien als Progressive zusammen, um im September zunächst in der Kunsthalle, dann in der Messe den **Kölner Kunstmarkt** zu veranstalten. Gleichzeitig mit der Krise des Handelns mit moderner Kunst, erwuchs dem Kölner Kunstmarkt eine scharfe Konkurrenz in Basel, Düsseldorf und neuerdings Paris. Mit den Düsseldorfer Veranstaltern wurde ein Übereinkommen erzielt. Dementsprechend wird nun der Kunstmarkt ebenso wie die Westdeutsche Kunstmesse Jahr für Jahr alternierend, entweder in Köln oder in Düsseldorf stattfinden. Im Gegensatz zur Kunstmesse wird auf dem Kunstmarkt nur Gegenwartskunst gezeigt. Da Galerien aus aller Welt vertreten sind, läßt der Kunstmarkt für eine Woche in Köln gleichsam ein zusätzliches Museum für moderne Kunst entstehen. Für Künstler, die durch keine der großen Galerien vertreten sind, und für die Galerien, die nicht zu den Veranstaltern des Kunstmarktes gehören, bietet der gleichzeitig mit diesem stattfindende ›Neumarkt der Künstler‹ eine Möglichkeit zur Präsentation.

Zum Martinsfest am 11. November finden in vielen Kölner Pfarrgemeinden die **Martinsumzüge** statt. Auch ist noch der Brauch lebendig, daß Kindergruppen mit z. T. selbst gebastelten Fackeln die Straßen durchziehen und für das Martinssingen mit Süßigkeiten belohnt werden.

Zu Weihnachten werden in den katholischen Kirchen **Krippen** aufgebaut. Ein Vergleich der verschiedenen Krippen miteinander – der sehr realistischen, der mehr abstrahierenden, der vielfigurigen, der auf das Hauptgeschehen allein konzentrierten – ist äußerst reizvoll. Daher hat sich seit vielen Jahren die Krippenfahrt oder der Krippenbesuch in Kölner Familien eingebürgert. (Krippenfahrten organisiert das Verkehrsamt.) Wie in vielen anderen Städten findet in Köln alljährlich auf dem Neumarkt ein Weihnachtsmarkt statt.

Ein Kapitel Kölsch

Wie Kölns Stapelrecht aus der Grenzlage zwischen ober- und niederrheinischer Schiffahrt begründet war, so liegt die Stadt auch sprachlich gesehen in einem Grenzgebiet, dem ripuarisch-fränkischen, in dem bereits Einflüsse aus dem Niederfränkischen spürbar werden, das aber andererseits noch mit den südlicheren Gebieten in Zusammenhang steht. Zwischen dem eigentlichen Kölsch, das auf der linken Rheinseite gesprochen wird, und dem Bergischen auf der rechten Rheinseite sind deutliche Unterschiede zu bemerken. Bis ins 20. Jh. gab es auch merkliche Verschiedenheiten zwischen dem Stadt- und dem Landkölnischen. Selbst innerhalb der Mauern der Stadt nahm das Kölsch eine jeweils verschiedene Färbung an, je nachdem ob es von den eigentlichen Städtern oder von den Bauern, den sogenannten ›Kappesbauern‹ gesprochen wurde, deren Höfe noch innerhalb der Stadtmauern lagen. Es war die Sprache einer geschlossenen Gesellschaft. Aber das ist nur die halbe Wahrheit; denn Köln erwies sich immer wieder offen für fremde Einflüsse. Hans von Wedderkop nennt einige Beispiele für die Assimilierung von Fremdworten ins Kölsche. So erklärt er ›Baselemanes‹. Das Wort »ist typisch dafür, was alles so über die Stadt im Laufe der Zeit weggebraust ist. Es kommt aus dem Spanischen und heißt ganz einfach unverdorben ›beso las manos‹, d. h. also Handkuß oder im übertragenen Sinne Umschweife und unangebrachte Verbeugungen.« Oder auch ein anderes Beispiel: ›Kamesöle‹, das heißt Verprügeln. Von Wedderkop schreibt dazu: »Es ist natürlich nichts weiter als das französische Wort ›Camisole‹, was Unterjacke bedeutet. Camisole ist die übliche gestrickte Unterjacke mit Ärmel, die eben solche Leute gern tragen, die Lust am Verhauen haben, wie alle diese ›Rhingkadetten‹ (Gelegenheitsarbeiter beim Ein- und Ausladen der Rheinschiffe), wenn man sie nämlich reizt.«

Das Kölsch ist reich an plastischen Vergleichen. Das verlängerte Rückgrat spielt dabei eine nicht geringe Rolle. Der Kölner Kunstsammler Joseph Feinhals, Mitveranstalter der Sonderbundausstellung, und von Hauptberuf Zigarrenhändler, der sich mit Schriftstellernamen Collofino nannte, war sich nicht zu schade 1939 einen schön gebundenen Privatdruck mit dem Titel ›Non olet oder die heiteren Tischgespräche des Collofino über den orbis cacatus‹ herauszubringen. Er erklärt das als umständlichen Bericht über die beschissene Welt. Nach solcher Vorbemerkung wird der Leser nicht skandalisiert sein, wenn ich ihm verrate, daß es in Köln z. B. en ›hillige Fott Angenies‹ gibt, womit eine scheinheilige Betschwester gemeint ist. Ein ›Föttche an der Äde‹ ist ein Spottname für kleine gedrungene Leute mit kurzen Beinen. Ein ›Föttchesföhler‹ ist jemand, der die Mädchen gern in den betreffenden Körperteil kneift. Damit wir uns nicht zu weit vom Thema eines Kunstführers entfernen, sei erwähnt, daß den Mädchen, die allzu heiratsscheu sind, noch heute die Gereonskiste angedroht wird. Über die ›Girjuns-Keß‹ schreibt Ernst Weyden in ›Kölns Legenden, Sagen und Geschichten‹: »Die Gereonskiste war ein bloßer Scherzname, welchen man dem nahe bei St. Gereon gelegenen Konvent zur Heiligen Magdalena gab«.

Bis zum Anfang des 19. Jh. war Kölsch die Umgangssprache aller Schichten der Bürgerschaft. Johanna Schopenhauer bezeugt dies in ihrem Bericht über den ›Ausflug nach Köln im Jahr 1828‹. Die Mutter des Philosophen schreibt: »Verstehen und sprechen können muß diese Volkssprache jeder Einwohner von Köln, denn sie bietet das einzige Mittel, sich selbst den nicht ganz niederen Volksklassen verständlich zu machen und zugleich ihr Vertrauen zu gewinnen; im Munde der Gebildeten hat sie sogar eine gewisse anmutige Naivität, die besonders im Munde der Frauen sehr angenehm werden kann.« Johanna Schopenhauer führt weiter einige Worte des kölschen Dialektes und dazu Fremdworte, die eingekölscht sind, an. Mit dieser Liste nimmt sie die Wörterbücher zum Kölschen vorweg. Das berühmteste wurde Fritz Hönigs ›Wörterbuch der Kölner Mundart‹, das erstmals 1905 herausgegeben wurde. Ein Neudruck erschien 1952. Adam Wrede bot mit seinem dreibändigen ›Neuen kölnischen Sprachschatz‹ ein kulturgeschichtliches volkskundliches Lesebuch. Ein neues Nachschlagewerk hat 1975 Willy Leson herausgebracht: ›Kölsch von A bis Z. Ein Handwörterbuch für Eingeborene, Zugezogene und Durchreisende‹. Wichtig ist sein Hinweis, daß ein Dialekt, also auch das Kölsche keine Schriftsprache ist, das somit über die rechte Schreibung kölscher Worte verschiedene Auffassungen bestehen können.

Hans Schmitt-Rost weist in ›Kölsch wie es nicht im Wörterbuch steht‹ darauf hin, daß das Kölsch im 19. Jh. weitgehend die Sprache der niederen Schichten war. Zutreffend stellt er fest, daß eigentlich in Köln drei Sprachen heimisch sind: »Erstens reines Hochdeutsch, zweitens reines Kölsch und drittens das sogenannte ›Hochdeutsch mit Knubbeln‹ oder ›Familienkölsch‹. Die dritte Variante ist am meisten verbreitet, kenntlich durch einen leichten Singsang und das in ›J‹ verwandelte ›G‹. ›G‹ gibt es eigentlich gar nicht in Köln. Die Linken denken an ihre Jenossen, die Rechten an den lieben Jott.« Weil das unverfälschte Kölsch die Sprache der Proleten war, hat es einen derben, ja aggressiven Zug angenommen. Erklärbar als die notwendige Selbstverteidigung der Zukurzgekommenen.

Die Mittelschicht sprach das Hochdeutsch mit Knubbeln oder Familienkölsch. Ein sprachliches Denkmal hat ihm Maria Heinrich Hoster gesetzt mit seinen Berichten der ›Erläbnisse des Härrn Tillekatessenhändlers Härrn Antun Meis aufnotiert for d'r gebilte Bürger und Kaufmann‹. Hosters Hauptwerk ist nach dem Zweiten Weltkrieg in einer Neuauflage erschienen. Der Delikatessenhändler Anton Meis ist der typische Kleinbürger mit all seinen Beschränktheiten und seinem Dünkel, der die Lachmuskeln des Lesers noch heute strapaziert.

Inzwischen ist das Kölsch einerseits wieder in allen Schichten populär geworden, das Schwinden der Klassenunterschiede hat diesen Prozeß gefördert. Andererseits ist jedoch das Kölsch verarmt; denn es hört auf, gewachsene Sprache zu sein. Zu Recht bemerkt Willy Leson, daß die großen Bevölkerungsverschiebungen nach dem Zweiten Weltkrieg und die zunehmende Mobilität der Menschen in der modernen Industriegesellschaft den Dialekt immer mehr verdrängen: »Zwar machen sich viele Lehrer die Mühe, den Kindern in der Grundschule ein wenig Verständnis für kölsche Eigenart und Sprache zu vermitteln, und es bleibt nur zu hoffen, daß die Kinder ein wenig mehr davon behalten als von den römischen Zahlen, die ja auch einmal in der Geschichte unserer Vaterstadt eine Rolle gespielt haben.« So beginnen sich die Unterschiede zwischen dem Stadtkölnischen und Landkölnischen, ja sogar zwischen dem rechts- und linksrheinischen Kölnischen heute zu verwischen. Trotz dieser Verarmung ist das Kölsche aber immer noch lebendig und hat sogar noch einige Chancen für die Zukunft. Das dokumentieren Anthologien wie ›Kölsche Klassiker‹ herausgegeben von Heribert A. Hilgers und ›Kölsche Schrieve‹ (Neue Kölner Mundartdichtungen, zusammengestellt von Heribert Klar), aber auch die ›Kölschen Parodien‹, hrsg. und erläutert von Max Leo Schwering. Immer wieder entstehen neue Bücher in Kölsch. Großen Anklang haben die ›Psalmen op Kölsch‹ von Ria Wordel, 1975, gefunden.

Die Kölschen Straßensänger sind fast ausnahmslos aus dem Bild der Stadt verschwunden. Somit schien das kölsche Lied nur noch in der Form des Karnevalsliedes eine Chance zu haben. Daß dies jedoch nicht so sein muß, hat bereits der Altermarkt-Spielkreis bewiesen. Vielleicht noch größer ist der Erfolg der ›Bläck Fööss‹, die mit ihren Liedern das Publikum auch im Sommer in Scharen z. B. zum Tanzbrunnen oder auf den Roncalliplatz zu locken vermögen. Schon der Titel des Programms ›Lück wie ich un du‹ verrät das Erfolgsrezept, die nostalgische Beschwörung der gemütlicheren Tage Kölns, als der Tante-Emma-Laden noch unangefochten war, das Mitempfinden mit den Notleidenden und Zukurzgekommenen, das Eintreten für eine menschlichere Welt.

Hingegen können sich in der modernen Industriegesellschaft die Kölner Originale nicht behaupten. Ihr Ende war schon vor dem Ersten Weltkrieg gekommen. Josef Bayer hat den Typen wie dem Fleuten-Arnöldche, dem Urgels-Palm, dem Maler Bock oder dem Freß-Klötsch in ›Kölner Originale und Straßenfiguren‹ ein Denkmal gesetzt. Adam Wrede hat 1959 eine Neuausgabe herausgebracht, die mit Bildunterlagen aus dem Kölnischen Stadtmuseum ausgestattet werden konnte und dadurch einen zusätzlichen kultur-historischen Reiz erhalten hat. Zu den Originalen gehörten nicht nur die Sonderlinge, sondern auch einige der Kölner Gastwirte. Doch damit sind wir schon beim nächsten Abschnitt angelangt, der uns über kölsches Essen und Trinken unterrichten soll.

Kölsche Spezialitäten
(Küche und Restaurants)

Es gibt eine beliebte Scherzfrage: »Was zeichnet Kölsch vor anderen Dialekten aus?« Die Antwort lautet: »Kölsch kann man nicht nur reden, sondern auch trinken.« Kölsch ist ein obergäriges Bier. Bei ihm verläuft die Gärung zwischen 10 und 25 °C in zwei bis drei Tagen. Zum Anstellen wird ein Gemisch aus Hefe und Milchsäurebakterien verwendet, das dem Bier einen säuerlichen Geschmack verleiht. Das Kölsch wird in Stangengläsern gereicht. Es gilt nicht nur als besonders bekömmlich, sondern auch als relativ wenig alkoholhaltig. Kölsch wird zwar in jedem Restaurant in Köln angeboten, doch ist es ein Versäumnis, es nicht in einer KÖLSCHEN KNEIPE zu trinken. Für diese ist charakteristisch der erhöhte Sitz, von der aus die Wirtin oder der Wirt den Gastraum souverän überblickt. Ebenso typisch sind die gescheuerten Holztische ohne Tischtuch. Der Kellner heißt in einer kölschen Kneipe ›Köbes‹, Kurzform von Jakob. Wenn überhaupt, dann lebt hier noch etwas von den Kölner Originalen fort. Von Wedderkop charakterisiert seinen Dress wie folgt: »Er ist absolut traditionell und besteht vor allen Dingen aus einem blauen Sweater, der um die Taille mit einem Riemen zusammengehalten wird, an dem die dicke lederne Geldtasche hängt, und außerdem hat er eine kurze blaue Schürze vorgebunden.« Schon in den 20er Jahren hat die Zahl der kölschen Kneipen erheblich abgenommen, ein Prozeß, der sich vor allem in jüngster Zeit in erschreckendem Maße fortsetzt. Immerhin gibt es noch einige typische kölsche Kneipen wie das Haus Töller, die Malzmühle, Päffgen, Brauhaus Sion, Peter J. Früh, Mohr-Baedorf und Birrebäumchen.

Wie in jeder Großstadt finden sich auch in Köln eine Fülle von Restaurants, vom erlesenen Speiselokal bis zur gutbürgerlichen Küche. Außerdem hat sich in den letzten Jahren die Zahl der ausländischen Restaurants stark vermehrt. Sie aufzuzählen, ist nicht Aufgabe dieses Reiseführers. Am besten erkundigt sich man beim Hotelportier oder besorgt sich die Broschüre ›Kölner Leben‹, hrsg. vom Kölner Verkehrsverein e. V.

Die KÖLNER KÜCHE ist derb und deftig, aber vielleicht gerade deswegen so schmackhaft. Was ist typisch? Nur in Köln kann man richtig ›Rievkoche‹, d. h. Reibekuchen machen, nämlich aus einem Teig geriebener roher Kartoffeln, dem man geriebene Zwiebel und entsprechend der Menge ein oder mehrere rohe Eier zusetzt und mit Salz abschmeckt. In heißem Fett oder Öl gebacken sind sie eine wirkliche Delikatesse. Wer was Fleischernes zu sich nehmen möchte, ist mit ›Hämmcher‹ gut bedient, sonst auch Schweinshaxe genannt. Über den Genuß des Muschelessens, man bekommt sie beim Bieresel, aber auch in allen sonstigen kölschen Kneipen, schreibt Hermann Ritter in ›Mein altes Köln‹: »Ein würziger, herbanregender Duft steigt von dem dampfenden Gericht auf. Gleich der Schale reifer Früchte haben sich die glänzenden blauweißen Muschelschalen getrennt und lassen den weißen, leicht gelbgetönten Kern sehen. Ein Genuß ganz besonderer Art ist es auch, wenn man nach dem Schlürfen einiger großer und zarter Tiere die Brühe auf dem Grunde des Tellers aufdeckt und mit einer Muschelschale schöpfen kann. Diese graugelbe gepfefferte Brühe scheint den meisten Muschelfreunden als bester Teil der Mahlzeit. Ihre einwandfreie Erzeugung und Würze ist deshalb unerläßliche Bedingung für eine Gastwirtschaft, die auf den Namen Muschelhaus Anspruch macht.« Ein volkstümliches Gericht ist auch ›Himmel und Äd‹, ein Brei aus Kartoffeln und Äpfeln. Dazu gehört gebratene Flönz, d. h. gebratene Blutwurst. Der Kölner liebt Mystifikationen. Ein ›halver Hahn‹ ist in Hochdeutsch ein Roggenbrötchen mit Holländer Käse. ›Kölscher Kaviar‹ ist nichts anderes als ein Stück Blutwurst mit Zwiebeln.

Bei einem Ausflug in die Umgebung z. B. nach Altenberg oder nach Burg an der Wupper wird man sich die BERGISCHE KAFFEETAFEL nicht entgehen lassen. Sie besteht aus süßen Waffeln, zu denen Reis, Sahne und Kompott gereicht werden. Dazu gibt es den Blatz, eine Art süßes Rosinenbrot.

Vorschläge für einen Kurzbesuch

Nicht jedem, der nach Köln kommt, wird es möglich sein, solange zu verweilen, daß er alle vorgeschlagenen Wanderungen absolvieren kann. Es wäre nicht einmal sehr klug, in einen einzigen Besuch alles hineinpressen zu wollen, was in diesem Buch vorgestellt wird. Was beim ersten Besuch Kölns nicht besichtigt werden kann, lockt vielleicht, und nichts wäre schöner, zum Wiederkommen. Gleichwohl seien hier einige Vorschläge für einen ersten, einen Kurzbesuch gemacht. Wer nur EINEN TAG Zeit hat, sollte sich auf jeden Fall gründlich den Dom anschauen, möglichst mit der Schatzkammer. Keinesfalls darf man das Römisch-Germanische Museum oder das Wallraf-Richartz-Museum versäumen. Bei einigermaßen schönem Wetter möchte ich noch vorschlagen, nach Besichtigung des Domes vielleicht über die Hohenzollernbrücke auf die Deutzer Seite zu gehen, um von dort das Panorama der Altstadt zu genießen. Zur Orientierung hilft dem Fremden auch eine Stadtrundfahrt. (Tägl. 10 Uhr, Mai – September auch 14 Uhr, Abfahrt: Verkehrsamt, gegenüber Hauptportal Dom, Dauer ca. 2 Stunden.) Mai – September, nur freitags und samstags 20 Uhr: Kölner Abend (Bus- und Schiffahrt, das illuminierte Köln, Gaststättenbesuche etc.

Bei ZWEI TAGEN Aufenthalt sollte man die eine oder andere Kirche besuchen, wie St. Maria im Kapitol, St. Mariä Himmelfahrt, St. Pantaleon, St. Aposteln oder St. Maria Lyskirchen. Falls es nicht gerade Sonntag ist, enttäuscht ein Besuch des Weidener Grabes auf keinen Fall. Bitte übersehen Sie nicht, daß z. Z. einige städt. Museen montags geschlossen sind.

Bei MEHREREN TAGEN Aufenthalt in Köln sollte man auch einen Ausflug in die Umgebung machen. Für einen Erstbesuch schlage ich Altenberg oder Brühl vor. – Ein Kölnbesuch ist eigentlich nicht komplett, wenn er nicht eine Schiffahrt mit einschließt. Der Kurzbesucher wird einer Rundfahrt zwischen Mülheim und Rodenkirchen den Vorzug geben. Einen eigenen Reiz besitzen dabei die Abendrundfahrten. Wer etwas länger in Köln ist, wird einen Schiffsausflug nach Königswinter (Besuch des Drachenfelses) unternehmen, oder auch eine ausgedehnte Rheinfahrt, wobei das reizvollste Stück die Strecke Koblenz bis Rüdesheim ist. – Alle diese Vorschläge verstehen sich als Anregungen. Der Leser wird selbst zu wählen wissen.

Fotonachweis

Die Reproduktion der Abbildungen auf den Seiten 2, 45, 49, 53, 56/57, 61, 99, 125, 153, 154, 156, 159, 161, 164, 167, 171, 196, 198, 199, 204, 239, 250, 279, 281, 296 und 334 erfolgt mit freundlicher Genehmigung des Kölnischen Stadtmuseums.

Robert und Ebba Borkowsky, Köln 112
Christian Dalchow, Köln Ft. Einband (vordere Innenklappe), 6, 8; Abb. 73, 87, 129, 135, 147, 184
Fridmar Damm, Köln Ft. 7, 9; Abb. 3, 24–26, 36, 43–45, 62, 65–67, 71, 72, 74–76, 83–86, 90, 113, 114, 127, 145, 146, 171, 174–176
M. DuMont Schauberg, Köln Ft. 17; Abb. 10, 162
Erzbischöfliches Diözesan-Museum, Köln Ft. Einband (Rückseite)
Dieter Fücker, Gleuel 80
Rainer Gaertner, Schildgen Ft. 14; Abb. 4, 5, 7, 8, 27, 28, 30, 77, 119, 124, 133, 168, 169
Karl-Heinz Hatlé, Köln Ft. 4a–d, 10d, e, 11, 12
F. Holubowsky, Köln 121
Kölner Stadt-Anzeiger (Inge Eschrich) 131
– (F. W. Holubowsky) 78
– (Hubmanns) 128
Kölnisches Stadtmuseum Ft. 5
Landesbildstelle Rheinland, Düsseldorf 181
H. Loose, Klefhaus Ft. 16
Henry Maitek, Köln Ft. Einband (rückwärtige Innenklappe), 4e, 10a–c; Abb. 105
Werner Marretsch, Bensberg 70
Foto Menke, Bonn-Beuel 182
Ann Münchow, Aachen 17
Museum für Ostasiatische Kunst, Köln 163–167
Helga Premm, Erftstadt-Friesheim 81
Rautenstrauch-Joest-Museum, Köln 150–156
Rheinisches Bildarchiv, Köln 9, 11, 16, 19, 21, 22, 29, 31–33, 37–39, 46–51, 54, 56–61, 63, 64, 68, 82, 88, 89, 91–100, 102, 104, 106–109, 118, 120, 126, 136–144, 149, 158–162, 170, 177, 183; S. 2, 45, 49, 53, 56/57, 61, 63, 99, 125, 153, 154, 156, 159, 161, 164, 167, 169, 171, 196, 198, 199, 204, 239, 250, 279, 281, 296, 334
Helga Schmidt-Glassner, Stuttgart 6, 12–15, 18, 20
Schmölz-Huth, Köln Ft. 19; Abb. 2, 52, 53, 55, 178
Toni Schneiders, Lindau Ft. 13, 18
Heinpeter Schreiber, Köln 179
Aero-Foto Schwarzer, Mönchengladbach 23 (freigeg. Reg.-Präs. Düsseldorf Nr. 06/75 F 1257), 180 (freigeg. Reg.-Präs. Düsseldorf Nr. 06/243/04)
Birgitta Singer, Köln 35, 40–42, 69, 79, 122, 123, 125, 130, 132, 148, 173
Karl Heinz Thurz, Köln 134
Gerhard Uhlig, Wuppertal 101, 103
Verkehrsamt der Stadt Köln Ft. 15; Abb. 1
– (F. Damm) Ft. 2; Abb. 116
– (Theo Felten) 117
– (J. Pfaff) Ft. 4f
Gereon W. Verweyen, Sürth 115
Hildegard Weber, Köln 110, 111
ZEFA, Düsseldorf (F. Damm) Ft. Einband (Vorderseite)
– (K. D. Froehlich) Ft. 1
– (J. Pfaff) Ft. 3

Raum für Ihre Reisenotizen

Anschriften neuer Freunde, Foto- und Filmvermerke, neuentdeckte gute Restaurants, etc.

Raum für Ihre Reisenotizen

Anschriften neuer Freunde, Foto- und Filmvermerke, neuentdeckte gute Restaurants, etc.

Namensverzeichnis

A = Architekt, B = Bildhauer, G = Goldschmied, M = Maler
Bei den wichtigsten Herrschern wurden die Regierungsdaten angegeben.
Sind mehrere Seitenzahlen angegeben, bedeuten kursive Ziffern ausführliche Beschreibungen.

Orts- und Sachregister

Sind mehrere Seitenzahlen angegeben, bedeuten kursive Ziffern ausführliche Beschreibungen. In Klammern gesetzt wurden die im Buch erwähnten Kirchen und Bauten, die heute nicht mehr existieren.

Zeittafel

55 v. Chr. Cäsar überschreitet bei Neuwied den Rhein.

38 v. Chr. Marcus Vipsanius Agrippa siedelt die Ubier im Gebiet von Köln an. Er gründet das Oppidum Ubiorum.

9 n. Chr. Erstmals wird die Ara Ubiorum erwähnt. Das Zentralheiligtum muß schon seit einiger Zeit im Oppidum Ubiorum bestehen.

14–16 Feldzüge des Germanicus im rechtsrheinischen Germanien. Mit ihrem Ende wird die Hoffnung auf Ausdehnung der Römerherrschaft über den Rhein hinaus aufgegeben. Das Oppidum Ubiorum wird zwar Hauptstadt Niedergermaniens, bleibt aber Grenzort.

16 Julia Agrippina im Oppidum Ubiorum geboren.

Vor 50 Ubiermonument.

50 Julia Agrippina veranlaßt ihren Gemahl, Kaiser Claudius, das Oppidum Ubiorum zur Colonia zu erheben: Colonia Claudia Ara Agrippinensis = CCAA. Köln erhält eine steinerne Mauer, die Römermauer.

69 Vitellius in Köln zum Kaiser ausgerufen.

69/70 Bataveraufstand.

98 Trajan wird durch Hadrian die Nachricht überbracht, daß er zum Nachfolger des Kaisers Nerva bestimmt ist.

257 Kaiser Gallienus, der Köln zu seiner Residenz macht, errichtet dort eine Münzstätte. Er verstärkt die Stadtmauern.

259/60 Die Germanen überrennen den Limes, bedrohen Italien. Gallienus verläßt Köln und geht nach Oberitalien. Den Oberbefehl über die rheinischen Truppen überträgt er Postumus. Dieser läßt sich von den Soldaten zum Gegenkaiser proklamieren. Gallisches Kaisertum.

273 Das gallische Kaisertum kann sich gegen Rom nicht behaupten.

260–80 Renovierung des vornehmen Hauses, in dessen Speisesaal das Dionysosmosaik angelegt wird.

Um 310 Kaiser Konstantin d. Gr. legt das Kastell Deutz an und läßt eine Rheinbrücke bauen, die das Kastell mit der Stadt verbindet.

313 Erstmals wird ein Kölner Bischof mit Namen erwähnt. Bischof Maternus von Köln nimmt an der Synode von Rom teil. Der älteste Dom Kölns wird gebaut.

321 Kaiser Konstantin gestattet den Behörden Kölns, auch Juden in den Stadtrat zu berufen.

355 Köln von Germanen erobert.

356 Julian Apostata gelingt die Rückeroberung Kölns.

Nach 350 Errichtung des römischen Kernbaus von St. Gereon.

Vor 450 Köln fest in der Hand der Franken. Sie begründen das ripuarische Teilreich, das sie von Köln aus regieren.

507 König Chlodwig I. beseitigt das ripuarische Teilkönigreich.

Um 550 Anlage der Gräber für zwei Mitglieder des merowingischen Fürstenhauses, einer Dame und eines Knaben in der Waffenrüstung eines erwachsenen Fürsten, im Bereich der Bischofskirche.

Um 665 † Bischof Kunibert. Unter ihm wird erstmals das Petrus-Patrozinium des Kölner Doms erwähnt. Der Bischof gewann als Berater der Hausmeier Einfluß auf die Politik im Frankenreich.

725 † Plektrudis, Witwe Pippin des Mittleren, in Köln. Sie ist Stifterin von St. Maria im Kapitol (um 689).

Vor 787 Karl d. Gr. beruft den Vorsteher der Hofgeistlichkeit, Hildebald, zum Bischof von Köln. Unter ihm wird Köln zum Erzbistum erhoben.

818 † Hildebald. Noch vor seinem Tod wird mit dem Bau des karolingischen, des Alten Doms begonnen.

870 Vollendung des karolingischen Doms.

881 Die Normannen zerstören Köln.

925 Unter Heinrich I. kommt Köln endgültig zum Ostreich.

953 Bruno I., der jüngste Bruder Otto I., wird Erzbischof von Köln. Im selben Jahr wird er zum Herzog von Lothringen ernannt. Er gründet das Kloster St. Pantaleon. – Erste Stadterweiterung zum Rhein hin.

971 Erzbischof Gero in Konstantinopel. Er bringt Theophanu als Gemahlin Otto II. nach Deutschland.

1021 † Erzbischof Heribert. Er erbaute neben dem Dom die Pfalzkapelle und gründete in Deutz eine Benediktinerabtei.

1028 Der Kölner Erzbischof allein ist berufen, in Aachen den deutschen König zu krönen. Erzbischof ist Pilgrim (1021–1036).

1031 Das Amt des Kanzlers für Italien wird mit dem Erzstift Köln dauernd verbunden.